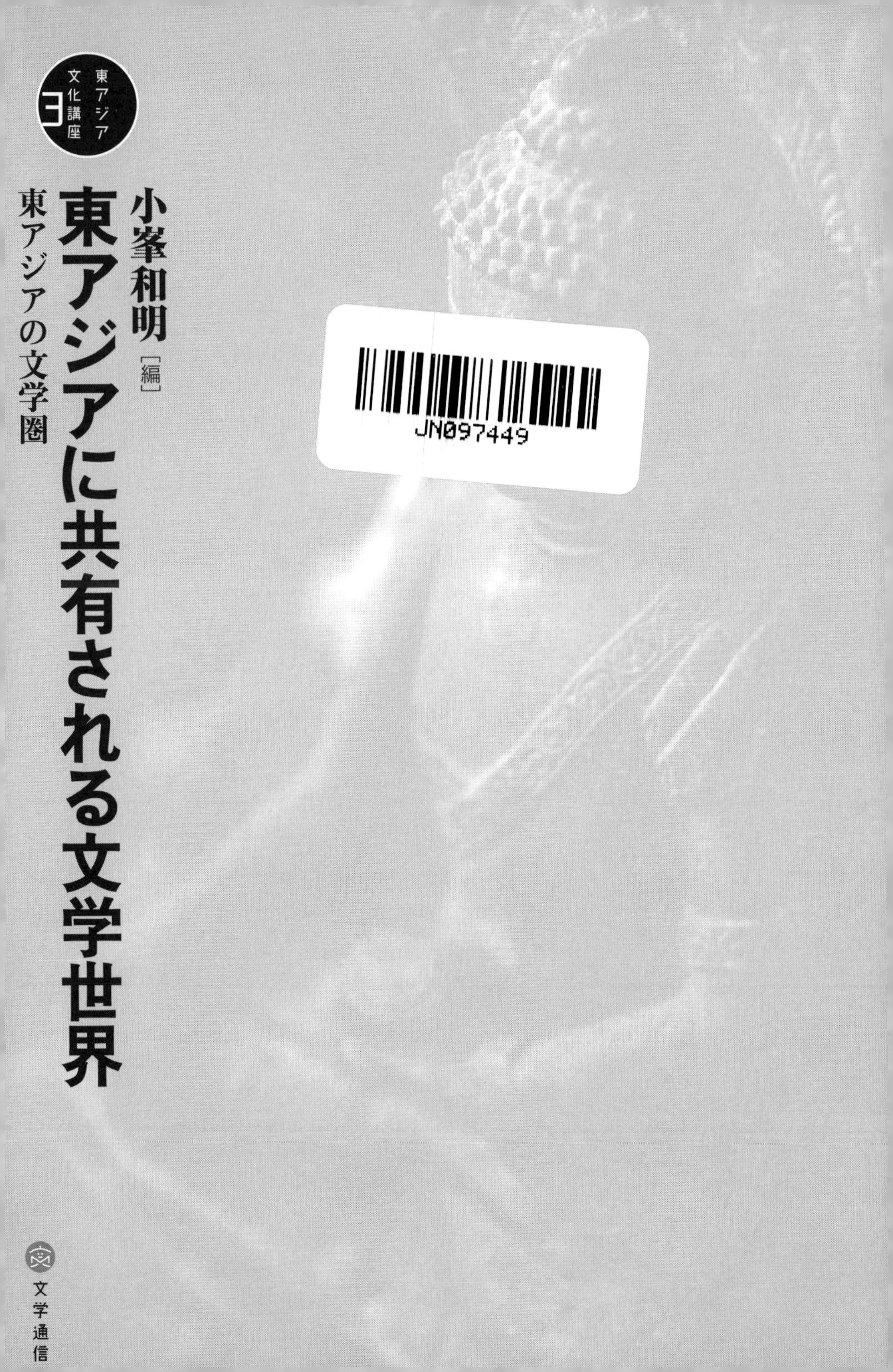

東アジア文化講座 3

小峯和明［編］

東アジアに共有される文学世界

東アジアの文学圏

文学通信

目次

第2部 東アジアの宗教と文学

第3部　東アジアの侵略と文学

第4部　東アジアの歴史と文学

第5部　東アジアの文芸世界

※原文の引用は各論中に断りがない場合、読みやすさに配慮して、かなに濁点・半濁点を付し、漢字は通行の字体に改めるとともに適宜ふりがなを施して、句読点を付けた。

序――東アジアの文学圏

小峯和明

1　本巻の構成

本講座の第三巻は、「東アジアの文学圏」と題して、主に東アジアに共有される文学世界を俯瞰することを目的とする。日本文学に限らず、一国・一地域の文学を追究するのに、自閉的に内向きに見ているだけでは、もはや新しい研究の地平が拓き得ないことが明らかになってきている。これを打開する方策として、まずは〈漢字漢文文化圏〉の東アジアに視野を拡大し、複数の視点から、共有される文学圏の課題を放射状にとらえていこうとするものである。近年の人文系の東アジア文化研究は主に歴史学が主導するかたちで推進されてきており、かなりの成果を収めつつあるが、実証史学に基づく歴史的実体に収束しがちであり、言語表現に即した想像力や思想性に基づく形象力や再生力の面からの検証は不足しており、未開拓の領域も少なくないと観察される。

人々が長い間積み重ねてきた歴史事象がもたらしたものは、決して目に見える形あるものだけに限らない。たとえば、十三世紀の蒙古襲来がもたらした記憶は、「ムクリコクリ」の成語のごとく、長く日本社会のトラウマとなって後世の神風幻想にまで波及する。人々が心の不如意や見えない畏怖や憧憬、期待の地平等々、精神の空隙を埋めるべくして、想像力や思考力を駆使して生み出したさまざまな神仏（毘沙門天や八幡大菩薩に象徴される）がいた。その超越的な力への幻想に基づく敬虔かつ真摯な信仰をはじめ、託宣や詩歌や物語など多種多彩な言説、絵画や造型（たとえば、聖徳太子や神功皇后《じんぐうこうごう》は近代の紙幣にまで表象される）を造りだしていることの意義は、実証史学の分野だけではとらえきれないものがある。

あるいは、遣唐使の問題は異文化交流の花形として研究が進展し、その主体は歴史学によって担われ、歴史事実としての遣唐使の営為が克明に復元されてきている。しかし、問題はそこで終わりではない。遣唐使が廃止されて以後、むしろ日宋以降の交流が活発になる時代状況に応じて、『吉備《きび》大臣《だいじん》入唐《にっとう》絵巻《えまき》』に象徴されるごとく遣唐使をめぐる説話や物語など各種の言説や絵画表象がはぐくまれていくわけで、これらの営みは今まで十分まとまって対象化されていなかったといえる。これこそが文学研究が担うべき課題であるといえるであろう（近時の拙著『遣唐使と外交神話―『吉備大臣入唐絵巻』を読む』集英社新書は、そのささやかな問題提起である）。

本巻では以上のごとき立場から、東アジアの一「学芸」、二「宗教と文学」、三「侵略と文学」、四「歴史と文学」、五「文芸世界」の五つの柱を立てて、個別の問題を展開していきたいと考える。

第一部の「学芸」は、東アジアの〈漢字漢文文化圏〉に共有される学芸として、儒学、本草学、類書、兵法等々に焦点を当て、伝統的な学問のひろがりとそれらの意義を追究する。文学の問題は決して詩歌に代表される近代的な芸術的言語観によるいわゆる文芸ばかりでなく、各時代社会の学問研究（文の「学」）をも領域とする。本義としての「学芸」の問題であり、今日の文学研究の基底や根源にもかかわるものである。

第二部「宗教と文学」は、東アジア文化圏に共有された宗教体系を有し、それに基づく文化を創出した仏教、道教、儒教、神道、陰陽道、キリシタンなどを中心に、宗教と文学のかかわりを解析する。文学と宗教は決して二元的な対置ではなく、宗教をめぐる思想や信仰がおのずと文学として表象され、昇華され、結晶化する一元的な所産にほかならず、より一体化した方位を指向すべきであろう。

ついで第三部「侵略と文学」は、戦争と文学との関連を跡づけるものであるが、以前から私に提起している「侵略文学」の枠組みに応じて、たんに「戦争」という既定の括りではなく、戦争の発端が必ず一方の他方への侵略から始まるように、侵略と被侵略の相関（拉致や亡命も含めて）から問い直されるべき課題である。モンゴルの世界戦略による各地への侵攻をはじめ、東アジア沿海から各地に波及し、さまざまな軋轢を生んだ倭寇、中国の明をも巻き込んだ秀吉の朝鮮侵略、徳川幕藩体制下における薩摩の琉球侵略、松前藩を尖兵とする蝦夷制圧等々、前近代に際立つ侵略史を文学の側からとらえようとする試みである。これら前近代の検証を抜いて、近代の帝国主義路線の戦争の問題も解けないと思われる。同時に軍記物としての『平家物語』や『太平記』のみに収束するカノン論への反措定も意識している。

第四部「歴史と文学」は広き歴史叙述の課題で、正史のみならず稗史、野史を始め、多種多様な歴史叙述の世界を掘り下げたいと考える。正史から取りこぼされ、意図的に排除されたり、結果として無視されたりした、いわば負の側からの歴史にも焦点を当て、多面的複合的な歴史叙述の世界を解明したい。おのずと史実と虚構という二元論に陥りやすい研究地平への新たな挑戦をも指向している。

第五部は、東アジアに共有された文学を、カノン化されがちな詩歌研究ではなく、ここでは主に散文系の「小説」（近代の翻訳概念ではない本義としての謂）、物語、説話類から検討したいと思う。さらにいえば、中国から日本への一方通行的な受容路線を基調とする従来の和漢比較文学研究の相対化ないし反転をはかる意味合いもあり、中国と日本との間に位置し、相互に複雑な文化交流の歴史を持つ朝鮮半島をあえて基軸とすることで、中国と日本をも含み込んだ文学位相を明らかにしてみたい。

2　東アジア文学圏の意義

本講座第一巻の巻頭にも述べたように、ここでいう東アジア文学圏とは、すなわち〈漢字漢文文化圏〉である。中国、朝鮮半島、日本、琉球、ベトナムが範囲になるが、地域としては圏内に含まれるチベットやモンゴル、女真（満州族）やアイヌは該当しないことにもなる。これら非漢字圏や無文字社会とはもちろん無縁ではありえず、相互の交流や関係性が問われるが、ひとまず漢字漢文を共通して使い、文学・文化を生み出した地域を一括りにして考えようとする発想である。ベトナムは地域的には東南アジアであるが、とくに北部のハノイを中心に前近代までは中国との関係が深く漢字漢文の文化圏にあった。南アジアからの南伝仏教と西域・中国からの北伝仏教とが交差する仏教圏の地域としても特筆される。一般の東アジア概念とそこが大きく相違する（その意味でも「東北アジア」の用語は不適切）。

漢字漢文の文化圏はヨーロッパのラテン語文化圏のあり方に近似するが、しかし、一方は往来が頻繁で、言語的にも類似し、同じアルファベット文字によるわけで、それが今日のEU統合にもつらなってくるが、他方はもともと交流が限られており、風土も言語も隔絶しているところに大きな違いがある。中東におけるアラビア語圏、南アジアにおけるサンスクリット語圏も漢字漢文文化圏と同様の位置にあったといえる。朝鮮半島とベトナムは、中国とは地つながりで、高麗時代のモンゴルによる制圧、ベトナムは北属期といわれる隋唐以前までの中国による制圧等々、直接の支配を受けるほど影響が強かったのに対して、日本は海に囲まれた特有の地政学がおおきく作用した（琉球は中国の明清の冊封体制に組み込まれるが）。

そのような地域ごとの地政学からおのずと自国語にあわせて脱漢字・反漢字の動きが出てくる。日本の平仮名は早く万葉仮名の草書から発展して、十世紀には『古今和歌集』や『竹取物語』『伊勢物語』など後世の古典として確立する仮名文学を生み出す。一方の片仮名も平仮名と併行して漢文訓読の補助記号として習熟し、漢字片仮名交じり文を始め、平仮名主体の和文体とは異なる訓読体の文体位相を形作った。我々が今日に至るまで漢字と二種の仮名を使いわけている文化の意義を東アジア圏の根底から見すえる必要があるだろう。

ベトナムのチュノム（喃字）は十一世紀（諸説あり）に梵語の陀羅尼の音写をもとにして発明されたというが、国策として必ずしも重用されない面があり、十九世紀にフランスの植民地となってクオック・グー政策により、アルファベットに切り替えられて今日に及ぶ（一方、喃字も生き続けるが）。朝鮮のハングルは十五世紀、有名な世宗の時代に開発され、当初は普及しなかったが次第に日本の平仮名同様、女文字として浸透し、今日ではハングルが大勢を占め、漢字の使用率がかなり低下している。

いずれも表意・表音両用の漢字に対して表音文字であることが共通する（チュノムは表意も混在）。自国語にかなうように開発された文字で、中国化から脱却しようとするイデオロギー的色彩が濃厚であるが、同時に一般への文字普及を企図したものであった。中国の周辺では契丹文字、西夏文字、女真文字等々があったが、これも漢字に対する意図的な反措定であったろう。ちなみに現在の中国では、すでに一九三〇年代には簡体字改革が主張され、戦後の五〇年代に施行されて今日に至っている。簡体字への移行は同時に縦書きから横書きへの変化を伴い、古典籍を除いて一般書籍の大半は横書きになった。漢字漢文文化の大きな変転といえる。

日本では和漢混淆文が日本独自の文体のようにいわれるが、このようにみれば、漢字・非漢字混淆文は東アジアの共通現象であり、ベトナムの喃字も漢字と混ぜて六言・八言の歌の形式で表される場合が少なくない。漢文訓読が前提になっていることは明らかで、混淆文は決して日本特有ではない。朝鮮半島でも漢字とハングルを混ぜた写本や刊本が多く残されている。このような漢字と非漢字を組み合わせた文体、あるいは喃字やハングルだけの文章であっても、漢語が多く含まれている文体等々をも合わせた総体が〈漢字漢文文化圏〉にほかならない。

そうした文体から織りなされたものが、漢籍、漢詩文、漢訳仏典・注疏、史書（歴史叙述）、伝記、霊験記、唱導系、類書、小説等々の諸ジャンルにかかわる。まさに東アジアで共有された漢文文化の所産である。漢文というと、儒教系の漢籍主体のイメージが強いが、実は仏教関連の書籍がもつ多大な影響力を無視できない。中国の伝統的な書籍体系は、経・史・子・集の分類によっているが、これは儒学主体の発想で、仏教の位置づけが極端に低い、という印象を持たざるをえない。仏教は「子」のいわば諸子の一端に位置づけられるに過ぎない。この経・史・子・集の体系は、日本でもたとえば『内閣文庫和漢書目録』などにも及んでいる（その編纂主体は柳田国男）。

しかし、近年、漢訳仏典の翻訳法をめぐる研究が進展しているのにともない、たとえば『日本書紀』や『古事記』

などの文体の基底に漢訳仏典系の表現がかなりかかわっていることが明らかにされつつあり（馬駿）、古代神話の表現が仏教伝来以前の世界であったかのような幻想が大きく崩れ去っている。

3　東アジア文学史の可能性

現段階で、東アジア文学圏の課題を不鮮明にしているのは、日本における「東アジア文学史」の欠如であり、それにともなう時代区分の設定の難しさである。中国ではすでに、

王暁平『亜州漢文学』（天津人民出版社、二〇〇一年）

張哲俊『東亜比較文学導論』（北京大学出版社、二〇〇四年）

などがあり、後者は教科書としても普及し、版を重ねている。韓国でも、

趙東一著、豊福健二訳『東アジア文学史比較論』（ソウル大学出版部、一九九三年、日本語訳・白帝社、二〇一〇年）

が出ている。後者は文字通り、東アジア諸地域の文学史を総ざらえして比較した文学史〈学〉といえ、種々の問題が少なからずあるにしても、東アジア文学史を指向してそれなりのまとまりを提示していることは意義があるだろう。

日本では、まだ東アジア文学圏を俯瞰しうる文学史そのものが書かれていないし、そういう指向への兆しさえもみられないのが実情である。いずれは東アジア文学史の構築に焦点が当たる時が来るのを待つしかないが、その前提として、まずは文学史の時代区分からして問題になる。日本の古代・中世・近世・近代という区分が西洋の区分をモデルにした、日本でしか通用しないモデルであることは言うまでもなく、一方で中国史は内藤湖南《ないとうこなん》以来の宋代以降は近世とする区分もよく知られている。圧倒的な歴史の長さを持つ中国と周辺諸国とではおおいなる文化時差（タイムラグ）があり、もとより共通する時代の範疇を設定しにくいのは必然であり、基準をどこに置くかでいかようにでも変わってくるだろう。

私的には、古代・中世・近世式の区分けはもはやそれほど意味をなさず、世紀割りでよいのではと考えているが、い

ずれにしても相互の対応関係でみていくことが肝要である。

たとえば、朝鮮半島は、漢の時代頃までは中国の配下にあったが、高句麗・百済・新羅の三国時代を経て唐と連合した新羅が七世紀に統一をはたし、唐の圧力も排除する。十世紀に後三国の分裂から新羅は滅亡、高麗に再統一され、十三世紀に宋から元・モンゴルに代わるとその制圧下に入る。三国時代から高麗までは仏教を主軸とし、武臣政権は都房という政庁を設置するが、これは鎌倉幕府のありようとほぼ共通する。日本の南北朝内乱終結による合一と高麗王朝の滅亡、朝鮮王朝の成立とは同じ一三九二年である。モンゴルの元から脱却した漢民族による明建国も同時代である（朱元璋《しゅげんしょう》は一三九八年没）。

この朝鮮王朝は儒教を基軸として強固な身分制を敷いて十九世紀まで続くが、十六世紀末期の豊臣秀吉の朝鮮侵略（壬辰倭乱）によって前後を区分される。秀吉による日本統一は戦国時代の乱世終結を意味し、その余勢が朝鮮侵略を引き起こす。この戦争を契機とする文学は『壬辰録《じんしんろく》』以下、多く作られ、日本でも『朝鮮軍記』が近年注目されているが、特に戦乱に巻きこまれ、人質として朝鮮から日本に連行された人物がさらに中国やベトナムまでさすらい、最後は朝鮮に戻る『崔陟伝《さいちょくでん》』や『趙完璧伝《ちょうかんぺきでん》』なども朝鮮の伝記文学として見のがせない。この壬辰倭乱に参戦した明はために疲弊し、その数十年後の一六四四年に滅亡。明清交替は東アジア史上の画期となった。

また、壬辰倭乱による財政逼迫打開に薩摩藩が琉球を侵略するのは、一六〇九年、徳川政権発足からわずか六年後である。琉球の歴史文化はこの侵略の前と後に大きく区分けされ、前者を「古琉球」と呼ぶが、歌謡の『おもろさうし』を除いて『中山世鑑《ちゅうざんせいかん》』から『球陽《きゅうよう》』にいたる歴史叙述をはじめ、数々の古典が生まれるのは後者の十七世紀以降である。

十三世紀のモンゴル帝国の膨張は朝鮮半島のみならず、日本やベトナムにも及び、ベトナムの陳朝は徹底抗戦によってこれを退けた。東海岸の港町ハイフォンに近い白藤江河口に打たれたおびただしい杭による艦船撃退は名高い。モンゴル襲来を契機に神話や伝記を集成した『粤甸幽霊集録《えつでんゆうれいしゅうろく》』や『嶺南摭怪《れいなんせつかい》』が編纂される。ベトナムは十世紀前半までは秦漢から唐に到る中国王朝の支配を受け、北属期と呼ばれる。呉朝、丁朝、前黎朝を経て、一〇〇九年、李朝がハノイを首都に建国、大越国とした。ついで陳朝、胡朝の後に十五世紀前半、一時的に明に帰属するが黎朝が立て直し、莫朝から中興黎朝（後期黎朝）が十八世紀末まで続き、鄭氏政権（東京鄭氏、北河）と阮氏政権（広南阮氏、南河）とに分かれ、さらに西山朝（阮氏大越国）と続き、十九世紀初めにフエを都に阮朝（阮氏越南国、阮氏大南）となる。王朝交替が激しく、南北分断と統一の抗争および中国の侵略を受け続けたが、文字文学は中国の圧倒的な影響下にあった。

上記のような東アジアの関係史から文化史・文学史の掌握が必要になるが、一方で戦争ばかりでなく臨済禅の五山世界に代表されるように、宋元の禅僧らによる文化交流は活発化する。とりわけ壬辰倭乱から明清交替に至る十六世紀から十七世紀は、東アジア文化史にとってきわめて大きな意味を持っている。その明に抗して王朝を建てたのがベトナムの黎朝であった。壬辰倭乱の時代はまたキリシタンの時代であり、大航海時代といわれるように、西洋文化が東アジアに伝わった時代でもあった。十六世紀がまさに画期であるゆえんである。

しかし、政治史と文学史が合致するわけでもない。文学史で重要な指標となるのは出版文化史である。中国の明代に盛んになる出版文化は朝鮮半島や日本に波及し、朝鮮では十四、十五世紀に金属活字版をもたらし、日本では十七世紀以降の近世社会における木版の出版文化全盛期を迎える。これによって文学の位相が大きく変わったといって過言ではない。一点しかなかった写本が複数の刊本になり、同時に複数の不特定の読者が生まれる。書くことと読むことの格差がよりひろがり、作り手は見えない読者に向かってテクストをつむぎあげることになる。また、版本化されるか否かが、古典か否かの識別にも作用するようになる。出版の如何が古典を生み出すことにつながるわけで、さらには仏教説話集や軍記物のように、ジャンルの形成にも大きくかかわっていくのである。

日本の出版文化で着目されるのは、漢籍、仏書の和刻本の刊行である。その多くは原文に返り点やふりがな、送り仮名など訓点を施して読みやすくした訓読を交えたものである。一体近世期にどれくらいの漢籍、仏書が出版されたであろうか。その実体は把握しきれないほどの多さであり、これが人々の教養の基底を形作ったのである。漢籍、仏書の何がどのように、どれほど刊行されたのか、それによっていかに古典となったのか、という出版文化に即したカノン研究が必要になるだろう。ことに漢籍、仏書を問わず、『芸文類聚《げいもんるいじゅう》』や『太平広記《たいへいこうき》』などの類書の刊行が重視され、東アジア全体にかかわる学と知の体系そのものであったといえるであろう。

また、仏典に関していえば、近世に実権を握るいわゆる鎌倉新仏教系の浄土、禅、法華等々の宗派が自流の教線拡張をめざして出版文化に意を注いだことも関連して、たんに漢訳仏典のみならず教義に関する注疏をはじめ、説教唱導、儀軌儀礼そのほかさまざまな分野に及んだ。

これらが文学にもたらした影響ははかりしれないものがあり、文学そのものでもあったといえる。和刻本の対象は中国のものばかりでなく、たとえば中国明代の志怪小説集で名高い『剪燈新話《せんとうしんわ》』が朝鮮版の注解書『剪燈新話句解《せんとうしんわくげ》』を媒介とし、その和刻本が流布したように、朝鮮を経由したり、朝鮮を媒介に広まったものも少なくなかった。こうした文化現象を東アジアの〈漢字漢文文化圏〉の次元でとらえ直す意義があるだろう。

4　比較文学と交流文学

また、より留意されるべき問題に、比較文学と交流文学の差異がある。双方はしばしば混同されるが、単純無媒介に一括はできない。東アジア文学圏研究においては、この双方がもとめられるが、比較文学においては、繰り返し述べているように従来の日中比較・和漢比較の単一的な受容路線を越えて、朝鮮半島やベトナムの漢文古典をも研究対象に据えなくてはならない。日本では一般に書名さえ知られず読まれざる古典を読み抜き、研究の俎上に載せる営為であり、まずはそこから始めるほかない。その試行の一端として、訳注『新羅殊異伝《しらぎしゅいでん》』『海東高僧伝』（いずれも平凡社・東洋文庫）を刊行し、現在は十八世紀、朝鮮時代の野談の嚆矢『於于野談《おうやだん》』を解読中である。以下、概略を述べておこう。

『新羅殊異伝』は、成立は高麗時代初期と思われるが、残念ながら散逸し、わずか十例程度の逸文を伝えるだけで、その全貌を知ることができない。しかし、逸文の内容は新羅を中心とする説話が中心で、卵生の脱解王の建国神話や日本の記紀と重なる天日矛神話をはじめ、善徳女王と唐との関係をめぐる話題や法華経霊験譚、幽婚譚や崔致遠と姉妹の亡霊との交歓を描く幽明譚等々、多彩であり、かなり浩瀚な作であったかと思われる。中国の志怪小説や仏教の霊験利益譚等々の影響が色濃く、朝鮮古典文学史の始発に位置づけられる重要な述作である。

また、『海東高僧伝』はこれも巻一、二のみの端本であるが、成立は高麗時代中期、一二一五年、霊通寺の覚訓《かくくん》の編。現存分は三国時代から新羅統一時代の高僧伝で、『三国遺事』にも批判的に継承される。朝鮮半島では数少ない僧伝文学として見逃せない作である。逸文によれば、巻五に比丘尼の話題があったようで、高麗時代の高僧の伝記も多く含まれていたとみなせよう。

ついで、朝鮮王朝時代、十七世紀初期の『於于野談』は、豊臣秀吉の朝鮮侵略、壬辰倭乱を経験した柳夢寅（一五五九～一六二三年）の編。後世に多くのテクストが生み出される野談ジャンルの始発に位置する。『青丘野談《せいきゅうやだん》』をはじめ当初は漢文本であったが、次第にハングル本も増えてくる。『於于野談』は漢文体で写本が多く残され、相互に異同が少なからずあり、それだけよく読まれたことを示す。「野談」は古典漢語にはない語彙で、「野史」や稗史に相当する話の「野談」という位置づけであろうか。日本でいえば、「説話」としか言いようのない話譚で、「野談集」は「説話集」と言い換えてもよいだろう。日本や中国の「説話」と「野談」との対比、つき合わせが今後の大きな課題となるであろう。

とりわけ『於于野談』は話題の種類が豊富で多岐に及び、ある程度の連想のつながりで配列されているようであるが、明確な巻構成や部立はみられず、写本のみで流布し、諸本によって話の配列も一定しない。独特の位置を占めている。壬辰倭乱に関する話題や地元の災害、両班の逸話ほか、多種多彩で、東アジアの視野から広範に読まれるべき説話群といえよう。遅々とした歩みではあるが、朝鮮古典といえば、『三国史記』と『三国遺事』しか連想できない現況の打破をめざしている。

またベトナム漢文では、十四、五世紀の陳朝時代、神話伝説集の『嶺南摭怪列伝《れいなんせつかい》』を読んでいる。ベトナム古典も、歴史叙述に『大越史記全書《だいえつしきぜんしょ》』などがある。神話伝説、縁起類の『粵甸幽霊集録』、漢詩文集の『皇越文選《こうえつもんぜん》』、説話的類書の『公余捷記《こうよしょうき》』、僧伝の『禅苑集英《ぜんえんしゅうえい》』、中国の『三国志演義』の影響を受けた歴史章回小説の『皇越春秋《こうえつしゅんじゅう》』や『越《えつ》南開国志伝《なんかいこくしでん》』等々、多彩であり（後者には日本との交流もみられる）、中国の『剪燈新話』の翻案『伝奇漫録』、『金雲翹《きんうんぎょう》伝《でん》』の翻案『金雲翹』なども評価が高い作として知られる。テクストは『越南漢文小説集成』（全二十巻・上海古籍出版社、二〇一〇年）に集約され（『越南漢文小説叢刊』台湾学生書局もある）、原本は漢字・喃字資料センターの国立漢喃研究院に多く所蔵される（極東学院収集）。

とりわけ、『嶺南摭怪列伝』は武瓊《ブー・クイン》（一四五二〜一五一六年）が、十三世紀半ばに成った陳世法《チャン・テ・ファップ》の説話集を校訂、修成したもので、原型は十二世紀から十三世紀にさかのぼるとされる。長い歴史を経て語り継がれ、幾度もの改編、改訂を経て書き継がれた話譚の集成といえる。中国の殷秦漢などに制圧された古代の北属期の神話から始まり、独立王朝の十一世紀初頭の李朝や十三世紀の陳朝にまで至る抗争史にかかわる英雄像や種々の起源譚からなる。今日のベトナムでは、『嶺南摭怪』なるテクストは忘れ去れても、個々の話譚は誰でも知っている著名な神話、物語であり、絵本などに表され、ベトナムの人々のアイデンティティーに深くかかわっている。

具体例に「董天王伝《とうてんおうでん》」をあげると、董天王は伝説的な雄王の時代、中国・殷の侵略を撃退する英雄である。父の富翁が六十余歳で正月七日に生まれた申し子、三歳でも物言わず、いつも仰向けに寝ていて、酒飲し腹いっぱい食べていた。それが中国の侵略を知るや十余尺に長大化し、王から鉄の馬、笠、剣をもらい、くしゃみを十回以上し、鉄の馬を駆けて敵を撃退する。典型的な小さ子譚であり、鉄器文化による異国撃退譚でもある（くしゃみの呪力も興味深い）。地元の衛霊山の頂上には、この董天王が鉄の馬にまたがって空を駆ける姿の大きな銅像が建っており、この英雄が記憶され続けていることがうかがえる。これらの話譚も東アジアの文学圏の比較研究の絶好の対象となるであろう。

右は、東アジアの比較文学研究の一翼を担うものだが、一方、交流文学は異文化交流もしくは多文化交流の一環としてあり、異文化交流の文学史に結実化されるべきものである。唐物研究などに代表される人と物の交流、流通が対象となるが、ややもすると平安期の研究に見られるごとく、結局は自国文学研究の範疇に止まるケースが少なくない。時として自国文学賞揚の具となりかねず、それは真の意味で国際化とはいえないであろう。以前から、私に提唱している西洋とアジアとの交流をもとにする〈東西交流文学〉も、この範疇に属する。たとえば、仏典から東アジアはもとよりイスラムからヨーロッパに伝わり、キリスト教の聖者伝に組み込まれ、それがまた東アジアに伝わった二鼠譬喩譚（日本では歌語「月のねずみ」説話として著名）をはじめ、西洋からキリシタン渡来を契機に伝わり、キリシタン版や挿絵付きの整版、漢訳本とその訓読本等々、日本や中国で翻訳されたあまたのイソップなど、双方向や多極面からの方位での読み解きがもとめられるのである。

以上、概要を述べるにとどまるが、ひとまず開かれた東アジア文学圏の世界への招待としたい。

参考文献

・『東アジア海域叢書』全二十巻、汲古書院、二〇一〇年〜。
・『東アジア海域に漕ぎだす』全六巻、東京大学出版会、二〇一三〜一四年。
・『東アジア仏教』全五巻、春秋社、一九九五〜九七年。
・『新アジア仏教史』全十四巻、佼成出版社、二〇一〇〜一一年。
・李成市『東アジアの文化圏の形成』山川出版社、二〇〇〇年。
・石川九楊『漢字がつくった東アジア』（筑摩書房、二〇〇七年）、同『漢字とアジア—文字から文明圏の歴史を読む』（ちくま文庫、二〇一八年）。
・金文京『漢文と東アジア—訓読の文化圏』岩波新書、二〇一〇年。
・石井公成『東アジア仏教史』岩波新書、二〇一九年。
・馬駿『漢文仏教文体影響下的日本上古文学』全三巻、社会科学文献出版社、二〇一九年。
・小峯和明「東アジアと中世文学」、『国文学解釈と鑑賞』至文堂、二〇一〇年。
・小峯和明編『漢文文化圏の説話世界』竹林舎、二〇一〇年。

・小峯和明編『東アジアの今昔物語集』勉誠出版、二〇一二年。
・小峯和明編『日本文学史』吉川弘文館、二〇一四年。
・小峯和明編『東アジアの仏伝文学』勉誠出版、二〇一七年。
・小峯和明監修『日本文学の展望を拓く』全五巻、笠間書院、二〇一七年。
・小峯和明「東アジア文学圏と中世文学」、『中世文学』64、中世文学会、二〇一八年。

第1部　東アジアの学芸

01 儒教の世界
近世日本の場面から

中村春作

1 儒教の風景

気がつけば多くの孔子廟《こうしびょう》（文廟《ぶんびょう》）を訪れてきた。中国北京、国子監《こくしかん》内の孔子廟、孔子の故地、山東《さんとう》省曲阜《きょくふ》の孔子廟、天津《てんしん》、上海《シャンハイ》、福州《ふくしゅう》ほか各地の孔子廟、韓国ソウル、成均館内の孔子廟、東京お茶の水、昌平黌《しょうへいこう》跡の孔子廟、佐賀県多《た》久《く》、長崎、沖縄那覇、台湾台北、台南の孔子廟、そして最近訪れたベトナム、ハノイの孔子廟。年に一度の孔子を祀る行事、釈奠《せきてん》にあわせて訪れたのは、曲阜と那覇の孔子廟である。

そしてそれら多くの孔子廟において、その内部の配置、周囲のたたずまい、ふだんは静寂な空気に、同質の感覚を得るとともに、その多様な姿にも強く印象づけられてきた。一見、禅寺かと思わせる外観の多久市の丘の上の孔子廟、ベトナム古城の雰囲気に似た門の内に在るハノイ孔子廟……ちょうど訪れたのが大学入学期で、美しいアオザイを着た女子大生の一群に遭遇したことも、記憶に鮮やかである。たしかに、政治哲学、体制教学としての儒教ははるか昔に消滅したのだろうが、儒教は、それぞれ地域の風土に溶け込み、「学び」への志とともに、今も東アジア各地の街中に静かにたたずんでいる。

儒教とはなにか。それを一言につくすことは不可能である。しかし数万言を費やしたとしても、それはまた困難だろう。紀元前、春秋時代の孔子（前五五二？〜前四七九年）に始まり、漢代以降清代末まで中国の国家統治と緊密に結びつき、広く朝鮮半島から日本、琉球、ベトナムにまで伝わった思想、家庭道徳から国際秩序（華夷《かい》秩序）観にまで大きな影響を及ぼした儒教の歴史を、簡単にまとめることはできない。その思索の歴史についても、南宋、朱熹《しゅき》（一一三〇〜一二〇〇年）が提唱した朱子学から明代の王守仁《おうしゅじん》（一四七二〜一五二八年）の陽明学の登場、清朝の考証学、さらには現代にも生きる新儒家への経緯を簡明に記すだけでも、その叙述に相当の分量と力量を要するだろうし、そもそも筆者にはその能力がない。

もちろん、論者が一定の見識を持って儒教とは何かを定義することは当然あり得る。近年の日本の例でいえば、儒教を「死と深く結びついた宗教」として儒教の宗教性を強調した加地伸行による定義などがそれである（『儒教とは何か 増補版』）。また、どの地点から儒教を語るかによって、その視野も異なってくる。土田健次郎は儒教概念の広がりを、「仏教や道家・道教など他のイデオロギーと照射して儒教の特色を打ち出す際の儒教（狭義の儒教）と、儒教的教養の地盤をもとに繰り出された言説の総体としての儒教（広義の儒教）」という二面から説明を試みる（『儒教入門』）。土田は後者の例として、李沢厚《りたくこう》の「儒教を中国人の文化—心理構造とみなす見解」などを挙げているが、この視点に立つと、江戸期日本でいえば、儒教の言説を取り込みつつ商人道徳を語った石田梅岩《いしだばいがん》（一六八五〜一七四四年）の心学なども、後者の「広義の儒教」のなかに入ることになるだろう。

このように、儒教は論じる視点によってさまざまな側面を見せる。儒教は二千年以上の歴史を有し、東アジア各地域において多様に展開し、そしてまた時代ごとにほかの社会内の諸要件と結びついて、相異なるかたちで実現したからである。

私たち日本人（研究者も含めて）が暗黙の内にとらえる儒教もまた、気づかないうちに、独特の偏りを有しているかもしれない。たとえば、渡来書籍を介した儒教理解に基づき、その解釈をめぐって展開された江戸期儒教に慣れ親しんだ者からみれば、風水思想に色濃く彩られた近世琉球の儒教は、一見、相当に異質な姿にみえる。しかしながら、近世琉球を代表する儒者、蔡温《さいおん》（一六八二〜一七六一年）が中国に赴く際、国王から与えられた使命は、「地理の事の学習（地理とは風水の学のこと）」であった（『蔡氏家譜《さいしかふ》』）。実際、蔡温の学問や具体的な執政は、風水の実践と密に連動するものだったのである。これは、同時期、幕政や藩政に関与し得た江戸期の儒者、新井白石《あらいはくせき》（一六五七〜一七二五年）や荻《お》生徂徠《ぎゅうそらい》（一六六六〜一七二八年）、熊沢蕃山《くまざわばんざん》（一六一九〜九一年）には見られないことである。もちろん、どちらがより本来の儒教だということではない。むしろ、活発な東アジア海域交流のなかで開花した古代仏教（空海《くうかい》、鑑真《がんじん》、ほか）、中世仏教（道元《どうげん》、栄西《えいさい》、蘭渓道隆《らんけいどうりゅう》、隠元《いんげん》、ほか）の場合と異なり、儒教の本場中国に一切渡航することもなく、明末中国から亡命して来た朱舜水《しゅしゅんすい》（一六〇〇〜八二年）、朝鮮通信使との交流を例外として、海外儒者との人的交流がないまま構築された江戸期儒教の方が、特異であったともいい得る。しかしそれもまた一つの特色ある儒教実践であったことに間違いない。

　儒教の中身やその社会内の存在様態は、実にさまざまだったのである。

　ところで、私たちは、儒教といい儒学という。どちらが呼称として適切であるかについての議論は専門家内にあるが、ここでは立ち入らない。今日、中国、台湾では多く儒学と称され、そこでとくに儒教と称するときは、その宗教性が強調される傾向がある。一方日本では、多くの場合、儒教と儒学に呼称としての大きな異なりはない。科挙が行われず、政治制度と経書の学問との間にそれほど緊密な関係が築かれなかった日本では、儒教といっても儒学といっても、社会機能的にさほど意味の違いを認めないからでもある。そしてそもそも今日のことばでいうところの、学問と宗教の双方を含み込んで、儒教は成立してきたからである。

　小島毅《つよし》は、「教」という語はもちろん宗教の「教」も意味するが、日本で儒教と呼ばれる場合の「教」は、ほぼ「教え」の意味で使われてきたことを指摘している（『儒教の歴史』）。儒者によって「教え」の中身や性格は異なることがあるにせよ、一般に「儒の教え」として、古代以来日本においてながく受容されてきたのである。あえて両者を分けていうならば、「教説の信奉実践を敬重する立場からは儒教と称し、教説と、これに付随する多くの文献の学習研究を敬重する立場からは儒学と称する」（竹内照夫「儒教」）というぐらいの区別が適当と思われる。ここでは、小島の定義にしたがい、「儒の教え」という意味で、儒教という用語を用いることとしたい。

以下、限られた分量内で簡単な儒教の点描を試みるが、それは、あくまでも筆者の専門（日本思想史）の視点からの、葦の髄から天井をのぞく体のものでしかないこと、江戸期儒教の一場面を語るものでしかないことを、あらかじめお断りしておきたい。

2 儒教の包括性

溝口雄三は、東アジアにおける儒教の存在様態はさまざまであったとしたうえで、「中国儒教」を考える上での10の視点を設定している。「1礼制・儀法・礼観念、2哲学思想、3世界観・治世理念、4政治・経済思想、5指導層の責任理念、6学問論・教育論・修養論・道徳論、7民間倫理、8共同体倫理、9家族倫理・君臣倫理、10個人倫理」の10の視点である（「中国儒教の10のアスペクト」）。ここに網羅されるのは、近代前の学問や政治のほぼすべてにかかわる問題領域である。溝口の10の視点のうちには含まれていないが、朱子学の宇宙論、自然科学、あるいは、漢方医術や風水との関連などをも含めると、今日でいう人文、社会のみならず自然科学領域をも含む、近代前のすべての学問にかかわることになろう。

儒教は、仏教や道教、神道などと異なり、現実の生の人間世界、世俗世界に直接関与する思想であった。それは、西洋近代の概念「哲学 philosophy」や「宗教 religion」の範疇を超えて、世界内のほぼすべての問題に直にかかわる学問だったのである。明治期日本において最初に「哲学」を立ち上げた東京帝大教授井上哲次郎（一八五五～一九四四年）は、江戸期の儒教を『日本陽明学派之哲学』『日本古学派之哲学』『日本朱子学派之哲学』という三部作に再構成してみせたが、それは西洋近代の「哲学」概念にあわせて江戸期儒教を切り取る性格のものであり、その作業がなした功と罪は、後の思想史研究にも大きな影響を及ぼすことにもなった（中村「近代の「知」としての哲学史」）。近代の概念としての「哲学」や「宗教」から切り取り出されたその中身は、儒教が包括した大きな世界の一部分にとどまるからである。いまも私たちにとって、「近世の哲学」「中世の哲学」といった表現は、当時の儒教思想を考える際、どこか違和感を抱かせるものである。

儒教は、経書《けいしょ》と呼ばれる古典文献の解釈に止まらず、日常道徳から教育、官吏の登用、国家体制、天地の祭祀、葬礼、政治、経済、文学、芸術、人が生きるすべての場面にかかわる学問だった。中国最古の詩集『詩経《しきょう》』もまた経書の重要な一つ（五経《ごきょう》の一つ）であって、その解釈が思想と連動していたし、音楽の原理「楽律」もまた儒学の一部分として探求されたことを、ここでは思い起こしたい。詩や音楽も、政治上の「移風易俗《いふうえきぞく》（民の風を移し俗を易《か》ふる）」ことに直結する、重要な要件として儒者にとらえられたのである。

そして溝口が、自らが挙げた10の視点につき、それぞれ、日中の間の大きな異なりにも言及するように、儒教のそれぞれの項目が、日本、琉球、中国、韓国、ベトナムにおいて相当に異なる姿をもって展開してきたのが事実であった。科挙の有無とそれに平行する学問の位置づけや儒者の社会的位置の異なりもその一つである。あるいは王権のありかたの異なりもそうである。礼制度のあり方もそうである。そうした東アジア諸国における儒教の展開の異なりについては、渡辺浩による明快な整理と分析があるので、是非参照していただきたい（『東アジアの王権と思想　増補新訂版』）。

あるいはまた、儒教は東アジアに並存してきた儒教外の思想・宗教との比較で、その特質が語られることがある。その際は、もっぱらその世俗主義、現実主義、日常道徳性が特筆される。道教や仏教のように日常世界から超脱（「出世間」）し、個人的に真理の体得をもとめるのではなく、あくまでも現実の活きた人間世界のなかで人とかかわりつつ、真理や理想を社会的に実現しようとする学問、「教え」である点が強調される。「儒教は日常から離れるのを拒否する思想であり、またその場での実効性を求める思想である」（土田健次郎「日常の思想としての儒教」）のだ。「未《いま》だ生を知らず、焉《いずく》んぞ死を知らん」、『論語』「先進《せんしん》」篇の子路《しろ》との対話場面が、すぐに思い出されるだろう。

そして、ほかの古典宗教、思想との比較からいえば、儒教の学問としての特徴は、なによりもまず〈注釈〉という営みがきわめて重視されたことにあるだろう。儒教の歴史は、膨大な量の古典籍（経書ほか）の注釈の歴史だったといっても過言ではない。儒教は、時代により多様な解釈をしなおすことで、その生命を活性化させ続けた思想なのである。もともと紀元前の古代に創作された特定の文献群を、解釈、再解釈、再々解釈すること、すなわち注釈を通じて新たな思想を語りだそうとすることが、儒者に与えられた使命だった。

限られた事例を除き、儒教の経書解釈の場面において、キリスト教世界における異端裁判のごとき出来事は存在しなかった。儒教は、『論語』『孟子《もうし》』『書経』『礼記《らいき》』『春秋』ほか、重要なテキストのほぼすべてが、はるか古代に作成された文書であり、その古典文献をいかに解釈するかが、その後、延々と競われたのである。イスラム世界との比較でいえば、原典の解釈、注釈がそもそも許されないクルアーン（コーラン）とは異なり、儒教の歴史は、永遠に積み重ねられる注釈の歴史だった。それがたんに机上の学問としてではなく、実際に社会に大きく作用したところ（社会に働きかけるべく、その目的の下に解釈しなおされた点）に、その特徴がある。

そして、その膨大な注釈営為の堆積のなかでも、私たちに最も身近で、かつ大量のものの一つとして、『論語』の注釈がある。

3　読み継がれた経書、『論語』

思うに、『論語』ほど儒教の長い歴史において圧倒的な存在感を示し続けた書物はないだろう。『論語』は、長い歴史の間、多様に読み継がれ、その意味が革新され、かつ政治に活用されてきた。いわば東アジアの長い歴史の記憶と共に在り続けた書物なのである。

『論語』がどう「読まれ」たかという「問い」は、東アジアの思想史そのものを語り出す重要な局面となる。近現代中国においても、二十世紀初頭、五四運動期の「打倒孔家店《だとうこうかてん》」は過去のこととしても、「批林批孔《ひりんひこう》」が叫ばれ、「仁は奴隷と貴族の産物」とする「学問的」記述がなされたのは、ほんの数十年前、文化大革命期の出来事であった。今日、ものごとはすっかり様変わりし、孔子、『論語』は中華民族精神を世界に向けて鼓吹し（北京五輪のショウ、孔子学院）、国家主導の「和諧《わかい》」精神を象徴する道具とされる。一方、市場主義が蔓延する現代中国において、北京の大学教授于丹《うたん》がわかりやすく現代社会に合わせて解説した『論語心得』がベストセラーになったりもする。日本においても、明治の実業家、渋沢栄一（一八四〇〜一九三一年）の『論語と算盤《そろばん》』をはじめ、『論語』は、近代以降、専門家外の一般大衆社会に広く受け入れられ、いまも教養の書、人生の処方箋として愛読され、趣向を変えた解説書が次々と書店の棚を飾る。かつて、儒教の根本書として、儒者がその注釈に精魂をかたむけてきた『論語』は、かたちを変えていまも社会的課題を背負いつつ、生命を持ち生き続けているのである。

ところで、私たちは今、『論語』をどのように自らのものとして読むことができるのか。そうした問いに答えようとする子安宣邦『思想史家が読む論語——「学び」の復権』は、江戸期の儒者たちの議論、とくに伊藤仁斎《いとうじんさい》（一六二七〜一七〇五年）『論語古義』、さらに荻生徂徠『論語徴《ろんごちょう》』の議論を振り返りつつ、『論語』を「読む」ことの意味を問いなおそうとしている。徂徠は『論語徴』で「人、孔子の学ぶところを学ばんと欲せずして、孔子を学ばんと欲す」（「題言」）と批判し、「孔子の学び方」をこそ、人は『論語』の中に読み取るべきだとして魅力つきない注釈を施したが、子安もまた、仁斎『論語古義』の注釈を基盤に、孔子における「学び」の姿を問いなおし、仁斎のことばを反復するようにして自らの問いを発する。

たしかに、仁斎『論語古義』と徂徠『論語徴』が、江戸期儒者のなした多くの『論語』注釈中の白眉であることは疑いない。そして彼らが自らの儒教を語り出した際、その契機として、その前に立ち塞がっていたのが、朱子学、朱熹の注した『論語集注《しっちゅう》』であった。

4 朱子学との邂逅──仁斎、徂徠の『論語』注釈

朱熹は、先行する程顥《ていこう》（一〇三二〜八五年）、程頤《ていい》（一〇三三〜一一〇七年）、周敦頤《しゅうとんい》（一〇一七〜七三年）らによる北宋以来の道学《どうがく》の系譜を継承、再編し、世界全体を説明し尽くす一大体系として、また「聖人」にいたることをめざす実践的な「修己治人《しゅうこちじん》」の学として、壮大な儒教哲学を語り出した。その根幹に存したのが、「理気」論、なかでも「理」の概念である。「理」は朱熹によって、「所以然《しょいぜん》の故、所当然《しょとうぜん》の則」、すなわち、ものごとの存立根拠であるとともに、ものごとのなるべき（なすべき）道筋としての両面を有する、究極の規範として規定された。そして、その理念から経書注釈がなされ（『四書集注』）、その正統性（正当性）が科挙を介して確立されることによって、制度的にも保障されるにいたった。

朱子学は、その後、十八世紀東アジア全域を覆う最大の思想となり、近代にいたる思想運動にも大きくかかわっていくこととなった。「理」（窮理）・気、本然の性・気質の性、情、未発・已発、体・用、形而上・形而下、格物・致知、……」等々の、朱子学独自の用語は、議論のための〈共通の思想言語〉を東アジアに提供し、さらにそれは、近代西洋文明の翻訳場面で再活用されることともなったのである。

ところで、江戸期日本において、この朱子学に対し強く反応し、反発したのが、後に古学派と呼ばれる儒者、伊藤仁斎、荻生徂徠らであった。そして、彼らが最も疑念を呈したのは、朱子学の「理」の概念だった。仁斎は「理」を「本《もと》死字」、もともと実体のない概念とよび、荻生徂徠は「定準《ていじゅん》」無きものとして、その規範としての根拠の不確かさを批判した。彼らは、朱子学の理気論を、その言語─論理構造に内在する問題として把握し、それを起点に文献批判を行い、その人間理解と世界理解の方法を疑い、また経書注釈の問題性を指摘し、そこから独自の儒教を構築していったのである。

当初朱子学に学びつつ、その後批判に転じた京都の町人儒者、伊藤仁斎は、朱熹の「性理の学」は孔子・孟子の本旨にもとるものと考え、『論語』そのものに回帰することを主張した。そして、そこには朱子学にいう本然や気質や、

理気の語がそもそも存しないことを説き、原典『論語』を「最上至極宇宙第一の書」とした。「学而《がくじ》」篇「有子《ゆうし》曰く、其《そ》の人と為《な》りや孝悌《こうてい》にして上《かみ》を犯すを好む者は鮮《すくな》し」章末尾の「君子務本。本立而道生。孝悌也者其為仁之本與」の最後の一句を、仁斎は「孝悌なる者は其れ仁の本《もと》為《た》るか」と読む（『論語古義』）。朱熹注では「其れ仁を為《な》すの本か」という解釈になるところである。「為」一字をどこにかけるかで意味内容は逆転する。仁斎からみれば、「孝悌」という現実の人の営みの背後に「仁」という「本体（「理」）」があるのではなく、「孝悌」という眼前の営みが、即「仁の本体」なのである。そして、仁斎は「仁」を、「愛の理」（朱熹）ではなく、「曰く、愛のみ」と定義し、孔子の「仁」の「学び」を自ら実践しようとしたのである。

一方、仁斎以上に朱子学の論理構造を厳しく批判した徂徠は、『論語』一書の彼方に、孔子が学んだ「先王《せんのう》の道」の所在を見出そうとする。「述而《じゅつじ》」篇「子《し》曰く、仁遠からんや。我、仁を欲すれば、斯《ここ》に仁至る」章に注して、徂徠は、「孔子、先王の道を巻きて之《こ》れを懐《ふところ》にす。豈《あ》に遠からんや」と独特の注を施す（『論語徴』）。朱熹注にいう、「仁は心の徳」であって内心にあるがゆえに、本気でもとめればすぐに内側から現れるとする解釈とはまったく異なり、ここで「仁」は、巻物、「先王の道」を記した書物、「六経《りくけい》」のことなのである。徂徠は「仁」を「人に長《ちょう》となり民を安《やす》んずるの徳」（政治の道）とする。それは、はるか古代に制作された「六経」という書物のなかに在るものなのであった。そして孔子は、「先王の道」を学ぶ「学び方」を、私たちに伝える人なのである。

もちろん、ここに記したのは江戸期儒教の一端に過ぎない。崎門《きもん》派朱子学から、懐徳堂《かいとくどう》、さらには横井《よこい》小楠《しょうなん》（一八〇九〜六九年）まで、朱子学との邂逅を経て、儒教は日本でも多様に開花したのである。

『論語』を読むのは面白い。先人の手になる優れた『論語』注釈を読むのはさらに面白い。それら注釈の堆積の向こう側に、儒教の肥沃な世界が広がっているからである。

参考文献

・加地伸行『儒教とは何か　増補版』中公新書、二〇一五年。
・小島毅『[宗教の世界史] 5　儒教の歴史』山川出版社、二〇一七年。
・子安宣邦『思想史家が読む論語―「学び」の復権』岩波書店、二〇一〇年。
・竹内照夫「儒教」『中国思想辞典』研文出版、一九八四年。
・土田健次郎『儒教入門』東京大学出版会、二〇一一年。
・土田健次郎「日常の思想としての儒教」、『現代思想』42-4、二〇一四年。
・中村春作『江戸儒教と近代の「知」』ぺりかん社、二〇〇二年。
・中村春作「近代の「知」としての哲学史―井上哲次郎を中心に」、『日本の哲学』8、昭和堂、二〇〇七年。
・中村春作『徂徠学の思想圏』ぺりかん社、二〇一九年。
・溝口雄三「中国儒教の10のアスペクト」、『中国思想のエッセンスⅡ』岩波書店、二〇一一年。
・渡辺浩『東アジアの王権と思想　増補新訂版』東京大学出版会、二〇一六年。

02

東アジアの注釈学

宋・遼・高麗・日本をつなぐ〈注釈の知〉

小川豊生

1　思想の変革と〈注釈〉

東アジアの思想や宗教の歴史において、〈注釈〉という言説形態はきわめて重要な位置をしめている。なぜなら儒教、仏教、道教、いずれの思想潮流も、その転換期には必ずといってよいほど新しい注釈の営みが勃興しているからだ。たとえば、十一世紀後半の中国における孟子《もうし》を顕彰する運動は、注釈の営みのなかから新しい時代が生み出されていった一つの典型的なケースだと言ってよい。それまでの儒教の性格を大きく変質させたこの運動は、欧陽脩《おうようしゅう》の理念を引き継ぎ、孟子を孔子廟《こうしびょう》に従祀させた王安石《おうあんせき》・王雱《おうほう》父子によって主導されたが、その王安石は、みずから執筆した注釈をもとに経書《けいしょ》の新しい注解（新義）を著し、それを科挙受験生の教科書に用いて新法の指針としたという。[*1] 王安石はまた、政治改革の理想とする『周礼《しゅらい》』に注釈を加えた『周官新義』十六巻をはじめ、多くの注釈書を制作してもいる。その大半は失われてしまったが、彼らの注解は、唐代までの儒教のあり方を根底から変革するものであった。

その王安石らと対抗関係にあった蘇軾《そしょく》・蘇轍《そてつ》兄弟の流派や、程顥《ていこう》・程頤《ていい》兄弟の流派（道学）もまた、数多くの経書の注釈書を著しており、その流れのなかから朱熹《しゅき》が登場することになる。思弁的宇宙観にもとづく新たな哲学として朱熹によって大成された宋学（朱子学）は、のちに日本・朝鮮・安南（ベトナム）など周辺の東アジア諸国に伝えられ、それぞれの国の思想界や政界に大きな影響を与えることになるが、そこで大きな役割を担ったのも〈注釈〉の営みに他ならなかった。とくに朱熹は「四書」(『大学』『中庸』『論語』『孟子』)の集注《しっちゅう》に精力を注いだが、注釈学と哲学とがみごとに融合したこの集注テキストは、朱子学のいわばバイブルとして宋以降もっとも広範な読者を獲得することになる。

重要なことは、右のような新しい儒教が、それを先導した思想家たち自身のオリジナルな言説として自由に創出されたものではなく、「あくまでも経学の枠内で、経書解釈という営為のなかから誕生した」ものであり、「旧来とは異なる解釈――彼らの主観では、本来の正しい解釈――を提起することによって」生み出されたものであったという点である。*2 別の言い方をすれば、注釈という行為は、「〈読む〉という積極的な創造行為」である側面と、「しかし、一面で同時代の制約からぬけでることはできず」「否応なくその時代状況に束縛され」た側面という二面性をもつのであり、この相反する力学の葛藤のなかからしか新しい思想は出現しないということだ。*3 こうした視点は、前近代における〈注釈〉の展開史を東アジア規模で描こうと試みる本章にとってまず押さえるべき重要な前提となろう。なぜなら、古典的な規範を喪失した近代以降とは異なり、古代や中世の人々は、儒・仏・道いずれの宗教文化圏においても、拠るべき経典(聖典)につよく規定されて生きていたのであり、したがってまた思想変革における〈注釈〉という行為がもつ意味の重さを現代よりもずっと深く認識していたはずだからである。「東アジアの注釈学」がもとめられる所以《ゆえん》もまたそこにある。

以下では、この試みを仏教史、とくに宋・遼(契丹《きったん》)・高麗・日本にわたる仏典注釈の動態に絞って考察することにしたい。東アジアの思想史において仏典注釈はいかなる役割を担ったのだろうか、国境を越えて流通する仏典注釈の諸相を掘り起こしながら探求してみたい。

2 東アジアを横断する注釈の諸相

十一世紀から十三世紀にわたる東アジアの思想動向と注釈の展開を考える際に、高麗文宗の第四子で、国際的な学者として知られる大覚国師義天《だいかくこくしぎてん》によって一〇九〇年に編纂された『新編諸宗教蔵総録』（大正蔵、以下『義天録』と略称）三巻は、きわめて有効な視座を提供してくれる。*4 義天は出家後の宣宗《せんそう》王二年（一〇八五）に入宋し、諸宗の経典を携えて帰国。その後、当時存在していた古今の章疏《しょうしょ》（注釈書）を蒐集したが、それらに加え宋や遼、さらには日本からも求めて章疏四千七百余巻に分類整理した。それが右の総録、いわゆる『義天録』であり、またこの目録に沿って出版されたものが義天の『続蔵経』に他ならなかった。

高麗、宋、遼、日本に伝存する仏教章疏を蒐集の対象とするこの『義天録』には、項目として、「大華厳経《だいけごん》」「大涅《だいね》槃《はん》経」「毘盧神変経《びるじんぺん》」「法華経」「楞伽経《りょうが》」「首楞厳経《しゅりょうごん》」「円覚経《えんがく》」「維摩経《ゆいま》」「金光明教《こんこうみょう》」「仁王教《にんのう》」「金剛般若経《こんごうはんにゃ》」「般若理趣分経《りしゅぶん》」（以下略）などが掲げられ、それらをめぐる注釈や論書が列挙されていく。そこに記載された書名を通覧すれば、現在われわれが「注釈」という言葉で一括し漫然と呼んでいるものが、じつはきわめて多様な用語によって種々の範疇に区分されていたことに気づかされることになる。そのことは同時に、注釈という営みそのものが東アジアにおいて持ち続けた歴史的な奥行きの深さを物語っている。

たとえば最初に掲げられた「華厳経」の項には、慧光《えこう》の「疏」十巻、「略疏《りゃくそ》」四巻、慧遠《えおん》の「疏」、澄観《ちょうかん》「疏」二十巻、「科」七巻、「随疏演義鈔」四十巻、浄源《じょうげん》「大疏注経」百二十巻、「科」二十巻などが挙げられ、つづく「法華経」の項には、窺基《きき》の「玄賛《げんざん》」十巻、「会古通今鈔《えこつうきん》」十巻、「科」四巻、「大科」一巻などが並ぶ（いずれも略称された書名だが、ここでは『義天録』の記載のままを「」で引用しておく）。その他、「楞伽経」では、「注」七巻、「疏」六巻、「首楞厳経」では「玄賛」二十巻、「義疏注経」二十巻、「円覚経」では「大疏」六巻、「大疏科」二巻、「大鈔」二十六巻、「略疏」四巻、「略疏科」二巻、「略鈔」十二巻などが続く。

「疏」「大疏」「略疏」「大疏注」をはじめ、「科」「大科」「演義」「玄義」「讃」「玄賛」「幽賛」「義記」「指帰」「大意」「料簡」「義疏」「義疏注」「会古通今」「纂要」など、書名を構成するこれらの多様な語彙のうちには、各時代が生み出した固有の注釈モードが刻印されている。東アジアの注釈学は、まずはこれらが意味するところを把握するところからその探求をはじめる必要がある。その端緒として、ここでは右のうちいくつかを取り上げて考察をくわえ、合わせてそれらを冠した注釈テキストの流通の実情についても検証しておきたい。

まず、『義天録』が挙げる疏の代表的なものの一つに、たとえば唐代華厳宗第四祖として著名な清涼《しょうりょう》澄観《ちょうかん》(七三八~八三九年)の著作がある。元来中国の経学においては、単なる字句の説明を「注」、この注をもとに敷衍した言説を「疏」と呼んで区別した。また、「疏」には「分かつ」という意味があり、科段《かだん》(本文を解釈する際に大小に分けられた段落をさす)に分けてなされた解釈を「疏」と呼ぶこともあった。澄観は、七世紀末に実叉難陀《じっしゃなんだ》が訳した『八十華厳経』に対して『華厳経疏』を書き、この疏にさらに大部の注釈を加えて『華厳経大疏鈔』や『華厳経随疏演義鈔』を著したが、後者の標題には、「疏に随って演義したものの鈔」、すなわち「疏」「演義」「鈔(抄)」の重層的な注釈行為が含意されている。二つ目の「演義」とは、物事を筋道立てて分かりやすく説明することであり、すでに西晋の頃には使用されていた用語である。宋元以後、歴史をテーマにした作品に「演義」という題名がつけられるようになるが、それは後のことで、ここでの「演義」は、読解の対象となるテキストを道理や事実にそって説明する注釈行為を指していた。

この澄観の思想を継承した圭峰宗密《けいほうしゅうみつ》(七八〇~八四一年)の著作も『義天録』に採録されているが、その威容ともいえる注釈への徹底したこだわりには驚嘆すべきものがある。宗密の思想の根幹には唐代撰述の偽経《ぎきょう》『円覚経』が据えられているが、彼はまずこの経に注釈を加えて『円覚経大疏』を著している。その後、澄観にならってこの『大疏』に自ら注して『円覚経大疏鈔』を完成させたが、宗密はそれにも飽き足らず、これらの著述で展開された思想のエッセンスを『円覚経略疏』や『円覚経略疏注』というかたちでまとめ直し、さらには『円覚経略疏鈔』まで書くという念の入れようである。後述するように、宗密の思想は澄観や永明延寿《えいめいえんじゅ》(後出)とともに、十三世紀の日本にも大きな影響を及ぼしているが、こうした影響力の源泉には、『円覚経』を基底にすえた圧倒的な注釈営為が横たわっていた。同時に重要なことは、それが、疏、大疏、略疏、疏注、略疏鈔といった、注釈学の堆積が生み出した思想創造のある種のシステム（モード）によって達成された成果であったという点である。澄観や宗密、もっといえば、そもそも前近代の思想家たちにとって、新しい思想は、まさしくこうした注釈モードのシステムを通過してはじめて獲得されるものであったのだ。

ちなみに澄観の『華厳経随疏演義鈔』は、保安元年（一一二〇）に東大寺東南院の覚樹《かくじゅ》によって日本にもたらされ、東大寺に伝存していることでも知られている。おそらく覚樹が高麗から購入した経典百余巻のうちに含まれていたものと推測されるが、[*5] 同書の完本はこの東大寺本のみであり、本文は遼のいわゆる応県木塔《おうけんもくとう》本（遼代一〇五六年に建てられた世界最古の八角木塔として知られる応県木塔から発見された仏教典籍）と一致している。遼、高麗、日本という、東アジアを横断する注釈テキストの流伝の実情をこうした事例の存在によって窺うことができる。

さて、次に「玄賛」と名づけられた注釈書にも注目しておきたい。唐末に、敦煌《とんこう》から中央アジアに及ぶ広い地域で慈恩《じおん》大師窺基の『法華経玄賛』が大いに流行したが、その注釈書として著されたものに『法華経玄賛会古通今新抄』や『妙法蓮華経玄賛科文』がある。遼代随一の唯識学者として多くの注釈書を残した詮明の著述になるもので、竺沙《ちくさ》雅章《まさあき》は、「詮明の注釈書は高麗、宋、敦煌そして日本と、東アジア各地に伝播していたのであり、それはまた『法華玄賛』の普及を裏づけるものでもある」と述べている。[*6]「玄賛」とは、「玄妙である道を賛《たた》える」という意にもとづくものと推測され、本来は偈頌《げじゅ》をもって仏徳をほめ讃えた文体を指すが、そこに批評的な言辞が加わった場合も「玄賛」と呼んだものだろう。また「会古通今」の方は、「古今を会通する」の意で、古今の説をすべて合わせた注釈であることを表しているが、同じく竺沙は、この名称を詮明自身の創案になるものと推測している。[*7] 南宋の普観《ふかん》に『盂蘭盆《うらぼん》経疏会古通今記』と題するものがあるように、注釈書の名称としてある程度流布していたようだ。いずれにせよ、「玄賛」といい「会古通今」といい、注釈書の標題はそれぞれの時代の注釈モードの結晶という側面をもっている。それらがどのような時代精神を表象しているか、なお事例を蒐集したうえで詳しく検証する必要があるだろう。

詮明にはまた、金蔵《きんぞう》（一九三三年に山西の趙城県広勝寺で発見された金代の大蔵経）から出現した『上生《じょうしょう》経疏会古通今新抄』や、応県木塔から出現した『上生経疏科文』などの著作もある。詮明は燕京《えんけい》（現在の北京）の南方にある憫忠寺《びんちゅうじ》（現在の法源寺）に住した大学者であったが、高僧伝類にはまったく名前が見えない。しかし、彼の注釈書は宋の都開《かい》封《ふう》でも行われており、興味深いことに日本の成尋《じょうじん》もこれを入手していたことを『参天台五台山記《さんてんだいごだいさんき》』巻七（熙寧六年二月二十八日条）によって知ることができる。[*8]成尋は宋から弟子を通じて日本に多くの典籍を送っており、それらのうちに詮明のテキストも含まれていた可能性がある。

　請来の経緯は確かめられないが、実際に日本で詮明の著書が利用されたことの確証となる注釈書も伝存している。良《りょう》慶《けい》（一一五五～一二一三年）の『法華経開示抄』（十八巻、承元二年一二〇八撰述、大正蔵五十六所収）がそれで、そこには「摂釈《しょうしゃく》」（唐の智周《ちしゅう》の『法華経玄賛摂釈』）や「鏡水抄」（唐の栖復《せいふく》の『法華経玄賛要集』）、さらに「会古通今抄」「会古通今新抄」「新抄」など、合わせて二十条に及ぶ引用を見出すことができる。『法華経』の注釈書の表題として「会古通今」が用いられていることから考えて、おそらくは前述した詮明の『法華経玄賛会古通今新抄』を指すとみてよいだろう。また日本で法相教学を確立した笠置寺の貞慶《じょうけい》の著『法華開示抄』にも『会古通今新抄』が多く引かれており、貞慶もまた詮明の注釈についての知見を有していたことがわかる。[*9]

　このように、『義天録』からは、北宋から遼へ、遼から北宋へ、あるいは遼から高麗へ、高麗から日本へといった、東アジアにおける仏教注釈テキストのダイナミックな流通の有りようを捉えることが可能である。

3　遼代仏教を起点とする注釈の波動

　さて、『義天録』の目録を基礎にすえ、東アジア仏教史における注釈の諸相を見てきたが、繰り返し取り上げてきたことでもわかるように、こうした注釈テキストの広範な流通において遼がはたした役割の重要性が自ずから明らかになったことと思われる。そこで、この節では遼代の仏教に改めて光をあて、東アジアの注釈史を牽引《けんいん》した中心的な学僧を具体的に取り上げてみたい。

遼代はその後期（興宗《こうそう》、道宗《どうそう》、天祚《てんそ》の三朝）において仏教が国家的規模で隆盛したが、なかでも道宗（一〇五四〜一一〇〇年在位）は、遼代文化の最盛期を現出させた帝王として重要な位置をしめている。野上俊静《しゅんじょう》『遼金の仏教』によれば、「仏典研究に深い興味をもっていた道宗は、国家の力によって仏書の蒐集をはかり、また多くの学僧を督励して仏典の注釈をかかしめ、且その版行につとめた」という。[*10] 実際、遼を代表する学僧であった覚苑《かくえん》・法悟《ほうご》・志福《しふく》・道殿《どうえき》・鮮演《せんえん》らはみな道宗時代に輩出しており、いずれも重要な注釈テキストを残している。

なかでも遼代屈指の学僧とされるのは覚苑と道殿で、覚苑は一行《いちぎょう》の『大日経義釈』を注釈した『大日経義釈演密鈔』十巻を著し、道殿は『顕密円通成仏心要集』二巻の著作で知られている。覚苑の教学の中心は華厳であり、『演密鈔』はこの華厳の円融思想によって密教の教義を会通したものであったが、このことは遼仏教の思想的背景が華厳と密教を中心としていたことの明らかな証左ともなる。

『演密鈔』はまた鎌倉初期に成立した『覚禅鈔《かくぜんしょう》』にわずかではあるが引用が見え、日本へも伝来していたことがわかる。いまだ他に研究を見ないが、じつは覚苑の思想は列島中世の密教学のうちにもかなり浸透していたようで、十三世紀前半に成立した醍醐寺僧道範《どうはん》の『大日経義釈遍明鈔』にいたっては『演密鈔』が頻繁に引かれ、その受容の深さには驚かされるものがある。ただし道範は、覚苑を北宋の人と誤解しており、列島の仏教史における遼仏教に対する認識の希薄さを端的に示している。だが、逆にいえばこのことは、国家間の直接的な交流の如何にかかわらず、書物の流通それ自体が東アジア全域の思想をいわば無自覚のうちに同期させる強力なはたらきを有していたことをよく物語っている。同じ道宗時代の傑出した学僧法悟の場合にもこのことは当てはまる。

法悟は、『釈摩訶衍論賛玄疏《しゃくまかえんろんさんげんそ》』の著者として知られるが、同書は遼清寧八年（一〇六二）に『釈摩訶衍論』が入蔵された際、道宗が法悟に命じて撰進させた注疏であった。[*11]『釈摩訶衍論』十巻は『大乗起信論』を釈した書であるが、日本へは大安寺の戒明《かいみょう》が八世紀後半に請来している。最澄《さいちょう》は偽書として排斥したが、空海《くうかい》は『発菩提心論《ほつぼだいしんろん》』とともに龍《りゅう》猛《みょう》菩薩の真撰として受容し、この二論を真言宗徒の必修の論と位置づけたことはよく知られている。中国においては早く佚したようで、義天がこれを遼に得て宋に送ったことが『大覚国師文集』巻第十一に収める「与大宋善聡法師状」によって判明する。『釈摩訶衍論』の研究は遼および日本の学僧によって主導されたといってよいが、注目すべきは日本における同論の研鑽に、高麗を介して法悟の注釈書が参照されていたという事実である。高野山金剛三昧院《さんまいいん》の性海《しょうかい》が正応元年（一二八八）に書写した『釈摩訶衍論賛玄疏』巻五の伝存がその証左となる。

同書巻末の記載によれば、性海が書写の際に用いた底本は、太宰権帥藤原季仲《ふじわらのすえなか》が仁和寺《にんなじ》第三世門跡覚行《かくぎょう》法親王の要請により、高麗に使者を派遣して請来したもので、長治二年（一一〇五、高麗粛宗十年、遼天祚帝乾統五年）に大宰府から京都に送付されたものであった。つまり底本となったテキストは、高麗勅版義天『続蔵経』の一つに他ならず、その原本は遼代撰述の法悟の著作であったわけだ。『賛玄疏』という遼において出現した注釈テキストが、『続蔵経』の一部として高麗の大興王寺において重刊されたのは一〇九九年（遼寿昌五年）。そのわずか六年後に日本へと伝来していることは、注釈を通じて生み出された新たな思想が、想像以上の早さで東アジアを席巻していたことを窺わせるものだ。列島の思想は、国交もない異国に生成した注釈の知ともまさに共振していた。

さて、遼の注釈世界をリードしたもう一人の学僧を取り上げておきたい。すでに見たように遼仏教の教理的な中核をしめたのは華厳と密教であったが、そこでの思想の形成に強い影響を与えたのは澄観の華厳学であった。[*12]前述した応県木塔本のうちには『華厳経疏』巻第四下の一巻や『華厳経随疏演義鈔』の刊本四巻をはじめ、澄観の多くの著作が含まれていることはその点をよく裏付けている。

この『演義鈔』に対する最古の注釈書が遼において出現している点も、遼仏教に与えた澄観の思想のインパクトの強さをよく物語っている。遼代華厳学の第一人者であった鮮演（一〇四七～一一一八年）の著『大方広仏《だいほうこうぶつ》華厳経玄談決《げんだんけつ》択《ちゃく》』がそれである。[*13]遼代においては唯識学もまた華厳学と匹敵する地位にあったが、鮮演はこの唯識にも通じ、華厳、唯識、密教を一体化するような方向で、澄観の華厳注釈にさらなる注釈を施した。それが右の『玄談決択』である。

同書は高麗でも復刻され、一〇九六年に高麗続蔵に入蔵されている。その後、宋に渡り（一一二五年の北宋末刊本が伝存）、さらに日本へも請来されていることは、高山寺蔵『華厳談玄決択《（ママ）》』巻四の奥書（一二八五年写）によって確かめることができる。*14

ちなみに、「玄談」という書名にも注釈の多層な歴史が刻まれている。玄談は、経論を講ずる前にあらかじめ題号・著者・大意など、その経にまつわる深義を説明することを表し、「開題」や「玄義」とも共通する意味を含んでいる（日本でも『正法眼蔵《しょうぼうげんぞう》』や『菅家文草《かんけぶんそう》』『扶桑集《ふそうしゅう》』などに用例がある）。老荘の道についての奥深い話という意味を表す場合もあるが、仏教では、経の本文を離れて要旨綱要を総論する方法をさして「玄談」の語が用いられた。横超《おうちょう》慧日《えにち》は、玄談の学風は経典の訓詁注釈に偏するのを避け、経典に依拠した自己の理論を展開する契機ともなり、結果として中国仏教独自の注釈の形態を生み出したと指摘している。*15

4　華厳注釈の席巻と東アジア

以上、前近代の東アジア世界における仏典注釈テキストの諸相やその享受の広がりについて概観してきた。東アジア文化圏を〈注釈史〉の観点から一つの圏域として捉えようとする試みはおそらく前例がないのではなかろうか。しかし、冒頭の一節でも述べたように、前近代を研究の対象とする以上、儒・仏・道のいずれの文化圏においても、思想や宗教の歴史的変革に際して〈注釈〉がはたした役割にはきわめて重いものがある。ここでは最後に、大陸から列島へと広がる思想的な変革の流れに、〈注釈〉がいかに深く介在していたか、その概要を描き出しておきたいと思う。

中国仏教の世界は、第二節でも登場した唐の宗密の時代を画期として、教家《きょうけ》（特定の「経」や「論」を最高の教えとみなす諸宗の立場）と禅家《ぜんけ》（不立文字・教外別伝を説き「経」や「論」を特別視しない禅宗の立場）とが対立する時代から、いわゆる教禅一致、諸宗融合、さらには三教一致（儒教・仏教・道教が、結局は同じ真理を説いていると見る立場）を旨とする時代へと大きく舵を切ることになる。この流れのなかで、宗派や学派の対立を超えるためのある種の〝普遍学〟として要請されたものが『華厳経』をめぐる澄観の思想であった。[*16]

万有の根源としての絶対心を追究した澄観は、『大乗起信論』が説く「唯一真心」や、『華厳経』の「唯心偈」(「十地品」にある「三界虚妄但是一心作」)の「一心」に、身心の二法を含む究極の「心」を読み取った。それまでごく一般的な意味で用いられていた「一心」は、澄観による多層に展開された華厳注釈という営みを通してはじめて、万有の事象の基底にある絶対的真実、原初的な絶対心という特別な意味を獲得することになる。

この澄観の思想を継承した宗密は、新たな「一心」を根底に据え、「円覚妙心」「霊知不昧《ふまい》の一心」を説いたが、禅を媒介にしつつ儒・道・仏の三教を統合する体系をつくりあげたその営みが、想像を絶するほど徹底した注釈行為を前提にしていたことはすでに述べたとおりである。

こうした澄観や宗密の思想はさらに永明延寿《えいめいえんじゅ》(九〇四〜九七五年)へと引き継がれることになる。延寿は有名な『宗《す》鏡録《ぎょうろく》』百巻において教禅一致を唱え、法相、三論、華厳、天台を折衷し、禅とも融会させながら、あらゆる思想の統合を試みるが、その試みの中核となったのもまた「唯一真心」であり、『起信論』の「一心」に他ならなかった。

こうして、新たに更新された華厳教学は、かつてない解釈の運動をともなってほぼ東アジア全域を席巻することになる。朝鮮半島においては、知訥《ちとつ》(一一五八〜一二一〇年)が、半島の禅書中の白眉といわれる『修心訣《しゅしんけつ》』や、『華厳論節要《せつよう》』『真心直説《しんじんじきせつ》』において「真心」や「一心」を縦横に説いている。

一方、同時代の日本では、半島の知訥らの活動とほぼ重なる時期、明恵《みょうえ》(一一七三〜一二三二年)や証定《しょうじょう》(一一九四〜?年)といった優れた華厳の学僧が輩出している。明恵は、『高山寺《こうざんじ》明恵《みょうえ》上人《しょうにん》行状《ぎょうじょう》』に、「夏ノ比《ころ》七、八人ノ学者、寺中ヨリ彼ノ練若台《れんにゃだい》ノ峰ニ参向シテ、円覚経ノ圭峰《けいほう》禅師ノ略疏四巻、上人ニ対シ奉テコレヲ談ジ畢《おわ》ヌ、上人此ノ次《ついで》ニ自筆ヲモテ彼疏ニ点ヲ加ヘラル」とあるように、建保三年(一二一五)、栂尾《とがのお》の草庵練若台において宗密の『円覚経略疏』の講読を行なっている。また、『栂尾明恵上人伝記』巻上にも同様の記載が見え、明恵の宗密の思想への傾倒ぶりにはただならぬものが看取される。この点は弟子の証定にも引き継がれ、その著『禅宗綱目《ぜんしゅうこうもく》』には澄観の『華厳経疏』『華厳随疏演義鈔』や、宗密の『円覚経略疏』『略疏鈔』『大疏』からおびただしく引用されている。澄観・宗密の注釈営為からはじまる華厳思想の変革の流れは、確実に列島の思想史に浸潤していたことがわかる。

つづく十三世紀半ば、日本の禅学をリードした円爾弁円《えんにべんえん》（一二〇二～八〇年）もまた「一心」を重視した。大陸杭州の径山寺《きんざんじ》において直接に無準師範《ぶじゅんしばん》に学んだ円爾は、宗密のテキストや延寿の『宗鏡録』に深い関心を寄せたが、その円爾に禅を学んだ東大寺の円照にも、こうした大陸の思想潮流が強く意識されていたはずである。彼は『無二発心成仏論《むにほつしんじょうぶつろん》』において、伊勢内宮の神官に「心神論」（心こそ神であるという神内在論）を説いているが、その議論は宗密や延寿の華厳思想から生まれ出たものであった。伊勢では、同時代にいわゆる伊勢神道が形成されており、この教説の成立を主導した度会行忠《わたらいゆきただ》はその著『古老口実伝《ころうくじつでん》』において、「諸天子の垂跡《すいじゃく》、諸仏の出世、千経万論、一心に帰すのみ」と記すが、この「一心」の用例は、『宗鏡録』巻第十一の、「千経万論は只汝の一心を説く」といった記述と正確に呼応する。その他、彼が関与したと見られるテキストや、続いて伊勢神道を大成したとされる度会家行の著作のうちには、宗密の『円覚経略疏注』や『大疏』からの引用が見られ、伊勢において新しい神学を試みた神道家の脳裏にも宋から新来した華厳や禅のテキストにもとづく知見が確実にあったことを知ることができる。

こうした「一心」論の思潮は、日本においては東大寺の教学刷新の運動とも連動していた。東大寺知足院を復興した良遍《りょうへん》（一一九四～一二五二年）の著『真心要決《しんじんようけつ》』は円爾に奉呈したものだが、同書が中心にすえる「真心」とは「一心」のことに他ならず、たとえば、「一切の諸法は皆無自性にして、無生滅の一法は即ち是れ一心なり、万法は皆如にして一心に摂在する故なり。其の一心は即ち無分別にして文字を離れたる法なり」と、「一心」の探究が同書の主題にすえられている。同書巻末には、「伝へ聞く、彼の上人［円爾を指す］は在唐六年、学びて一心を得。身は内外を統《す》べ、解は大小に亘《わた》る」とあるが、この一節は、大陸の無準師範から学んだ円爾の思想の核心が「一心」にあったことを端的に窺わせてもいる。

以上、大陸の澄観を画期とする華厳思想にもとづく思想変革の流れが、いかに東アジアを席巻してきたかについて列島中世の言説を交えつつ概観してきた。もはや付け加える必要もないが、その思潮伝播の基底には、他ならない〈注釈の知〉が底流していたことをここでは何よりも強調しておきたい。東アジアはまさに〈注釈の知〉によって結ばれていたのである。

注

1 小島毅『中国思想と宗教の奔流（宋朝）』（講談社、二〇〇五年）「第六章　士大夫の精神」参照。
2 注1同書参照。
3 小峯和明「中世の注釈を読む」（『中世の知と学〈注釈〉を読む』森話社、一九九七年、『説話の言説　中世の言説と歴史叙述』森話社、二〇〇二年再収）参照。
4 大屋徳城「影印［高山寺本］新編諸宗教蔵総録　解説」（大屋編『新編教蔵惣録解説』便利堂、一九三六年）参照。
5 竺沙雅章『宋元佛教文化史研究』（汲古書院、二〇〇〇年）「第五章　遼代華厳宗の一考察」参照。
6 注5同書七四頁参照。
7 竺沙雅章「遼代の仏教とその影響」（『駒沢大学仏教学部論集』31、二〇〇〇年十月）参照。
8 注5同書七頁参照。
9 注7同論参照。
10 野上俊静『遼金の仏教』（平楽寺書店、一九五三年）「遼代篇　遼朝と仏教」参照。
11 大原嘉豊「朝陽北塔に現れた遼仏教の一側面」、『遼文化・遼寧省調査報告書』（京都大学大学院文学研究科21世紀COEプログラム、二〇〇六年）二五頁参照。
12 鎌田茂雄『中国華厳思想史の研究』（東京大学出版会、一九七八年）第二部第七章第二節「宋代華厳学典籍にあらわれた澄観の学説」参照。
13 鮮演については木村清孝『中国華厳思想史』（平楽寺書店、一九九二年）第八章「二　鮮演の華厳思想」、及び同「インド華厳から日本華厳へ」（『論集　華厳文化の潮流』東大寺、二〇一一年）参照。
14 注5同書七一頁。竺沙に拠れば、「華厳章疏をめぐる宋麗の仏教交流は、天台典籍を主とする日宋の交流より緊密であり質の高いものであった」という。
15 横超慧日『中国仏教の研究』三（法蔵館、一九八一年）「釈教史考」参照。
16 鎌田茂雄・上山春平『仏教の思想6　無限の世界観〈華厳〉』（角川書店、一九九六年）参照。

03

医学と本草学

十六世紀以前の中国と日本を中心に

岩本篤志

1 はじめに

「漢方」という言葉は、しばしば「東洋医学」とも言い換えられる。しかし、「漢方」は中国発祥の医術を受容した日本で発展を遂げたものであるのに対し、「東洋医学」はインド発祥の医術を含み、重複はあるが同一ではない。なお、現代中国では中国発祥の伝統的医学を発展させた「中医学」を展開しているが、もちろんそれは「漢方」とは呼ばない。

本章ではこの「漢方」「東洋医学」「中医学」の重複部分にあたる中国の医薬学の成立にかかわる史料を整理し、それがどのように日本に受容されたかについて概略したい。

2 『史記』にみえる医術者の姿

中国における医薬術が漢代をさかのぼることは疑いないが、古くから知られている医薬の史料として、まずは『史記』を取り上げたい。

『史記《しき》』は司馬談《しばだん》が構想し、前九一年、その子の司馬遷《しばせん》が完成させた歴史書で、医者の伝記「扁鵲《へんじゃく》倉公列伝」を含む。「扁鵲《へんじゃく》」とは春秋戦国時代の医術者のことで、「倉公《そうこう》」とは、司馬遷の父とほぼ同時代人で太倉公という地位にあった淳于意《じゅんうい》のことである。

列伝によれば、扁鵲の活動範囲は黄河中下流域に集中するが、諸国を遊説していた諸子百家と同程度に広範である。そして人の寿命をはるかに超えて活動していたことになる。ただ、こうした叙述から、司馬遷は扁鵲の伝説を収集し、矛盾を解消することなく列伝に収載したとみることができる。また司馬遷や父の取材時にすでに「扁鵲」は広い地域で名医の代名詞として使用され、その列伝には春秋戦国時代の複数の名医の言い伝えが含まれると見られる。またその背景には広範囲に活動した遍歴医の存在もあったのだろう。*1

一方、淳于意の列伝には、彼が讒言《ざんげん》をうけて肉刑（身体に損傷または苦痛を与える刑罰）を受けることとなった際に、娘が時の皇帝、文帝に赦免をもとめて上書するシーンが記されている。結局罪をまぬがれることになった淳于意に対し、医術をどこで何年学び、実際の治療でどのような効験があったかを詳細に答えるよう、文帝は下問した。その答えとして治療例がつづられる。この部分は司馬遷でなく後人が補ったとされるが、記された二十五件の事例はきわめて具体的である。

それによれば淳于意は高后《こうこう》八年（前一八〇）七十余才の同郷で公乗《こうじょう》の爵位を持つ陽慶に師事し、秘伝の医術を授けられた。その際、師匠の陽慶は淳于意に対して、それまで学んだすべてを棄て、自分の教えることを会得するように言った。そして、黄帝・扁鵲の『脈書』（上経・下経）、表面にあらわれた五臓の色で病気を診断できる五色の診、奇咳《きがい》術《じゅつ》、陰陽の外変を揆度《きど》する術、薬物を論じた『薬論』『石神』、陰陽交接の秘方書を授けた。その後、淳于意は数年間、それらについて効果が出るまで専心し、ようやく習得したとされる。なお師事して三年で陽慶が亡くなった時、意は三十九才だったというので彼の生年は前二一五年となり、四十才近く年上の陽慶の医術は戦国〜秦期に属すとみなせる。

ここにあげられた脈書の書名に注目すると、扁鵲が黄帝の名と並んで冠せられていたようで、やはり司馬遷の時代にすでに「扁鵲」は医薬分野の伝説的存在であったとみてよかろう。

淳于意は弟子となった者についても問われ、具体的に出身、姓名、教えた内容を答えた。列伝には六名の名前が記されている。医術を教えるという淳于意の姿勢は、師匠である陽慶の一子相伝の術とは異なる。こうした者たちによって優れた医術が地域を越えて広まった可能性が見いだせる。[*2]

『史記』は広く史料を集め、第三者的立場で医術者を叙述している点で貴重である。そのことは次に述べる出土医書との対比からも理解できる。

3　中国出土医書から見た秦漢期の医術

一九七二〜七四年にかけて、湖南省《こなん》長沙市《ちようさ》で馬王堆漢墓《まおうたいかんぼ》が発掘された。出土品の調査の結果、被葬者は前漢・景帝時の長沙国丞相、軑侯利蒼《たいこうりそう》（二号墓、前一八六年頃被葬）と妻（一号墓）およびその子（三号墓、前一六八年被葬）と特定された。とりわけ一号墓から出土した夫人の遺骸は死亡時の形状をほぼ保ち皮膚に弾力が残った状態で発見された。彼女の手には薬が握られており、遺体とともに当時の医療の実態を知る手がかりとなった。また帛書《はくしょ》・竹簡・漆器・木俑《もくよう》・兵器・楽器が出土し、前漢の王侯の部屋があけられたがごとくであった。帛書とは帛（絹）に書かれた書籍・文書のことで、三号墓からは『易』『老子』『戦国縦横家書《せんごくしょうおうかしょ》』のほか十四種類の医書が出土した。

ここではこの医書群に注目したい。用いられた帛書は腐食し断裂し、文章の排列が十分わからない状態で、解読が開始された。内容により排列が推測され、それによって解釈が深められた。しかし、近年になってこれら帛書は大きな絹を折りたたんで複数頁を構成する折本状に用いられたことが判明し、排列に大幅な修正が施された。[*3] 内容毎に以下のような題名が付けられた。

『足臂十一脈灸経《そくひじゆういちみやくきゆうけい》』、『陰陽十一脈灸経《いんようじゆういちみやくきゆうけい》』（甲本・乙本）、『陰陽脈死候《いんようみやくしこう》』、『脈法《みやくほう》』、『五十二病方《ごじゆうにびようほう》』、『養生方《ようじようほう》』、『雑療方《ざつりようほう》』、『十問《じゆうもん》』、『天下至道談《てんかしどうだん》』、『合陰陽方《ごういんようほう》』、『却穀食気《きやくこくしよくき》』、『導引図《どういんず》』、『胎産書《たいさんしよ》』、『雑禁方《ざつきんほう》』[*4]

前一六八年といえば淳于意は四十七才位である。馬王堆の医書は、淳于意とほぼ同時期で、かつ彼が伝授されたものと同様に多彩である。ここでは先行研究をふまえつつこのうちの数点を紹介していく。[*5]

まず、『足臂十一脈灸経』と『陰陽十一脈灸経』（甲本・乙本）をみよう。

現代の中医学では身体には気が流れるルート、経絡があることを前提に治療が行われる。経脈・絡脈のうち、基本的なものが経脈でその数は十二である。また経脈は左右の手足いずれかを通り、五臓六腑と関連づけられており、身体末端（たとえば指先）で接続して循環性がある。この身体観は『霊枢《れいすう》』経脈篇に由来する。

ところが『足臂十一脈灸経』と『陰陽十一脈灸経』にはともに十一脈しか記されていない。また経脈の相互連関やその間の循環性などの複雑なかかわりが示されていないなど、あらゆる点で『霊枢』と比較して原始的である。ここから経絡が理論化されていった過程が推測できる。

『足臂十一脈灸経』と『陰陽十一脈灸経』の脈の走向は『霊枢』とは真逆に身体の末端から内部に向かっており、かつ同書中には経穴の記述がほとんどない。そこで気のルートである脈は経穴と経穴を結びつけて生み出されたのでなく、脈上に経穴が発想されたと推測される。

一方、現代でも漢方や中医学で重視される『霊枢』はどのような成立を経てきたのか。現存するテキストで最も古いのは宋代のもので、それ以前の伝承は必ずしも明確でない。[*6] 現段階では原型は後漢頃の成立で、その後何度も改題・改訂を繰り返されたとするのが適当であろう。医薬書は実用書であるがゆえに頻繁に書き変えられ、以前の版が残りにくい。とくに写本の加除の過程は把握が困難である。出土史料はその変遷を知る手がかりとなる。

次に馬王堆医書の一つ『五十二病方』についてみよう。『五十二病方』は基本的には薬物による対症療法を中心とした書で、身体観は探りにくい。しかし、呪術的といえる療法が二割弱ほどあるとされる。[*7] 次のような例がある。

唾を吐いていう。「息を噴くぞ、漆よ」。三度繰り返して、そこでいう。「天帝は汝を下土に下して、弓矢に漆をぬらせるようにされた。ところがいま汝は天下の人民を疕《ひ》病にかからせている。汝に豚の糞をぬり、靴底でうち砕くぞ」（漆負け）

漆かぶれを治療するのに呪文と唾を使用する。唾に一定の殺菌効果が認められるとは聞くが、呪文とあわせてみると、先人が唾の効能を経験的に知っていたと評価するのは無理がある。しかし、人の「気」が病の治癒とかかわるという理解を前提にすれば、人が吐き出す言葉と唾に治癒能力を認める論理がみえてくる。そこには現代人とは異なる世界観が横たわる。

ほかの出土資料について見ていこう。一九六八年に河北《かほく》省保定《ほてい》市で発掘された満城《まんじょう》漢墓（前一一三年頃被葬）からは『霊枢』に記されたのと遜色ない金鍼《きんしん》、銀鍼が出土しており、前二世紀には鍼の使用がすでに一定水準に達していたことをうかがわせる。

また一九八三年に湖北省荊州市で発掘された張家山《ちょうかざん》漢墓（前一八六年頃被葬）からも医書とみられる竹簡群が発見された。それは馬王堆の『陰陽十一脈灸経』『脈書』『陰陽脈死候』の三書を包括したごとき内容とされ、脈書と名付けられた。

さらに一九九三年に四川《しせん》省綿陽《めんよう》市で発掘された綿陽双包山《そうほうざん》二号墓からは十経脈を示した漆塗りの木像が発見され、経脈の流注方向が馬王堆の脈灸経類とは異なるという。なお、この墓は前一七九～前一四〇頃被葬と推測されている。

二〇一二年に四川省成都市で発掘された老官山漢墓の三号墓からは、竹簡に記された複数の医書と経脈を示した漆塗りの木像が出土した。木像は綿陽双包山墓と同じく経脈の流注を示したものであった。また医書として、『五色脈診』『敝昔（扁鵲）診法（医論）』『脈死候』『六十病方』『尺簡《せきかん》』『病源』『経脈書』『諸病症候』『脈数』が発見された。三号墓の被葬時期は前一八八～前八七、『六十病方』は馬王堆の『五十二病方』と近似する部分があるという。[*8] これらは淳于意が、黄帝・扁鵲の『脈書』や五臓の色で病気を診断できる五色の診を授かったことを彷彿とさせる。

以上のように前漢期の経脈にかかわる各地の出土史料と「扁鵲倉公列伝」をみていくと、地域的な技術差がみられると同時に、自律的で循環的な脈または気が存在し、ある症状とある脈とが関連性をもつという認識が漢の文帝期（前一八〇～前一五七年）頃までに広く定着していた様子をうかがえる。さかのぼれば前二四〇年頃成立の『呂氏春秋《りょししゅんじゅう》』尽数篇に人体を流れる気の鬱滞《うったい》を病につなげる理解が示されていた。

　春秋戦国期、扁鵲の時代に広範囲に活動した遍歴医によって気による身体観が広められ、社会が安定した前漢代になるとそれを応用した鍼などを用いた高度な医術が全国へと広まりつつあったということになろう。

4　『漢書』芸文志による医書の分類と本草書の展開

　西暦八〇年頃に班固が編纂した『漢書《かんじょ》』は父の彪から着手され、表と志の部分は妹の班昭によって補われた。この『漢書』芸文志《げいもんし》に「方技略」があって医書を分類している。芸文志はその序によれば、劉歆《りゅうきん》編纂の書籍分類目録『七《しち》略《りゃく》』の一部を削って作成された。また、その際、歆の父の劉向《りゅうきょう》が前漢の成帝時《せいてい》（前三三〜前七年）に作成した『別録』が参照され、医薬の書については成帝時の侍医李柱国《りちゅうこく》の識見がいかされたという。ここに戦国秦漢の医術は、一つに体系化されたといえる。

　その分類は、身体の総合理論書である「医経」、薬物を中心とした治療書「経方」、養生書または性医学書ともいえる「房中」、不老長生の書である「神仙」の四種となっており、各十点前後の医書の書名が著録される。ただ淳于意が伝授されたものや馬王堆などから出土した医書と同じとされる書籍はない。しかし、この分類によれば、老官山医書は現時点では「医経」「経方」に偏っており、淳于意が授かった複数の医書や医術、そして馬王堆出土医書はこの四分類を包括していると評価できる。

　中医学や漢方において重視されてきた書物の一つ『黄帝内経《こうていだいけい》』は、この『漢書』芸文志の医経類に収載されている。芸文志以来、現存する唯一の医書である。ただし『黄帝内経』として現存するすべてが成立当初から存在していたとは考えられず、伝承や内容の増減の過程は複雑で、とくに北宋以前は明らかではない。*9

　一方、漢方や中医学において「本草《ほんぞう》」書も不可欠な存在である。ところが『漢書』芸文志には「本草」を冠した書籍は見当たらない。そもそも「本草」という語彙は『漢書』郊祀志《こうしし》に「本草待詔《たいしょう》七十余人」とあるのが史書に引かれた最古とされる。しかし、この用例からは意味や位置づけは明瞭でない。ただ『漢書』芸文志の方技略・経方類に「神農」を冠した『神農黄帝食禁』という書名があって、食用禁忌に関する書籍と思われる。これは、後に出現する本草書の特徴の一部であり、祖型の一種とはいえるであろう。

「本草」をつけた最古級の一書『神農《しんのう》本草』の成立は後漢頃とされている。『神農本草』（または『神農本草経《しんのうほんぞうけい》』）は薬材の薬性や効能の一端や別名を記しており、薬材細別の需要に応じて作成されたとみられる。しかし、戦乱で薬材を集めにくくなった魏晋期にはすでに散佚がはじまったらしい。そこで南斉～梁の人である陶弘景《とうこうけい》が佚文《いつぶん》を蒐集して整理し、再編して注をくわえたのが『本草集注《しっちゅう》』（『神農本草経集注』『集注本草』『本草経集注』とも）で、五〇〇年頃の成立とされる。

『本草集注』には薬物の有毒無毒、採集時期、方法、産地、製剤技術、薬物配合の原理が示された。分類は玉石・草木・虫獣・果・菜・米・有名無用の七つで、前六者を上中下、三品に分類し、仙薬に近いものは上品、効能が強い薬物は下品とした。また薬物配合や薬性の原理にかかわるものとして、君臣佐使（配合原則）、五味（薬性分類）が付記された。そこには長寿を超え神仙となる理想をもとめて、鉱物や動植物の利用法を示そうとする意図を読み取れる。この分類法は明代の『本草綱目』の登場まで本草書の主流となるが、[*10] 道教に深い造詣をもち、政権と距離を保ちつつも山中宰相とよばれた陶弘景によってなしえた仕事であった。

唐の高宗期、六五九年には勅命により『新修本草』が編纂された。この書籍は南北分離の時代の『本草集注』の不備を補い、唐朝全域から薬材をあつめうる体制を背景に、より総合的であることを目指した。それは国家運営の基礎となる律令の下で、医師を養成する役所や地方の貢納物を管理する役所での運用を念頭においており、編者の蘇敬は物産の品質を見極める職掌にあった。[*11] 律令体制は秦漢以来の勅令や法の継承だっただけでなく、こうした戦国秦漢以来の知識の集積の上に構築されたといえる。

5　日本における医学・本草学の展開

古くから日本列島独自の医術はあったにちがいない。しかし大陸や朝鮮半島から流入してきたあまたの経験をふまえ形成されてきた医術ほど先進的ではなかったらしい。七世紀初めのいわゆる遣隋使とそれにつづいた数度の遣唐使により、人や書籍をとおして多くの知識がもたらされ、中国の医薬術が日本に伝わった。そこで重要な役割を果たした一人に薬師の恵日がいる。恵日は遣隋使として隋に渡り、新羅を経由して帰国し、遣唐使にもかかわり、両国間の交流に尽力した。彼が唐の医薬術を日本にもたらしたことは疑いなかろう。

また七〇一年の太宝令やその継承である養老令は、唐令をおおいに参考にして作成され、遣唐使による唐との交流がもたらした成果の一つである。隋を経てより洗練された律令は、唐に至って医薬に関する制度や法律はより細かく規定された。ただし日本でそのまま受容したのでなく、規模や内情にあわせて、省略や付加がおこなわれた。また徐々に改変も加えられた。たとえば唐では尚薬局が皇族の薬事を司り、太常寺《たいじょうじ》太医署《たいいしょ》が臣下の医療にかかわった。日本の律令下で相当するものとして中務《なかつかさ》省内薬司《ないやくし》、宮内《くない》省典薬寮《てんやくりょう》がおかれた。しかし内薬司は実態としては典薬寮の一部のごとく運用され、八九四年には典薬寮に併合された。中国では分置された経緯や意図があったのに対し、規模の異なる日本で医事官庁を二つに分けるのは不都合だったのである。

またこの律令下の医事制度を裏付けたのが書籍であった。医生は「甲乙・脈経・本草」（鍼灸甲乙経、脈経、本草集注もしくは新修本草）を必修とし、「張仲景・小品」（傷寒論、小品方）を兼修し、針生は「素問・黄帝針経・明堂《めいどう》・脈訣《みゃくけつ》」（黄帝内経素問、黄帝鍼経、黄帝明堂経、脈決）を必修とし、「流注《りゅうちゅう》・偃側《えんそく》等図、赤烏《せきう》針《しん》等経」（黄帝流注脈経、黄帝十二経明堂偃側人図、赤烏針等経）を兼修させた。日本令制定の際、唐令を参照した結果として、戦国秦漢以来の知識の集積を習得することが、身体を知り、病気を治す方法となったのである。遣唐使は八三八年の派遣で最後となったが、藤原佐世《ふじわらのすけよ》による『日本国見在書目録』（八九五年頃成書）には医方の分野で一六六部をも著録している。[*12]

しかし、鍼は書籍だけでは会得が難しく、薬材は大陸と日本とで同等のものが入手できるとは限らない。とりわけ薬材については中国の本草書に載る薬材と日本列島で採集できるものとを照合し、効果を見定める作業が必要となった。

これに関連して天皇の侍医・権医博士であった深根輔仁《ふかねのすけひと》が、延喜年間（九〇一～九二三年）に編纂したのが『本草和名《わみょう》』である。唐の『新修本草』をもとに、中国の医薬書に書かれた薬物に和名を当てはめて、日本での産出の有無や産地を記した。それは新しい本草書を作るのに匹敵する作業であったにちがいない。

また、医博士・針博士であった丹波康頼《たんばのやすより》の編纂による『医心方《いしんほう》』（九八四年上書）はこうした漢～唐の医薬書の集大成とも呼べる書物で、ほとんどはそれらの引用から成り立っている。また各引用の整合性は期しておらず、類書的である。そして、中国の古い医薬書のほとんどが失われた現在ではそれらを探究する上でも十世紀以前の日本の医術を知る上でも不可欠な書籍である。

十二世紀後半に日宋間の貿易がおこなわれるようになると、中国で普及しつつあった印刷された書籍が多数、日本にもたらされた。北宋でも南宋でも印刷技術を用いて、多数の医薬書が校訂・編纂されて、続々と流入してきたのである。

鎌倉時代の宮廷医の家に生まれた惟宗具俊《これむねともとし》はこれらを用いて一二八四年に『本草色葉抄《いろはしょう》』を編纂した。本書は刊本である『大観本草』（一一〇八年刊）の薬名の検索を目的としたもので、それ以外の薬名についても独自に各種書籍から収載した。

また、『史記』の「扁鵲倉公列伝」は日本でもよく読まれてきた。米沢藩伝来の宋版『史記』は京都五山の僧侶南化《なんか》玄興《げんこう》の蔵書であった。それが米沢にあったのは南化と上杉氏の家臣直江兼続《なおえかねつぐ》の師弟のごとき交流に由来する。[13] 南化本の書き入れの多くは南化の師の師にあたる月舟寿桂《げっしゅうじゅけい》（一四七〇～一五三三年）によるもので、そこから彼が多数の医薬書に目を通していた様子がわかる。[14] また、月舟と同じ頃、北条氏の庇護のもと、五山の流れをくむ教授陣を配して隆盛となった足利学校でも、中国医書は関心を持たれていた。このような中世日本における知的環境が、曲直瀬道三《まなせどうさん》や田代三喜《たしろさんき》らを生み出す素地をつくったと思われる。

6 おわりに

戦国秦漢期に基礎が形成され体系化された医学と魏晋南北朝隋唐期に発展をとげた本草学、そしてそれらを受容した日本の古代中世の一端についてみた。近世には歴史的地理的環境もあいまって、多様なあり方が模索され、さらに独自の発展を遂げることとなる。

注

1 山田慶兒「扁鵲伝説」、同『夜鳴く鳥』岩波書店、一九九〇年。
2 山田慶兒『中国医学はいかにつくられたか』岩波書店、一九九九年。
3 小曽戸洋ほか『五十二病方』東方書店、二〇〇七年。
4 白杉悦雄・坂内栄夫『却穀食気・導引図・養生方・雑療方』(東方書店、二〇一一年)、大形徹『胎産書・雑禁方・天下至道談・合陰陽方・十問』(東方書店、二〇一五年)。
5 石田秀実『中国医学思想史』(東京大学出版会、一九九二年)、前掲、山田『中国医学はいかにつくられたか』、小曽戸洋・天野陽介『針灸の歴史』(大修館書店、二〇一五年)。
6 真柳誠「『針経』と『霊枢』」、同『黄帝医籍研究』汲古書院、二〇一四年。
7 山田慶兒「夜鳴く鳥」、前掲『夜鳴く鳥』。
8 真柳誠「老官山漢墓出土『六十病方』の知見」、『日本医史学雑誌』63-2、二〇一七年。
9 前掲、真柳『黄帝医籍研究』。
10 岡西為人『本草概説』創元社、一九七七年。
11 岩本篤志『唐代の医薬書と敦煌文献』角川学芸出版、二〇一五年。
12 小曽戸洋『新版　漢方の歴史』大修館書店、二〇一四年。
13 岩本篤志「『文鑑』と『軍法』―直江兼続と漢籍」、矢田俊文編『直江兼続』高志書院、二〇〇九年。
14 北里研究所東洋医学総合研究所『『扁鵲倉公伝』幻雲注の翻字と研究』(平成六〜七年・科研費報告書)、一九九六年。

04 類書の「世界」

井上亘

1 類書とは

昭和に日本史を学んだ人で『古事類苑《こじるいえん》』の世話にならなかったという人はいないだろう。「『古事類苑』で卒論を書いてはいけない」などとよく言われたもので、

天・歳時・地・神祇・帝王・官位・封禄・政治・法律・泉（銭）貨・称量・外交・兵事・武技・方技・宗教・文学・礼式・楽舞・人・姓名・産業・服飾・飲食・居処・器用・遊戯・動物・植物・金石

以上三十部一千巻、あらゆるテーマの多様な資料が古代から近世まで載っている。大正の大震災で蔵書を焼いた和田英松《ひでまつ》が、急場しのぎに『古事類苑』を買いもとめたというのは有名な（気の毒な）逸話であるが、この『古事類苑』が日本の代表的な類書である。

類書とは一般に、事類ごとに項目を立て、「書名曰」のかたちで古書の原文を引用した「部類立て」の百科事典をいい、現代の百科事典と異なる点は解説が一切なく、引用文をしてその事物を語らせるところにある。その歴史は三国魏の『皇覧《こうらん》』にはじまるといい、南朝の『華林遍略《かりんへんりやく》』や北朝の『修文殿御覧《しゅうぶんでんぎょらん》』をへて（以上散佚）、隋の虞世南《ぐせいなん》『北堂《ほくどう》書鈔《しょしょう》』（現存最古）、唐の欧陽詢《おうようじゅん》『芸文類聚《げいもんるいじゅう》』や徐堅《じょけん》『初学記《しょがくき》』、白居易《はくきょい》『白氏六帖《はくしりくじょう》』などが出て、宋の『太平御覧《たいへいぎょらん》』や

明の『永楽大典《えいらくたいてん》』、そして清の『古今図書集成《ここんとしょしゅうせい》』へと終着する一方、[*1]敦煌《とんこう》の通俗類書をはじめとする日用類書の流れが並行して清代におよぶ。[*2]なお、「類書」という呼称は欧陽脩《おうようしゅう》の『新唐書《しんとうじょ》』芸文志《げいもんし》より見え、[*3]『旧唐書《くとうじょ》』経籍志《けいせきし》は「類事」、『隋書《ずいしょ》』経籍志では「雑」とされていた（いずれも四庫分類《しこぶんるい》の子部に属す）。

日本では遣隋唐使が将来した『華林遍略』以下の類書が藤原佐世《ふじわらのすけよ》『日本国見在書目録』雑家に著録されるほか、[*4]つとに『日本書紀』の編者が『芸文類聚』などを活用したことが実証されている。[*5]藤原緒嗣《おつぐ》との徳政論争で有名な菅野《すがのの》真道《まみち》は『続日本紀』を編纂するかたわら、その事類『官曹事類《かんそうじるい》』を作って国史事類の流れをひらき、[*6]これが菅原道《すがわらのみち》真《ざね》の『類聚国史』に至って六国史の事類が完成する。淳和朝の文壇の中心にあった滋野貞主《しげのさだぬし》は『経国集《けいこくしゅう》』の主編として文武朝以来の詩文を集大成し、さらにそれまでに将来した中国の類書を統合するかたちで一千巻の類書『秘府略《ひふりゃく》』を完成させた（二巻のみ現存）。[*7]そして十世紀には「梨壺の五人」の一人源　順《みなもとのしたごう》が和訓の字類『和名類聚抄《わみょうるいじゅしょう》』を作り、[*8]これが平安末期の橘　忠兼《たちばなのただかね》『色葉字類抄《いろはじるいしょう》』や鎌倉の『塵袋《ちりぶくろ》』、室町の『下学集《かがくしゅう》』や『節用集《せつようしゅう》』といった通俗字書の源流となる一方、[*9]この順の弟子で『三宝絵《さんぼうえ》』「空也誄《くうやるい》」の作でも名高い源為憲《ためのり》は貴族の知識を諳《そら》んじた三百七十八曲を十九門に部類した『口遊《くちずさみ》』を作り、これが三善為康《みよしためやす》の『掌中歴《しょうちゅうれき》』や鎌倉～南北朝期の『拾芥抄《しゅうがいしょう》』といった有職故実の類書へと引き継がれた。[*10]

2 「類聚の世紀」

類書が研究上、注目されるのはその引用文に佚文《いつぶん》が多く含まれ、現行本と対応する文にも異文が多数あって輯佚《しゅういつ》・校勘《こうかん》上の価値があるとともに、[*11]その部類立てに当時の世界観が投影されており、そこに思想史や文化史上の興味が注がれるところにある。[*12]

唐高祖李淵《こうそりえん》の武徳五年（六二二）、ちょうど聖徳太子が死んだ年に『芸文類聚』編纂の命が下り、その二年後には、天・歳時・地・州・郡・山・水・符命・帝王・后妃・儲宮《ちょきゅう》・人・礼・楽・職官・封爵・治政・刑法・雑文・武・

軍器・居処・産業・衣冠・儀飾・服飾・舟車・食物・雑器物・巧芸・方術・内典・霊異・火・薬香草・宝玉・百穀・布帛《ふはく》・果・木・鳥・獣・鱗介《りんかい》・蟲豸《ちゅうち》・祥瑞・災異

という四十六部のもと、たとえば「天」部は天・日・月・星・雲・風以下、十三の項目（門）からなるといった具合で総じて七百二十七門、一百巻の類書が完成する。類書の標準的な編目は一般に、右のような「天地（帝）人動植物」の綱目に代表される。

太宗李世民《りせいみん》の貞観十五年（六四一）、『文思博要《ぶんしはくよう》』千二百巻が完成した。いま『文苑英華《ぶんえんえいが》』の序部文集一にのこる高士《こうし》廉《れん》の序文には、

魏の『皇覧』巨川の濫觴《らんしょう》を登し、梁の『（華林）遍略』崇山の増構（高楼）を標す。歳月もて滋《ますます》多く、論次愈《いよいよ》広し。『類苑』『耕録《ママ》』玉軑《たい》を斉《そろ》えて並び馳せ、『要略』『（修文殿）御覧』金鑣《ひょう》を揚げて路を継ぐ。草創の指（旨）ありと雖《いえど》も、義は兼包に在り、編録の内、猶《な》お遺闕《いけつ》多し。

と先行類書を乗り越える企図を述べたうえで、[13] 魏徴《ぎちょう》・許敬宗《きょけいそう》・房玄齢《ぼうげんれい》・褚遂良《ちょすいりょう》・姚思廉《ようしれん》など錚々たる学者らの手に成った『文思博要』について、

天網を蓬莱に（整）頓して、綱目自ら挙がり、雲車《うんしゃ》を策府に馳せて、轍跡《てっせき》尋ぬべし。……義は六経に出で、事は百氏を兼《か》ぬ。帝王の則《そく》を究《きわ》め、聖賢の訓を極む。天地の道備わり、人神の際ここに在り。昭昭《しょうしょう》として日月の若《ごと》く下土に代明し、離離《りり》として星辰の若く躔次《てんじ》に錯行《さくこう》す。

と自賛する。[14]『太平御覧』は『修文殿御覧』『芸文類聚』と『文思博要』をもとに成ったといい、[15] そのためにか『秘府略』同様、南宋の秘閣に巻百七十二の一巻しか伝えられず、その一巻もいまはない。なお、『文思博要』に仏道二教などの部門を加えた増補版『三教珠英《さんきょうしゅえい》』千三百巻が則天武后の大足元年（七〇一）に出たが、こちらも開成二年（八三七）に則天文字を改めて『海内《かいだい》珠英』と改名したあと、南宋には三巻しか残らず、やがて散佚した。[16] 類書は「床上の床、屋下の屋」などといい（『太平御覧』巻六百一所引『三国典略』）、古い類書は新しいそれに丸ごと吸収されて散佚しやすいう

えに、『太平御覧』は冊子本で流布したので、検索しにくい巻子本の類書は瞬く間に淘汰されたのであろう。

この『文思博要』に先立つこと十年、魏徴《ぎちょう》は太宗の命により経・子・史六十七部の要文を抄出して『群書治要《ぐんしょちよう》』五十巻を作り、その序に、

但し『皇覧』『（華林）遍略』方《ほう》に随《したが》いて類聚し、名目互いに顕《あら》わるも、首尾淆乱《こうらん》し、文義断絶して、尋ね究むるに難しと為す。今撰ぶ所、先作に異なり、総じて新名を立て、各々旧体を全うして、本を見て末を知り、初めを原《たず》ねて終わりを要し、並びに彼の春華を棄て、茲《こ》の秋実を采らしめんと欲す。


と述べて類書の難点を突き、『周易《しゅうえき》』『尚書《しょうしょ》』……と書物ごとに要文をならべる意義を強調する。つまり類書は治要の深い理解には向かないというわけで、我々は類書を工具書と考えがちであるが、『皇覧』『御覧』という書名が物語るように、類書はまず皇帝の読み物であった。[*17]『修文殿御覧』が三百六十巻であったのは一日一巻読むためであり、だから『華林遍略』が『隋書』経籍志に「六百二十巻」とあるのは一日二巻で七百二十巻の誤りに相違なく、『太平御覧』一千巻も北宋の太宗がやはり一日三巻取り寄せ一年で読破したと伝えられる。[*18] 唐の玄宗が子どもに「綴文」と「検事」「文体」を学ばせたいが、『御覧』の類は大部すぎるといって徐堅らに『初学記』三十巻を作らせたのは（『大唐新語』九・著述）、まさか一月で速成させたわけではあるまいが、ともあれ森羅万象を網羅する類書は本来、皇帝が一年で世界の知識をわが物にするための書物であった。こういう類書とは別に『群書治要』のような要文抄（抄撮書）を作らせて理解を深めるというのは、だから類書の本質が世界征服の野望（?）にあることを物語るようでおもしろい。

『群書治要』は中国では宋代に散佚し、かえって日本に伝わって金沢文庫本四十七巻が宮内庁に伝えられるほか、同本をもとに徳川家康が古活字版（駿河版）を刊行したことはよく知られている。また、高宗の顕慶三年（六五八）、『文思博要』の編者であった許敬宗は漢より唐に至る詩文を集めた『文館詞林《ぶんかんしりん》』一千巻を完成させ、こちらも『文苑英華』の刊本に駆逐されたものか中国では宋代に亡び、日本に弘仁期の写本が伝存する。[*19] さらに高宗が百済《くだら》を滅ぼした顕慶五年の後叙をもつ張楚金《ちょうそきん》『翰苑《かんえん》』三十巻もまた中国で散佚し、日本の大宰府天満宮に天下の孤本が伝存するのは、ま

さに学問の神さまのご加護か。

因礼義而標秩、即智信以命官［括地志曰「倭国、其官有十二等。一曰麻卑兜吉寝、華言大徳、二曰小徳、三曰大仁、四曰小仁、五曰六義、六曰小義、七曰大礼、八曰小礼、九曰大智、十曰小智、十一曰大信、十二曰小信」］。

蕃夷部倭国門《ばんいぶわこくもん》の冠位十二階（六〇三年）を述べたくだりで、[20]『翰苑』はこの（巻三十?）蕃夷部一巻のみ存し、各条は右のように四六駢儷体《しろくべんれいたい》の本文とその内容を解説した双行注とから成る。この書式は、『太平御覧』などの編纂に参与した北宋の呉淑《ごしゅく》『事類賦《じるいふ》』のそれに似る。呉淑は天・日・月・星・風・雲……という一字を題とする賦を百首作り、これを天・歳時・地……と部類して太宗に献じたところ、注釈をつけるよう命じられて『事類賦』三十巻となったという。[21]これを『翰苑』に照らせば、巻頭に「張楚金撰、雍公叡注」とあるので、四六文は張楚金、双行注は雍公叡《ようこうえい》（伝未詳）となり、顕慶五年に本文ができたあと、雍公叡の注がついて流布した三十巻本をおそらく遣唐使が持ち帰ったことになる。すると張楚金の原本は、「阿輩雞弥、自表天児之称、因礼義而標秩、即智信以命官」云々というように、四六文で天地人物の知識を暗誦するもので、李瀚《りかん》『蒙求《もうぎゅう》』（七四六年）とよく似た初学書といえ、類書が読むものから諳んじて身につけるものへ転じたともいえる。

なお、右の注に引く『括地志』は貞観十三年（六四一）、太宗の子魏王李泰が十道三百六十州の地誌をまとめた五百五十篇の地理志であり、[22]これに房玄齢『晋書《しんじょ》』（六四八年）、姚思廉『梁書《りょうしょ》』（六二九年）、魏徴『隋書《ずいしょ》』（六五六年）や李延寿《りえんじゅ》『南史』『北史』（六五九年）といった貞観期の修史事業を考えあわせれば、長く南北に分裂してきた中国の時空をここに統括して手中に収めたといえようか。

そして、高宗が高句麗を滅ぼした総章元年（六六八）には、釈道世が仏教の知識を百篇六百六十八部に類聚した『法《ほう》苑珠林《おんじゅりん》』を完成させており、[23]これに貞観期の孔穎達《くようだつ》や顔師古《がんしこ》による『五経正義《ごきょうせいぎ》』などを加味してまとめると、現実に版図を拡大していた唐初五十年間に、世界のあらゆる知識が網羅されていたことが知られ、これが当時、世界に冠たる盛唐文化の基礎となったことは疑いない。七世紀唐代はまさに「類聚の世紀」であった。

3　士大夫文化と国風文化

このような「類聚の世紀」が北宋にもあったことはよく知られている。宋代四大類書とよばれる類書群がそれで、神仙より昆虫・蛮夷に至る九十二部の編目に古今の小説（説話）を集めた『太平広記《たいへいこうき》』五百巻（九七八年）、『修文殿御覧』『芸文類聚』『文思博要』をもとに天地人物の知識を五十五部五千三百六十三門に網羅した『太平御覧《ぎょらん》』一千巻（九八三年）、梁の昭明太子蕭統《しょうめいたいししょうとう》『文選《もんぜん》』の続編として、[24]賦・詩より行状・祭文におよぶ三十七の文体ごとに古今の詩文を集大成した『文苑英華』一千巻（九八七年）と、以上三部が太宗の命により編纂されたあと、つづく真宗のときに帝王より外臣におよぶ三十一部をもって主に正史から「歴代君臣の事迹《じせき》」を編集した『冊府元亀《さっぷげんき》』一千巻が完成する（一〇一三年）。

『太平御覧』をのぞく三部は小説や詩文、そして事跡という題材や検索の目的に沿った個別の類書といえ、[25]本来『御覧』の天地人物の綱目に含めることができるものだが、[26]唐の『文館詞林』と対応する『文苑英華』はともかく、小説と政務の類書を作った点は、北宋の編纂事業の特色といえよう。[27]それはつまり、この宋代四大類書によって上古より唐・五代に至るあらゆる知識が網羅されるとともに、当時政治・文化の担い手として台頭しつつあった士大夫（読書人）が唐以前の貴族文化を手中に収めて相対化し、新しい文化を創造する基礎としたことを意味するであろう。その結果、旧来の「類聚」を乗り越える著作として、欧陽脩の『新唐書』や司馬光《しばこう》の『資治通鑑《しじつがん》』が現れる。[28]

一方、日本でも「類聚の世紀」とよぶべき時代を迎えていた。[29]古く推古八年（六〇〇）に遣隋使を送って憲法・冠位の制度を整え、舒明二年（六三〇）に遣唐使を出してより、承和の最後の遣唐使（八三八年）に至るまで、「得る所の錫賚《たまもの》、尽《ことごと》く文籍を市《か》い、海に泛《うか》びて還る」というごとく（『旧唐書』日本伝）、隋唐文物の輸入につとめてきた日本もまた「類聚」の方法を活用して中国文化を貪欲に吸収した。奈良時代の山上憶良《やまのうえのおくら》『類聚歌林《かりん》』や吉備真備《きびのまきび》『私教《しきょう》類聚』を先駆的なそれとして、[30]平安時代に入ると類書の編纂が本格化する。『本朝書籍目録《ほんちょうしょじゃくもくろく》』類聚には冒頭に紹介した滋野《しげのの》貞主《さだぬし》『秘府略《ひふりやく》』千巻（八三一年）とともに、大江音人《おおえのおとんど》の『群籍要覧《ぐんせきようらん》』四十巻や菅原是善《すがわらのこれよし》の『会分類聚《かいぶん》』七十巻（ともに佚書）、空海《くうかい》の『文鏡秘府論《ぶんきようひふろん》』六巻や藤原明衡《あきひら》『本朝文粋《もんずい》』十四巻、三善為康《みよしためやす》『朝野群載《ちようやぐんさい》』三十巻（一一一六年序）などが挙げられ、おなじく字類に源順の『和名類聚抄』二十巻、詩家に『経国集』二十巻（八二七年）や『類聚近代作文《さくもん》』百二十巻（佚書）、管弦に『類聚楽録《がくろく》』と藤原忠実《ただざね》の『類聚箏譜《そうふ》』、医書に安倍真直《あべまなお》ら『大同類聚方《だいどうるいじゆほう》』百巻（八〇八年、佚書）や古代医学の百科全書として名高い丹波康頼《たんばやすより》の『医心方《いしんほう》』三十巻（九八四年）、深根輔仁《ふかねすけひと》の『本草和名《わみよう》』二巻（九一八年頃）などが著録される。[*31] また紀貫之《きのつらゆき》『古今和歌集』二十巻（九〇五年）なども歳時・賀・離別・羈旅《きりよ》・物名・恋・哀傷・雑と題材ごとに和歌を部類した類書といえ、『和名抄』の源順が編者に擬される『古今和歌六帖』に至っては白居易の『白氏六帖事類集』三十巻にあやかりつつ、和歌の類書として完成した形を伝えている。このように遣唐使が将来した中国文化を、平安の知識人が「類聚」してわが物とし、これを和名や和歌に応用して、国風文化を立ち上げる骨組みとしたことは注意されてよい。

空海は『文鏡秘府論』の序に「余が癖療《い》やし難く、即ち刀筆を事として」唐代の文学論を部類したといい、橘広《たちばなのひろ》相《み》は対策を前に七日で一切経（すべての経書）に目を通した際、「抜萃《ばつすい》の性、尚《な》お忘却に備うる事有り」として『唐年《とうねん》号寄韻《ごうきいん》』なる書を抄した（『江談抄《ごうだんしよう》』巻五）。これらは読書のついでに抄出してカードをとる知識人の性癖を述べたものだが、菅原道真は有名な「書斎記《しよさいき》」に「学問の道は抄出を宗《むね》と為す」として、その書斎に抄出のカードが集積されていたことを伝え、白居易は書斎の書架に門目を書いた壺をならべて、書生に抄出したカードを片っ端から壺に投げ分けさせたあと、壺をひっくり返して門ごとに書き取り、これを排列して『白氏六帖』千三百六十七門を作ったという（楊億《ようおく》『談苑《だんえん》』佚文）。「草木区別、文書類聚」というように（『文心雕龍《ぶんしんちようりよう》』書記篇）、書庫の文籍は類聚してあるものだから、白居易のように道真も書斎にならべたカードを書き出せば、『菅家事類《かんけ》』というべき一大類書を完成できたはずで、『修文殿御覧』とか『秘府略』といった書名からも、[*32] 類書が古代の図書・文書行政における書庫機能に由来することは明らかである。[*33]

以上の学術の類聚に加え、政治の方面でも類聚は活用された。冒頭に紹介した菅野真道より菅原道真に至る「国史事類」の系譜のほか、『本朝書籍目録』政要には、『冊府元亀』に相当する惟宗允亮《これむねまさすけ》『政事要略《せいじようりやく》』百三十巻（一〇〇二年、現存二十五巻）をはじめ、平安中期の『類聚三代格《さんだいきゃく》』三十巻（現存二十巻または十二巻）や『類聚判集《はんしゅう》』百巻、藤原敦基《あつもと》（明衡《あきひら》の子）の『柱下類林《ちゅうかるいりん》』三百六十巻、藤原通憲《みちのり》（信西《しんぜい》）『法曹類林《ほっそうるいりん》』七百三十巻などの佚書がみえる（一部断巻が伝わる）。これらは平安貴族政治における文書行政の成熟をあらわす類書群であるが、これとは別に、徳川光圀《みつくに》の『礼儀類《れいぎるい》典《てん》』などに至る「部類記」の系譜もまたこの時代に始まる。[*34]

平安時代に「氏《ウジ》」から「家《イエ》」へと社会の構成原理が転換するなかで、貴族たちは自らの備忘と子孫の繁栄を期して日記を書きはじめ、やがて公事ごとに見出し《ヘディング》（首書）をつけて目録を作り、その記事を抄出して年中行事・神事・仏寺・臨時というように部類するようになる。これと上記の類書（政要書）が平安貴族の強固な先例主義を形成したことは疑いなく、それが平安末期に「例」から「理」へと転回し、乗り越えられてゆくのである。[*35]

注

1 「特集中国の百科全書」（『月刊しにか』一九九八年三月号）、胡道静『中国古代的類書』（中華書局、一九八二年）。
2 王三慶『敦煌類書』（高雄復文図書出版社、一九九三年）、酒井忠夫『中國日用類書史の研究』（国書刊行会、二〇一一年）。
3 大隅和雄・勝村哲也「対談　類書と事典の世界　類書のはじまり」、『月刊百科』246、平凡社、一九八三年。
4 矢島玄亮『日本国見在書目録―集証と研究』汲古書院、一九八四年。
5 小島憲之『上代日本文学と中国文学』上、塙書房、一九六二年、第一編第四章「類書の利用」。
6 『本朝法家文書目録』（『続々群書類従』十六所収）、岩橋小弥太『上代史籍の研究』第二集（吉川弘文館、増補版一九七三年、「官曹事類と天長格抄」）。
7 『尊経閣善本影印集成13秘府略』（八木書店、一九九七年）、小島憲之『国風暗黒時代の文学』中（上）（塙書房、一九七三年、一〇三九〜六四頁）。
8 川口久雄『平安朝日本漢文学史の研究』中、明治書院、三訂版一九八二年、第十四章。
9 山田俊雄『日本語と辞書』中公新書、一九七八年。

10　川瀬一馬『古辞書の研究』雄松堂出版、増訂版一九八六年。

11　ほかに、佚文から類書間の系譜を推定し、散佚した類書の本文を復原する勝村哲也の一連の研究があるが（「修文殿御覧天部の復元」、『中国の科学と科学者』京都大学人文科学研究所、一九七八年など）、これはまったく勝村の独壇場であり、研究分野として確立されているとはいえない。

12　大隅和雄の「古代末期における価値観の変動」（『中世仏教の思想と社会』名著刊行会、二〇〇五年）や『事典の語る日本の歴史』（講談社学術文庫、二〇〇八年）がその代表的な仕事である。

13　『文苑英華』（中華書局影印、一九八二年、三六〇七頁）。梁の劉孝標『類苑』百二十巻（『隋書』経籍志）、『耕録』は経籍志にみえる北魏の元暉『科録』二百七十巻の誤りか。『要略』は不詳、経籍志に撰者未詳の『要録』六十巻があるが、『修文殿御覧』三百六十巻とならべるには不適切か。「玉軑」云々は『楚辞』離騒の文、「揚鑣」は隋唐に散見する熟語で、ともに相次いで出る意。

14　「天網」は『老子』の「天網恢恢」、「雲車」は天翔る車だが、ここは太宗が編纂方針を定めた経緯を述べるので、書籍を全国から集めたことを言うか。「昭昭」云々は『孔叢子』論書篇の文、『尚書』の事を論ずるや日月のごとく明らかに、星辰のごとく行き交うとの形容を借りて、天上天下の事物を網羅したことを誇る。

15　『太平御覧』（中華書局影印、一九八五年）序跋後「謹案」（宋会要）、三頁。

16　以上、胡道静『中国古代的類書』第五章参照。なお、『三教珠英』の編纂には『初学記』の徐堅や『史通』の劉知幾らが参与した。

17　大渕貴之『唐代勅撰類書初探』（研文出版、二〇一四年）第一章がこの点を強調する。

18　勝村「修文殿御覧天部の復元」六五五頁。ただし『華林遍略』は『日本国見在書目録』でも六百二十巻である。

19　『文館詞林　影弘仁本』（汲古書院、一九六九年）、羅国威『日蔵弘仁本　文館詞林校証』（中華書局、二〇〇一年）。『文館詞林』撰上の二年後に李善の『文選注』六十巻が秘府に収められているのも、これと関連するであろう。

20　竹内理三校訂『翰苑』（吉川弘文館、一九七七年）六三頁、［　］内は双行注。

21　冀勤ほか校点『事類賦注』（中華書局、一九八九年）「進注事類賦状」および校点説明。

22　賀次君『括地志輯校』（中華書局、二〇一〇年）。ただし本書に『翰苑』の佚文は入っていない。

23　周叔迦・蘇晋仁『法苑珠林校注』中華書局、二〇〇三年。

24　蕭統らは『文選』に先立ち南朝文壇の代表的な五言詩を集めた『詩苑英華』を世に問い、そこから近世の作品を重視しつつ、既存の詩文集（多く東晋以前の作品を集成）を再編集して『文選』を作ったという。岡村繁『文選の研究』（岩波書店、一九九九年）第一章参照。

25　唐の杜佑『通典』二百巻や元の馬端臨『文献通考』三百四十八巻などの「政書」がここに含まれる。なお、上記の二書に宋の鄭樵『通志』二百巻を加えて「三通」と称されるが、『通志』はむしろ編年体の通史である『資治通鑑』に対して紀伝体の通史とみなすべき書物ではないかと思われる。

26 たとえば『芸文類聚』は各項目に経・史・子にわたる記事を列挙したあと、詩・賦・賛・表といった文体ごとに詩文を引用する。これが『初学記』になると記事を「叙事」、作文に使える熟語を「事対」として、さらに賦・詩などの原文を引き、教科書として活用できるようになっている。このように天地人の綱目に小説や詩文、さらに制度の文章を盛り込むことは可能であるが、かえって引きにくくなるため目的ごとに成書した方が使いやすいわけである。

27 『太平広記』に対応する唐代の説話集として日本の真福寺と敦煌の石室に残巻を伝える『琱玉集』があるが（西野貞治「琱玉集と敦煌石室の類書」、『人文研究』8-7、一九五七年）、『見在書目録』に十五巻、『宋史』でも二十巻とあって『広記』五百巻とは比較にならない。また『冊府元亀』に先行する政書は杜佑の『通典』二百巻であるが、『通典』はその李翰の序に（中華書局校点本参照）、当時最もよく利用され、博く古今を網羅した『修文殿御覧』『芸文類聚』や隋の杜台卿『玉燭宝典』（これも日本の尊経閣にのみ伝わる）なども「其の倫に非ず」というほど画期的な類書であり、先行する李延寿『大宗政典』三十巻や劉知幾の子劉秩の『政典』三十五巻ともやはり規模が異なる。

28 谷川道雄「『著作史』の一視点」（『中国中世の探求』日本エディタースクール、一九八七年）。谷川は司馬光らの著作に中国的なコギト（近代的自我）の萌芽を見ているようで、だとするとこれは島田虔次の『中国における近代思惟の挫折』（筑摩書房、一九七〇年）へとつながる論点となる。

29 井上亘「国風文化新探」、『交響する古代』東京堂出版、二〇一一年参照。

30 ともに佚書であるが、『類聚歌林』は『万葉集』に佚文がみえ、『私教類聚』は佚文とともにその目録が伝わる（『古代政治社会思想』岩波書店、日本思想大系8、一九七九年）。

31 和田英松『本朝書籍目録考証』明治書院、一九四三年。

32 尾崎康「北斉の文林館と修文殿御覧」、『史学』40-2・3、一九六七年。

33 井上亘「古代の学問と「類聚」」（『日本律令制の展開』吉川弘文館、二〇〇三年）、同「漢代の書府」（『東洋学報』87-1、二〇〇五年）参照。

34 橋本義彦「部類記について」、『平安貴族社会の研究』吉川弘文館、一九七六年。

35 龍福義友『日記の思考』平凡社選書、一九九五年。

05

絵と絵師にみる日本と中国

楊 暁捷

1 はじめに

絵をもって物語を伝える。これにかけて、日本においても中国においても古くて長い伝統が続いていた。ここに日本の、そして中国の悠長な文化の一端を担う絵と絵師にまつわるいくつかの側面を追跡し、その様子をスケッチしてみたい。

2 神々の姿

絵は、さまざまな形を取る。中でも、物ごとの展開を伝えるに適する巻物に限定しても、語りつくせない豊穣な世界があった。信仰の対象なる神々の描かれ方を例に具体的に眺めてみよう。目に見えない、この世に存在しない神を表現するには、想像力を逞《たくま》しくし、読者からの共感に訴えなければならず、けっして簡単ではない。

日本の絵巻のうち、神社縁起など神が対象になる作品は数え切れない。中では、功徳だけ残して姿を見せない神が圧倒的に多いが、実際に顔をのぞかせた場合もある。その場合の神々は、人間の姿を借りる。『春日権現験記絵巻《かすがごんげんげんきえまき》』においては、十二単をまといながら竹の梢に座り（巻一第三段）、束帯に身を固めて松の枝に立ち踊り（巻八第七段、巻十第六段）、あるいは女性ばかりの夜殿に入っていく（巻十五第三段）。人間の姿をしていながらも、物理的にあるいは社会的に人間離れした、ひいては不可能な立ち居振舞が神の特徴だった。[*1]

これに対して、中国の絵巻における神の表現は同じ原理に基づく。北宋の絵師李公麟《りこうりん》（一〇四九〜一一〇六年）の作とされる『九歌図《きゅうかず》』では、東皇太一《とうこうたいい》、湘夫人《しょうふじん》、少司命《しょうしめい》らの神々が思い思いの形で雲に乗り、空を飛ぶ。[*2] これよりさらに作成の年月がさかのぼり、三国時代の詩人曹植《そうしょく》による「洛神賦《らくしんふ》」を四世紀の絵師顧愷之《こがいし》が描いた絵巻が伝わる。[*3] 軽やかで雅やかに舞い踊る従侍の美女たちに囲まれる洛神は、「余《よ》」「吾《われ》」とする詩人の前に現れ、会話に応じる。その洛神の最初の登場は、「於巌之畔（巌《いわお》の畔《ほとり》に）」と、岩石の傍らにと詩に詠まれたにもかかわらず、素速く流れる水の上に優雅に身を構え、まさに人間ではありえない姿を見せる【図1】。

ともに神々を対象とする日本と中国の絵巻を対比すれば興味深い。もともと信仰の対象の神と文人によって詠み上げられる神という差異があるにせよ、人間と神との距離がまったく異なる。人間の姿を借りていながらも、人間ではない神の存在を見せつけて完成する春日大明神に対して、李公麟や顧愷之の筆にかかった神々は、人間の姿から出発し、そして人間の世に連れられてくることが終極な到達らしい。現に『洛神賦図巻』において、「吾」を惹きつけて離さないのは、洛神の絶世の美人ぶりであり、交わされた会話には、「陳交接之大綱（交接《こうせつ》の大綱《だいこう》を陳《の》ぶ）」と、男女交合の要諦を開陳してもらうといった内容にまでわたる。詩人の心を掴まえたのは、異性としての洛神の魅力であり、詩人は神々と平等に対峙し、情熱を込めて対話を挑む。

図1　右は春日大明神（『春日権現験記絵』巻一第三段より）、左は洛神（『洛神賦図巻』より）

言うまでもなく神々の姿は、単純にまとめられるものではない。日本において、社寺参詣曼荼羅《さんけいまんだら》の流れを汲み、神社の建てものが神の化身と見なされる場合がある。『融通念仏縁起《ゆうずうねんぶつえんぎ》』*4においで、詞書に二十六の明神が並ぶ念仏結縁の名帳を記し、絵に十一と数える特徴的な拝殿、鳥居などを神の姿として描いた（上巻第五段）。中国の伝統における神々も、文人の思いが託されるに留まるものではなく、絵巻の外に出れば、廟堂など崇拝の対象としてはるかに自由闊達、ときには突拍子もないような格好を獲得した。

3　絵師悲話

絵は絵師によって描かれてはじめて形に結ぶ。そのような絵師は、常人では叶わない才能を持ち、自ずと注目を集めた。だが日本も中国も、絵師の運命にまつわるものに、隠されて披露しない秘話、ひいては同情を誘う悲話として語られたものがとりわけ記憶に残る。

日本における絵師といえば、まず思い出されるのは絵巻『絵師草紙《えしのそうし》』に描かれる無名の男である。朝廷の恩恵により領地が与えられたと狂喜し、やがて中身が伴わないと知って落胆し、はては作画の勉学に勤しむ子供を寺に送り、自身も絵師を諦めるという物語である。絵師の生涯が絵師によって絵巻に仕立てられ、その内容から表現の方法にいたるまでユニークで読み応えがある。わずか三段の詞と絵によって構成されるが、絵に同じ絵師が計六回登場する。かれはときには改まった衣冠束帯、ときには烏帽子《えぼし》に寛いだ狩衣《かりぎぬ》を身にまとい、踊りまわったり、指図したり、懇願したりして、違う状況のもと異なる出で立ちをもって振る舞い、人間としての幅が広い。詞書に織り込まれた「顔子一《がんしいっ》箪《たん》の食《し》」「原生百結《げんせいひやっけつ》の衣《い》」といった白楽天《はくらくてん》の詩、「鳥のあと」（文字）や「後素《こうそ》」（絵）などの漢文の語彙と、文字と絵との両方から明晰な思弁や高度な教養が読み取れる。

一方では、中国においてよく知られた絵師といえば、顔がわからないが、その名は毛延寿《もうえんじゅ》、漢の王昭君《おうしょうくん》の物語において美女に非運をもたらした悪役として語られた人物である。賄賂をむしり取り、それが叶わないため昭君をありのままに描かず、ゆえに美女を失った皇帝に殺されるという展開である。中国において、権力者の、そして民衆の鬱憤放しのはけ口としてその人物像が仕立てられ、さまざまな角度から非難の対象とされた。昭君の物語は日本にもたらされ、和歌、漢詩、物語、説話など諸ジャンルの作品で広く享受された。[*5] そこに、絵師と賄賂はつねに物語の重要な要素とされ、『唐鏡《からかがみ》』にいたると、絵師が処罰される記述まで収められた。しかしながら、中国における毛延寿への視線やこの人物をめぐる記憶は、さらに一歩進んだ。それは宋の王安石《おうあんせき》の詩「明妃曲《めいひきょく》」に集約される。すなわち絵師の死は「枉殺（枉《む》しく殺）」されての冤罪、その理由とは「意態《いたい》」すなわち一人の女性の立ち振る舞いなどの人間性はもとより「画不成（画《え》き成《な》さず）」と、絵によって表現できるものではないからだ。悲惨な末路をたどった絵師への同情は、意外なことに絵画表現への諦観にまでつながった。

4　絵が訴える

ビジュアル情報を保存したり伝えたりするための媒体がはるかに限定された昔、絵の使われ方、それがもたらす効果には、今日想像も付かないものがあった。その様子は、日本も中国も変わらなかった。

『源氏物語』において、中国からの人物や伝説が絵巻に仕立てられ、それらが帝を慰め、あるいは絵合わせの対象として吟味される。[*6] 物語そのものがそもそも虚構されたのだという前提を忘れてはならないが、そのような虚構が成立し、読者に訴えたところに、絵に対する期待や認識が一層読み取れよう。下って説話集になると、物事の説明、ひいては争いごとの証拠として絵が用いられた記述は、かなりの数において確認できる。絵師百済川成《くだらのかわなり》が逃げた従者を探しもとめる手立てとして絵を描いて威力を発揮し（『今昔物語集』巻二十四第五話）、鳥羽僧正《とばそうじょう》が供米の不法を、無名の法師が「ま男して会合」する後家の不倫を描いて訴訟の道具にして勝訴を勝ち取った（『古今著聞集』三九五話、四〇五話）。同じ出来事は言葉でも文字でも説明することができるが、そこに絵が加わると信憑性が格段にあがり、逆らえない説得力を獲得してしまう。

中国のほうに目を向ければ、これと同じ考え方が行われ、似たような行動が取られた。なかでも強烈な一例は、これも虚構の作品であるが、舞台の上に繰り広げられた元の雑劇が提供してくれる。『趙氏孤児《ちょうしこじ》』*7という広く伝播された名作で絵が絶大の威力を見せつけた。物語の内容は、血で血を洗う復讐談である。若い主人公にとって、実の親を殺した張本人は同時に育ての親であり、この事実を知ったかれはやがて実の親の仇を取ってしまう。赤子のときから育ててくれて親と思い込んだ人間に剣を向けるということは、どう考えても簡単にできる行動ではない。そこで疑いようのない事実を伝え、決定的な変化を与えたのは、ほかでもなく一巻の巻物である。あれだけの重大な判断を前にして、有無を言わさず行動を取らせるだけの一種の神通力を絵巻が持ち合わせるのだと共通に認識されていたのだろう。

今日の常識では思いもよらない魔力、過剰なほどの信頼を当然のように振るう権威は、文字を凌ぐ媒体として日本と中国を問わずかつて絵に備わった事実を忘れてはならない【図2】。

図2　上は法然の似絵を描く藤原隆信（『法然上人絵伝』巻十第二段より）、下は十六世紀前半に仇英が描いた似絵の絵師と宮廷の仕女（『漢宮春暁図』より）

5　才能への視線

絵を描くことは、常人では望めない才能を必要とし、つねに感嘆の目に向けられている。そのような視線の先には、さまざまな言説が交わされ、文化の価値観が集約される。

『新猿楽記《しんさるがくき》』に語られる理想の絵師とは、「手早く筆軽く」して、「天の与へたる業なり」と結ぶ。『古今著聞集』において、大成した絵師の幼いころの逸話として、その並外れの出来栄えを褒め称える言葉として、「可然天骨《しかるべきてんこつ》」との表現が用いられた（三九九話）。天に授かった「骨」との用語は、もともと書を語るもので、*8さらに「宗俊《むねとし》の歌いし催馬楽《さいばら》は骨法《こつぽう》めでたし」（『体源抄《たいげんしょう》』十中）との用例に示されるように、広く歌や踊りといった芸能を対象に用いられた。一方では、絵を語るとき、「骨」とは、技法や構成など特定の側面より絵全体にかかわる感受性や創作性に注目する。『明月《めいげつ》記《き》』に記された一幕は鮮やかだ。土御門《つちみかど》天皇から屏風作成の事業を任せられて、当時四十七歳だった定家は自分のことを「絵骨《えこつ》」を持たないとした（建永二年五月十四日条）。実際には四人もの絵師を配置し、企画や議論を一カ月以上も掛け、細かな陣頭指示を惜しまなかった。言うまでもなく日記の記述は定家本人の謙遜に過ぎず、確かな慧眼をもっていると見込まれたからにほかならない。

一方では、絵にまつわる言説において、中国のほうはさらに屈折した様相を呈する。絵師の優れた腕前を褒め称える賛辞やエピソードはまさに数えきれない。しかしながら、そこには単なる絵の完成度の優劣を評判するに留まらず、理論的な概念への理解を開陳し、宣言するものがあった。黄筌《こうせん》という絵師が、描いた絵に本物の鳥が反応しないと非難されると、堂々と本物の鳥が集まるような絵は「術画」であり、自分の作品は「芸画」だと反論する（『図画見聞志《とがけんぶんし》』巻六）。芸と術とは、ここで思わぬ形で対立し、しかも術より芸が上位に置かれた。さらにその芸さえ、より上位に文が存在する。北宋の李公麟は、絵巻を含め数々の秀作を残し、同時代においてすでに高い尊敬を集めた大家だった。そのような人物にもかかわらず、『宋史』に収められた伝において、黄庭堅《こうていけん》の評として記されたのは、「因画為累（画をもって累《わずら》わさる）」という一言だった。すなわち絵の芸がそこまで至らなかったら、彼の詩文がもっと知られたのにと結論された。一世風靡の絵師の生涯評として、あまりにも寂しい。*9

ここに、同じく『明月記』に記された藤原信実《のぶざね》をめぐる逸話が思い出される。似絵など当世屈指の絵師が定家を訪ね、自分の歌が『新古今和歌集』に選ばれなかった不満をこぼし、定家からいくら慰められても頑として聞き入れようとしない（寛喜元年八月二十九日条）。中国と日本の、ともに絶世の絵師の不遇がここまで似通っていることは、不思議と言わざるをえない。

6　よみがえる古典

膨大な数におよぶ古くからの画像資料は、現代では博物館や美術館での展示などごく限られた形でそのありのままの姿を人々の目に触れるほか、出版などの媒体を通して一般の鑑賞、そして学術研究に提供されている。

日本において、美術作品の全集という形が早くから主流になっている。絵巻の作品に限って見ても、「新修日本絵巻物全集」三十二巻（角川書店、一九五七〜八一年）と「日本絵巻大成」（続、続々とあわせて）五十五巻（中央公論社、一九七七〜九五年）という二つのシリーズがある。前者には七十五作品、後者には八十一作品、両方ともに収録されたのは五十三作品と、あわせて百三の絵巻作品が書物の形で読まれるようになっている。この数は現在に伝存する平安・中世の絵巻の約半数にあたる。詞書が活字に翻刻され、絵に最小限の解釈が付けられ、伝来などの基本事実もまとめられたうえ、とりわけ後者の「大成」では収録作品を全点にわたってカラーの写真で印刷され、絵巻の内容を閲覧するには基礎的な環境が出来上がった。

右の出版を一つの基準とすれば、中国ではこれに似たような書物はついに現れていない。ただ、個別の絵巻に関心がないわけではなく、近年、一部の絵巻はむしろ強烈なほどに読者を獲得している。先に触れた『洛神賦図巻』を例にすれば、かなり上質な現代風の再創作、ひいてはパロディ作などさえ見られるようになった。

一方では、デジタル技術の発展は、古典画像資料に急激な環境の変化をもたらした。絵巻などの大規模なデジタル公開はすでにさまざまな形で実施されている。中でも、東京国立博物館の「e国宝」は一つのスタンダードをうち立てた。収録作品には、『地獄草紙《じごくぞうし》』や『後三年合戦絵詞《ごさんねんかっせんえことば》』などの基準作もあれば、『星光寺縁起《せいこうじえんぎ》』や『遊行上人絵伝《ゆぎょうしょうにんえでん》』など、いまだ全巻カラーでは簡単にはアクセスできないものもある。高精細の画像は連続して繰り広げ、紙の出版物よりはるかに上質な閲覧が実現されている。

デジタル公開に関してみれば、中国のほうはさほど遅れを取っていない。北京故宮博物院の公式サイトでは、所蔵の約千三百点の作品が公開され、快適なデジタル閲覧の環境を確立させている。*10

もともと絵巻を現代の読者に届けるには、書籍が最適な媒体とは言い難い。文字と画像が連なる巻物を書籍に収めてページに分割してしまえば、ページのつなぎ目などで作品の連続性に綻びが生まれ、享受するための完成度が大きく影響される。ただ、現時点でのデジタル公開は、伝播や閲覧の体験を大きく向上させたが、学術活動への対応は整備されておらず、右の二つのシリーズにおいて達成されたような信頼される研究成果発表の場と受けとめられるにはほど遠い。だがこのような現状はおそらくそう遠くない将来に劇的に変化するだろう。デジタルでの発表も学術的な信頼性が保証されるようになれば、日本や中国を問わず、研究者たちがやがて探求や知見をそれに注ぐに違いない。そして急速に躍進している中国における絵巻研究も、あるいは紙出版の形態を抜きにして、デジタルの形でその成果を世に問うのではないかと密かに期待している。

7　おわりに

中国も日本も、古典籍において絵巻が掛け替えのない一部を占めている。ただ明らかにしておくべきなのは、二つの伝統において絵巻の展開はかなり異なる経路をたどったことである。両者の代表作を比較すればわかるように、物語を伝えるために絶えず進化し、躍動感ある画面を弛まなく創出し続けた日本の絵巻に対して、中国のそれは、しっかりと広げられた状態で、一歩離れてじっくり眺めるという鑑賞に対応する構図になっている。描かれる内容も、ドラマチックなものが切り落とされた、抽象的、ときには哲学的な思考に志向するものである。教科書などには広く中国伝来の絵巻と書かれるが、あるいはそれが巻物という形態に限定するに過ぎない。両者は異質なものだと捉えうるほどかけ離れていたと指摘したい。

上記の認識から出発して、ここに日本と中国における絵や絵師にまつわる記述を検討してきた。平行し、共通した両者のありかたのいくつかを確認したことは、日本と中国の絵巻研究において、それぞれの特性の追跡や解明につながることを願いたい。

注（インターネットのサイトは検索でアドレスが取得できるので、「リンク略」と記した）

1　平石綾香「『春日権現験記絵巻』における「神らしきもの」の図像表現について」、『国文』二〇一四年七月。
2　楊暁捷「神々との対峙—伝李公麟筆『九歌図』は何を訴えたか」、「『偽』なるものの「射程」」アジア遊学161、勉誠出版、二〇一三年三月。
3　「故宮博物院」公式サイト収録「顧愷之洛神賦図巻（宋摹）」（リンク略）。
4　融通念佛宗教学研究所『融通念仏信仰の歴史と美術』、東京美術、二〇〇〇年。
5　岡崎真紀子「平安期における王昭君説話の展開」、『成城国文学』一九九五年三月。
6　齋藤奈美「「長恨歌、王昭君などやうなる絵は」—絵合巻の引用と秋好中宮」、『中古文学』二〇〇二年五月。
7　赤松紀彦「趙氏孤児劇小論：元雑劇に於ける「悲劇」の一断面」、『金沢大学教養部論集人文科学篇』一九八七年八月。
8　河内利治「書法批評語〈骨〉義考」、『書学書道史研究』一九九七年。
9　楊暁捷「李公麟『孝経図』の世界」、『漢文文化圏の説話世界』竹林舎、二〇一〇年。
10　「故宮博物院」トップページから、探索∨蔵品∨絵画」の順番で開く。なお、前文触れた『漢宮春暁図』を含む台湾故宮のデジタル公開は、「国立故宮博物院」トップページから、典藏資源∨典藏精選∨依類別∨絵画の順番で開く（リンク略）。

図版出典

・図1『春日権現験記絵』（続日本絵巻大成14『春日権現験記絵』上、中央公論社、一九八二年）。『洛神賦図巻』（故宮博物院「顧愷之洛神賦図巻（宋摹）」）https://www.dpm.org.cn/collection/paint/234597.html
・図2『法然上人絵伝』（続日本絵巻大成1『法然上人絵伝』上、中央公論社、一九八一年）。『漢宮春暁図』（国立故宮博物院「古畫動漫：明仇英漢宮春暁図」）https://theme.npm.edu.tw/exh107/npm_anime/SpringDawn/common/images/selection/img15.jpg

06 軍書・軍学・兵法

井上泰至

1　兵学、その多様な側面

軍学・兵法の歴史を見渡したければ、石岡久夫『日本兵法史　上・下』（雄山閣、一九七二年）によられたい。中国伝来の兵法と陰陽道と使った気象予測の流れが、近世以前には主流であったことがおおよそ見て取れる。近世においてそれを見るならば、『孫子《そんし》』の近世における受容史を見渡した野口武彦の『江戸の兵学思想』（中公文庫、一九九九年）や、ほかの学問との関係を犀利に分析した前田勉『近世日本の国学と兵学』（ぺりかん社、一九九六年）・同『兵学と朱子学・蘭学・国学』（平凡社選書、二〇〇六年）、さらには、楠流軍学の書物の伝播から江戸治世に関する思想の様式を掘り起こした若尾政希『太平記読みの時代』（平凡社選書、二〇一二年）などがある。

実践の学問であった「兵法」が、江戸時代、治世の学問である「軍学」「兵学」に転化していったと捉えることも可能であろう。ただし、実際の「軍学」はそれまでの「兵法」と断絶したものではなく、陰陽道に儒学の知識もちりばめた軍陣図の命名などに象徴的なように、近世的なあり方で転変した点も忘れてはならない。

東北大学図書館狩野文庫には、甲州流軍学の一派杉山一族の軍書・兵法書類がまとまってあるが、たとえば、佐々《さ さ》木秀乗《き ひでのり》から有沢永貞《ありさわながさだ》（一六三八〜一七一五年）に伝えられた『武田備要抄《たけだびようしょう》』（貞享三年奥書）は、戦国軍陣の代表たる武田流の「備《そなえ》」について体系的に語った書物である。そこには、「先手」「中軍」「前備」「脇備」「遊軍」「卜備」「後備」の機能と人数・軍馬・武器の実際が詳細にコメントされ、集団戦となって編成された戦国の陣形を踏まえつつ、平時の行列に転用もできる軍団の統率がマニュアル化されている。しかし、実際の一枚物の軍陣図には、「陰軍」「陽軍」に分類した、戦況に対応した軍陣の性格が分類して描かれ、中古・中世以来の陰陽道に、儒学の用語が結びついた説明がなされているのである。

石岡はまた、中世の兵法には、故実的色彩が濃いことを指摘する。弓馬の礼法としての兵法・軍学の側面は歴史が古く、たとえば「軍記」という用語の初出と現在目されている『義貞軍記《よしさだぐんき》』（十五世紀）は、弓馬の道たる「武道」の礼法書としての性格を持っていた。[*1]この流れは、『吾妻鏡《あずまかがみ》』や『職原抄《しょくげんしょう》』の受容という武家故実の学問としての兵法・軍学の流れを近世にもたらしていく。平和の到来によって、先祖の功績・血脈により家格を確定していく寛永譜の成立あたりから、兵法家・軍学者は、幕府や各藩に必要な、武家礼法の故実を教える役割も持つようになる。「職原士」とまで呼ばれた神戸良政《かんべよしまさ》などがその典型であるが、[*2]その源流が中世にあることは間違いない。

ことは、軍学者だけではない。たとえば、新井白石《あらいはくせき》（一六五七〜一七二五年）は、妹婿で水戸藩医の子あった朝倉景《あさくらかげ》衡《ひら》とともに、古代から中世の兵器の骨董・名品を集積し画に写しとった『本朝軍器考《ほんちょうぐんきこう》』（元文元年刊）や、『三河《みかわ》物語』『本佐録《ほんさろく》』『太閤素生記《たいこうすじょうき》』のような写本で伝わる、戦国の「覚書」「聞書」を集めた叢書『遺老物語《いろうものがたり》』を編纂している。こうした事業は、後に大田南畝《おおたなんぽ》（一七四九〜一八二三年）や塙保己一《はなわほきいち》（一七四六〜一八二一年）といった、幕府に仕える「和学」の徒に受け継がれ、「群書類従」はむろん、明治期の「史籍集覧」のような活字による集成へとつながる流れの源ともなっていく。つまるところ、儒学が日本に浸透するほど、科挙による官僚制の中国・朝鮮と、身分としての武家による軍制支配の日本とでは、社会・文化が異なるという認識が、江戸期の日本に生まれてくるのである。[*3]その時、日本学としての「和学」には、賀茂真淵《かものまぶち》（一六九七〜一七六九年）や本居宣長《もとおりのりなが》（一七三〇〜一八〇一年）を中心とした町人出身の「国学」者が古代に関心を向けたのとは違い、武家支配の伝統をさかのぼって古代から見ようとする立場から、法律・制度・儀礼、そして歴史に関して「武」の伝統をみようとする側面が濃かった。[*4] 漢学の本家である林家にしてからが、「倭学科」を規定して、歴史・有職を中心に据えたのも、俯瞰《ふかん》的にみれば、「武」の国日本の意識の産物だと言ってよい。

つまり、兵学は、国学とは別の形で、「日本」を構想する資源だった。[*5] 幕末、尊王攘夷を確信犯的に唱えて明治維新の先駆的イデオローグとなった吉田松陰《よしだしょういん》（一八三〇～五九年）は、山鹿《やまが》流兵学者として出発しているし、乃木希典《のぎまれすけ》（一八四九～一九一二年）も、当初兵学者を志し、松陰の叔父で兵学の師であった玉木文之進《たまきぶんのしん》に志願して学んだ。日露戦争後、乃木は素行《そこう》の顕彰と全集の刊行に奔走、後の昭和天皇にも素行の『中朝事実《ちゅうちょうじじつ》』を説いていたのである。

2　文芸と兵学――教育と娯楽

もう少し、文芸との観点から見てみよう。江戸の平和とともに、武士にも武士らしさを教育する必要が出てきた。十七世紀はその意味で、兵学が花開いた時代と言ってよいが、その代表的なテキストは、『甲陽軍鑑《こうようぐんかん》』（元和末から寛永初年［一六二五年頃］刊）と『太平記評判理尽鈔《たいへいきひょうばんひじんしょう》』（正保二年［一六四五］刊）である。前者は版種が多く、[*6] 武士一般に「勇」の「武士道」を説き、後者は当初、大名やその周辺の武家の間で、治世の書として読まれ、[*7] 楠正成についての異伝や評判を通して、「知」や「仁」の「武士道」を説いた。[*8] さらに山鹿素行（一六二二～八五年）や大道寺友山《だいどうじゆうざん》（一六三九～一七三〇年）らやはり兵学者が、平和な時代に適応した「士道」を説く点からみても、[*9] 兵学は、武士への教育として、その倫理を説く立場にあり、結果、政治思想・倫理思想の立場から見ても重要な仕事をしていた。

これを文芸の立場から見れば、仮名草子に分類される如儡子《にょらいし》こと、斎藤親盛（一六〇三～七四年）が書いた『可笑記《かしょうき》』（寛永十九年［一六四二］ごろ成立）が重要な位置を占める。随筆として記される本書は、『徒然草《つれづれぐさ》』や林家の仮名教訓書を踏まえると同時に、『甲陽軍鑑』を多く引く。しかも、「勇」だけでなく、畳の上の奉公を説いている点で、倫理としての武士道の歴史においても転機となる発言をしていた。井原西鶴《いはらさいかく》（一六四二～九三年）の武家物『武道伝来記《ぶどうでんらいき》』『武《ぶ》家義理《けぎり》物語』『新可笑記』もこの流れの中にある。[10]つまり、兵学から近世小説への流れが確認できるのであるが、それは江戸の娯楽読み物が、何らかの「教訓」を含むことを常とした[11]以上、当然のことと言ってよかったのである。

こうした状況は、『太平記《たいへいき》』とその派生書のおびただしい数にのぼる出版[12]、および文章・構成・話材への小説・読み物類への影響という点でも同じことが言える。『太平記評判理尽鈔』の文体は、

1　解・追解＝言葉の注

2　伝＝太平記の記事の補足・異伝

3　評判＝政治・軍事・処世一般についての教訓

4　通考＝本文の記事の類話を和漢の故事から引用

の四つに分類できるが[13]、これは五山僧の講義の形態を踏襲したと思しく、伝は、小説・読み物類に話材を提供し、近世小説・演劇の材料となっていった[14]。

3・4については、十七世紀、「為政者の御伽衆として陪侍する者にとって、史記・漢書といった本格的な史書を講ずる傍ら、太平記などの我が国の軍書を政道論的な見地から巷説・批評する機会も少なくなかったと思われ[15]」ると指摘があるように、より教訓的な読み物の文体を提供していった。

2から3の内容は、版本・写本を問わず十七世紀から十八世紀初頭まで大量に流通した、通俗歴史読み物に大なり小なり見られるものである。刊行軍書では「○○太平記」を名乗るものが数多く出回っていた[16]。写本では、関ケ原軍記物の嚆矢《こうし》『慶長軍記《けいちょうぐんき》』が、3・4の内容を多分に含んでいる[17]。

軍書の名場面は、名将の言行録として歓迎された。刊行軍書の中で、最も多く版を重ねたのは熊沢淡庵《くまざわたんあん》（一六二九～九一年）の武家説話集『武将感状記《ぶしょうかんじょうき》』（正徳六年［一七一六］刊）であるが、この書に載る説話は漢文に置き直す、作文の修練に最も適していると、寛政の三博士の一人柴野栗山《しばのりつざん》（一七三六～一八〇七年）は語った、という（栗原信充《くりはらのぶみつ》『続武将感状記』序、天保十五年［一八四四］刊）。それは漢文の文章につながる文体を持っていたからである。また、その中身

が武士道精神を反映したものでもあったからで、いわば本書は作文と修身を兼ねたテキストだったのである。[*18]

そもそも刊行軍書は、多く大本・漢字片仮名交じり文・挿絵なしという様式であった。これは、正統な漢文で書かれた史書に準じる物というこのジャンルの位置づけを如実に示すものである。そのような器であるからこそ、娯楽読み物としてだけでなく、政道・治世・武士の生き方を語ることが可能となったのである。それは、これらの読み物のモデルとなった『太平記』が本来持っていた性格でもあった。

近代史学は、歴史から道徳・倫理を切り離したが、それ以前には両者は一体のものであった。そのとき、裃を着た史書は漢文で書かれたが、もう少しくだけた俗史＝歴史読み物を書くとき、『太平記』は典範となったのである。この流れは、近代史学が成立しても簡単になくならず、明治末年に早稲田から出版された「通俗日本全史」シリーズ（明治四十五～大正二年［一九一二～一三］刊）にまで及ぶ。『日本神代志』『上代王朝志』および『明治太平記』のみ、明治期の成立だが、それ以外はおおむね江戸期に編まれた『太平記』の文体を借りる、あるいはその名を冠する軍書類が占めていたのである。

3　戦のイメージと兵学――軍記・屏風・絵巻

平時においても緊急事態に対処すべく「兵」を怠らないことは、武士の務めであった。というより長期に持続した平和な江戸時代であればこそ、そのことはたびたび想起されねばならない。二百六十年余りの平和とは逆説的に江戸時代の支配階層は武家であり、その基本的原理はどのように官僚化しようとも軍制であった。そこに兵学者の意義が出てくる。

たとえば築城術である。全国の城下町のモデルとなった江戸を考えてみても、都市計画である町割と築城は一体のものである。江戸城はらせん状の堀を有し、その城内に計画的に、大名藩邸・旗本屋敷・寺社地・町人地が配されてゆく。

城は武威の誇示と防御の機能が一体化したものだが、その防備を固めるため、堀や城門の配置、曲輪の構造をどうするかといった築城術は、兵学の知識の重要な部分であった。軍学者は、城郭の図面を蒐集・比較してのその善し悪しを分析し、城郭の設計図を作る。現在国文学研究資料館に委託されている平戸藩山鹿家の資料群には、大量の城取図が残されている。岡山大学附属図書館池田家文庫には、「斉輝君御分」と記されて袋に入れられた城取図がまとまってある。斉輝は岡山藩八代藩主池田斉政《いけだなりまさ》（一七七三～一八三三年）の長男。次代の藩主斉輝《なりてる》の軍学学習用に、家臣たちが描いた図を集めて袋入りにまとめたものと思われる。*19

こうした城の設計図は、軍記と無関係ではない。津の支藩久居藩の城取と町割りを担当したのが甲州流軍学者植木《うえき》悦《えつ》（?～一九六八年）である。彼はまた、関ケ原軍記の濫觴《らんしょう》『慶長軍記』（寛文三年［一六六三］序）の筆者でもあったが、そこには伏見城図が書き込まれている。版本ならば機密事項にあたるこのような絵図は書かれないが、写本ならば問題はない。それに元和九年（一六二三）には完全に廃城となっている。それは、軍記と一体となる時、攻城の実際を確認させるものであった。軍記の中に収められる城取図は、書物の大きさから考えて、そのデータに限界があるが、二～三メートル四方の攻城配陣図は、軍学上、城攻の図上演習の機能を担ったことであろう。大坂の陣の文学作品と考えられている実録『難波戦記《なにわせんき》』だが、これと照らし合わせてみるように記された配陣図も残る。実際『難波戦記』では、甲州流軍学の祖小幡景憲《おばたかげのり》（一五七二～一六六三年）の、間諜としての活躍が記されている、娯楽読み物である一方、兵学におけるテキストの役割も果たしていたと見るべきか。*20 問題は、城だけでなく野戦の配陣図と軍記の関係にも言えることだろう。

同様のことは、「備」、すなわち、部隊の編制にかかわる兵学的知識にも同じことが言える。先に挙げたように甲州流兵学者杉山一族の資料群には、武田流の「備」に関する絵図、および「備」の各構成要素を解説した書物などがあるが、それらによれば「備」は、鷹狩など軍事演習の際はもちろん、平時の参勤の行列においても参照されるよう、可視化された情報でもあった。その「武田備」の図が、木挽町狩野家の日記によると、屏風の制作の下絵として使われていたという報告もある。[*21] 屏風は絵巻とも通有性のある「道具」である。『平治《へいじ》物語絵巻』などのような中世の合戦の実態を可視化したものだけが注目されがちだが、江戸時代にあっては各藩の支配における行政文書につながるものとして、兵学の書物とその周辺のものはまずあったと確認しておく必要があるだろう。周辺のものには、戦の可視化の機能を担ったものが含まれるわけだが、実用と娯楽をこの際分離しない方が、江戸の軍記をめぐる環境の問題を捉える際、一面だけを見て全体と考えるゆがみや錯誤を冒さないことになるだろう。

4 儀礼・有職故実・権力

幕府権力の執行に唯一かかわった学者新井白石は儀礼の改革に熱心だった。その要諦は儒学の「礼」にもとめられる。民衆の模範的存在として「礼」にのっとり生きる統治者のイメージが、民衆を感化するという発想である。この白石の儀礼改革は八代将軍吉宗によって否定されるが、白石が希求した「礼」の秩序は後に評価され、明治政府にも影響を与えた。[*22] 儀礼とは、合理的な機能よりも、「イメージ」こそが重要であったから、視覚化された執行そのものに意味があった。そこに「武威」と「格式」による「江戸」の支配の由来が存する。今日の民主的な選挙制度を根幹とする合理的世界観からは想像できないほど、パレードやページェントには重要な政治的機能があったのである。[*23] 今、軍記・記録との関係からこれを考えてみよう。

たとえば、徳島藩主蜂須賀《はちすか》家は、本来豊臣秀吉に仕えた小六《ころく》正勝を祖とし、その子家政《いえまさ》が阿波国を与えられた大名家である。関ヶ原の戦いでは当主家政は中立して高野山に隠居したが、嫡子至鎮《よししげ》（一五八六〜一六二〇年）を徳川家康のもとに派遣したため所領は安堵された。しかし、江戸期におけるこの藩の「由緒」「武威」「武功」の観点から言えば、大坂冬の陣の方がはるかに重要だった。藩主至鎮は九千名余りの将兵を率い、大坂方の二つの砦の攻略にあたる等、目覚しい「武功」をあげた。藩主至鎮と七人の藩士には、家康・秀忠からそれぞれ感状が発給され、藩主には松平姓が下賜された。夏の陣後の元和元年（一六一五）には、淡路国七万石が加増され、近世期の徳島藩領がここに確定したのである。

それにちなんだ徳島藩の儀礼が以下の通り、報告されている。[*24] 大坂の陣で藩兵を率いた藩主至鎮着用の「唐冠形兜」は、儀礼の場の重要な「道具」として作り続けられることとなる。将軍家でも大名家でも、跡継ぎが元服を迎える際に「具足《ぐそく》始め」の儀式を行う習慣があったが、これに使用されたのである。大坂の陣で使用した旗・馬印・太鼓も、徳島城内に保管、広島城の受け取り等で藩兵が出陣する際にも、また代々の「具足始め」においても、これらは利用され、三代藩主光隆《みつたか》以降は、それらは床の間に飾られた。まさに藩の「由緒」と「武威」の象徴としての道具であったのである。儀礼は、それを伝承し再確認すべきものだった。連続性という意味では、毎年正月十一日に行われた年中行事「具足鏡開き」の方が重要である。武家の表道具であった具足や武具を飾り、祝儀後に供えおいた具足餅を欠き割って参列者に配付し賞味したというものである。それに先行して「感状頂戴の儀式」が挙行されている。大坂の陣で至鎮が与えられた「感状」で、参勤交代時にも携行されたものだったが、年頭には箱から取り出して感状を確認する儀式が行われていたのである。

当然、藩による大坂の陣の記録から派生した読み物の類は、この儀礼を内外に広告する根拠となったことが想像される。関ケ原よりも大量に残る各藩のかかわった大坂陣の記録・覚書、それを集成した徳川寄りの実録『難波戦記』の存在は、そうした観点からの検討を待つ資料でもあるのだろう。

兵学者は、武家故実に詳しい者も多く、関係著書も多い。それは、新井白石や松平定信《まつだいらさだのぶ》のような幕政を担当し、かつ学問もやった人物とその周辺でも同様である。十九世紀の美術と権力の関係を問うとき、有職故実の知識は非常に有効であった。禁裏の絵師として原家が台頭したのも、独学で近代の歴史画の粉本たる『前賢故実《ぜんけんこじつ》』を、ライフワークとして完成して明治天皇から表彰された菊池容斎《きくちようさい》（一七八八〜一八七八年）も、故実に明るかったことが大きい。この分野は、近代の権力の可視化にまで及ぶ射程の長い大問題を孕んでいる。

5　東アジアから、あるいは東アジアへの視点——荻生徂徠

さて、以上のようにやや内向きに閉じた兵学の世界ではあったが、唯一と言ってよい東アジアに開いた、取り上げるべき成果がある。それは荻生徂徠《おぎゅうそらい》（一六六六〜一七二八年）の『鈐録《けんろく》』（享保十二年［一七二五］ごろ成立）である。本書は、そもそも江戸出来の兵学各流派を、島原の乱以降の畳の上の水練として切り捨てる。返す刀で、秀吉の朝鮮出兵を敗戦と捉え、戦国の精鋭だった日本軍が、万暦という平和の只中にあった明軍に負けた「失敗の本質」は何なのかを命題に据えてくる。

結果、徂徠は、倭寇対策によって練り上げられた戚継光《せきけいこう》（一五二八〜八八年）『紀效新書《きこうしんしょ》』（一五六〇年刊）に学んで、中国側の「軍法」、近代の用語に置き換えるなら「操練」とその職能主義を、勝因として挙げる。それだけにとどまらない。そうした「軍法」の背景に、明の集権制と日本の封建（分権）制という国家制度の違いを浮かび上がらせ、それは『政談《せいだん》』で幕府に献策される、武士の帰農という、近代の屯田兵《とんでんへい》にもつながる発想の政策提言に及ぶ*25。

兵農分離と、武家の飼いならし政策、たとえば大型船の建造禁止といった平和を前提とした政策が基本であった江戸中期、徂徠の献策は早すぎた。彼の問題提起は、欧米の外圧にどう対処すべきかが、喫緊の課題としてせりあがってくる十九世紀になって、注目を浴びるようになる。海こそ安全保障の砦から、一転敵が水際までやってくる危険な「通路」になると考え、社会制度の改変まで主張する林子平《はやししへい》（一七三八〜九三年）や、近代の国民皆兵を受けて新しいミリタリーのモラルを「軍人勅諭」で説いた西周《にしあまね》（一八二九〜九七年）が、いずれも徂徠兵学の影響を受けていたのは偶然ではない。

そういう徂徠にとって、説話をつないで辻褄をあわせ物語を紡いでいった凡百の兵学各流派は、参勤交代や鷹狩のパレードの様式性のみを保持するマニュアル的「軍法」を説いているに過ぎないと、口を極めて批判される。ただし、戦の語り部＝「物師」が伝える断片的で古態を残した朝鮮出兵の説話には、聞くべき証言性もあると言う。

以上のように、明・朝鮮対日本の戦争は、一種の敵国研究の材料として兵学の錬磨に寄与した面がある。意外に思われるかもしれないが、平和的国際交流だけが、外国研究の隆盛に寄与するわけではない。敵を真剣に分析する、高度な「知性」の所産は、研究の深度に寄与するのである。秀吉の朝鮮出兵への朝鮮側の対応を「失敗」と捉えて、日本の戦法にも注目し、李舜臣《りしゅんしん》（一五四五〜九八年）を登用したことでも知られる柳成龍《りゅうせいりゅう》（一五四二〜一六〇七年）の『懲毖《ちょうひ》録《ろく》』が、朝鮮側では十八世紀、実学派の失墜により読まれなくなるのと反比例して、日本側では和刻本も拡がり、幕末の水戸学から帝国陸海軍の事例研究[*26]に至るまで、読まれ続けるのは、皮肉なことだが、実に見事な対照を示しているのである。

注

1　佐伯真一「軍記概念の再検討」（『中世文学と隣接諸学3 中世の軍記物語と歴史叙述』竹林舎、二〇一一年）、「『義貞軍記』と武士の価値観」（『日中韓の武将伝』アジア遊学173、勉誠出版、二〇一四年）。
2　榊原千鶴「牢人神戸良政の著述活動—近世初期にみる『平家物語』享受の背景」、『国語国文』67・5、一九九八年五月。
3　井上泰至「Ⅳ　史学・軍学」、井上・田中康二編『江戸の文学史と思想史』ぺりかん社、二〇一一年。
4　井上泰至『サムライの書斎』（ぺりかん社、二〇〇七年）「Ⅵ　幕府御用の日本学」。
5　渡辺浩『日本政治思想史［十七〜十九世紀］』（東京大学出版会、二〇一〇年）「第十五章　「日本」とは何か」。
6　『甲陽軍鑑大成　研究編』（汲古書院、一九九五年）解説（酒井憲二）。
7　若尾政希『「太平記」読みの時代』平凡社ライブラリー、二〇一二年。
8　井上泰至「西鶴武家物と刊行軍書」、『近世刊行軍書論』笠間書院、二〇一四年。
9　笠谷和比古『武士道　侍社会の文化と倫理』NTT 出版、二〇一四年。
10　井上泰至・木越俊介・浜田泰彦『武家義理物語』三弥井書店、二〇一八年。
11　中野三敏『内なる江戸　近世再考』弓立社、一九九四年。
12　加美宏『太平記享受史論考』（おうふう、一九八五年）、同『太平記の受容と変容』（翰林書房、一九九七年）、小秋元段『太平記・梅松論の研究』（汲古書院、二〇〇五年）、同『太平記と古活字版の時代』（新典社、二〇〇六年）、今井正之助『『太平記秘伝理尽鈔』研究』（汲古書院、二〇一二年）。

13 中村幸彦「太平記の講釈師たち」『中村幸彦著述集』第十巻、中央公論社、一九八三年。
14 今尾哲也『吉良の首　忠臣蔵とイマジネーション』（平凡社、一九八七年）、井上泰至「近世刊行軍書と『武家義理物語』」（鈴木健一編『近世文学史研究』1、ぺりかん社、二〇一七年）など。
15 川平敏文『徒然草の十七世紀』（岩波書店、二〇一五年）「I　徒然草の発見―慶長文壇史の一齣」。
16 井上泰至「近世刊行軍書年表稿」（注8前掲書）。
17 井上泰至・湯浅佳子『関ヶ原合戦を読む』勉誠出版、二〇一九年。
18 井上泰至・田中康二編『江戸文学を選び直す』（笠間書院、二〇一四年）I章。
19 「絵図にみる中国四国地方の城下町」、岡山市デジタルミュージアム・岡山大学附属図書館、二〇一〇年十一月。
20 井上泰至「軍記と屛風をつなぐもの―軍学・絵図・工房」、『軍記と語り物』54、二〇一八年三月。
21 注20。
22 渡辺浩「「礼」「武威」「雅び」―徳川政権の儀礼と儒学」、『国際シンポジウム　公家と武家の比較文明史』思文閣出版、二〇〇五年。
23 渡辺浩「「御威光」と象徴―徳川政治体制の一側面―」、『東アジアの王権と思想　増補新版』東京大学出版会、二〇一六年。
24 根津寿夫「江戸時代における儀式・儀礼の成立とその意味―徳島藩を事例に」（注22前掲書）。
25 野口武彦『江戸の兵学思想』中公文庫、一九九九年。
26 井上泰至「李舜臣が日本で注目される時」、『国際李舜臣学会会議録』、二〇一七年四月。

07 中国古代兵学

漢文圏の兵学研究

司 志武

1 はじめに

イスラエルをはじめ、イラク・アフガン・シリアなど中東諸国の戦争を見るたびに、「人類文明史にとって戦争は何を意味しているのであろう」と考える。三千年前のナイル川流域に誕生した古代エジプト文明は戦争を通じて国家が形成され、軍事力によってファラオによる統治が維持されていたそうである。*1 戦争は、国の人力・財力・資源のほか、あらゆる技術・知識——いわゆる文明を利用して、敵（国・集団）の文明を破滅させる組織的暴力行為である。また、戦争に勝つために創出される戦略や技術は、文明の〈成果〉であると共に、〈兵学〉という学問でもある。

2 兵書の収集・整理と〈兵家《へいか》〉四種の成立

中国の古代兵学を論じるときに、『漢書《かんじょ》』芸文志《げいもんし》【図1】に拠って、兵権謀家《へいけんぼうか》・兵形勢家《へいけいせいか》・兵陰陽家《へいおんみようか》・兵技巧家《へいぎこうか》といった四種がたびたび取り上げられているようである。ところが、『漢書』芸文志の〈兵家〉の解説（『七略《しちりやく》』の兵書略と推測される）に、漢代において、三度に渡る兵書の収集・分類作業が行われたと述べられている。一度目の収集・分類作業については、漢のはじめに、張良《ちょうりょう》（?~前一八九年）、韓信《かんしん》（?~前一九六年）などが兵法を「序次《じょじ》」（順番をつける）

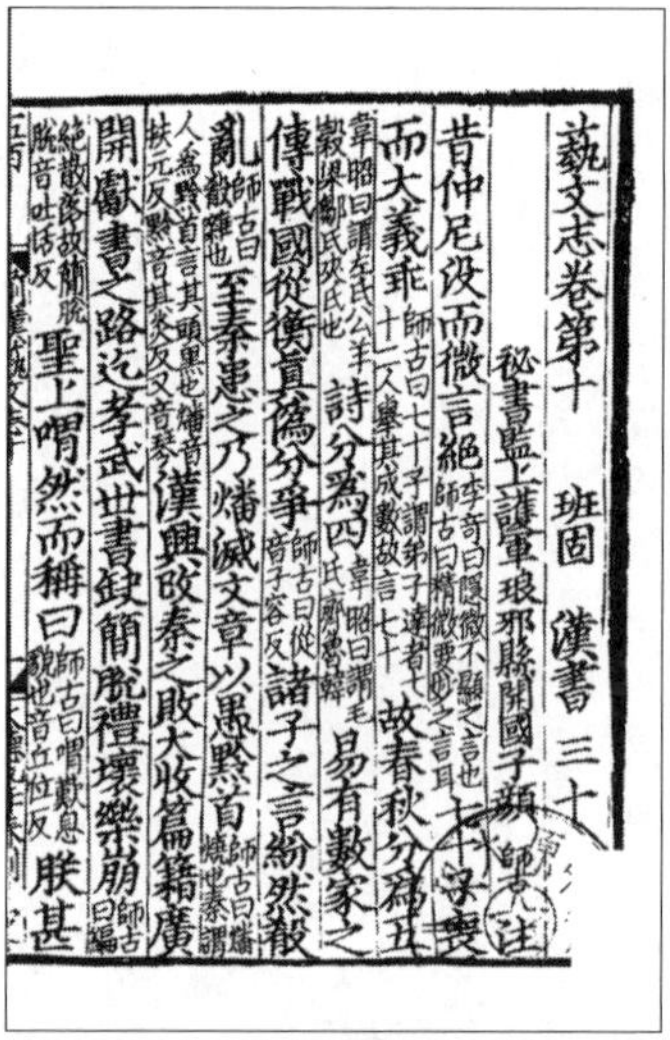
藝文志卷第十　班固　漢書　三十
秘書監上護軍琅邪縣開國子顏師古注
昔仲尼沒而微言絕　七十子喪
而大義乖　故春秋分爲五
詩分爲四　易有數家之
傳戰國從衡眞僞分爭　諸子之言紛然殽
亂　至秦患之乃燔滅文章以愚黔首　漢興改秦之敗大收篇籍廣
開獻書之路　迄孝武世書缺簡脫禮壞樂崩　聖上喟然而稱曰　朕甚

図１　百納本『漢書』芸文志の初頭
（班固『漢書』第 11 冊（百衲本二十四史宋景祐本）、商務印書館、1930 年より）

する時、「凡《およ》そ百八十二家」があり、その「要用《ようよう》」を「刪取《さんしゅ》」して、「三十五家に定めて著す」（実用に供する重要な兵書を抜き出して、三十五の流派を著録する）と記されている。二度目は、武帝（前一五六～前八七年）の頃、楊僕《ようぼく》（?～前一〇〇年頃生存）に「遺逸《いいつ》」を集めさせ、「兵録を紀《しる》して奏《かな》で」させたが、「なお備わること能わず」（二回目の収集・分類において見捨てられた兵書を増補して、『兵録』を著録して奏上させたが、まだ揃えることができなかった）とある。三度目に、孝成《こうせい》（漢成帝、前五一～前七年）が歩兵校尉《ほへいこうい》・任宏《じんこう》（?～前八世紀生存）に命じ、ようやく「兵書を論次《ろんじ》して四種と為る」とある。[*2] すなわち、漢代に兵書の種類は「百八十二家」から、「四種」に統合されたのである。

しかし、兵書を三回にわたり収集・分類したことが兵学に与えた影響について、あまり注目されていないようである。[*3] ただ種類を減らして、大分類でまとめるだけではなく、張良、韓信が百八十二家から三十五家の「要用」を選別して取りだし、残りを「刪《けず》」ったことから、兵書の数がかなり減少したのではないだろうか。「要用」を選別する基準ははっきりしないが、実戦に使える重要な兵書だけ取り出したのではないかと推測される。その後、武帝の代になり、再び「遺逸」を集めさせた際に、張良に「刪」られたものがまた取り戻された可能性がある。さらに、漢成帝の時、数が大幅に増加した兵書の中から、四種の五十三家のみが選出された。ここで選出されなかったものは、張良が「刪」ったものと同じく「要用」ではない。さらにその中に内容が重複するものがあったことは、「十家二百七十一篇の重《かさなり》を省く」という記述によってわかる。ただし、漢初に「刪」られた兵書は百四十七家にのぼり、百三十七は重複しないものがあると推測される。

3 〈兵家〉と諸子《しょし》百家《ひゃっか》の関わり

それらの重複のほかに、『司馬法《しばほう》』の百五十五篇を兵家から外して、〈礼家《れいけ》〉に入れたケースや、「伊尹《いいん》、太公《たいこう》、管《かん》子《し》、孫卿子《そんけいし》、鶡冠子《かつかんし》、蘇子《そし》、蒯通《かいつう》、陸賈《りくこう》、淮南王《わいなんおう》二百五十九種」を兵権謀家から道家《どうか》（伊尹、太公、管子、鶡冠子）・儒《じゅ》家《か》（孫卿子、陸賈）・縦横家《じゅうおうか》（蘇子、蒯通）・易家《えきか》（淮南王）などに移したケースもある。

また、〈兵家〉という分類項目には見られず、〈雑家《ざつか》〉という分類項目に帰属される『五《ご》（伍）子胥《ししょ》』『子晩子《しばんし》』『尉《うつ》繚《りょう》』『呂氏春秋《りょししゅんじゅう》』『淮南内《えなんない》』『淮南外《えなんがい》』『呉子《ごし》』などの四百三篇があるが、〈雑家〉の解説の末尾に「兵法に入る」とあることから、これらを兵書とも見なしていたことがわかる。すなわち、ほかの分類項目には、兵法または兵法に近いものもあることが暗示されている。たとえば、〈道家〉に属された『孫子《そんし》』十六篇（六国時）、『太公《たいこう》』の『兵』八十五篇がある。後者の八十五篇は通称「太公兵法」とされる書物と同一であろう。ただし、前者は「六国時《りつこくじ》」（すなわち戦国時代）の『孫子』*4なので、〈兵家〉の権謀十三家に見られる『呉孫子《ごそんし》』から取り出されたものではなく、『斉孫子《せいそんし》』すなわち『孫臏《そんぴん》兵法』から十六篇が〈道家〉に移入されたものであろう。また、〈五行家〉には『風鼓六甲《ふうころつこう》』二十四巻、『風后《ふうこう》孤虚《こきょ》』二十巻、『文解六甲《ぶんかいろつこう》』十八巻、『五音奇胲用兵《ごおんきかいようへい》』二十三巻、『五音奇胲刑徳《ごおんきかいけいとく》』二十一巻など、兵法書の色彩が濃厚なものがある。これらはもともと漢初に兵陰陽家【図2】に属したものではないかと推測される。

七十篇
右陰陽十六家二百四十九篇圖十卷 陰陽者順時而發推刑德隨斗擊因五勝師古曰五勝五行相勝也 假鬼神而爲助者也
鮑子兵法十篇圖一卷 五子胥十篇圖一卷 公勝子五篇 苗子五篇圖一卷 逢門射法二篇師古曰即逢蒙 陰通成射法十一篇 李將軍射法三篇師古曰李廣 魏氏射法六篇 彊弩將軍王圍射法五卷師古曰圍郁郅人也見趙充國傳也 望遠連弩射法具十五篇 護軍射師王賀射書五篇 蒲苴子弋法四篇師古曰苴音子余反 劍道三十八篇 手搏六篇 雜家兵法五

図2　百納本『漢書』芸文志「兵陰陽家」（班固『漢書』第11冊（百衲本二十四史宋景祐本）、商務印書館、1930年より）

なぜ、もともと〈兵家〉にあったものを他項目に移したり、逆に、ほかの項目から〈兵家〉に取り入れたり、もしくは〈雑家〉のように、四百三篇を同時に〈兵家〉に属すとしたりするのであろうか。これは必ずしも分類方法が適切ではないということではない。根本的な原因は、〈兵家〉という分類項目自身がほかの項目と切っても切れないほど強く関連するためであろう。

4 学科としての〈兵家〉及びその多元的思想の特徴

〈兵家〉とは、前述したように、あらゆる方法・知識・技術を使って戦争に勝利するための学問である。しかし、いわゆる〈諸子百家〉は、各学派による諸論説に過ぎないため、大部分は〈学科〉ではない。その一方、『漢書《かんじょ》』芸文志《げいもんし》の撰者・劉歆《りゅうきん》は〈兵家〉を一つの学科として整理しようとしていたと思われる。

兵家者、蓋出古司馬之職、王官之武備也。洪範八政、八日師。孔子曰、為国者足食足兵、以不教民戦、是謂棄之。明兵之重也。

〈兵家〉の解説（兵書略）にはこのような記述がある。〈兵家〉は古代の「司馬の職」から生まれて、王の武備を管理する官（機関）であり、八つの政《まつりごと》（一日食《しょく》、二日貨《か》、三日祀《し》、四日司空《しくう》、五日司徒《しと》、六日司寇《しこう》、七日賓《ひん》、八日師《いくさ》）の一つだということである。劉歆自身は父・劉向《りゅうきょう》が一つの書物ごとに作った解題に基づいて、図書目録『七略《しちりゃく》』をまとめた。『漢書』芸文志の総論に述べられている『七略』の構成をみれば、兵書は六芸（経伝）、諸子（各学派の論説）、詩賦（賦・歌詩）、術数《じゅっすう》（天文・五行・史卜）[*5]、方技（医学、神仙）と同列され、六学科の一つと見なされていることがわかる。

要するに、〈兵家〉は国家の一部門であると同時に、学問知識の大分類の一つとされているのは明白である。劉向・劉歆（前三二頃〜前二三年頃）が天下の「学術全体」という視点に立って、秦始皇帝の焚書《ふんしょ》の後に収集した書物を整理する際、書物の〈モノ〉と〈内容〉両方を考慮しながら、もっぱら兵法・戦法・戦略を中心に分類されたものが〈兵家〉に属す。多くの兵法や軍事に関する論述があるが、その書物の全体がすべて兵法ではなく、ほかの内容が中心となるものであれば、〈兵家〉から取り出して、〈道家〉〈五行家〉〈雑家〉に入れたのではなかろうか。また逆に、ほかの分類項目から、兵法的部分を抜き出して、〈兵家〉に入れることもあり、章学誠《しょうがくせい》（一七三八〜一八〇一年）がこれを「互著《ごちょ》」

（互いに著す）と称している（章学誠《しょうがくせい》『校讐通義《こうしゅうつうぎ》』互著篇）。[*6]

〈兵家〉というのは、一学科であり、六芸・諸子・術数などに戦争に関する論説がおびただしくあるのは、戦争が国家の一大事であるためである。〈兵学〉という学科はほかの学科・学派に関わっているため、多方面・多分野の知識・理論・方法を吸収しており、まさに多元的思想の集合といってもよい。それゆえ、〈兵学〉を研究するために、学際的な視点・方法を欠いてはならない。また『芸文志』の兵権謀家・兵形勢家・兵陰陽家・兵技巧家の四種を顧みるとわかるように、戦争観や国家戦略などから実戦の時に使う格闘術・武術などに至るまで、多岐にわたって専門的な理論・知識が含まれている。それがゆえに、現代の研究者はよく〈兵法〉や〈兵学〉を使って諸子百家の戦争に関するごく少ない論説（一応諸学派の「軍事思想」ではあるが）を検討したりするが、劉歆の分類作業を無視してしまい、〈兵学〉という学科の多元的思想の特徴に混乱させられたような感がある。確かに、〈雑家〉や〈五行家〉に分類されている書物のうち、主に戦争・戦場を中心にした内容で〈兵家〉に属するべきものもある。

5 おわりに——兵陰陽家と漢文圏の学芸

〈兵家〉四種の中で、学問の境界線が最も曖昧模糊なのは、兵陰陽《へいおんみょう》だといえよう。兵陰陽について、「陰陽は、時に順《したが》いて発《ほっ》し、刑徳《けいとく》を推《おしはか》り、斗撃《とうげき》（北斗七星の斗柄《とへい》が指している方位）に随い、五勝《ごしょう》（五行相剋）に因《よ》り、鬼神に仮りて助と為す者なり」と、『芸文志』兵書略に述べられている。換言すれば、兵陰陽は〈術数家〉（学科）の軍事的専門分野であり、もっぱら陰陽五行思想の視点から、戦争を観察・予測する学問である。[*7] あるいは、将校が術数学を習得し、戦争で運用した経験をまとめて「兵法」となるものもあろう。

『漢書』芸文志・兵家には、「別成子望軍気《べつせいしぼうぐんき》、六篇、図三巻。辟兵威勝方《へきへいいしょうほう》、七十篇」とあり、それぞれ陰陽家の望気術と呪術を軍事に利用する方法だと思われる。両書はともに現存しないが、前者に類似するとされる馬王堆《まおうたい》出土の『天文気象雑占《てんもんきしょうざっせん》』【図3】と敦煌《とんこう》文献『占雲気書《せんうんきしょ》』【図4】が見られ、これらは天文・五星・風角《ふうかく》・雲気などの観察によ

図3　馬王堆三号墓出土した『天文気象雑占』（局部）。
天文・気象の図が描かれているとともに、戦争の勝ち負けや兵乱の発生などを示唆する占辞も配されている。そのなかに「軍」の文字が所々に書き込まれていることが見受けられる。（裘錫圭主編『長沙馬王堆漢墓簡帛集成』第7冊、中華書局、2014年より）

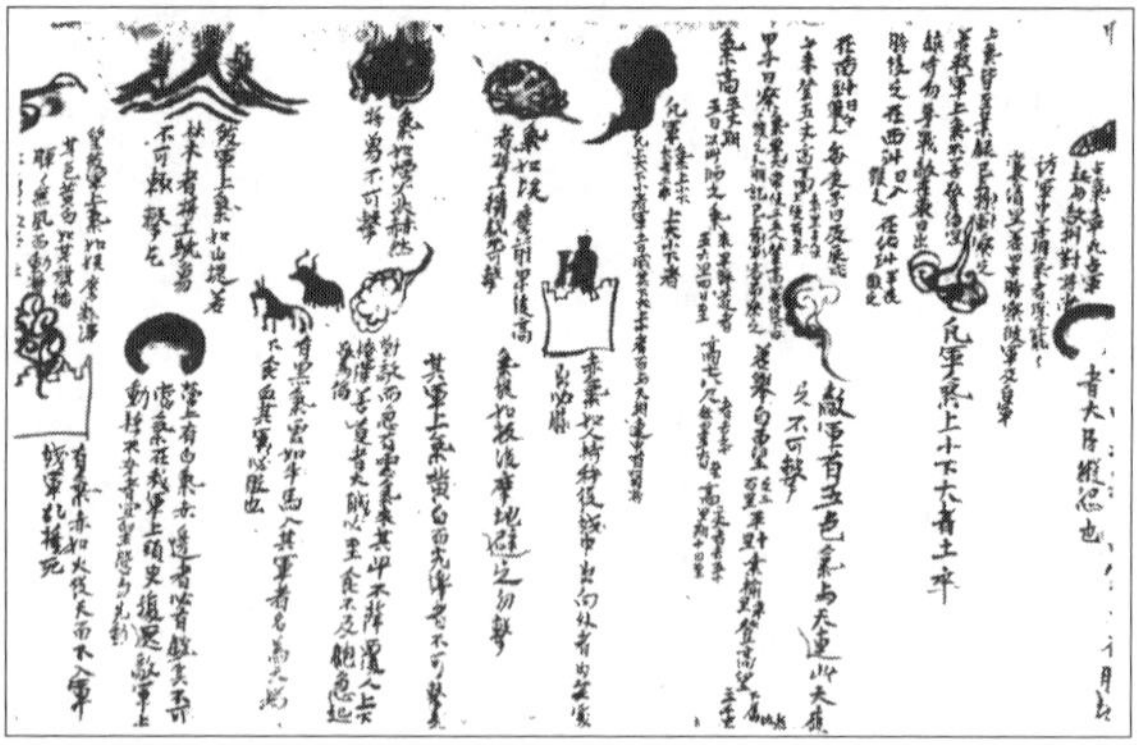

図4　敦博〇七六 VB.『占雲気書一巻』（局部 7-4）
（段文傑『甘粛藏敦煌文獻第六巻』、甘粛人民出版社、1999年より）

って戦争を予測する技術である。[*8] 安居香山《やすいこうざん》もこれらを「兵書としての雲気図」と見なして、当時の「戦争には欠くことのできないものであったに違いない」と認識している。[*9] 坂出祥伸《さかでよしのぶ》も、軍事と雲気占などの関係に着目して類似の観点を示している。[*10] このことから、前述した〈五行家〉に属する『風鼓六甲《ふうころっこう》』二十四巻、『風后孤虚《ふうこうこきょ》』二十巻、『文解六甲《ぶんかいろっこう》』十八巻、『五音奇胲用兵』二十三巻、『五音奇胲刑徳』二十一巻なども兵書と見なしても差し支えなかろう。

また、近年、明仁宗《じんそう》の勅命により頒布されたとみられる『天元玉暦祥異賦《てんげんぎょくれきしょういふ》』と、その日本・ベトナムにおける伝本が注目を浴びているが、これらは術数の視点から天文雑占書という扱いで検討されるのが一般的である。[*11] しかし、その内容はほとんど戦争の状況（天文・五星・雲気・風角）に関する絵と解説で、馬王堆や敦煌の天文・雲気占書に近似しており、早期に大部分が散逸したとされている〈兵家〉の兵陰陽である可能性を検討する必要があると思われる。

先秦から伝わってきた兵陰陽がほとんど散逸してしまった原因は、兵陰陽が神秘主義・迷信思想であり、理性と人の「志」の前に敗北したからであると考えられる。さらに、難しい術数の専門知識が必要とされること、そして、そもそも兵陰陽は、陰陽家の秘術として広く伝承することは許されないという特質が散逸の根本的な原因だと推測できる。このように、兵陰陽をはじめ、古代の漢文圏の〈兵学〉を研究するには、当時の学芸――各学科・学派の状況、とりわけその国における社会思想の深層に秘められた「神」「天道」に関する思想を考察せねばならないだろう。

東アジア漢文圏の古〈兵学〉の源泉――中国の〈兵学〉は、初めから「天地の道《ことわり》」に法《のっと》り、生命（人道）を重視し、戦争が「陰《いん》」であり、「凶器《きょうき》」であることを強調し続けてきた。文明を破壊したり、無差別な虐殺をしてはいけないという原則は、核兵器の危険にさらされている現代社会においても、どれほど重要な課題であるかはいうまでもない。

注

1 アーサー・フェリル（Arther Ferrill）著、鈴木主税・石原正毅訳『戦争の起源―石器時代からアレクサンドロスにいたる戦争の古代史』河出書房新社、一九九九年、五二～五三頁。

2 班固『漢書』中華書局、一九六三年、一七六二～一七六三頁。

3 趙文彬、解文超などが三度の図書典籍の収集・分類について言及したことがあるが、兵書の分類については深く追及していない（趙文彬「「孫子兵法」十三篇与八十二篇源流考」、『孫子研究』二〇一七年第五期、一〇三頁。解文超『先秦兵書研究』上海古籍出版社、二〇〇七年、八頁）。

4 楊伯峻が『史記・孫呉列伝』などの記録を踏まえて、『呉孫子』の作者は孫武であり、『斉孫子』の作者は百年後の孫臏《そんぴん》であると主張している。また、銀雀山漢墓から出土した『孫臏兵法』は、孫臏の弟子たちによって編纂されたのではないかと、楊伯峻の推測である（楊伯峻「孫臏和「孫臏兵法」雑考」、『文物』一九七五年第三期、一〇～一一頁）。李零に拠れば、『呉孫子』と『斉孫子』の作者はともに孫武であるが、前者は春秋末期の呉王・闔閭に仕えた頃に著したもので、後者は孫武が斉国に仕えた後講じたものを孫武の弟子たちが整理したものだという（李零『孫子十三篇総合研究』中華書局、二〇〇六年、七～八頁）。湯浅邦弘は諸先学の研究を踏まえて両者を比較・分析し、両者の相違が顕在であることから、『孫臏兵法』は『孫子兵法』の戦国時代中期の新たに発展されたものであると考察している（湯浅邦弘『中国古代軍事思想史の研究』研文出版、一九九九年、一〇三～一〇四頁）。

5 六大類の下に置かれた小類については、顧実の論著に詳しい（顧実『漢書芸文志講疏』台湾広文書局、一九七〇年）。許世瑛は劉歆が学術の性質によって書物を六大類に分けて、大類の下に若干の小類を立てたと述べている（許世瑛『中国目録学学史』中国文化大学出版部、一九八一年、二四頁）。

6　章学誠著、王重民通解『校讎通義通解』上海古籍、二〇〇九年、一五〜二一頁。

7　王智栄が陰陽家及びその諸学派と戦争の関係について詳しく論攷している（王智栄『先秦両漢陰陽兵略』花木蘭文化出版社、二〇一三年、一三四〜一六四頁）。

8　武田時昌が『淮南子』の「兵略訓」を引いて、兵陰陽の主要な占術を分析している（武田時昌「天の時、地の利を推す兵法—兵陰陽の占術理論」、『中国思想史研究』34、二〇一三年、三三〜三八頁）。

9　安居香山『緯書と中国の神秘思想』平河出版社、一九九四年、一三一〜一三二頁。

10　坂出祥伸『「気」と道教・方術の世界』角川選書、一九九六年、一一六〜一二二頁。

11　佐々木聰『「天元玉暦祥異賦」の成立過程とその意義について』、『東方宗教』122、二〇一三年、二四〜四五頁。佐々木聰『越南本「天元玉暦祥異賦」について』、『汲古』72、二〇一七年、四六〜五二頁。

［付記］本章は、中国国家社会科学基金一般項目「漢字文化共同体視閾下的讖緯与日本説話文学関係研究」（18BWW023）の成果の一部である。

08

占術書

文芸交流の事例として

Matthias Hayek

1　はじめに

不安を解消するための対策として、どの文化圏においても現れたのは占いである。占いはその媒体や方法は多様で、またその文化性も強く、簡単に定義することは実は難しいが、偶発的に生じた、あるいは意図的に生じさせた何らかの行動、音声、出来事、形像、数字などを「兆」として、その兆しの意味とその吉凶を判断し、そこから直面している問題の原因（過去・現在）やその解決・改良の可能性（未来）を知るための装置と概要すれば、大きく外れることもなかろう。兆しの発生の背後に、人知を超えた存在や次元の働きが想定され、占いはそのような超人間的なものと交和する行いでもあり、憑依や託宣といった、直接に神意をうかがう行為も、占いの一形態である。それとは別に、得られた兆しを、何らかの書物に照らし合わせて吉凶を判断したりすることも、少なくとも文字文化が発展した地域ではよく見られるもう一つの形態である。東アジアにおいてこのような占いと、その媒体となる占術書（占書）が古くから、そして広く存在している。中国を発祥の地とする占い文化とそれを支える陰陽、五行、そして易を三つの柱にした宇宙観が、文字と宗教（仏教・儒教）とともに東西南北に広まり、朝鮮、日本、琉球、ベトナムなどの漢字文化圏を中心に流布し、広範囲に影響を及ぼしたのである。

2　『周易』と術数

代表的で源流的なものとして『易経《えききょう》』があるが、「卦《かけ》」という数字的な記号とその辞を集め、紀元前九世紀末から次第に体系化してきた『周易《しゅうえき》』【図1】に、紀元前三世紀、つまり漢の時代に「十翼《じゅうよく》」という理論的背景とその解説が加わり、儒教の経典に進化したものである。

しかし、この『易経』とは別に、漢代以降、朝廷や各州の官人の占い師が参照してきた、天文占《てんもんせん》、暦占《れきせん》、亀卜《きぼく》、

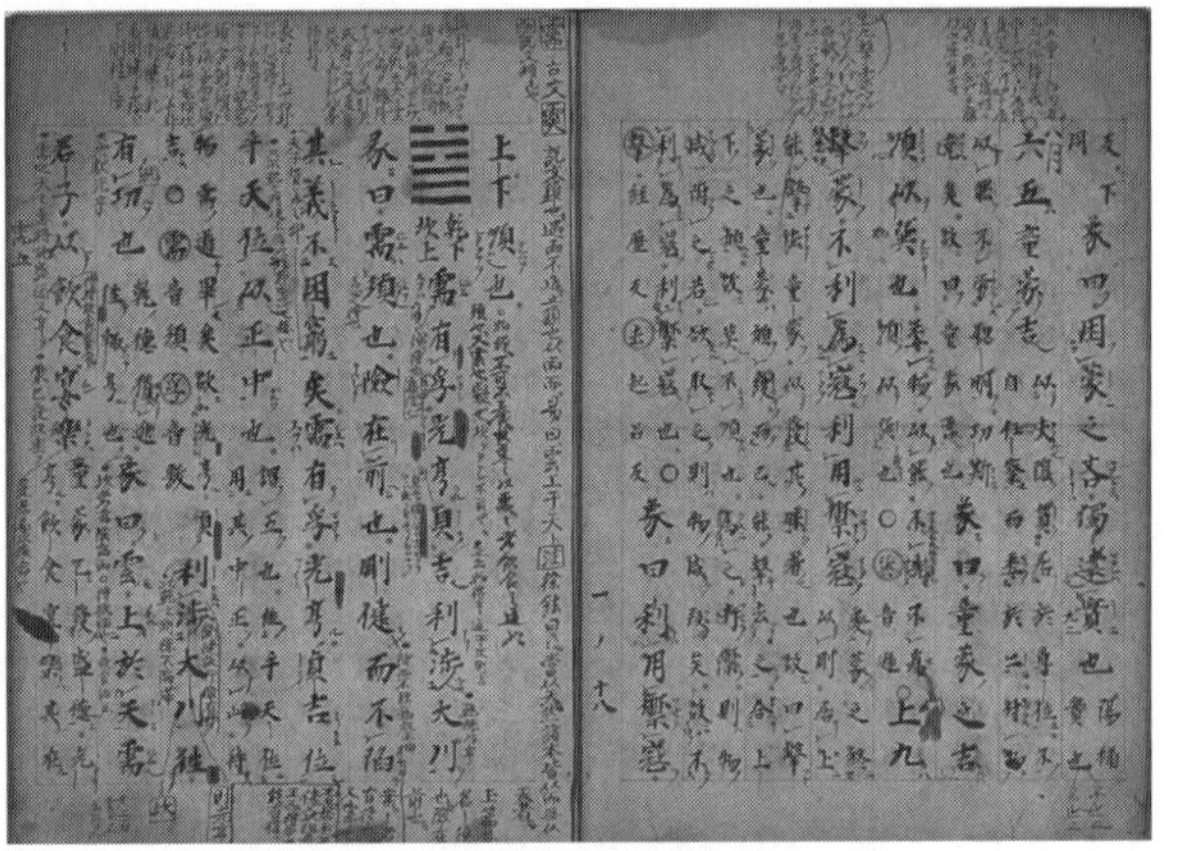
図１『周易』（室町時代写、京都大学附属図書館蔵）

五行占《ごぎょうせん》、形相占《けいそうせん》（相法《そうほう》）、また夢占いなどを含む雑占《ざっせん》を扱ったさまざまな文献も存在し、それらは『漢書《かんじょ》』芸文志《げいぶんし》の『七略《しちりゃく》』において、「術数《じゅつすう》」という部門に配当されるようになった。隋唐の時代以降、四部分類の中の三番目である「子部《しぶ》」に、この術数の知識を集成した書物が儒書、道書、兵書、医書、農書とともに収められるようになった。

これらの占書には、『易経』と同じく兆しの一覧と占断の大まかな結果（六十四卦と、各卦の爻《こう》の辞）とその解釈、そして占い方とその道理（背景にある宇宙観）という、二つの側面を持つものもあれば、日本の陰陽寮の重要な参考図書だった『五行大義《ごぎょうたいぎ》』のように、もっぱら理論を記したものもある。また、敦煌《とんこう》の洞窟で発見された唐代の多くの写本のように、占いの結果の一覧表だけのものも多い。そこには、易説を基盤とする命数（神秘的な数）やさまざまな物事に特性を与え、相互の関係を左右する五行、天命を司る北斗や二十八宿などの星辰《せいしん》、時空間を区切る十干《じっかん》十二支、または仏教とともに中国に入ってきたインド由来の七曜九曜、十二宮、二十八宿（ナクシャトラ）などの要素を取り集めた、多様多彩な占法が蓄積されてきた。

3　日本での展開

このような中国の占書はまた、中国の政治体制・官僚様式を模した日本や韓国、ベトナムなどにも渡り、占術に関する専門知識の基盤となったが、やがて日本の陰陽師のような国家の占い師の手によって、必要に応じて独自の占書が編集されてきたのである。日本の場合、『類《るい》聚国史《じゅうこくし》』に掲載のある、陰陽頭の滋岳川人《しげおかのかわひと》による四部の陰陽書がその嚆矢《こうし》であり、平安末期から室町時代まで、賀茂・安倍両家の陰陽師の手による、『陰陽雑書《おんようざつしょ》』（賀茂《かも》家栄《いえよし》編、十二世紀）や『陰陽略書《りゃくしょ》』（安倍泰忠《あべのやすただ》編、十二世紀）のような、日にちや方角の吉凶（つまり、暦占）を中心とした「雑書」が編纂された。また、それらの雑書の内容の一部に非常に近いものが、源為憲《みなもとためのり》の『口遊《くちずさみ》』（十世紀）、三善為康《みよしためやす》の『掌中歴《しょうちゅうれき》』と『懐中暦《かいちゅうれき》』を合わせた『二中《にちゅう》歴《れき》』（十三世紀）、または洞院公賢《とういんきんかた》の『拾芥抄《しゅうがいしょう》』（十四世紀）【図2】などの、陰陽師ではない公家による類書にも散見でき、社会の上層にはこのような占書とその中の知識が広く受容されていたことがわかる。

　さらに、十三世紀以降、『簠簋内伝金烏玉兎集《ほきないでんきんうぎょくとしゅう》』という、説話で有名な官人陰陽師、安倍晴明《あべのせいめい》を撰者と挙げながら、その背景となる宇宙観には牛頭《ごず》天王を中心とする神仏習合的・密教的な理論を従来の自然哲学と差し替え、明らかに宮廷の暦占と一線を引く占書が現れ、この占書の文化が広まり始めたことを物語っている。その反動でたとえば『暦林問答集《れきりんもんどうしゅう》』（賀茂在方《あきかた》編、十五世紀）のような、もっぱら理論を訂正しようとする本も編纂されたが、戦国時代に入り、占いが合戦に転用されるにつれ、その担い手も多様化した。それと同時に雑書も多く作成されたと思われる。また、足利学校のような学問所において、宋学（朱子学）の一環として、兵事用の易学が教えられ、中国から新たに舶来された文献が講義の素材になっていた。

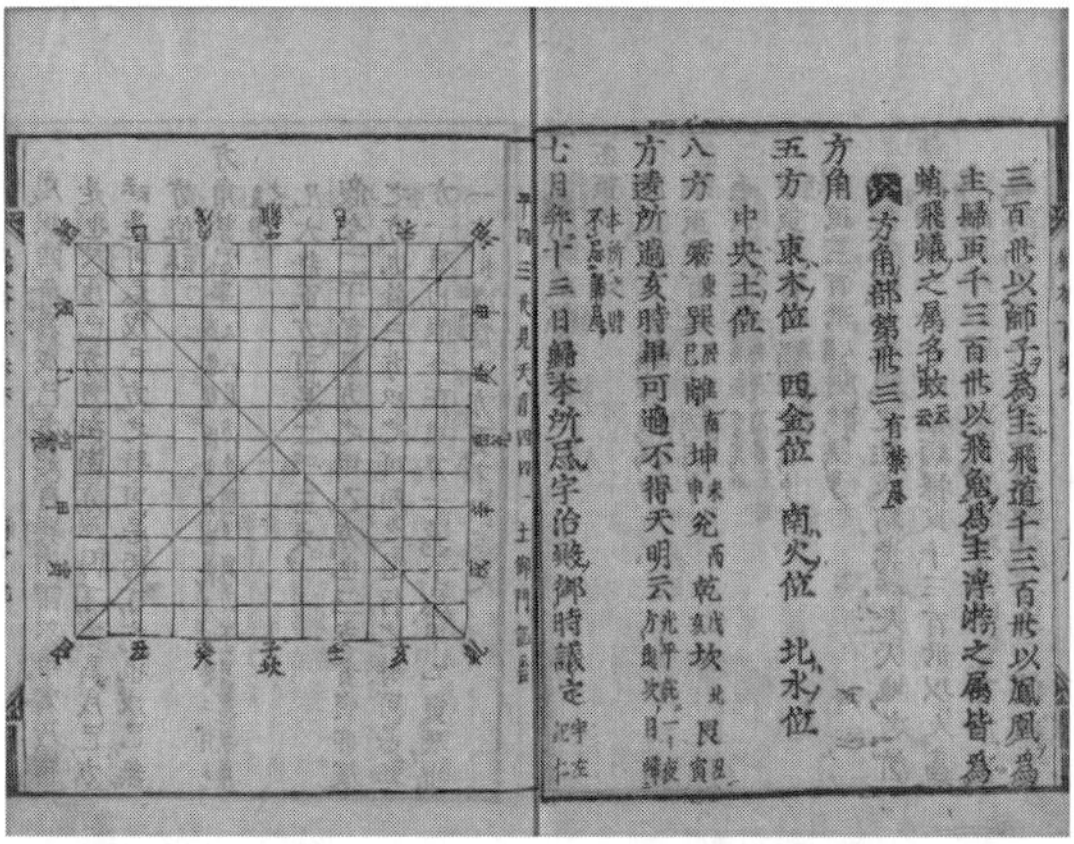

図２　『拾芥抄』（明暦２年［1656］刊、国立国会図書館蔵）

4　宋・明の類書と版本

宋代の中国には新たな儒学思想、つまり朱子学が起こり、それによって中国古来の自然学も再編成・再解釈された。易学もその例にもれず、邵康節《しょうこうせつ》をはじめ、程頤《ていい》、程顥《こう》、そして朱熹《しゅき》（朱子）自身によって根本的に再構築された。宋代の易学では周敦頤《しゅうとんい》の『太極図説《たいきょくずせつ》』（一〇七〇年）にならって、易を図式化した。たとえば宇宙万物の生成をかたどる八卦の生じる順を「先天八卦《せんてんはっか》」と称して、図解として新たに解釈された「河図《かと》」という数図に配当し、従来の順序を宇宙生成の後の状態として「後天《こうてん》八卦」と名付け、これもまた「洛書《らくしょ》」という数図（魔法陣）に配当したのである。このように図式化した占いの要素とその解釈は、同じく宋代に発達した印刷（木版）出版文化によって、従来の需要層より広く普及した。さらにこの出版文化の一角として、南宋から元にかけて、天文、地理、本草、社会など、つまり、天地人の「三才」にわたる情報を集め整理した類書や、古代からの文献を類似的に集めた叢書が編纂され、この中に多くの術数文献が収集されてきた。十世紀末に成立した『太平御覧《たいへいぎょらん》』のような、高層向けの類書もあれば、日常生活において必要と想定された実践的な知識を集めた、陳元靚《ちんげんせい》撰の『事林広記《じりんこうき》』（十三世紀に初編纂、元・明代に大幅に増補）のような「日用類書」もやがて編集されるようになった。この傾向は明の時代の中・後期（十五世紀半ばから十七世紀前半まで）、朱熹を始め多くの宋代の儒者を輩出した福建《ふっけん》省の建陽《けんよう》を中心に爆発的に加速・発展した。『事林広記』と同系統の日用類書、たとえば艾南英《がいなんえい》撰の『万宝全書《ばんぽうぜんしょ》』（十七世紀）などに加え、『武備志《ぶびし》』（茅元儀《ぼうげんぎ》撰、一六二一年刊）【図3】のような兵法の叢書の中にも占術が収拾され、『武備志』二百五十巻のうちの九十三巻、つまり全体の三分の一以上を占めている。さらに、『卜筮元亀《ぼくぜいげんき》』や『断易天機《だんえきてんき》』、あるいは邵康節に仮託された『梅花心易卦数《ばいかしんえきかすう》』【図4】のような断易や心易という、儒家が主とする形而上学的な易とは違って、簡略的で実践的な易の指南書も多く出版された。または、生年月日時を素材に人の運命を判断する、宋の徐子平《じょしへい》に由来を持つとされる「八字《はちじ》」（現在でいう四柱推命の源流）を説く『三命通会《さんめいつうかい》』、生時の星の位置から同じく吉凶を占う「紫微斗数《しびとすう》」を詳細に紹介する『紫微斗数全書』、人相法を体系化した『神相全編《しんそうぜんぺん》』などのような、一つの占法に特化した占書も編纂された。さらに、一年中の日にちの吉凶を集めた「通書」、あるいは『天竺霊籤《てんじくれいせん》』や『三世相《さんぜそう》』【図5】のような、絵図満載の一般向けの本まで、実に豊富で多様な占書がこの明の時代に上梓されたのである。

5　江戸時代の出版文化と占い

さて、日本をはじめ他国への商売の拠点でもあった福建から、これらの占書が東アジア全体に広まり、漢字文化圏の諸国にその影響が今でも残っている。しかし興味深いことに、それぞれの国で同じ占書が同じような発展を見ることなく、地域によっての需要が大いに異なる。

日本の場合、たとえば十七世紀の書林（商業出版をする上方の本屋）の書籍目録を紐解いて見ると、神書、兵書と並んで、「暦占」という項目がある。最古とされる寛文年間（無刊記）の目録

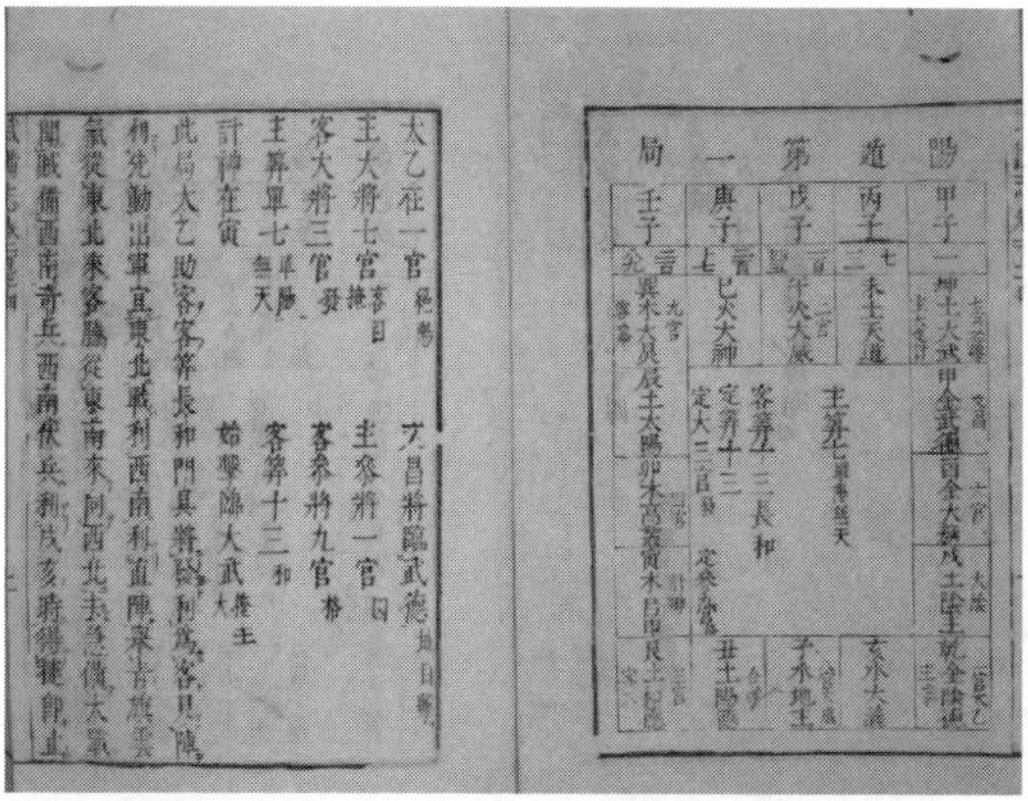

図3　『武備志』（寛政4年［1792］刊、早稲田大学図書館蔵）

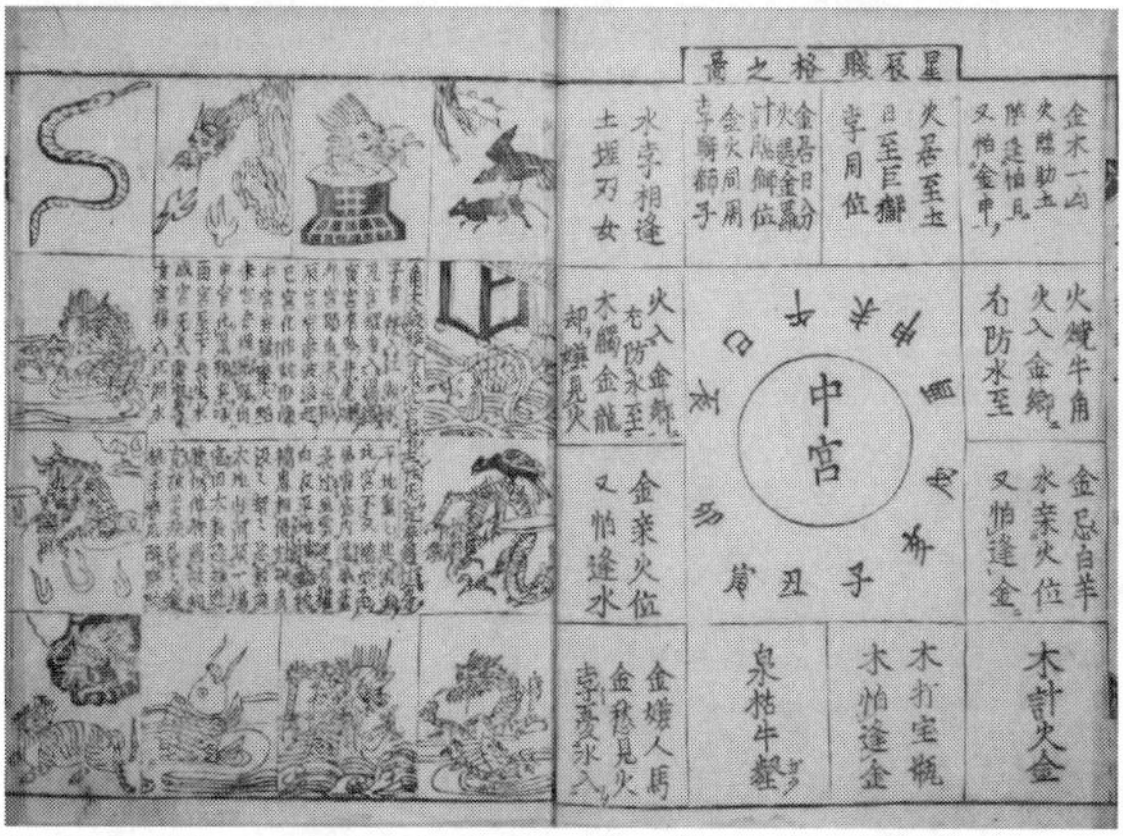

図5　『三世相』上（万治2年［1659］刊、早稲田大学図書館蔵）

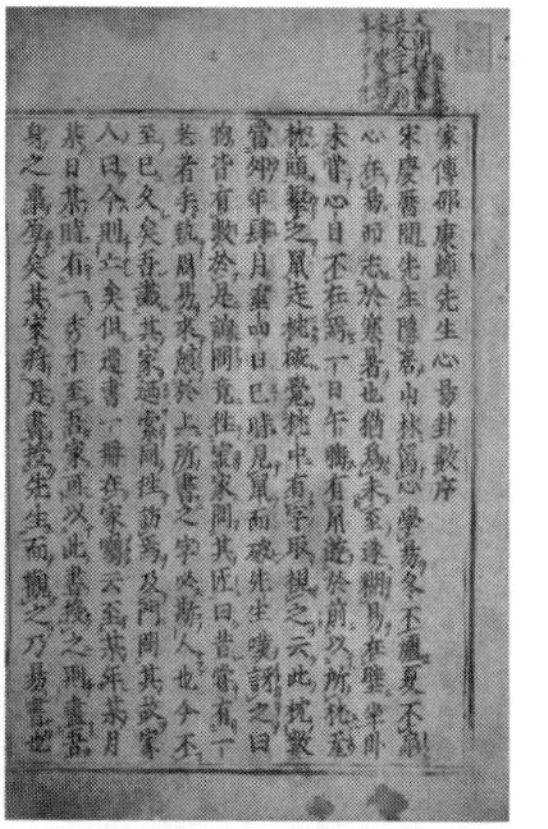

図4　『邵康節先生心易掛數』（寛永10年［1633］刊、国文学研究資料館蔵）

にはわずか二十八点の書物しか掲載されていないが、後に発展する数ジャンルのものがほとんどすでに揃っている。それはまず上述の『断易天機』『三世相』『梅花心易』という数点の明書の和刻本と、『八卦』【図6】、『簠簋』【図7】という、十三〜十六世紀の間に成立した日本独自の暦占書、そしてそれらの抄本、かな本、頭注本、絵入り版などが中心で、他には長暦、古暦、万年暦（大雑書の別題）などの拓日《たくじつ》書《しょ》、『暦林問答集』のような理論書も記載されている。

さて、『梅花心易』のようにベトナム、日本、朝鮮といった、東アジア全域に普及したものもあれば『三命通会』『紫微斗数全書』などのような占星術の書は舶来されたものの、和刻本がなく、その需要がほとんどなかったと見える。一方、同じく算命術の本で、唐代の一行禅師に仮託された『一掌金《いっしょうきん》』は、馬場信武《ばばのぶたけ》という京都の医者で占書の著者が和訳を出版し、山伏などの巷《ちまた》の占い師に広く使用されたようである。さらに、十六世紀まで陰陽寮の主な占法であった式占についての文献が皆無であることは特筆すべきであろう。『武備志』にことごとく紹介され、日用類書に簡略化した形で掲載されていながら、式占が和訳（和解）や抄本で取り上げられてこなかったことは、謎とさえ言える。

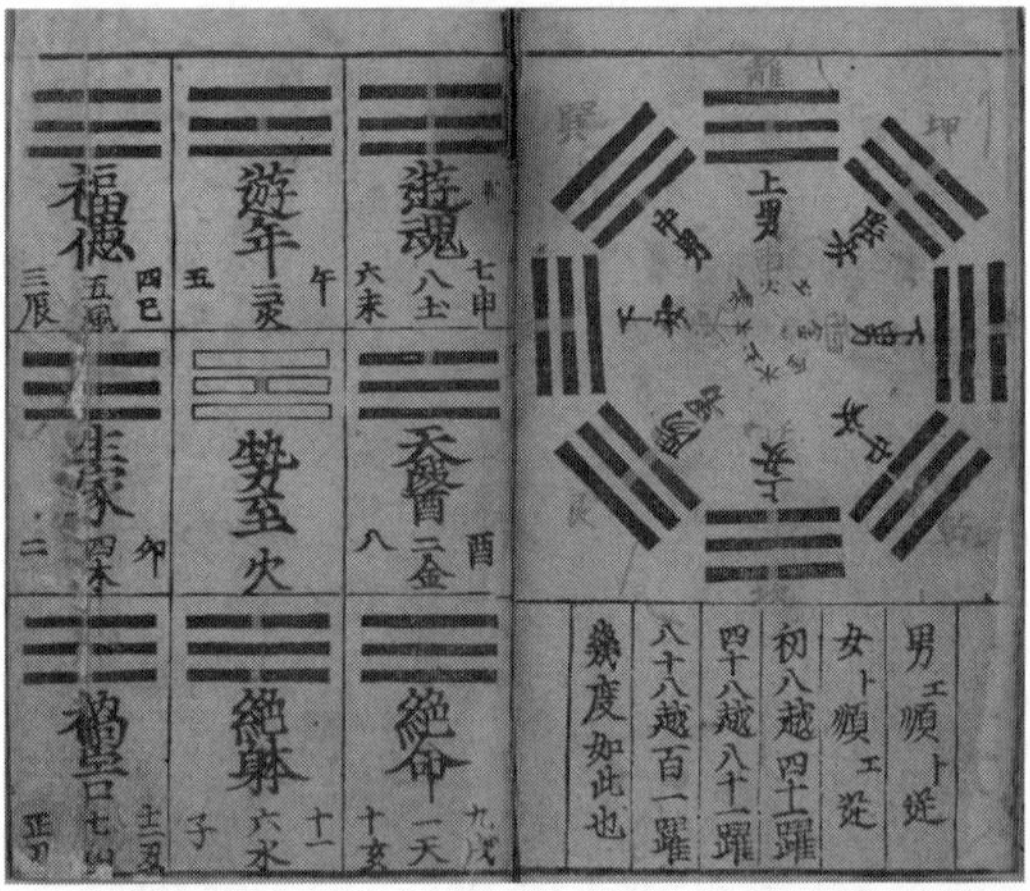

図6　『八卦』（寛永17年［1640］版、刊年不明、国立国会図書館蔵）

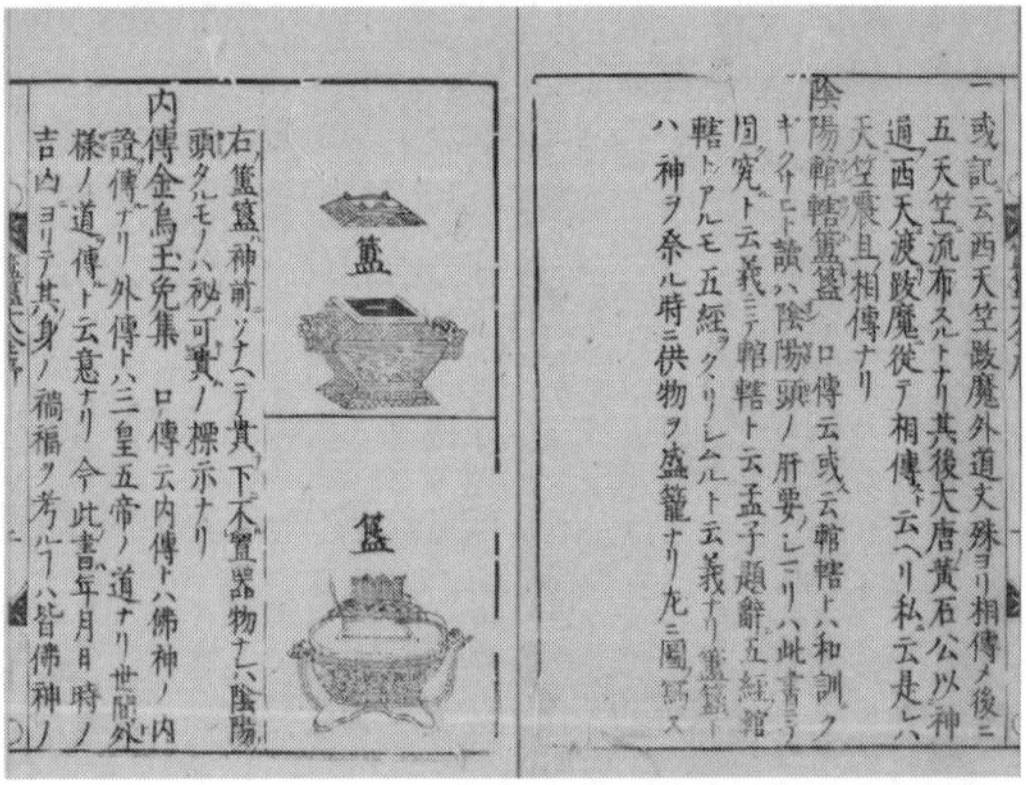

図7　『簠簋諺解大全』（天和2年［1682］刊、東北大学附属図書館蔵）

対してベトナムでは『紫微斗数全書』そのもの以外にも、『安紫微国語歌』のような、「国語」（ノム語）による指南書の存在が報告されており、朝鮮でも『紫微全書』の写本も作成されたらしい。また、ベトナムでは鳥の足の相を見て占う占法を記した伝本が多いが、日本と韓国では、管見の限りその占法が伝わっていないようである。

6　東アジアの絵入り占書

しかしながら、占法自体に多少の違いがあっても、東アジア全体の占書、とくに一般向けの、個人や家族の運命を記した本において、絵が多用されるという特徴がある。先の『三世相』や『天竺霊籤』と、十七世紀末から十八世紀にかけてそこから発生した『三世相小鏡《こかがみ》』や『元三《がんざん》大師《だいし》御籤抄《みくじしょう》』というかな本、あるいはそれらを吸収した近世後期の大型『大雑書《おおざつしょ》』もそうであるが、たとえば室町後期から確認できる『大易断例卜筮元亀《だいえきだんれいぼくぜいげんき》』のような絵入りの易占書も多数存在する。また、「男女相性」を題材とした絵入り本も日本とベトナム、さらにタイでも確認できる。朝鮮の方では、『唐四柱《とうしちゅう》』という絵入り占書のジャンルがあり、これもやはり同じ流れを組んでいると思われる。

このように、占術書からみる東アジアの文芸史には、文字だけではなく、絵による文化交流という要素が強く現れており、この問題を考えるとき、字という記号にとどまらず、さまざまな表象の「交通」をも視野に入れる必要がある。運命と、運命を司るもろもろの鬼神を可視化した絵入り占書は、このような「非文字」の文化交流の一つの産物であり、今後このような表象の比較研究によって、東アジアの文化形成のもう一つの側面が輪郭を表すのではなかろうか。

09 盤上遊戯

原 克昭

1　盤上遊戯研究の現在

洋の東西や時代を問わず、盤上遊戯は人々を魅了しつづけてやまない。東アジアにかぎってみても、中国・朝鮮・日本・琉球・ベトナムの諸国ごとに独自の進化と発展を遂げており、その諸相と展開相および種類や技法など、盤上遊戯研究は継続的かつ意欲的に推進されてきている。[*1]

東アジアの宗教文化圏の基底をなす仏教との関連では、つとに『梵網経《ぼんもうきょう》』巻下において「摴蒲《ちょぼ》・囲碁・波羅《ばら》賽戯《そくぎ》・弾碁《たぎ》・六博《ろくはく》」による占断を禁制するが（第三十三軽戒・邪業覚観戒、大正二十四・一〇〇七b）、その一方で日本将棋の発展に寺院僧侶が大いに寄与していたとの見解もある。[*2] かたや、中世の貴族たちはこぞって囲碁・将棋に興じ、後代に「絵双六《すごろく》のはじめ」（喜多村筠庭《きたむらいんてい》『嬉遊笑覧《きゆうしょうらん》』巻四下）と称された飛び双六型の「浄土双六」作成にも積極的に携わっていた。[*3] 盤上遊戯の発祥源たる中国の眼にさえ、日本は「好二棊博握槊樗蒲之戯一」（『隋書』倭国伝）と囲碁やさいころの競技好きに映るほど愛好していたようで、古代の盤上遊戯と目される「摴蒲」の考古遺物による復原的成果も報告されるなど、盤上遊戯をめぐる禁断と隆盛ぶりの実態相が徐々に解明されつつある。[*4] たえず発展継承され国ごとに新たな遊戯を再生産させるところに、盤上遊戯の魅力と醍醐味がひそんでいるのであろう。

それほどに盤上遊戯は多種多様であるだけに、さまざまな学術的アプローチを可能にさせてくれる。そこで、以下では「半分は口で指してるへぼ将棋」（『誹風柳多留《はいふうやなぎだる》』一四三編32）よろしく、文学史の中で〝描かれた〈対局〉の風景〟を点描することで、盤上遊戯の文化史的位相を垣間見ることにしたい。

2　文学史にみる〈対局〉の風景点描

もとより古代中国より神秘性が宿るものと認識されていた盤上だが、こと日本では盤上が神仏をはじめ異界と交感しうる場と見なされ、盤上遊戯は聖性を帯びた営為として病気治癒や祈禱調伏に活用されていたことが指摘されている。[*5] では、文学史の中で描かれた具体的な〈対局〉場面ではどうであろうか。

図１　対局場面（『長谷雄草紙』日本の絵巻 11、中央公論社、1998 年より）

歴史資料のみならず古典文学においても、とりわけて双六の話題には事欠かない。なかでも紀長《きのは》谷雄《せお》が一人の男に誘われるままに朱雀門《すざくもん》楼上で双六対決し、打ち勝つことで鬼の正体を暴露させる場面は絵巻でもよく知られている[*6]**【図1】**。朱雀門という特異な場に加えて、実際に〈対局〉することによって盤上が異界と交信可能な時空間と化す。しかも、異界との〈対局〉は凡人ではかなわない。『法華経鷲林拾葉鈔《ほけきょうじゅりんしゅうようしょう》』では都良香《みやこのよしか》にすり替わるが、[*7] たんなる異伝として片付けるわけにはいくまい。長谷雄は朱雀門上に漢文を口ずさむ霊人の存在を看破し（『今昔物語集』巻二十四・1）、良香もまた朱雀門前で漢詩の秀句を誦するや楼上の鬼を感嘆させた伝説をもつ（『本朝神仙伝』ほか）。盤上を介して異界と交信するには巧みな漢才が必要とされたわけで、おのずと盤上遊戯の技量は学才智と表裏一体化し、頭脳戦的験くらべ譚として奇才伝説の基盤をなす。

その点では、囲碁の請来者として伝説化された吉備真《きびのま》備《きび》の存在は欠かせない。渡唐先の高楼に幽閉された真備が挑む難題三題――『文選《もんぜん》』解読・囲碁勝負・『野馬台《やばだい》詩《し》』解読の詳細については周知のとおり。[*8] 鬼と化した阿《あ》倍仲麻呂《べのなかまろ》の援助をうけ、第二の難題である囲碁勝負をクリアする顚末が、やがて日本における囲碁の起源と認知されていく。[*9] 遣唐使の一行に囲碁名人を同行させた記録（『日本三代実録』ほか）もあるとおり、実際に囲碁が有効な外交手段の一環としてあったことが窺えるが、真備の囲碁説話はそのような日本囲碁史の起源神話として屹立する。そこで、さらに前後の難題と併せてみたとき、『文選』解読に求められた漢才と囲碁勝負の技量（物語上はともに狡《ずる》をするのだが）、その挙げ句に『野馬台詩』解読が用意されている展開に改めて注目される。机上に据え置かれた謎の讖文《しんもん》未来記とそれに対峙する真備、そこに蜘蛛と化した神仏が交感し『野馬台詩』解読を果たす営為は、まさしく漢才と技量の両者を兼ね備えることで異界との交信を可能にさせた、ある種の盤上遊戯に擬することもできるからである。たとえば『新猿楽記《しんさるがくき》』にあるとおり、「独《ひとり》双六」なる遊戯も芸能の一種と認知されていた。[*10] 本来は複数人でたのしむ双六を単独で〈対局〉の風景として演出するには、それ相応の技能を必要としたにちがいない。そのような「独双六」の幻影に、『野馬台詩』解読に挑む吉備真備のすがたを重ねあわせてみたくもなる。

さて、異国との交流場面に目を転じてみると、たとえば豊臣秀吉に謁見した琉球王府の使者の随身であった松千代謝名なる人物が、囲碁名人でも敵わないと自負豪語する京都人と〈対局〉し見事に打ち負かした伝承、また慶賀使の佐敷王子《さしきおうじ》朝益《ちょうえき》に随行した津波古《つはこ》親雲上《ペーチン》が本因坊と〈対局〉し、薩摩藩家老の伊勢《いせ》貞昌《さだまさ》より「囲碁之秘書」を伝え受けたとの逸話が遺されている。[*11] 琉球国にあってもやはり、囲碁は伝説化するほどまでに重要な外交手段と見なされていたようである。

かたや、中世に風靡した将棋に関しては、吉田神道家出身で半僧半俗の身でありながら覇権者たちと文事交流した神龍院梵舜《しんりゅういんぼんしゅん》の存在が興味ぶかい。梵舜は幾度となく徳川家康の将棋会に参加したほか、ときには神道印信絵の叡覧ついでに後陽成《ごようぜい》天皇とサシで中将棋を〈対局〉し不慮にも打ち勝つ場面が見受けられる。[*12]「奔王《ほんおう》一枚落ち」という設定も、相互の技量を均衡化しフェアな環境を前提とした盤上遊戯ならではの暗黙の倫理性が見え隠れする。盤上という空間そして遊戯の時間は、俗世上の立場や身分の貴賤を超越化もしくは無為化させ中立的な時空間を形成する。だからこそ、その勝敗の絶対性も担保されるところとなる。

盤上遊戯が外交手段として（あるいは外交神話として）機能しえたのも、ひとたび異質化し中立化した〈対局〉の風景が、異界との交信や異国との交渉を有効にする時空間として共有されていたからにほかならない。それゆえに、盤上遊戯は奇才伝説や外交神話をはぐくむ土壌ともなりえたのである。

3　盤上遊戯のゆくえ

一方、情報化の進展めまぐるしい現代にあっては、囲碁・将棋などでＡＩ（人工知能）との〈対局〉場面がひとしきり話題を呼んでいる。韓国で囲碁修行に励み日本最年少のプロ棋士として注目されている少女が、韓国や台湾のベテラン棋士と〈対局〉する場面などは、まさに国境や年齢差を乗り越えさせる盤上遊戯の本領発揮といえよう。だが、そのような天才少女とＡＩとの〈対局〉場面については、あまりにもシニカルな風景といえないだろうか。ＡＩに敗れた少女は投了後の感想を問われたとき、一言だけ「強かったです」と答えたというのも、きわめて印象ぶかい（『朝日新聞』二〇一九年七月十一日朝刊）。

一見、天才奇才的な人間が異次元の世界と〈対局〉する図式ではありながら、文学史に描かれた〈対局〉の風景とは似て非なる、盤上遊戯の醍醐味を履き違えた近未来的愚行としか映らざるをえない。そこに相互の異なる立場を均衡化するフェアな環境は整っているのだろうか。ＡＩなる異次元異空間と少女のあいだに交信可能な時空間は成立しているのだろうか。そもそも、そこに対局者は存在しているのだろうか。むろん、不特定多数によるＩＴ盤上遊戯の国際的な拡がりを否定するつもりはない。ただ、〈対局〉の風景や盤上の時空間が見失われ、「世界最強」をめざして勝敗結果を追求するプロジェクトが盤上を席巻したとき、はしなくも盤上遊戯はその使命の終焉を迎えてしまうのかもしれない。

注

1　増川宏一『盤上遊戯』（ものと人間の文化史29、法政大学出版局、一九七八年）はじめ、同シリーズ『将棋Ⅰ・Ⅱ』『碁』『すごろくⅠ・Ⅱ』、および『日本遊戯思想史』（平凡社、二〇一四年）にいたる一連の研究、ならびに『遊戯史研究』（遊戯史学会）など。

2　古作登「平安時代の「酔象」駒発見から日本将棋の進化過程を推測する―将棋は仏教寺院で仏典を参考に改良が進められた」（『大阪商業大学アミューズメント産業研究所紀要』16、二〇一四年六月）。

3　『言国卿記《ときくにきょうき》』文明六年（一四七四）八月十二日条「予ウケタマハリ、権左方へ浄土シュコ六ノサイノ名号ヲホらせ了。」（史料纂集に拠る）、『実隆公記』同年同月日条「未刻計、女房奉書到来。浄土双六可二写進上一之由也。則令二書写一令二持参一了。」（続群書類従刊行会版に拠る）。

4　小田裕樹「古代の盤上遊戯「樗蒲《かりうち》」の復元に関する考古

学的研究」（『高梨学術奨励基金年報』、二〇一六年十一月）。

5　小山聡子「囲碁・雙六によるモノノケの調伏―中世前期を中心として」（『説話文学研究』51、二〇一六年八月）。

6　長谷雄説話の諸相および双六の位相に関しては、黒田彰『中世説話の文学史的環境』（和泉書院、一九八七年）、楊暁捷『鬼のいる光景―『長谷雄草紙』に見る中世』（角川叢書、二〇〇二年）を参照。

7　『法華経鷲林拾葉鈔』巻十九・法師功徳品「物語云、延喜年中、都良香云人有。天下無双才人也。有時下司男来、参二双六勝負一云。……打二三番一得双六一。良香軈而勝レ之。」（臨川書店版影印に拠る）。

8　最新研究として、小峯和明『遣唐使と外交神話―『吉備大臣入唐絵巻』を読む』（集英社新書、二〇一八年）、同『予言文学の語る中世―聖徳太子未来記と野馬台詩』（吉川弘文館、二〇一九年）など参照。

9　香川忠夫「囲碁史からみた吉備大臣入唐説話」（『大阪商業大学アミューズメント産業研究所紀要』20、二〇一八年六月）。

10　「予、廿余年以還、歴二観東西二京一、今夜猿楽見物許之見事者、於二古今一未レ有。就中、呪師・侏儒舞・田楽・傀儡子・唐術・品玉・輪鼓・八玉・独相撲・独双六・無骨・有骨……」（日本思想大系『古代政治社会思想』に拠る）。

11　『琉球国旧記』七十九・囲碁「遺老伝、中古之世、有二松千代謝名者一。尤善二囲碁一。時京都人、有二朴碩者一。誇曰、我碁甚高。対二本因坊一譲レ一。何有二敢敵一。遂使二謝名対下一。而他不二敢勝一、云レ爾。崇禎七年甲戌。蒋氏津波古親雲上元重、随二尚氏佐敷王子朝益一、赴二京都一。時薩州家老、有二伊勢兵部貞昌者一。強勧二元重一、与二本因坊一相二下碁一、譲レ二。而細伝二囲碁之秘書一、而帰来、云レ爾。」（琉球史料叢書に拠る。『琉球国由来記』巻四遊戯門・囲碁も大略同文）。

12　『舜旧記』元和二年（一六一六）二月十一日条「則於二御前一中将棋一番被レ遊。予御相手ニ罷成也。奔王一枚ヲトシナサレ、予不慮ニ勝也。」（史料纂集に拠る）。

第2部　東アジアの宗教と文学

01

仏伝の変成

浄飯王の物語

趙 恩馤

1 はじめに

釈迦の生涯を伝える「仏伝」は、釈迦の前生譚から現世での出来事、さらには釈迦の弟子たちのような周囲の人々の話などの総称で、仏典をもとに大衆を教化する説法の題材として語られてきたものである。「仏伝」は、やがて独立した文芸作品へと広がっていき、その過程では、「仏伝文学」として多様な変容をとげていった。*1 釈迦の現世における生涯は、一国の王位を継ぐべき人として生まれ、仏となり、涅槃《ねはん》に入るまでの主な出来事を中心に、八相《はっそう》（降兜率《ごうとそつ》、托《たく》胎《たい》、出胎《しゅったい》、出家《しゅっけ》、降魔《ごうま》、成道《じょうどう》、転法輪《てんぼうりん》、入滅《にゅうめつ》）として展開する。そのうち、とくに、出家前の釈迦について、人間としてのさまざまな悩みや人々との葛藤を抱える姿が描かれている点は、仏典にみる釈迦像とは異なっており、「仏伝文学」の一つの特徴をなしている。

釈迦の人生にかかわる最も重要な人物としては、釈迦が生まれてからまもなく亡くなった摩耶《まや》夫人、王位を継ぐべき息子の出家を引き止める浄飯王《じょうぼんのう》、そして、愛する夫と離別した後に生まれる息子の羅睺羅《らごら》を独りで守っていく耶輸《やしゅ》陀羅《だら》をあげることができる。これらの人物との関係を語る物語は、仏教の教祖としての釈迦というよりも、息子・夫・父親としての立場やそれに根ざした愛情、そして家族との離別といった人間的な要素に焦点をあわせた内容となっている。それらにおいては、釈迦だけではなく、それぞれの人物の姿や心のありかたにも光が当てられている。本章ではとくに、釈迦と父の浄飯王の関係から仏教における「孝」の問題、そして、父子の情愛と悟りという観点から仏伝の特徴をみていきたい。

東アジアにおいて仏教が広がる中で、最も問題視されていたのは、出家についてであった。主に儒教の理念からみたとき、王位を継ぐべきものとして生まれた釈迦の立場や、親と妻子への社会的な義務を放り投げたということは批判の的になる。このような批判に対し、仏教側でも「孝」に関する要素を強調しようとした働きがあったことは確認できる。ただし、仏教における「孝」は、人としての道理と道徳を強調したものではなく、「諸法縁起《しょほうえんぎ》」の真理から報恩を伝えたものであり、子から親への孝は個人にとどまらず、一切衆生《いっさいしゅじょう》に及ぶ慈悲として拡大させるのが仏教の大儀であるとされた。[*2] しかし、仏教における「孝」は、主に母親への報恩に重点がおかれていると考えられる。たとえば、『大乗本生心地観経《だいじょうほんじょうしんじかんぎょう》』では、釈迦が「孝」をとりあげ、僧俗の区別なく重要なものとしての報恩を説く。

> 世間と出世の間には四つの恩がある。一は父母の恩で、二は衆生の恩、三は国王の恩であり、四は三宝の恩である。善男子よ。父母の恩というのは、父親の慈恩であり、母親の悲恩である。母の悲恩については、我がこの世にいる一劫の間に説いても尽くすことは出来ないだろう。[*3]

このように世間における四恩《しおん》を述べて、第一に父母への報恩をあげているものの、そのあとの具体的な内容としては母親の恩についての例話が続いているのである。

父母への孝を説く、最も知られている『父母恩重経《ぶもおんじゅうきょう》』においても、父母の「十大恩」において、懐胎、臨産受苦《りんさんじゅく》、乳哺養育《にゅうほよういく》などと母親の恩に重点がおかれている。母親の報恩については、仏伝でも強調される主題であり、成道した釈迦が亡くなった摩耶夫人と忉利天《とうりてん》で再会し、説法する話は、母親への孝の主題としてよくとりあげられる題材であった。[*4]

一方、父親の浄飯王の場合、釈迦の出家の前に、跡継ぎの問題で対立したり、出家してしまった息子を思い歎く姿などが主に描かれる。さらに、成道後に帰城した息子との対面や浄飯王の臨終と葬儀での様相など、宗教的な理念と社会的・心情的な親子関係とのはざまでの葛藤をみることができる。出家と苦行を経て仏となる息子の釈迦を見届ける父親の浄飯王。そうした関係性からみる「仏伝」は、仏教の理想と世俗における「孝」の問題や親子の情愛とのせめぎあいについて考える上で重要である。

2　王位継承者の出家――家族の情愛と孝養

四門出遊《しもんしゆつゆう》の後、一切衆生を愛別離苦から救うため、釈迦は出家の許しを得ようとする。しかし、浄飯王はそれを歎《なげ》き、城門を閉ざして、耶輸陀羅に釈迦を見張るよう命じる。このとき、浄飯王が釈迦の出家を阻止したのは、釈迦が自らの王位を継ぐ立場であることに加えて、妻の耶輸陀羅との間に跡継ぎがいなかったことも問題であった。

こうした、王位継承と出家、そして親子の情愛の問題を、朝鮮時代に編纂された仏伝はきわめて敏感に描いている。『釈譜詳節《しやくふしようせつ》』『月印千江之曲《げついんせんこうのきよく》』『月印釈譜《げついんしやくふ》』は、朝鮮の第四代国王である世宗《セジョン》（一三九七～一四五〇年）の后、昭憲《ソホン》王后（一三九五～一四四六年）の追善供養のために作られ、王が自ら編纂にかかわっていた仏伝である。*5 これらのうち、『月印千江之曲』は、『釈譜詳節』の展開に合わせて、釈迦の功徳を歌に仕立てた韻文作品で、当時の世宗の境遇と心情を踏まえて読むと、その「仏伝」としての特徴が浮かび上がってくるテキストである。当時、世宗の息子である広平大《クアピョンテ》君《グン》（一四二五～一四四四年）が夭折し、その一カ月後には弟の平原《ピョンウォン》大君《テグン》（一四二七～一四四五年）も亡くなり、続いて昭憲王后までもが亡くなった。こうした状況におかれていた世宗の、妻と息子への切実な想いが、『月印千江之曲』には投影されていると考えられるのである。世宗は、摩耶夫人を亡くした夫としての立場にあり、出家しようとする息子の釈迦を見届ける父親という立場にもあった浄飯王と似た境遇におかれており、浄飯王の心に自らを自然と重ね合わせていたであろう。そして、自らも王であった世宗は、浄飯王と同じく、釈迦の出家に安易に同調してはいけない立場でもあったのである。

実際、『月印千江之曲』の釈迦の出家の場面は、釈迦の意思と父親の悲しみ、そして王位継承の問題を対比させている構成が際立っている。

『月印千江之曲』

（太子は）父上に四つの誓願を伝え、許しを得て、出家しようとしました。／太子の手を取り、涙を流し、門を閉ざし出られないようにしました。（其　四十五）

孝行の心から、後日のために倶夷《くい》（耶輸陀羅）の腹を指差しました。／耶輸陀羅は悲しい心で、太子が出家するのを恐れ、そばに座っていました。（其　四十六）

父上は太子の出家を恐れ、きれいな女人と音楽によって、太子の善心を抑えようとしました。／浄居天《じょうごてん》の神力で穢れた女人と音楽に変わり、（太子の）欲心を止めました。（其　四十七）

七宝で飾った宮殿を治めることが父の意思でした。／正覚を為し、大千世界を照らすことが息子の意思でした。（其　四十八）[*6]

釈迦の出家は親子の死別というわけではなかったものの、世宗は浄飯王の悲しみを死別同様のものとして受けとめたことだろう。そうした意味で、親より先に死ぬことすら不孝としていた儒教の理念に照らして、出家の前にせめて跡継ぎの問題を解決しようとした釈迦の行為（後に羅睺羅が生まれることを示唆）を、世宗は「孝行の心」と意味づけていることは興味深い（其四十六）。

さて、王城を出るとき、釈迦は菩提を得るまでここには帰らず、父親と摩訶波闍《まかはじゃ》および耶輸陀羅には決して会わないことを誓う。これは、成道への強い意志表明であるが、ここでは、一切衆生のための悟りに向かうにあたって、自らの家族への思いが強調されていることに注目したい。この誓いは、釈迦が成道した後に、帰城して説法するという展開につながっていくのだが、日本中世の仏伝である『釈迦如来八相次第《しゃかにょらいはっそうしだい》』では、この説法が、とくに父の浄飯王のための説法であったとされている。

仏、床座《ゆかざ》ノ上ニ坐《ましま》シテ、父ノ大王ノ為《ため》ニ法要ヲ説玉《ときたま》ヒキ。親ト成リ、子ト成リ、今世ノミニ非《あら》ズ、父子天性多劫《たごう》ノ宿因《すくいん》也。我一人ノ父ト成玉ウノミニ非ス。大王ハ千仏ノ父ナリ。我母、摩耶夫人モ是レ千仏ノ母也。羅睺羅モ亦《また》、千仏ノ長子也。サレハ、浄飯王摩耶夫人ノ恩ヲ報《ほう》センカタメニ、千ノ仏、皆、法ヲ説玉ウ。我モ、今、法ヲ説テ、恩ヲ報シ奉ヘシトテ、四諦《したい》ノ法ヲ説玉ウ。（中略）親子ノ契《ちぎ》リ深ク、恩ノ重キコトヲ衆生ニ知ラシメ顕《あらわ》サン為ニ、親ト成、子ト成玉ヘリ。父ノ王ノ為ニ法ヲ説テ、親子ノ契ヲ顕シ玉ウモ、皆大悲善巧ノ方便、一切衆生ニ父母ノ恩ヲ深重ナルコトヲ知ラシメテ、孝養報恩《こうようほうおん》ノ心ヲ勧《すすめ》シメン故《ゆえ》也。*7

出家して六年の苦行の後、仏となった釈迦は、各地で衆生のための説法を続け、さらに六年が経っていた。浄飯王は仏となった息子の帰りを願って使いを送り、帰郷した釈迦が最初におこなった説法は、父親のためのものであり、その内容は、親と子の因縁と報恩としての孝養についてであったとされる。帰郷した釈迦が釈迦族を次々と出家させる展開において、『釈迦如来八相次第』では、主に浄飯王や耶輸陀羅、息子の羅睺羅を教化する話が大半を占めている。そして、釈迦が涅槃に入るとき摩耶夫人への説法は、「仏ノ最後ノ説法ハ孝養報恩也」と位置づけられている。このテキストが家族との情愛と孝養を重視した「仏伝」であったことが読み取れよう。

3　親心と悟り

帰省したのち、釈迦は摩訶波闍や羅睺羅、耶輸陀羅に続き、釈迦族を教化していった。しかし、父という最も身近で重要な存在の浄飯王の発心は容易なことではなかった。それは、浄飯王が釈迦に対して、仏としてではなく、息子としての想いが強かったためであった。

釈迦は正覚を得て親を済度するという出家の時の誓いを実践するため、まずは浄飯王が使者として送った優陀耶《うだい》を教化して、人々に神通力をみせるように指示した。釈迦の弟子となった優陀耶のさまざまな神通力に人々が驚き、発心する中で、浄飯王は十二年ぶりに接した息子の様子に涙するだけであった。

この話も、『月印千江之曲』（其百十六〜百二十八）では、父子のやりとりが対句にされており、浄飯王は宮中にいた時の息子のことを思い出しながら、寝処や食事、服装など日常的な身の回りの様子を心配する。この箇所は、『釈迦《しゃか》譜《ふ》』と『中本起経《ちゅうほんぎきょう》』をもとにしているが、『釈迦譜』では、優陀耶を介して釈迦の様子を聞く構成となっているのに対して、『中本起経』では、浄飯王が釈迦と直接対話する形となっており、とくに、釈迦を迎えた浄飯王の心が「子への愛と仏を敬う心とが交差した」[*8]と表現されている。仏となった釈迦への接し方にとまどう、父親としての浄飯王の様子が描かれている点で注目される。

これらに依拠した『月印千江之曲』では、浄飯王が質問し、優陀耶が答え、さらに釈迦が答えたという展開に変わっている。[*9] そして、帰還した仏をみて多くの人が悟りを得るのに、浄飯王だけが発心できないことを疑問視する比丘たちに、釈迦は、王にはまだ親としての心が残っているからだと指摘するのである。

『月印千江之曲』

子を思う心はあるものの正法《しょうほう》を知らず、世間の小さいこと（屑のように軽いこと）のみを聞くに。／三界《さんかい》を救うため肉身をなしているだけなのに、世間の小さなことなど何が大事でありましょう。（期　一百二十五）

息子に再会したことを嬉しく思い、（太子の時の）恩愛が残っていて敬心《けいしん》が完全ではあらず。／父上を救おうとして変化してみせると、浄飯王は無上道理《むじょうどうり》に発心しました。（期　一百二十八[*10]）

『中本起経』では、悟り得ない浄飯王のために、釈迦が目連に命令して再び神通力を見せたとなっているが、『月印千江之曲』では、釈迦が父親を救うために自ら変化して神通力をみせたとする（期　一百二十八）ように、父子の思いを対にして配置し、そのすれ違いやお互いの思いやりをここでも際立たせようとしているのである。

さて、やっとのことで発心した浄飯王の描写として注目したいのは、『中本起経』のこれに続く記述である。王は、釈迦に付き添う弟子たちの容貌が卑しいことを不満に思い、種族の中で端正なる人を選ぶようにと命令するのである。もし、釈迦が出家していなかったなら多くの端正な眷属を抱えていたはずだという思いから、弟子たちを整えたというのである。[*11] このときの浄飯王は、発心したにもかかわらず、釈迦に対しての世間的な見栄や親心をまだ残しているようにみえる。こうした行動をとることは、仏への「敬心」がまだ完全ではなかったことを意味し、この問題は、浄飯王の臨終において再び取りあげられるのである。

4　浄飯王の死と親子の情愛

浄飯王が危篤であることを知った釈迦は、難陀《なんだ》・阿難《あなん》・羅睺羅を連れて霊鷲山《りょうじゅせん》から駆け付けた。臥していた浄飯王は釈迦が来たことで思わず起き上がり、両手を挙げて仏に礼拝する。浄飯王の臨終の様子を伝えるのは、『釈迦譜』と『浄飯王般涅槃経《じょうぼんのうはんねはんきょう》』であるが、釈迦に対して礼拝したことについて、『月印千江之曲』では、それらとは表現を変えていることが確認できる。『釈迦譜』で「遙挙両手。接足而言」とある表現が、『月印千江之曲』では「父上が手をあげて仏の足を指して」とあって、臥している位置から釈迦に手を伸ばしたような表現になっている。[*12] 父である浄飯王が息子に対して礼拝することへの違和感と、儒教社会で「不孝」としてとらえられる可能性を意識して、表現を変えたと考えられる。

父親が息子に礼拝することが問題になるのは、朝鮮の仏伝だけではない。敦煌変文《とんこうへんぶん》の『悉達太子修道因縁《しったたいししゅうどういんねん》』では、前述した成道後の帰郷の際に、浄飯王は再会した息子に蓮花から降りて「跪拝《きはい》」（ひざまずいて礼拝）させようとする。大臣の一人が「世尊は息子であったといえ、礼拝させるのは罪になる恐れがある」と助言したので、浄飯王が礼拝したという。[*13]

釈迦は臥している浄飯王の胸に手を置き、苦しみを和らげたという場面で、『月印千江之曲』では、息子としての釈迦の思いが描かれる。

『月印千江之曲』

父上の胸の上に手を置いても、（亡くなる日）を延ばすことはできず、浄居においでになりました。／貪欲に負け

て命が尽きるのを催促し、人生を惜しむことはいかに愚かなことでしょう。（其　二百六十四）[14]

胸に手をおいて、浄飯王の死を少しでも遅らせようとしたという記述は、常に冷静な態度で父親と対立したり、仏として接したりしていた釈迦が、父親の臨終を前にしたとき、仏でさえも子としての心情になったということを意味する。釈迦は家族への情愛を断ち切って仏となったはずで、この記述はそのことと矛盾しているかもしれない。しかし、人間としての釈迦の心情や親子の情愛を強調するという「仏伝」の特徴に照らしてみると、この記述は子から父親への思いを最もよく描いている場面といえるのである。

浄飯王は息子の釈迦への思いから常に煩悩に苦しみ、悟ることが難しい人物として描かれていた。帰郷した釈迦によって発心したにもかかわらず、「敬心」と「情愛」の間で迷い、死に臨んでやっと完全な悟りを得ることができたとされる。『今昔物語集』は、浄飯王の死を次のように描いている。

暫《しばら》ク在テ、仏、虚空ヨリ難陀・阿難・羅睺羅等ヲ引将《ひきゐ》テ、来リ給ヘリ。先《ま》ヅ大王、仏ヲ見奉《たてまつり》テ、涙ヲ流シ給フ事《こと》雨ノ如シ、合掌シテ喜給フ事无限《かぎりな》シ。仏、父王ノ御傍《おんかたわら》ニ在シテ本□経ヲ説給フニ、大王即チ阿那含果《あなごんか》ヲ得給ツ。大王、仏ノ御手ヲ取テ我ガ御胸ニ曳寄《ひきよ》セ給フ時ニ、阿羅漢果《あらかんか》ヲ得給ヌ。其ノ後暫ク有テ、大王ノ御命、絶畢《たえはて》給ヒヌ。

（巻二・一話「仏御父浄飯王死給時語」[15]）

浄飯王は、臨終において阿那含果と阿羅漢果を続けて得ているが、これは、修行によって得られる悟りの位を四段階に分けた「四果」の第三と第四の位に該当する。[16]浄飯王が最後に阿羅漢果を得たというのは、迷いの世界を流転することなく、最高の境地である「仏」になったことを意味する。世俗で釈迦と対立したり、仏としての釈迦と息子としての釈迦との間で迷い続けた父親の浄飯王は、世俗を離れる直前に、ようやく子への煩悩から解脱したといえる。このように、「仏伝」は、浄飯王に世俗の立場を代弁させ、親子の葛藤や仏教と儒教の理論（孝）といった問題を最終的に乗り越えた人物の物語を描いているのである。

注

1 東アジアにおける「仏伝文学」の概要と主なテキストについては、小峯和明「日本と東アジアの〈仏伝文学〉」(『東アジアの仏伝文学』勉誠出版、二〇一七年)に詳しい。

2 洪潤植「仏教の孝観」(『韓国思想史学』10、韓国思想史学会、一九九八年)、張春錫「印度仏教の孝様相」(『仏教学研究』創刊号、仏教学研究会、二〇〇〇年)、金浩星「ヒンドゥー教伝統からみた仏教の孝の問題」(『印度哲学』11、印度哲学会、二〇〇一年)、金浩星の論文は、「仏教化された孝の談論の解体:「中国―儒教」及び「インド―ヒンドゥー教」と関連して」(『高知大学学術研究報告書』62、高知大学、二〇一三年)と遠藤隆俊の日本語訳がある。

3 『大乗本生心地観経』第二巻「報恩品」、「世出世恩有其四種。一父母恩。二衆生恩。三国王恩。四三宝恩。如是四恩。一切衆生平等荷負。善男子。父母恩者。父有慈恩。母有悲恩。母悲恩者。若我住世於一劫中説不能尽。」(『大正』三巻、二九七頁上)。

4 小峯和明「摩耶とマリアの授乳」(『図書』、岩波書店、二〇一二年)、拙考「韓日の「鹿女夫人」説話の展開に関する考察」(『日語日文学研究』85-2、韓国日語日文学会、二〇一三年)、「仏典における「鹿女夫人」説話の類型と意味」(『仏教学報』76、仏教文化研究院、二〇一六年)参照。

5 世宗の命により息子の首陽大君(後の世祖)が編纂したのが、『釈譜詳節』(一四四九年:全二十四巻中、欠巻あり)であり、『釈迦譜』と『釈迦氏譜』を底本にしている仏伝。『月印千江之曲』は、上中下の三巻の内、上巻のみ現存し、一九四曲が収録されている。以後は、一部が『月印釈譜』(一四五九年、『月印千江之曲』と『釈譜詳節』の合本)に伝わる。前節・後節を合わせて、一其となり、全五百八十三曲(其)と推定、現在、四百四十余曲が伝わる。

6 金己宗『訳註月印千江之曲』(図書出版ボゴサ、二〇一八年、七一~七三頁)の原文・注釈と韓国語の現代語訳本をもとに日本語訳した。

7 『釈迦如来八相次第』:国文学研究資料館編『真福寺善本叢刊・中世仏伝集』第五巻、臨川書店、二〇〇〇年、三八九~三九〇頁。

8 『中本起経』巻上・還至父国品第六、「於是父王。遙見仏来。愛敬交至。一者敬道。二者愛子」(『大正』四巻、一五五頁上)。

9 『月印千江之曲』「幼いときの話をするに、優陀耶が聞いて、さらに息子が聞いて。/今日のことは知らずにいらして、優陀耶が話し、また息子が話をするに。」(期 一百十六)、注6、一二八頁。

10 『中本起経』「是時諸比丘。白佛言。舍夷國内。男女長幼。聞佛説法。如心所念。各得其決。父王倶聽不記所得。佛告比丘。父王恩愛未息。父子相待。敬心未全。是故不得。明旦如來。唯將目連。往詣王宮。上殿而坐。佛勅目連。現汝道力。目連受教。飛升虚空。出没七31反。身出水火。從上來下。前禮佛足。却侍於左。父王見變心意解悦。」(『大正』四巻、一五五頁下)。『月印千江之曲』、注6、一三二頁、一三六頁。

11 『中本起経』「是時父王。毎詣仏所。見迦葉等千人形体至陋。毎心不平。此等比丘。雖復心精。無表容貌。当勸宗室楽無為者。令作沙門。擇取端政。即令宗族。明日会殿。受令即到。王告宗室曰。阿夷相言。仏不出家。当作聖王。君四天下。左右侍從。率当端政。今諸弟子類無姿観。今欲礼娉有道儀容足者。充備僧數。光暉世。」（『大正』四巻、一五五頁下）。

12 『釈迦譜』釈迦譜巻第二・釈迦父淨飯王泥洹記第十五「王聞仏來敬意踊躍。不覚起坐。須臾之頃。仏便入宮王見仏到。遙挙両手。接足而言。唯願如來手觸我身。令我得安為病所困」（『大正』五十巻・五三頁中）。『淨飯王般涅槃経』は同じ（『大正』十四巻、七八二頁上）。『月印千江之曲』「父上が手をあげて仏の足を指して、もう心残りはないとおっしゃいました。／仏は手をあげて父上の頭をさわり、善い法を説きました。」（其　二百六十三）、金己宗、注6、二三二頁。

13 『悉達太子修道因縁』「帝釈前引。弥勒諸天八部眷属後隨。世尊座於五色蓮花。赴於道場。其大王將兒下蓮花跪拝。有大臣奏大王曰：「此者世尊雖即是兒子。若要他跪拝。恐墮落大王」其大王取其大臣奏言。尋時大王自便礼拝世尊。纔礼一拝依旧。礼両拝亦依旧。比至礼三拝起来。早已化作一千軀仏衆」黄征・張涌泉編／全弘哲・鄭炳潤・鄭廣薫訳『敦煌変文校注』三（ソミョン出版［ソウル］、二〇一五年、九九～一〇〇頁）。

14 金己宗、注6、二三二頁。

15 今野達校注『今昔物語集』一、岩波書店、一九九九、一〇三頁。

16 この話に続く、『今昔物語集』巻二・二話「仏為摩耶夫人昇忉利天給語」では、摩耶夫人は、四果の最初の段階である須陀洹果を得たとされている。

02

法華経の文学的な営み

『本朝法華験記』を事例として

馬 駿

1 はじめに

「『法華経《ほけきょう》』こそ日本仏教の背景を形成したものであった。日本仏教は『法華経』の思想を根本として展開してきたといっても過言ではない。また、日本のみでなく、中国や朝鮮においても、『法華経』は多くの人々に読誦され、信仰されてきた代表的なお経である。たんに仏教のみならず、日本の文化史や文芸にも『法華経』の思想は深く広く大きな影響を与えている」[*1]。わたくしに与えられたテーマは東アジアの『法華経』であるため、『法華経』が古代の東アジアの中日韓三ヵ国に流布される実態を文献学的に把握した上で、比較文学の立場から平安初期成立の『本朝法華験記《ほんちょうほっけげんき》』[*2]（以下、『験記』と略す）をテクストとして法華信者らの異なった往生地の選択とその意図の解明を図りたい。

2 中国における『法華経』

（1）法華三訳本

法華三訳本とは西晋竺法護《じくほうご》訳『正法華経《しょうほけきょう》』、姚秦鳩摩羅什《くまらじゅう》訳『妙法蓮華経《みょうほうれんげきょう》』と隋闍那崛多《じゃなくった》、達磨笈多《だるまぎゅうた》訳『添品《てんぽん》妙法

蓮華経』のことを言う。竺法護訳『正法華経』は十巻、現存する三訳本の中で最も古い訳本。梁僧祐《そうゆう》撰『出三蔵記集《しゅつさんぞうきしゅう》』巻八に「太康七年（二八六）八月十日、敦煌月支菩薩沙門法護、手に胡経を執り、口より『正法華経』二十七品を宣出す。優婆塞聶承遠、張仕明、張仲政に授け、共に筆受せしむ。……九月二日に訖る。天竺の沙門竺力、亀茲の居士帛元信と共に参校す」とあり、聶承遠《じょうしょうえん》、張仕明《ちょうしめい》、張仲政《ちょうちゅうせい》は訳した言葉をそのまま筆記する役を務め、竺力《じくりき》と帛元信《はくがんしん》は共同で校正に当たる。『正法華経』は後出の『妙法蓮華経』と次のいくつかの違いもある。それは、『正法華経』の「薬草喩品《やくそうゆほん》」は迦葉《かしょう》の問答と生盲《しょうもう》の比喩がないこと、『正法華経』の「五百弟子授記品《じゅきほん》」の初めに「入海取宝」の比喩があること、『妙法蓮華経』の「法師品《ほっしほん》」は『正法華経』の「薬王如来品《やくおうにょらいほん》」に相当するが、後者には宝蓋王《ほうがいおう》とその千人の子の法供養の内容があること。諸々の陀羅尼《だらに》は『正法華経』では中国語訳が施されていること。「嘱累品《ぞくるいほん》」は『正法華経』の最後に置かれていること、である。

唐智昇《ちしょう》撰『開元釈教録《かいげんしゃっきょうろく》』巻二十二に「添品妙法蓮華経七巻……隋天竺三蔵崛多笈多共訳」とある。隋闍那崛多・達磨笈多共訳の『添品妙法蓮華経』は、そのタイトルからもわかるように『妙法蓮華経』を基にして鳩摩羅什が底本にしたサンスクリット原典よりも新しいものを用いて加筆している。たとえば、鳩摩羅什が訳した『妙法蓮華経』はもともと「提婆達多品《たいばだったぼん》」と「観世音菩薩普門品《かんぜおんぼさつふもんぼん》」の偈《げ》がない。『添品妙法蓮華経』はそれが加えられ、後には鳩摩羅什訳の『妙法蓮華経』にも付け加えられるようになる。また、『添品妙法蓮華経』の「薬草喩品」の後半（生盲の喩）は最初『妙法蓮華経』にはないものである。『妙法蓮華経』（以下、『法華経』と略す）は早期の大乗経典で、起源が早く、伝播も広い。また『法華経』では受持・講読・読誦・書写・聴聞の功徳が盛んに説かれているが、それを、「法師品」第十、「見宝塔品《けんほうとうほん》」第十一、「提婆達多品」第十二、「分別功徳品《ぶんべつくどくほん》」第十七、「法師《ほっし》功徳品」第十九、「薬王菩薩本事品《やくおうぼさつほんじほん》」第二十三、「観世音菩薩普門品」第二十五、「普賢菩薩勧発品《ふけんぼさつかんぼつほん》」第二十八などの諸品の科白《せりふ》を下敷きにして[*3]後の法華霊験譚のジャンルで次から次へと敷衍《ふえん》されていく。[*4]

（2）法華三大部

陳と隋の間に天台大師智顗《ちぎ》が『法華経』を依拠として天台宗の創立を完成させた。『法華経』を詳説した智顗の『妙法蓮華経玄義《げんぎ》』・『妙法蓮華経文句《もんぐ》』（以下、『法華玄義』・『法華文句』と略す）『摩訶止観《まかしかん》』は「法華三大部」という。『法華玄義』は智顗が開皇十三年（五九三）に荊州《けいしゅう》（湖北省江陵《こほくしょうこうりょう》）玉泉寺で講述した内容を弟子灌頂《かんじょう》が筆録したもの。十巻。『智顗が自己の信念に基づいて発表した仏教思想の綱要書。『妙法蓮華経』の五字に秘められている幽邃《ゆうすい》な意義を、名・体・宗・用・教の五つの観点（五重玄義《ごじゅうげんぎ》）から解明している。仏教のあらゆる教説を四教五時の基準に従って分類した統合性を備え、法華思想に基づいて天台の一連した教義を確立した。当該書は唐の天宝年間（七四二〜七五六年）、鑑《がん》真《じん》によって日本に持参されて後に最澄《さいちょう》と空海《くうかい》らの日本僧がそれを広めた。注釈書は主として唐湛然《たんねん》『法華玄義釈籤《しゃくせん》』（二十巻）、宋法照《ほっしょう》『法華経玄義読教記』（五巻）などがある。『法華文句』は智顗が講義したものを門下の灌頂が記録した仏物。十巻。『法華経』の語句を逐一注釈している。その場合、経の前半を迹門《しゃくもん》、後半を本門《ほんもん》と分判し、本迹不二《ほんじゃくふに》の立場から両門を序分《じょぶん》・正宗分《しょうしゅう》・流通分《るずう》の三段で解読し、注釈の視角を因縁《いんねん》釈・約教《やっきょう》釈・本迹《ほんじゃく》釈・観心《かんじん》釈という四つに分類し、総じて「天台四釈」と呼ぶ。『摩訶止観』は智顗が晩年の開皇十四年（五九四）に玉泉寺で独自の論理と実践法を述べたものを門人の灌頂が筆録した天台教学の指南。摩訶とは大、止観は座禅のこと。当該書は智顗の実修門である止観を、漸次・不定・円頓の三種で捉え、円頓止観こそ究極的な真理把握の方法とする。[*5]

（3）法華三霊験

「法華三霊験」の説話とは、慧詳《えしょう》撰『弘賛《ぐざん》法華伝』、僧祥《そうしょう》撰『法華伝記』と湛然述『止観輔行伝弘決《しかんぶぎょうでんぐけつ》』のことを指して言う。『弘賛法華伝』は唐中宗神龍二年（七〇六）以後の成立。十巻。「東晋の時代から唐に至るまでの法華経の流伝を、⑴図像（巻一）、⑵翻訳（巻二）、⑶講解（巻三）、⑷修観（巻四）、⑸遺身（巻五）、⑹誦持（巻六から巻八）、⑺転読（巻九）、⑻書写（巻十）の八門《はちもん》によって記したもの[*6]」である。僧祥撰『法華伝記』は『法華経』の由来、伝訳、霊験等に関する奇跡を、部類増減・隠顕時異・伝訳時代・支派別行・論釈不同・諸師序集（以上巻一）、講解感応（巻二から巻三）、諷誦勝利（巻四から巻六）、転読滅罪（巻七）、書写救苦（巻七から巻八）、聴聞利益（巻九）、依正供養（巻十）の十二科に分けて記述したものであり、とくに『法華経』の講解・諷誦・転読・書写・聴聞・供養にまつわる各人の事跡や霊験譚が詳しく述べられている点に特色がある。[*7] 湛然述『止観輔行伝弘決』は十巻。唐の妙楽大師湛然（七一一～七八二年）の著作。天台大師著『摩訶止観』を注釈するのは、釈尊一代の諸経および『摩訶止観』で説かれる妙行の補助を狙いとする。

3　朝鮮における『法華経』

中国の僧伝における『法華経』関連の説話を百済《くだら》・新羅《しらぎ》・高麗という国別に掲げておく。

第一には、百済僧の『法華経』関連の伝記である。高麗僧の法華書写の功徳に関するものと異なり、百済僧の伝記は唐僧祥撰『法華伝記』巻四に諷誦勝利の説話として「百済国の達拏山《だるらさん》寺の釈慧顕」と「越州の観音道場の道人」の二話が記されている。注目すべきは、『法華伝記』の百済僧慧顕《えけん》の説話の、『法華経』読誦の僧が死後舌だけが残るというプロットは、高麗一然《いちねん》撰『三国遺事』の恵現《えげん》の説話を媒介として、『日本霊異記《にほんりょういき》』（以下、『霊異記』と略す）下巻〈憶《こころ》に『法華経』を持たせし者の舌、曝《さ》りたる髑髏《ひとかしら》の中に著《つ》きて朽ちずありし縁　第一〉に受け継がれている、という点である。同じように、『法華伝記』の百済僧の「越州の観音道場の道人」は『華厳経』の誦持《じゅじ》と『法華経』の誦持とでどちらが勝っているかのモチーフは、『験記』の〈第三十三　雲州の法厳・蓮蔵の二法師〉などにも反映されている。いわば、説話の流布のルーツといったようなものがここの中日韓の史料に見て取れよう。

第二には、新羅僧の『法華経』関連の伝記である。唐恵祥撰『弘賛法華伝』巻三と、唐僧詳撰『法華伝記』巻三に新羅僧縁光の話が載せられているが、縁光は智者大師の弟子で、帝釈天のみならず、竜宮まで招じ入れられたり、死後舌だけが残るほど『法華経』の説法が達者な者である。また、『弘賛法華伝』巻九に収められている新羅沙弥の金果《キムクワ》毅《イ》の説話は同じく朝鮮半島をルーツとして、『霊異記』上巻〈憶に『法華経』を持し、現報もて奇《くす》しき表《しるし》を示しし縁第十八〉に流れ込み書き換えられている。*8

第三には、高麗僧の『法華経』関連の伝記である。その内訳は、唐慧詳撰『弘賛法華伝』巻十の「劉氏男《りゅうしなん》」と「郎将呉氏」で、いずれも『法華経』書写の功徳、つまり現世の利益を獲得することに関するもの。また、宋志磐《しばん》撰『仏《ぶっ》祖統紀《そとうき》』巻九に智者大師系の禅師般若や巻十に浄光法師系の法師諦観《ていかん》や巻十四に慈弁諫《じべんかん》法師系の僧統義天《ぎてん》といった天台宗の系譜をたどるに資する人物の伝記が収められている。高麗国の天台宗の正当性と伝承性を物語るのに恰好な材料となろう。

4　日本における『法華経』

『日本書紀』巻二十二〈推古《すいこ》紀〉十四年是歳条に「是の歳に、皇太子、亦『法華経』を岡本宮に講じたまふ。天皇、大きに喜びて、播磨国の水田百町《ちゃう》を皇太子に施《おく》りたまふ。因《よ》りて斑鳩寺《いかるがでら》に納《い》れたまふ」と見え、聖徳太子は『法華経』の講読を行ない、推古天皇から水田百町《すいでんひゃくちょう》を褒賞された。また、太子は「三経義疏《ぎしょ》」の一つとされる『法華経義疏』を著し、『法華経』についての注釈を集めるとともに、みずからの注釈を施し、中国高僧の注疏類には見られない独自な解釈も展開している。九世紀頃の延暦二十五年（八〇六）に、伝教大師最澄によって円・戒・禅・密が統合された「四種相承《ししゅそうしょう》」の教えとされる日本の天台宗が開かれた。十三世紀の鎌倉時代中期に、教・機・時・国・序（師）という「五義」と本門の本尊・本門の題目・本門の戒壇という「三大秘法」を教えの根本とする日蓮宗が日蓮によって興された。

『続日本紀』巻十四〈聖武《しょうむ》紀〉天平十三年三月条に「天下の諸国をして七重塔一区を敬ひ造らしめ、並せて『金光明最勝王経』・『妙法蓮花経』一部を写さしむべし」と見える。『法華経』巻四〈法師品〉に「若しまた人ありて、『妙法華経』の、乃至一偈《いちげ》を受持し、読・誦し、解説し、書写して、この経巻を敬い視ること仏の如くにして……薬王よ、当に知るべし、この諸人等は、已《すで》に曾《かつ》て、十万億の仏を供養し、諸の仏の所において、大願を成就せるも、衆生を愍《あわれ》むが故に、この人間に生まれたるなり」とある。『法華経』は奈良時代では個人信仰としての受持、また法会としての講説、読誦、書写を経て熟知されていたことは想像に難くない。

『霊異記』は奈良薬師寺の僧景戒《けいかい》が編纂した日本文学史上初めての仏教説話集で、上中下の百十六話からなっている。うち、二十三話は『法華経』にかかわっており、上巻は三十一話、中巻は四話、下巻は十三話を数える。*9 では、『法華経』は上代文献または『霊異記』などではどのように扱われていたのだろうか。

その一は受持の『法華経』である。『霊異記』上巻〈憶に『法華経』を持し、現報もて奇しき表を示しし縁　第十八〉に「年の八歳よりも以前に、『法華経』を誦持せしに、竟《つい》に唯し一字のみは存むることを得ざりき」とある。この類の説話は、『霊異記』上巻〈孔雀王の呪法《じゆはふ》を修持して異《めづら》しき験力を得、以て現に仙と作《な》りて天を飛びし縁　第二十八〉、また下巻〈禅師の食はむとする魚《いを》の化して『法華経』と作りて、俗の誹《そしり》を覆《かへ》しし縁　第六〉などが見られる。

その二は講説の『法華経』である。『霊異記』上巻〈幼き時より網を用《も》ちて魚を捕りて、現に悪報を得し縁　第十一〉では、『法華経』の講説の進行中で日頃殺生を常とする男の身に悪報が訪れる話は中国などの法華霊験譚にはないもので『霊異記』独特の設定であるから、『法華経』の講説の即効性を強調する狙いがあると見てよかろう。

その三は読誦の『法華経』である。『続日本紀』巻十一〈聖武紀〉天平六年十月条に「今より以後、道俗を論《あげつら》はず、挙する度人《どにん》は、唯『法華経』一部、或《ある》は最勝王経一部を闇誦し、兼ねて礼法を解り、敬行三年以上の者を取りて得度せしめば、学問弥《いよいよ》長し、嘱請《そくしよう》自ら休まむ」とある。読誦の功徳を究極に示す話型は鳩摩羅什の故事を下敷きにする「舌不朽《したくちず》(爛)《ただれず》」説話で、『霊異記』下巻〈憶に『法華経』を持たせし者の舌、曝りたる髑髏の中に著きて朽ちずありし縁　第一〉を挙げることができる。

その四は書写の『法華経』である。『霊異記』中巻〈『法華経』を写し奉りて供養することに因り、母の女牛と作りし因《もと》を顕しし縁　第十五〉に「母の奉為に『法華経』を写して、盟《ちか》ひて曰はく」とある。この類の説話は『霊異記』

中巻〈誠心を至して『法華経』を写し奉り、験有りて異《めづら》しき事を示しし縁　第六〉などが見られる。うち、とりわけ『霊異記』下巻〈『法華経』を写し奉る経師の、邪淫を為して、以て現に悪死の報《むくい》を得し縁　第十八〉や同〈『法華経』を写し奉る女人の過失《あやまち》を誹《そし》りて、以て現に口喎斜《ゆが》みし報縁　第二十〉などの話術は後の『験記』などと比べ、現報の覿面《てきめん》性を際立たせるところが『霊異記』の法華霊験譚の特質だと認めたい。また、後の『験記』などでは地獄の堕落者の救済と天界または西方の往生を説話の結末（ハッピー・エンド）とするのに反して、『霊異記』下巻の〈官《つかさ》の勢を仮《か》りて、非理に政を為し、悪報を得し縁　第三十五〉は単に因果応報の思想を取り立てて言うに止まっている。同様に下巻〈因果を顧みずして悪を作《な》し、罪報を受けし縁　第三十七〉も『法華経』の書写によって、地獄の堕落者の苦難の軽減で説話を終わる構成である。

その五は聴聞《ちょうもん》の『法華経』である。動物が『法華経』を聞く利益を得る話型としては『霊異記』下巻〈修行の人を妨ぐるに依りて、猴《さる》の身を得し縁　第二十四〉の一例しかなく、珍重されるべきだと思う。後の『験記』では主人公の動物が忉利天《とうりてん》に生まれ変わるとの結末が一般的だが、当該説話では獼猴《びこう》が往生したかどうかが不明であるから、説話の運び方では、読み手の想像に任せるという設定が余韻を響かせる効果がある。

5　信者らの往生地

宋の宗暁《しゅうぎょう》撰『法華経顕応録』巻下〈湖州の頴法師《えいほうし》〉では、『法華経』による霊験顕示の十様相を、普賢の認可、（菩薩）大行の成就、鬼神の恭敬、禽獣の敬服、所願の実現、化仏《けぶつ》の来迎、浄土の往生、昇天《しょうてん》の果報、舌根《ぜっこん》の不壊、香光の瑞祥《ずいしょう》に分けて紹介されている。まさに法華霊験譚の表現の特徴を端的に捉えたものである。鎮源《ちんげん》撰『本朝法華験記』は三巻から成り、計百二十九の伝記を数えている。

その配列は、⑴菩薩（第一～二話）、⑵比丘（第三～九十三話）、⑶在家沙弥（第九十四～九十七話）、⑷比丘尼（第九十八～一〇〇話）、⑸優婆塞（第一〇一～一一六話）、⑹優婆夷（第一一七～一二四話）、⑺異類（第一二五～一二九話）に分けられ

ている。*10 以下、『験記』における説話の内容と結びつけつつ、法華霊験の十様相のうちの浄土の往生と昇天の果報を手がかりにして、法華信者らの所望の往生地とその違いを解き明かしたい。

忉利天はサンスクリット語「Trāyastriṃśa」の音訳。意訳は「三十三天」。六欲天の第二。須弥山《しゅみせん》の頂に位置し、中央の喜見城に帝釈天が住む。後晋可洪《かこう》撰『新集蔵経音義随函録』巻五に「忉利天は第二天の名なり。亦の名は三十三天。須弥山の頂上に在り、是れ帝釈の居る所なり」とある。『験記』の〈第百二十四　越中国立山の女人〉は地獄で苦しめられた女性を、父母の『法華経』の書写で忉利天宮に昇天する説話である。前述のように、『霊異記』の書写利益の説話は忉利天に昇るという場面がない。言い換えれば、これは同根説話としての『験記』独自の斬新さを示す部分である。のみならず、『験記』では忉利天に生まれ変わるのは女性と異類のみである点も目を惹く。このことは先行例の『霊異記』中巻〈閻羅王《えんらわう》の使の鬼の、召さるる人の路《まひなひ》を得て免《ゆる》し縁　第二十四〉の「『花を売る女人は、忉利天に生る。毒を供する掬多《きくた》は、返りて善心を生ず。』と者へるは、其れ斯れを謂ふなり」や『験記』の〈第百二十九　紀伊国牟婁《むろの》郡の悪しき女〉の「清浄の善に依りて、我等二人、遠く邪道を離れて、善趣に趣き向ひ、女は忉利天に生れ、僧は兜率天に昇りぬといへり」に徴しても疑いはあるまい。中国の法華霊験譚では、たとえば、唐僧祥撰『法華伝記』巻九〈聴聞利益　第十一〉〈仏在世の光明女〉の「此の人〔光明女〕は、本より『法華経』を聞きしに依りて、命終りて忉利天に生まる」とあるように、女性の忉利天の往生もあれば、遼非濁《ひじょく》撰『三宝感応要略録《さんぼうかんのうようりゃくろく》』巻中〈第六十五『法華経』を書写して一日にして即ち速やかに救苦する感応〉に「その夜夢みらく、僧行、地獄の苦びを離れて、近く忉利天に生るとみたり」と見えるごとく、男性の忉利天の往生もある。これによって、女性の忉利天の往生に限定して表現されるのは『験記』独自の改変である結論が得られよう。*11

一方、異類の往生地を忉利天にするのも〈第百二十五　信濃国の蛇と鼠〉に「我等生々《しょうじょう》に、怨敵の心を結びて、世々互いにもて殺害せり。今貴き善根に依りて、我等が罪報を免れて、忉利天に生るべし」や〈第百二十七　朱雀大路の野干《やかん》〉に「一乗の威力に依りて、劫々《こうこう》の苦びを抜き、今忉利天に往く。此の恩無量なり。世々酬ひ報ぜむ」と見えるごとく、書写功徳を標榜するモチーフとして『験記』以降の説話の結末のスタイルである。この新型の表現様式の源泉は唐僧祥撰『法華伝記』巻三〈諷誦勝利〉〈唐釈慧明〉に「吾はこれ獼猴の群の中の老蔽《ろうへい》なり、而して盲者はこれなり。聞公の講を聞きしに依りて、命終りて忉利天に生る」や同巻九〈聴聞利益〉〈毒蛇の生天〉に「法を聞きし力に依りて、身を捨てて忉利天に生る」とあるのに拠りつつ、異類の「諷誦勝利」と「聴聞利益」による忉利天の往生を書写の功徳によってもたらされたもののように書き変えられた発想である。

では、『法華経』の女性信者と異類の往生地が忉利天でなければならない必然性はどこにもとめられるだろうか。

第一には、忉利天は『法華経』の受持・講説・読誦・書写・聴聞といった供養をする信者が普賢菩薩に見守られつつ、往きて生まれる場所である。『法華経』〈普賢菩薩勧発品　第二十八〉で「若し受持し読誦し正しく憶念し、其の義趣を解りて説の如く修行すること有らば、当に知るべし、この人は普賢の行を行なえることを。無量無辺の諸仏の所において深う善根を種うれば、諸の如来の手をもってその頭を摩《な》でらるることを為ん。若し但、書写せば、この人は命終して当に忉利天の上に生るべし」と示された通りである。つまり忉利天はもともと男女を問わず、法華信者の誰でも往生可能な天界である。『験記』では女性と異類に限定して捉えられたのは作者独自の経典の読解法である。

第二には、忉利天は釈尊が再会後の母の摩耶夫人と親子の絆を確かめる場所である。遼非濁撰『三宝感応要略録』巻上〈第一優填《うでん》王波斯匿《はしのく》王は釈迦の金の木像に感応す〉で「釈迦牟尼如来は成道して八年に、母・摩耶の恩を報はんと思い、祇洹寺《ぎおんじ》より起ち、忉利天に往く。善法堂の中、金石の上において、結跏趺坐《けっかふざ》す。爾《そ》の時、摩耶は両道の乳を出し、世尊《せそん》の唇を潤い、親子の縁を示す」と語られた通りである。

第三には、忉利天は釈尊が母の摩耶夫人を相手に説法を行なう場所である。蕭斉《しょうせい》の曇景《どんけい》訳『摩訶摩耶経』巻二に「『我は昔日忉利天の上で母の為に説法せり。及び摩訶摩耶夫人は自ずから説くところあり。今復ここに母子相見る』と」と記された通りである。この第二と第三の記載における忉利天は女性の昇天であると同時に、釈尊の母でもある摩耶夫人の往生地である。忉利天は法華信仰の女性にとって理想的な往生地であることが納得されよう。

第四には、忉利天は天界の第二天であるため、往生地として極楽浄土どころか、第四天の兜率天よりも境界が低い。異類の往生地を忉利天と目される論理と潜在意識もこの点からも垣間見できよう。

「兜率天」は、サンスクリック語「Tuṣita」の訳音。「都率」や「兜率陀」とも。三界のうちの欲界における六欲天の四番目の世界である。兜率天は内院と外院からなっており、内院は弥勒菩薩の住所、外院は衆生の欲楽の所である。また、死んだら弥勒菩薩のいる兜率天に往生し、弥勒と共に修行して救われたいと願う兜率天往生の信仰もある。さらに、『法華経』の言説との関連性から考えれば、次の三点も見逃すわけにはいくまい。

一点目は、『法華経』〈普賢菩薩勧発品〉の「若し人有りて、受持し読誦し、其の義趣を解らば、是の人命終するとき、千仏は手を授けて、恐怖せず、悪趣に堕ちざらしめたもうことを為、即ち兜率天上の弥勒菩薩の所に往く」とあるのに直接かかわる。二点目は、兜率天は中国天台宗の開祖智顗の往生地である。三点目は、兜率天は智顗の弟子である五祖の灌頂の往生地である。この三点は兜率天という法華信者らの往生地を特徴づけている。

『験記』では男性が兜率天に往生する説は五例を数える。一例目は〈第十六　愛太子山鷲峰《じゆうぶ》の仁鏡法師〉に「故老の夢に云はく、法華経を捧げて虚空に上昇す。我、兜率の内院に往生して、弥勒に値遇せんといへり」とあり、受持の功徳を讃えている。二例目は〈第九十七　阿武の大夫入道沙弥修覚《しゆうかく》〉に「我今妙法の力に依りて、兜率天に生ることを得たり」とあり、諷誦の利益を褒めている。三例目も読誦の功徳の謳歌で〈第百四　越中前司藤原仲遠《ふじはらのなかとお》〉に「ただ今当に兜率天に生るべし」とある。四例目は〈第百十二　奥州の壬生良門《みぶのよしかど》〉に「我かの天女に随ひて、兜率天に昇らむ」と見え、書写の功徳を唱えている。五例目は〈第八十六　天王寺の別当道命《どうみよう》阿闍梨《あじやり》〉に「罪苦畢き已《を》へて、兜率天当に兜率天の上に住生することを得べし」と見え、読誦による罪滅ぼしを訴えている。

『験記』では女性と異類が兜率天に往生する説話はそれぞれ一例ある。忉利天より生兜率に昇天する女性と異類が少ないのは、後者の修行の困難さを客観的に物語っていよう。〈第百十九　弟子紀氏〉に「虚空に上昇りて、兜率天に往けり」とある。これは梁宝唱《ほうしよう》撰『比丘尼伝』巻二〈呉太玄台寺の釈玄藻尼伝〉に「常に翹心注想《ぎようしんちゆうそう》し、兜率に生れんと願ふ」などと見えるように、明らかに諷誦の勝利を宣伝する内容である。異類が兜率天に往生する説話は〈第八十七巻　持経者明蓮《みようれん》法師〉に「その牛は即ち汝なり。『法華経』を聞きしに依りて、畜牲の報を離れて、人界の生を稟《う》け、仏法の器と作りて、七巻の経を誦せり。第八巻を聞かざりしに依りて、今生に通利することを得ざるなり。汝当に三業を調へて、『法華経』を誦せば、当来の報、兜率天の上にあるべし」とあり、独特な異類往生のプロセスを持っている点が注目されよう。なぜならば、『験記』では異類の転生を語る場合、次の二つのパターンを踏むのが普通だからである。

一つ目は、異類から人間に転生する型で、〈第百二十六　越後国乙寺の猿〉における猿から国守への転生がその例で、中国の法華霊験譚にも同じ型が見られる。二つ目は、異類から忉利天に昇天する型で、前出の〈第百二十五　信濃国の蛇と鼠〉と〈第百二十七　朱雀大路の野干〉がその例に当たり、中国の霊験譚では唐道宣《どうせん》撰『道宣律師感通録』巻一〈宣律師感天侍伝〉に「山神は命終して兜率天に生る」と見えるように、忉利天より兜率天に昇天する例もある。叙上の二つのパターンは異類（今世）から人間への転生か忉利天または兜率天への昇天（来世）かの二世構成のプロセスである。対して、当面の明蓮法師の説話は異類（前世）から人間への転生（現世）、そして、人間から兜率天への昇天（来世）という三世構成のプロセスである。用例はごくわずかだが、『法華伝記』巻七〈書写救苦〉〈唐綿州の寡妾〉も似た構造を持っている。

浄土は清浄な国土のことで、煩悩に汚染されている穢土に対する。とくに阿弥陀仏の極楽浄土のことを言う。法華信者らの往生地にかかわる表現としては『法華経』〈薬王菩薩本事品〉第二十三に「ここにおいて命終して、即ち安楽世界の阿弥陀仏の、大菩薩に囲繞《いにょう》せらるる住処に往きて、蓮の華中の宝座の上に生れん」と見え、「安楽世界」は阿弥陀仏の極楽の世界を指している。

『験記』では男女の西方浄土への往生は前出の忉利天と生兜率への昇天と異なり、さほど性別の差や身分の差ないし善悪の差が見受けられないから、誰でも成仏できるという『法華経』の教説を示していよう。たとえば、女性の浄土への往生は二例あるが、〈第百二十　大日寺の近き辺の老いたる女〉においてある年老いた貧婦が天台宗の二人の僧の読誦の罪滅ぼしによって西方への往生を果たす。似たような説話は唐僧祥撰『法華伝記』巻六〈諷誦勝利〉〈長安城の寡女の揚氏〉にも「汝の誦の力に依りて、浄土の迎へを得たり」と見られる。また、〈第九十四　沙弥薬延《やくえん》〉では無悪不造の薬延まで諷誦の勝利によって浄土へ迎え入れられることが語られている。『験記』における西方浄土への往生の説話は二つの構造が見られる。

一つは、「今世の人間↓来世の異類転落・法華経の書写勝利や講説利益による罪滅ぼし・浄土往生」という二世構成のパタンーである。〈第三十七　六波羅密寺の定読師康仙《こうせん》法師〉では沙門の康仙が生前の執着心が原因で死後蛇に転身する。善知識の『法華経』の書写と講説の供養によって蛇道を脱して浄土への往生を果たすことが語られている。〈第七　無空《むくう》律師〉では律師が存命中私財の隠匿が理由で死後蛇道に堕落し、旧識の『法華経』の供養と講説の利益によって蛇道を抜け出して極楽へ飛び立つことが述べられている。今一つは、「前世の異類・法華経の聴聞利益による果報↓今世の人間転身・法華経の読誦による勝利↓来世の極楽の永生」という三世構成のパタンーである。〈第五十三　横川の永慶《えいけい》法師〉では永慶法師は前世が大犬の身だが、『法華経』をよく聞くので今世に犬臭気の残存の人間に生まれ変わる。そして、『法華経』を読んだり覚えたりすることによって来世に極楽世界へ往生することが記されている。注目すべきは、この二番目の三世構成の話型は『験記』独自の創意だという点である。中国の法華霊験譚は普通、一番目の二世構成の話型しか持っていないからである。たとえば、唐僧祥撰『法華伝記』巻九〈聴聞利益〉〈貞観の鴿児〉や同〈長安県の蔚範良の子〉や同〈外国の通を得たる沙弥〉などのように、鳩・鼠・野干などの異類はみな来世の浄土往生の内容が欠如している。

6　おわりに

以上、見てきたように、『法華経』は東アジアの中日韓の宗教史と文学史の上で特筆すべき一頁を残していると言ってよい。『験記』の説話では『法華経』の信者らはそれぞれの資質と根機にふさわしい往生地――忉利天・兜率天・西方浄土――を目指して修行を重ねていくように、中国の法華霊験譚の常套を踏襲したり、暗中模索を重ねつつさまざまな改変を試みたりして語られている。『験記』の〈第百二十九　紀伊国牟婁郡の悪しき女〉では邪道を解脱された男女は「女は忉利天に生れ、僧は兜率天に昇りぬ」と見えるごとく、法華信者の男が往生地を、女の忉利天より兜率天のほうを選ぶ際の一般的な傾向をはっきりと示している。また、〈第八十三　愣厳院《りょうごんいん》の源信僧都〉では「兜率天に生れて、慈尊に見え奉らむこと、極なき善根なりといへども、弟子頃年深く願ふところあり、身を他世に捨て、極楽に往生し、面り弥陀に見えたてまつりて、妙法を聴聞せむ。慈尊力を加へて、我を極楽に送りたまへ。極楽界にして、当に弥勒を拝むべし」と主張されているように、法華信者の僧尼が往生地を、兜率天より極楽浄土のほうを選ぶ際の向上的な追及も露わにしている。かくして、絶えざる受容と変容を繰り返していくうちに、日本の法華霊験譚の叙述の内容と方法が形成されつつある。たとえば、往生地を、『験記』の〈第百十七　女弟子藤原氏〉では女性が宝威徳上王仏国に、〈第百二十八　紀伊国美奈倍《みなべの》郡の道祖神〉では異類が観音菩薩の補陀落世界にそれぞれ選んでいるが、いずれも『験記』独自のバラエティに富んだ信者らの往生地の選択だといえよう。そうした問題を東アジアの『法華経』の享受における各国独自の文学的な営みの一例として示しておきながら、今後のさらなる研究の進化に期待したいものである。

注

1　鎌田茂雄『法華経を読む』岩波書店、一九九四年、三一頁。

2　引用のテキストは以下の通り。中田祝夫『日本霊異記』（日本古典文学全集、小学館、一九七五年）、青木和夫・稲岡耕二・笹山晴生・白藤礼幸『続日本紀』（新日本古典文学大系、岩波書店、一九八九～一九九五年）、井上光貞・大曾根章介『大日本国法華験記』（岩波書店、一九七四年）。

3　李銘敬「『法華経』霊験記中的女性信仰故事及其在東亜的伝播」、『日本語学習与研究』2、二〇一五年。

4　劉亜丁『仏教霊験記研究—以晋唐為中心』巴蜀書社、二〇〇六年。
5　『日本大百科全書』「摩訶止観」、塩入良道執筆、小学館、一九八四年。
6　『大蔵経全解説大事典』雄山閣出版、一九九八年。
7　鎌田茂雄『中国仏教史辞典』(東京堂出版、一九八一年)、市岡聡「『法華伝記』の撰者と成立年代について」(『人間文化研究』十八巻、二〇一二年十二月)。
8　新大系によると、弘賛法華伝・九。金果毅(文字は焼損・前世は男・主人公は前世を知らず夢で知る)、がある、という(三一頁)。
9　増尾聡哉「『日本霊異記』における『法華経』の位置について」、『駒澤国文』27、一九九〇年。
10　井上光貞「往生伝、法華験記　解説」(岩波書店、一九七四年、七二〇頁)、馬駿「鎮源撰『本朝法華験記』独自の女性像—表現の出典と発想の和化を手掛かりに」(張龍妹・小峯和明編『東アジアと仏教と文学』アジア遊学207、勉誠出版、二〇一七年五月)。
11　馬駿「和化する法華経—『本朝法華験記』の表現と発想」、浅田徹編『日本化する法華経』アジア遊学202、勉誠出版、二〇一六年。

03

道教と神仙

『列仙伝』から『列仙全伝』へ

千本英史

1　列仙全伝という書物

『列仙全伝《れっせんぜんでん》』【図1】は、明代の古文辞派に属する王世貞《おうせいてい》（一五二六～一五九〇年）が編纂したとされる、全部で五百八十一人の仙伝を収めた九巻からなる作品で、巻頭に、同じ古文辞派で『唐詩選』の編者として知られる李攀龍《りはんりょう》（一五一四～一五七〇年）の序文を有している。

私の手元にあるのは、和刻本の五冊本だが、第一冊には「序」（李攀龍のそれ五丁の前に、寛政辛亥［三年、一七九一］孟秋の、臨済僧淡海竺常《おうみじくじょう》［梅荘顕常《ばいそうけんじょう》、一七一九～一八〇一年］名の序四丁が刻される）、全巻の「目録」八丁に続いて、「巻之一」三十八丁、第二冊には「巻之二」四十一丁・「巻之三」三十八丁、第三冊には「巻之四」三十五丁・「巻之五」三十五丁、第四冊には「巻之六」三十三丁・「巻之七」三十七丁、最後の第五冊には「巻之八」三十丁・「巻之九」二十一丁が収められているから、九巻本で欠脱があるわけではなさそうだ。書冊見返しには、赤色紙に「明弇《えん》州王先生著／日本大典《だいてん》禅師閲／列仙全伝／書林合刻発行」とあり（これとまったく同じ印面で五冊全体の包紙が添えられている）、巻一から巻八までの各巻の冒頭には「呉郡 王世貞輯次／新都 汪雲鵬《おううんほう》校梓」とあり、巻九の冒頭には「新都後学 汪雲鵬輯補」とある。第五冊（巻八・巻九）の最終丁には「慶安三歳次（一六五〇）庚寅季秋初六日刊行」の一行があるが、裏見返

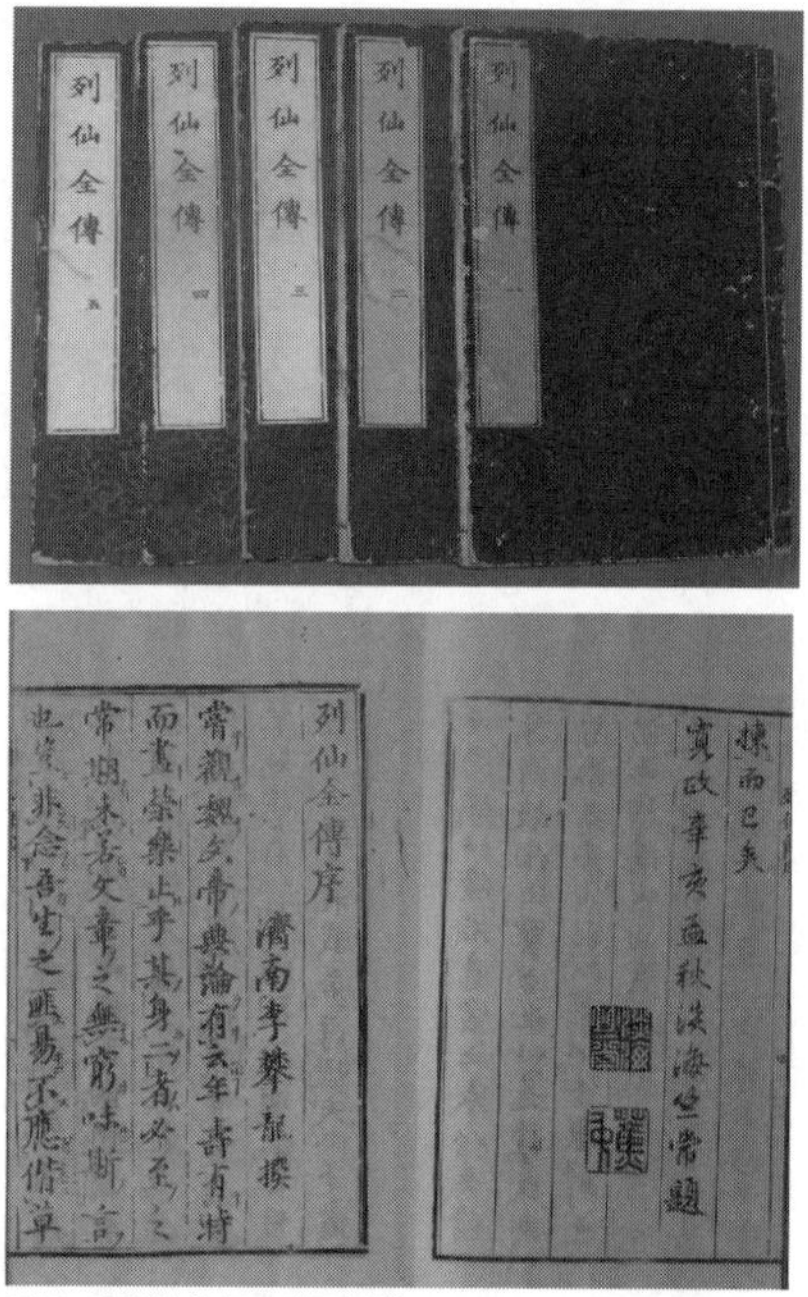

図1『列仙全伝』（個人蔵）

しは明らかに別刷りで「文栄堂蔵版／東区南久宝寺町四丁目六番地／阪府書林　前川善兵衛《まえかわぜんべえ》」と刻されている。国文学研究資料館の「日本古典籍総合データベース」で「前川善兵衛」を入力して検索すると、明治に至るまで二百七十余点がヒットする。大手の書林であったのであろう。なお、後述する佐藤義寛氏の研究では、明の万暦二十八年（一六〇〇）の版本では、汪雲鵬による後序が付されているというが、手元本にはなく、和刻本では省かれているらしい。

　直接の交誼があったわけではないが、長く目録を送ってくれていた古本屋のご主人が亡くなり閉店となって、在庫処分のための最後の図書目録が送られてきた。数年前のことである。御香奠《ごこうでん》代わりにと思い、ろくに中味を知りもせず注文したら抽選に当たったらしく後日その本が届いた。それがこの本である。

　書名に惹かれて注文してみたものの、『中国学芸大事典』では『列仙伝』の項に「（後続書として）明の王世貞の列仙全伝九巻があり」とだけ記され、近年刊行の『中国文化史大事典』には何の記載もない。書名と豊富に含まれている絵図から神仙のかなり大部な列伝らしいことだけがわかる。

　「全國漢籍データベース 日本所藏中文古籍數據庫」で検索すると、明の万暦年間刊行のものを含めて七十七レコードがヒットする。広く我が国で読まれた作であるらしい。長澤規矩也《きくや》氏の『和刻本漢籍分類目録』（増補補正版、二〇〇六年）は、慶安三年（一六五〇）印行の京都藤田庄右衛門《ふじたしょうえもん》版のほかに、修訂本として、寛政三年（一七九一）の大坂柳原《やなぎはら》喜兵衛《きへえ》版を載せている。私の手元の書はこの修訂本のさらに後刷りであるようだ。返り点や片仮名小文字での送り仮名が付されたものである。

現在ネット上では、国文学研究資料館本、富山大学小泉八雲《こいずみやくも》旧蔵本（これは架蔵本とまったく同版のものらしい）、京都大学附属図書館谷村文庫本などの全文影印が公開されている。

中国の検索エンジン大手「百度《バイドゥ》」の運営するネット上の百科事典「百度百科」には、二〇〇九年に出版社の広陵書社から新刊として新たに刊行されたことが記され、「本書は明の万暦年間に刊行された、文と図をそなえた道家の伝説故事（物語）集である」と書き、その「内容筒介」（内容紹介）には、

中国の神仙伝記は、漢の劉向《りゅうきょう》撰と題する二巻本の『列仙伝』が最も古く、つづいて陶弘景《とうこうけい》、葛洪《かつこう》、孫夷中《そくいちゅう》、杜光庭《とこうてい》、沈汾《しんふん》などが編纂した。最大規模のものは北宋初年に楽史《がくし》が編纂した『総仙記』で、あわせて百三十巻、伝説中のすべての仙人を含んでいたと思われるが、すでに失われている。

『列仙全伝』九巻は、老子・木公・西王母から明朝の成化・弘治年間まで、五百八十一人の仙人の故事を叙述する。その中の多くは仙人ではなく、幻術をあやつれる者、もしくは皇帝から称号をもらった道士にすぎない。現存するこの類の書籍のうち、本書はもっとも内容が豊富である。

この書は王世貞編輯だとし、李攀龍の序もあるが、ほとんどがこの書を刊行した汪雲鵬の偽託である。汪雲鵬は徽州《きしゅう》の書舗「玩虎軒」の主人であり、美しい挿図入りの書籍や戯曲の本を多く刊行している。

としている。

「汪雲鵬による偽託」であることについては、文献検索サイトの「中国知網」によれば、魏世民著の『《列仙全伝》作者考』（二〇一三年）の著も出版されており、その「摘要」（概要）には、

『列仙全伝』は明代の仙道小説である。書中の版画が明代徽州（今の安徽《あんき》省）の著名な画工・黄一木《こういちぼく》による彫刻であるため広く知られている。本書はあわせて九巻あり、そのうち前の八巻は王世貞の輯次（編輯）によると題されている。第九巻は徽州の書商・汪雲鵬による輯補である。筆者の考証によれば、前の八巻の真の編輯者は王世貞

ではなく、書商・汪雲鵬である。また、本書は汪雲鵬が自ら撰したものではなく、『広列仙伝《こうれつせんでん》』等の書から抄録したものである。こうした書坊主（出版社・書店の店主）が自ら編纂して著名人に仮託するという方法は、明の万暦時期に非常に流行したが、本書の編纂もその一例である。だが、本書はその規模の大きさと挿図の美しさによって高い価値を有している。

とされている（以上、中国のネット検索、およびその紹介文の日本語訳については、奈良女子大学教授大平幸代氏の手を煩わせた）。

2　劉向『列仙伝』との関係

『列仙全伝』については、佐藤義寛氏の一連の詳細な研究がある。

佐藤氏は一九五八年生まれ、大阪芸術大学、大谷大学、同大学院に学び、大谷大学文学部教授在任中の二〇一二年に急逝された。『列仙全伝』についての研究は、大谷大学の『文芸論叢』第五十九号（二〇〇二年九月）に「『列仙全伝』研究」（一）を掲載されてから年二回刊行の同誌に毎号のように論考を寄せられ、第七十五号（二〇一〇年十月）に至るまで十二回に及ぶ。別に『真宗総合研究所研究紀要』第二十三号（二〇〇六年三月）にも関連研究があるが、これは『文芸論叢』第六十四号（二〇〇五年三月）に寄せられたものの「増補改訂版」である。氏の「『列仙全伝』研究」は、（一）から（三）が総論部にあたり、そこでは、『列仙全伝』が、先行する張文介の『広列仙伝』（万暦十一年［一五八三］六月序）などを元に、挿図を新たに付して刊行され、『菜根譚《さいこんたん》』の著者である洪応明《こうおうめい》による『仙仏奇踪《せんぶつきしょう》』（万暦三十年、一六〇七）の「消揺墟《しょうようきょ》」を経て、万暦三十五年（一六〇七）に神宗の命で刊行された「続道蔵《ぞくどうぞう》」に収められている『消揺墟経』に引き継がれていくことが明らかにされた。（四）から（六）は『列仙全伝』所収話とほかの仙伝類との関係表、（七）から（一二）は図像の資料集成で、（一二）で「了」となっている。

ここでは、佐藤氏の研究（四）「伝記資料所在索引」によりながら、それを簡便に整理する形で『列仙伝』所収話がどのように『列仙全伝』に対応しているかを検討したい。

『列仙伝』には説話番号がないので、中国古典文学大系8『抱朴子・列仙伝・神仙伝・山海経』（平凡社、一九六九、列仙伝・神仙伝の訳注は沢田瑞穂）に所収されたものに仮に順番に番号を付した（実際に参照したのはペーパーバック版の「中国の古典シリーズ4」［一九七三年］である）。これは現代語訳されたものなので、本文を検討するには二〇〇七年に中華書局出版から刊行された『王叔岷《おうしゆくみん》著作集 列仙伝校箋』を用いる。『列仙全伝』については、手元の和国本後刷り版本の丁数を示した【表1】。

『列仙伝』上巻四十話中の二十八話、下巻三十話中の十一話が『列仙全伝』に再録されている。このうち、十九話が巻一に、十一話が巻二に、六話が巻三に収録されており、それ以外の巻五、巻六、巻九にはそれぞれ一話ずつが収録されるにすぎない。

このうち巻九は先にも指摘しておいたように、巻頭に「新都後学 汪雲鵬輯補」とあって、出版元の汪雲鵬が増補したとしている（巻九にだけは『列仙全伝』の特色とされる挿図も一葉も刻されていない）のでいったん除外し（文言には出入り

表1 『列仙伝』『列仙全伝』説話対照表

上巻			
1	赤松子	巻1	8丁ウ※
2	甯封子	巻1	11丁オ［甯封子］
3	馬師皇	巻1	12丁ウ※
4	赤将子輿	巻1	11丁オ※
5	黄帝	巻1	9丁ウ
6	偓佺	巻1	15丁ウ※
7	容成公	巻1	8丁ウ※
8	方回	巻3	5丁オ
9	老子	巻1	1丁オ※ →神仙伝
10	関令尹	巻1	34丁ウ［尹喜］※
11	涓子	巻1	30丁ウ※
12	呂尚	巻1	20丁オ※
15	務光	巻1	17丁オ※
16	仇生	巻3	9丁オ［仇先生（附）］
17	彭祖	巻1	18丁ウ［彭祖銭鏗］※ →神仙伝
20	馬丹	巻1	32丁オ
23	葛由	巻1	24丁ウ※
24	江妃二女	巻3	10丁オ※
25	氾蠡	巻1	21丁ウ※
26	琴高	巻1	30丁ウ※
28	王子喬	巻1	28丁オ※
30	安期先生	巻2	18丁ウ［安期生］※
32	瑕丘仲	巻6	24丁ウ
35	蕭史	巻2	15丁オ※
36	祝鶏翁	巻2	9丁オ※
37	朱仲	巻2	20丁オ
38	修羊公	巻2	22丁オ※
39	稷丘君	巻2	31丁ウ※
下巻			
2	東方朔	巻2	29丁ウ※
3	鉤翼夫人	巻2	36丁オ［拳夫人］
8	鹿皮公	巻5	15丁ウ［鹿皮翁］
11	山図	巻9	9丁ウ
12	谷春	巻3	10丁オ
14	毛女	巻2	10丁ウ※
15	子英	巻3	26丁ウ※
23	負局先生	巻1	32丁ウ※
24	朱璜	巻2	24丁オ※
25	黄阮久	巻2	24丁オ［阮久（附）］※
27	陵陽子明	巻3	3丁ウ

※印を付した仙伝には『列仙全伝』に挿図が付されている

があるが説話自体はほとんど同内容となっている）、巻五と巻六の例をまず確認する。

『列仙全伝』巻五の「鹿皮翁《ろくひおう》」は、『列仙伝』の「鹿皮公」と類同の内容であるが、『列仙伝』が百四十字で構成されるのに比して、『列仙全伝』の「鹿皮翁」は、およそ半分の七十三字だけで書かれている。鹿皮公が「大工仕事が器用で」「知事に申し出て、斧・鉞《えつ》を持った大工三十人」を指揮してて「礼拝所をつく」らせ「階段二間分を取り外して人が近づかないように固め」、「芝草を食し」たことなどは書かれない。「山顚《さんてん》ニ於テ祠舎《ししゃ》ヲ作テ其傍ニ留止スルコト七十年」とするばかりである。

巻六の「瑕丘仲《かきゅうちゅう》」は、『列仙伝』で九十九字、『列仙全伝』では八十八字とあまり大差はないが、やはり『列仙全伝』の方が少し短い。彼は河北《かほく》省西北部の甯《ねい》で百年以上も薬を売って暮らしていた。地震のために家屋が倒壊し、圧死してしまう。その屍体は河中に遺棄され、仲の持っていた薬品は奪い取られる。仲は盗人の前に姿を現して、薬品を取り戻し、自らの存在を仙人に知られたことを残念がって再び姿を隠す。その後、夫余国の文書送達史として甯を再訪した。人々は彼を謫仙人《たくせんにん》と呼んだ。

（列仙伝）　瑕丘仲者甯人也　売薬於甯百余年　人以為寿矣　・地動舎壊　仲及里中数十屋　臨水皆敗　仲死　民
人取仲　尸棄水中　収其薬売之　・・仲披裘而従詣之収薬　棄仲者懼　叩頭求哀　仲曰　・恨汝仲・
人・我耳　吾去矣　後為夫餘胡王駅使　・・・・復来到甯　北方・謂之謫仙焉

（列仙全伝）瑕丘仲者甯人也　売薬・・百余年　人以為寿矣　因地動舎壊　仲及里中数十屋　・・皆・　・死　或
・取仲　・棄水中　収其薬売之　忽見仲披裘・・詣之取薬　其人大懼　叩頭求哀　仲曰　非恨汝也使
人知我耳　吾去矣　後為夫餘・王駅使　自北乗伝・・至甯　北方人謂之謫仙・

比べてみると、『列仙全伝』がかなり文章を整理したものとなっていることがわかる。

以上三例を除く、三十六話はいずれも巻一から巻三に集中して収録されている（巻一・十九話、巻二・十一話、巻三・六話）。これらでも先の瑕丘仲の場合のように文章が短くなり、整理される例が少なくない。例外がないわけではないが、やはりここには、挿図を主とした、ある種のカタログ化とでもいうべき現象がみられる（巻一から巻三に収録された四十一話のうち、挿図を持たないのは十一例とおよそ四分の一にすぎない）。

ちなみに老子と、殷の大夫で肉桂《につき》や霊芝《れいし》を常食し、仙人になって昇天したという彭祖《ほうそ》の二人は、その説話が『神仙伝』にも巻一の二、巻一の三と連続して載せられている。老子は『列仙全伝』では第一巻の巻頭に掲げられる。『列仙伝』の老子は百十字の短文に過ぎないが、『神仙伝』のそれは二千字を越える長文であり、『列仙全伝』はおよそ一千字でいずれとも異なっている。『列仙伝』の彭祖も百十字の短文に過ぎないが、『神仙伝』では二千字近い長文となっている。彭祖は『列仙全伝』では彭祖銭鏗の名で巻一の二十六番目に採られている（百五十字弱）が、内容は顓頊《せんぎょく》の玄孫であることなどは三者共通するものの中味は大きく異なる。

彭祖《ホウソ》銭鏗《ゼンコウ》ハ帝顓頊《センギョク》ノ玄孫ナリ。殷ノ末世ニ至リテ年已《スデ》ニ七百余歳ニシテ衰ヘズ。恬《テン》ヲ好テ静ヲ惟《オモ》ヒ神ヲ養ヒ生ヲ治スルヲ事ト為ス。穆王《ボクオウ》之ヲ聞テ以テ大夫ト為ス。疾《ミツ》ト称シテ政事ニ与《アズカ》ラズ。補導ノ術ヲ善クス。并《ナラ》ビニ水晶、雲母、粉糵角《フンビカク》ヲ服ス。常ニ少《ワカ》キ容《カタチ》有リ。采女《サイジョ》、輜軿《シヘイ》ニ乗リテ往テ道ヲ彭祖ニ問フ。采女具《ツブサ》ニ諸要ヲ受ケ以テ王ニ教フ。王試ミニ之ヲ為スニ験有リ。彭祖之ヲ知リテ乃《スナハ》チ去ル。往ク所ヲ知ラズ。其ノ後七十余年、門人流沙ノ西ニ之ヲ見ル。一ニ云ク周衰ヘテ始メテ四方ン浮遊シテ晩《オソ》ク蜀ニ入ル。武陽ニ抵《テイ》シ家ニ留マル。四十九妻ヲ喪《ソウ》シ五十四子ヲ失ス。

全体としては、『神仙伝』のそれを極端に縮めた形だが、異説を付するなど独自な点も見られる。

なお、仇生《きゅうせい》は『列仙全伝』では「仇先生（附）」と目次にあって、漢代の桂陽の蘇林の記述中に見え、その次行にやや小さめに「仇先生附」と記すだけで、独立した本文は示されない（なおこの蘇林は『列仙伝』には登場しない）。『列仙全伝』にはこのような「附」の形で示される仙伝が目次では五十二人に及ぶが、『列仙伝』と共通する仙人としては、睡山の道士の黄阮久が朱璜の叙述中に描かれる例が、あと一例見られるのみである。朱璜《しゅこう》と黄阮久《こうげんきゅう》は、『列仙伝』では下巻の二十四と二十五に並んで掲げられている。『列仙全伝』では目次には「黄阮久（附）」とあるが、本文には何も書かれていない。

『列仙全伝』は中国明代の書物商によって、挿図に力点をおいて再編成されたものである。序文に持ちだされた李攀龍は『唐詩選』の撰者として知られるが、それがまた「李攀龍の古今詩刪《ここんしさん》から鈔録して、唐詩選という書物が商賈《しょうこ》と村学究の手によって作り出されたと見るのが今日の通説」（新釈漢文大系『唐詩選』、目加田誠解説）なのだから、何をかいわんやということになる。

もっとも仙伝の嚆矢《こうし》というべき『列仙伝』自体が、今日残るものは漢の劉向の作とは認めがたいのだという（福井康順「列仙伝考」、『早稲田大学大学院文学研究科紀要』3、一九五七年十月）。

人間の欲望の鏡像ともいうべき仙伝にあっては、どうしてもこのような「偽作」の重層が避けられないことでもあった。

3　和刻本独自の特徴

和刻本で新たに付された梅荘顕常の序に戻ろう。

その序冒頭には、

神仙ノ世ニ于《オケ》ル、或ハ以テ誕《イツハリ》ニシテ信ズベカラズ、或《アルイ》ハ以テ不経ニシテ以テ教ヘトスベカラズト、皆非《ヒ》也。（原漢文を読み下す）

と述べ、「吾イマダ、不仁不義不孝不忠ニシテ能仙《ノウセン》ナル者ヲ聞カザル也。夫《ソ》ノ教ヘ亦《マタ》術多シ。礼学之教以テ外ヲ治シ、葆真《ホシン》（その本真の性を保つ）之教以テ内ヲ治ス。恬淡虚無ナレハ真気之ニ従《ヨ》リ岐伯ノ病ヲ治スル也。其ノ清静ヲ載セテ民以テ憲一ナリ。曾参ノ国ヲ治ムル也」と、国家の統治の基礎ともなるべきものと称揚されている。

顕常は、『新版禅学大辞典』には、「京都相国寺《しょうこくじ》の学僧で、出家して仏乗に渉《わた》り、儒典を宇野明霞《うのめいか》の門で受け、経史に通じ、文章詩歌に巧みであった。天明元年（一七八一）に幕府の命により対馬に到り、日韓応酬の文書を掌《つかさど》った」とする。『国書人名辞典』には、その著述として八十一点の多きを載せるが、説話的な分野への関心でいえば、『世説新《せせつしん》語《ご》』に大きな関心を寄せ、『世説匡謬《きょうびゅう》』二巻、『世説鈔撮』四巻（宝暦十三年［一七六三］刊）、『世説鈔撮補』二巻（明和九年［一七七二］刊）、『世説鈔撮集成』十巻（寛政六年［一七九四］刊）、『世説人氏世系図』一冊など多くの書物を残していることは注目してもよいかもしれない。寛政四年（一七九二）刊の『北禅文章《ほくぜんぶんそう》』巻一には「列仙図序」が収録されており、顕常が、伊勢山田の浄土宗の画僧月僊《げっせん》（一七四一～一八〇九年）が安永九年（一七八〇）に刊行した『列僊図賛《れっせんずさん》』三巻にも序文を寄せていることがわかる（このことについて、三重県立美術館がＨＰから公開している山口泰弘氏の「月僊の初期作風の多様性と様式形成 人物画を中心として」の論考を参照した）。

顕常については、小畠文鼎《おばたぶんてい》の『大典禅師』（一九二七年）の著が詳しい。この著では、親王、内親王を始め三十一項の「交友の王公侯伯及碩匠名士」が掲げられているが、松平定信《まつだいらさだのぶ》（一七五八～一八二九年）などだけでなく、中国語朝鮮語にも通じた雨森芳洲《あめのもりほうしゅう》（一六六八～一七五五年）、博学で知られた大坂の文人の木村蒹葭堂《きむらけんかどう》（一七三六～一八〇二年、彼が明和六年［一七六九］に、唐代の司馬《しば》承《しょう》禎《てい》の手になる道典『天隠子《てんいんし》』を自らすすんで刊行したことについては、坂出祥伸《さかでよしのぶ》『江戸期の道教崇拝者たち』［二〇一五年］に指摘がある）、脱僧脱俗で知られた売茶《まいさ》翁（月海元昭［一六七五～一七六三年］、顕常には『売茶翁伝』の著述もある）、近世画家として著名な伊藤若冲《いとうじゃくちゅう》（一七一六～一八〇〇年）など、多彩な人物が挙げられている。

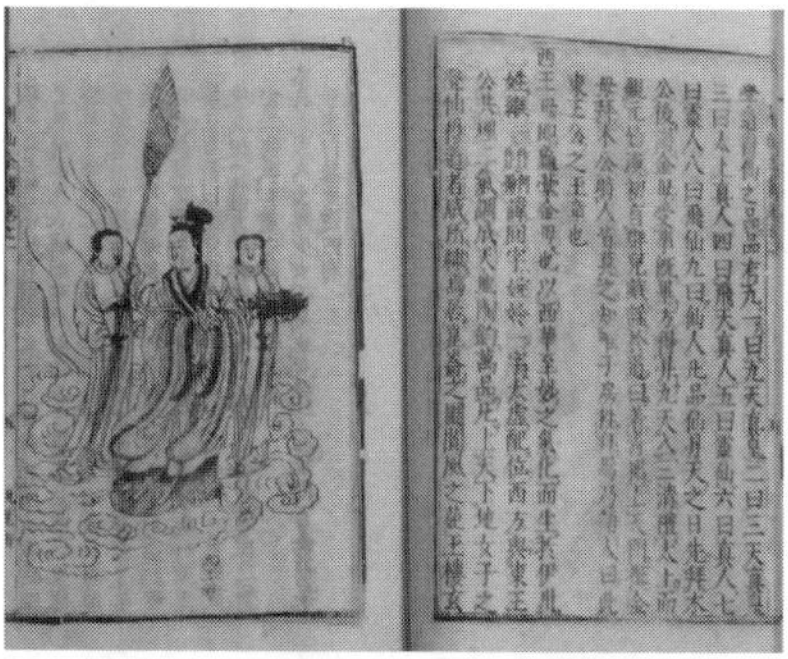

図２『列仙全伝』巻１、西王母（個人蔵）

図３『列仙全伝』巻４（右）黄初平と黄初起（赤松子と魯班）晋の丹谿の人。初平は十五歳で羊を飼っていて道士にに会い仙人となる。兄の初起は長年それを追って、やがて自らも仙人となった。図は初平に言われて羊を追った初起が、石とだけ見た羊数万匹がその姿を現すところ。（左）羅真人　晋の黄梅の人。丹の製造で知られた。病んだ龍が水塘で地足を洗う真人を連れ去り、丹を得たと伝える。

このような広範囲の影響力をもった梅荘顕常の序を巻頭に持つことによって、『列仙全伝』は、その挿図【図2・3】のみならず、著作全体として我が国の文化史上においても大きな位置を占めるものとなったと考えられる。

4　補・架蔵版本の伝来

最後に、手元の版本について、気づいた点を補足しておきたい。

今回再度全体を見直してみると、第四冊に、「兵庫県氷上郡竹田村　西山亮三様」と表書きし（墨書）、左下に、冴《こだま》発行所（東京市瀧野川区中里町四十八番地）の紫色の小型住所印（三・八×一・五センチメートル）が押された通常サイズの封筒（中身は入っていなかった）が挟まれていることに気づいた。

西山泊雲（亮三）は、『俳諧大辞典』（明治書院、一九七五年）によれば、「俳人。西山亮三。明治十年四月生、昭和十八年（一九四三）没、六十七歳。兵庫県水上郡竹田村の人。野村泊月の実兄で、実家の酒造業（筆者注―ちなみにこの醸造元は現在も生産を続けられているようである）にたずさわっていた。明治三十六年虚子につき、『ホトヽギス』『日本』などに投句し、誠実よく虚子の教えを守って、客観写生の権化と呼ばれた。『ホトヽギス』同人。句集に『泊雲句集』がある」（中島斌雄）といい、また『俳文学大辞典』（角川書店、一九九五年）によれば、「強度の神経衰弱のため、少年時代に家で、自殺未遂などを繰り返すが、実弟野村泊月の紹介で高浜虚子門に入り作句に専念する。（中略）句風は堅実な客観写生句で、虚子の信任も厚く、関西ホトトギスの重鎮となる」（宇多喜代子）という。

「冴」は、同『俳文学大辞典』に、「俳誌。昭和一〇（一九三五）・三、東京市滝野川（東京都北区）で創刊。月刊。主宰柴田宵曲。（中略）宵曲・森銑三らの文章が多く、宵曲の個人的色彩が強い」（西嶋あさ子）とある。

筆者がこの『列仙全伝』を入手した古本屋さんは、神戸に店舗を構え、兵庫県関係の書物を多く取り扱っていたから、この『列仙全伝』が西山泊雲の旧蔵書であった可能性は高いと思われる。

04

東アジアと陰陽道

山下克明

1　はじめに

陰陽道とは律令制下の技術官庁である陰陽寮を基盤にして、九世紀後半頃に成立した占術と、呪術・祭祀の体系であると言ってよいであろう。その中心となって活動したのは陰陽寮の官人陰陽師であって、その後も人々の攘災《じょうさい》・禁忌《きんき》意識の高まりとともに民間でも陰陽師が活動した。陰陽道の陰陽五行説に基づく占術や道教にかかわる呪術・神観念は中国で発生し、朝鮮半島など東アジア周辺に伝播してそれぞれで変容を見せるが、巨視的にみると陰陽道もその展開の一つと言えるであろう。

ただこれらの文化の受容期である古代では中央の官衙《かんが》である陰陽寮とは別に、多数の渡来系の人々を介して大陸の術数・呪術文化が列島の各地に侵透していたようである。本章では奈良時代を中心に中央の陰陽寮と地域でみられる術数・呪術文化を検討して、平安前・中期における陰陽道成立の前提をうかがうことにしたい。

2　陰陽寮と術数・呪術

『日本書紀』推古十年（六〇二）十月条に百済《くだら》僧観勒《かんろく》が来朝し、「暦本《れきほん》及び天文・地理書、並びに遁甲《とんこう》・方術の書」を貢じたので、朝廷では書生を撰んで彼に学習させ、その結果みな成業したとある。また遣隋学問僧の旻《みん》は帰国後に『周易《しゅうえき》』を講じるとともに天文占で彗星の出現を占っており（舒明紀）、このように陰陽寮関係の学術は渡来僧や留学生（僧）などによって伝えられた。ついで天智十年（六七一）に白村江《はくそんこう》の敗戦後に渡ってきた亡命百済官人に官位が与えられた際、その一人に「陰陽」をならう角福牟《ろくふくむ》の名がみえ、ほかにも占術などを用いた者もいたと考えられ、天武四年（六七五）正月条にはじめて陰陽寮の存在が記され、その頃までに陰陽寮の組織が成立していたことが知られる。

　大宝律令施行後でも知識を有する渡来僧を勅命で還俗《げんぞく》させて陰陽寮の官人に用い、関連する専門書も天平七年（七三五）帰国の遣唐留学生下道《しもつみちの》（吉備《きびの》）真備《まきび》（六九五～七七五年）が多数の漢籍とともに暦法書や天文観測器をもたらした。天平宝字元年（七五七）十一月に陰陽寮諸生の読書を指定し、『史記《しき》』天官書《てんかんしょ》・『五行大義《ごぎょうたいぎ》』などの中国伝来の典籍が用いられるなど朝廷による積極的な関与が続いていた。式占・暦・天文など中国に発し陰陽五行説にかかわり、未来の吉凶をうかがう学術を術数と言うが、陰陽寮関係の術数学はこのように大陸・半島との往還者によって受容と学習、実践がなされたのである。

　そのような陰陽寮の職員、陰陽師の令制上の職務は「占筮《せんぜい》・相地《そうち》」で、ものごとや地相の吉凶占いを主とする技術的なものであったが、その後九世紀後半から陰陽師は本格的に祓や反閇《へんばい》などの呪術や諸種の祭祀を執り行なうようになるなど職務は大きく伸展し、占術と呪術祭祀の体系である陰陽道が成立し、滋岳川人《しげおかのかわひと》や弓削是雄《ゆげのこれお》、十世紀以降には賀茂忠行《かものただゆき》・保憲《やすのり》や安倍晴明《あべのせいめい》（九二一～一〇〇五年）などの著名な陰陽師を輩出した。陰陽寮の活動が宗教化した要因には、もともと中国の五行家では五行の理法に基づく呪術を伴っていたこと、道術符禁をもって鬼神を駆《か》り治病を担った典薬寮呪禁博士《てんやくりょうじゅごんはかせ》の職務を陰陽師が吸収したことなどがあり、その職務変化の背景には九世紀に入り律令制支配が弱体化するなかで、頻発する災害・怪異をモノ（神・鬼・霊など）の祟りや警告とみて畏怖し、占いに依存した貴族支配層の精神的動揺があった。これを受けて陰陽師は占いで災害や怪異の原因を明らかにするとともに祭祓でそれを除く両面の機能を獲得し、ここに陰陽道は成立するのである。

このように陰陽寮の職務や知識の基盤には、渡来者や留学生らによってもたらされた天文・五行書などの学習があり、その上でまた朝廷貴族の要請・期待を受けて呪術祭祀の習得・実修がなされた。しかし中国発信の術数・呪術文化は、文化一般が政治的関係性のみで伝来するものではなく、多数の渡来系の人々を通じてそれを必要とする地域や民衆間に生活文化の一環として伝わったように、七・八世紀には中央官衙のみならず地域社会にも侵透していた。

いくつかの例をあげると、比叡山延暦寺《ひえいざんえんりやくじ》を開いた最澄《さいちょう》（七六七〜八二二年）は近江国志賀郡に居住した渡来氏族志賀《しがの》史《ふひと》の同族である三津首《みつのおびと》氏の出身だが、その伝記『叡山大師伝《えいざんだいしでん》』によると最澄は幼少のころから村邑の小学で「陰陽《いんよう》・医方《いほう》・工巧《こうこう》」などを学んでいたという。村邑の小学は彼ら一族子弟の教育機関であったと考えられるが、渡来系の氏族のなかに術数・方伎に関する分野を学び受け継ぐ者が存在していたことが知られる。また大宝律令施行後に術数に長けた僧は勅命により還俗して陰陽寮官人となるが、官人任用の選に漏れたものも多数いたであろう。『養老令《ようろうりょう》』僧尼《そうに》令《りょう》の第二条で、僧尼は亀卜・相地とともに厭符《えんぷ》・呪禁《じゅごん》・祓などの小道・巫術《ふじゅつ》の治療行為は禁ぜられ、仏呪のみは可とされたが、その前の大宝令の規定では道術符禁による療病は認められており、八世紀前半頃まで僧侶の道術行使は許されていたとされる。[*1]『日本霊異記《にほんりょういき》』中巻第五話では除病のため卜者が祓・祈禱を行い、中巻第二十四では閻羅王《えんらおう》の使いの鬼により地獄行きの身代わりに立てられた「率川《いざかわ》の社のもとの相八卦読《そうはっけよみ》」がおり、彼らは官人ではなく地域で活動した卜占家であり、国家的に把握されず民衆間の経路でもさまざまに術数・呪術文化が伝わっていたことがうかがえる。

3　東アジア呪符文化の伝来と浸透

そのような実態は、近年考古学の発掘調査により古代の信仰にかかわる墨書土器《ぼくしょどき》や呪符木簡《じゅふもっかん》が多数見いだされるなかで、明らかになりつつある。次にそのいくつかの例を上げてみよう。

①大阪市東住吉区桑津《くわづ》遺跡の井戸跡から、七世紀前半にさかのぼる最古の呪符木簡（二一六×三九×四ミリメートル）

が出土している。木簡表面に付図と文面があり、「募之乎／（符籙）文田里　道意白加之」、裏面は「各家客等之」（『木簡研究』14号）と釈読《しやくどく》されているが、これには異論もある。符図（本章では「符籙《ふろく》」の語は用いない）は「曰」字型の記号をT字状に七つならべたものであり、王育成《おういくせい》はこれを道教の呪符と見て、隋唐ではこのような「口」「曰」字型を集めた図は星座を表したから、この符図は二十八宿の一つの星宿七星《せいしゆくしちせい》であろうとする。[*2] 当地は渡来系氏族の田辺氏の本拠地とされており、渡来系の氏族の間ですでに飛鳥時代から何らかの祈りを込めた道教的要素をもつ呪符が用いられていたことが知られる。

②藤原宮跡西方官衙《さいほうかんが》南地区の井戸跡から出土した七世紀末の木簡（三三八×五三×六ミリメートル）には、「（符籙）鬼小　今　乎其」（『木簡研究』18号）とある。上部の符図は九つの「口」を田型に配し直線・斜線で結ばれており、これは羅堰《らえん》九星と解されている。羅堰は田に用水を注ぐ堰《せき》の役割をもつ星座であるので、井戸ないし水の祭祀にかかわる木簡と考えられている。

③「天罡《てんこう》」神名を記す呪符木簡の発掘は、現在畿内を中心に各地から五十点以上報告され、年代は八世紀前半から中世後期におよんでいる。「天罡」は北辰・北斗を意味し、祈雨《きう》や除病、除災招福を祈願したのものと考えられるが、[*3] 大阪府高槻市嶋上郡《しまのかみぐん》衙跡《があと》の十世紀の井戸遺構からも合わせ口に用いられたとみられる二枚の土器皿のうち、一枚の内面中央に「天罡大神王」との墨書があり（もう一枚の土器皿には北・南・東・西・中央五方の「土公水神王《どこうすいじんおう》」を書す）、井戸の鎮祭に使用されていたことがうかがえる。道教経典の『北斗治法武威経《ほくとちほうぶいきよう》』には「天罡法《てんこうほう》」を記して、北斗を拝して、画地《かくち》、禹歩《うほ》、呪文、呪符（印）を行えば一切の「殃災《おうさい》」を消滅させるといい、隋から唐初頃の道士が実際に行っていたものとされている。[*4] つまり天罡＝北斗星へ辟邪《へきじや》・攘災《じようさい》・招福《しようふく》を祈願するものであり、そのような観念が天罡呪符木簡の思想的背景にあり、畿内から地方の官人等へ広がったものと考えられる。なお慶長十一年（一六〇六）書写『まじない秘伝』（国会図書館蔵）や元禄十二年（一六九九）版の『咒咀調法記《まじないちようほうき》』などのまじない書にも天罡はみえ、呪符神として永く命脈を保っていた。

④千葉県袖ケ浦市西原《さいばら》遺跡出土の朱書呪符木簡（一三五×五〇×五ミリメートル）は九世紀後半頃のものとされ、「（符籙）天柱口　此身護為　□（身カ）□　日日日」（『袖ケ浦市史』通史編一）と釈読され、「天柱」は不明だが神名かとされ、また「此の身を護るため」と読めることから護符と考えられている。この護符で注目されるのは「天柱」を中央にして三十四の「口」型が描かれていることである。これも星とみるべきものであり、これらは北極三星を中心に、天柱五星《てんちゅうごせい》、紫微垣東蕃八星《しびえんとうばんはっせい》、同西蕃七星《せいばんしちせい》、四輔四星《しほしせい》・北斗七星など北極星を囲み、天の最も高貴な場である紫微宮を描いた、まさに「紫微宮星座木簡」と称すべきものである。星座図といえば七世紀末・八世紀初の高松塚・キトラ古墳壁画天井部の天文図が知られる。それらとは用途や描き方（星の配置を含め）は異なるが、六つの星座を記すことは両壁画に続いて多い。また北極星や北斗を拝するものに妙見・天罡信仰があるが、それだけでなく多数の星座を包摂する紫微宮を描いている例は従来知られていない。東国上総国の官衙推定地外から出土したこととも考え合わせて、古代の人々の星辰観を表す新たな資料として注目すべき木簡である。

⑤平城京左京三条二坊八坪《にぼうはちつぼ》二条大路、濠状遺構出土の木簡（二一一×二七×四ミリメートル）は天平十一年（七三九）までのものとされ、表裏両面に「南山之下有不流水其中有／一大蛇九頭一尾不食余物但／食唐鬼朝食三千暮食」、「八百急々如律令」（『木簡研究』18号）とある。南山の下の流れのない水中に住む九頭一尾の大蛇は、ただ唐鬼《とうき》（瘧鬼《ぎやつき》カ）だけを朝に三千、暮に八百食すとの、瘧鬼を駆逐しようとする呪文である。これについて大形徹は、唐・孫思邈《そんしばく》撰の医書『千金翼方《せんきんよくほう》』禁経に「南山有地、地中有蟲、赤頭黄尾、不食五穀、只食瘧鬼、朝食三千、暮食八百、（中略）急急如律令」など類似の表現があり、赤頭黄尾の蟲は病を起こす鬼を食す蛇形の神、南山は終南山《しゅうなんざん》であり、南山のことはすでに後漢の呪符（後掲の江蘇《こうそ》省後漢墓の鎮墓解除文）にみえ、実際に中国で行われていた治病の呪文が、天平の天然痘大流行にさいして日本でも用いられていたと指摘している。*5

⑥多賀城市山王《さんのう》遺跡、多賀前地区河川跡出土の須恵器《すえき》杯の内面には「此鬼名中六鬼知申日病人（中略）寅年人□□里□鬼神知也」などとの墨書がある（『木簡研究』17号）。申の日に発病した病人の治病を祈るものと推測されるが、そこ

では「鬼名」「鬼神名」を知っているぞと主張して病の原因である悪鬼を脅し退散させようとしている。鬼名を知る呪符は、これも江蘇省高郵《こうゆう》邵《しょう》家《か》後漢墓出土の鎮墓解除文に「乙巳日、死者鬼名為天光、天帝神師巳知汝名、疾去三千里、汝不即去、南山給□令来食汝、急如律令」[*6]（乙巳日の死者鬼の名は天光たり、天帝神師はすでに汝の名を知る、疾く三千里に去れ。汝即去せざれば、南山□に給い来らしめて汝を食す、急ぐこと律令の如し）とあり、天帝の使者が死鬼の名を知るからとしてその退散を命じている。また六朝期の道教経典『女青鬼律《じょせいきりつ》』にも悪鬼等を鎮圧する方法を述べ、日の干支ごとの鬼名を知っていれば鬼は人に近づかないといい、[*7]道教成立以前から名を明かすことが疫鬼を退散させる力があると民俗的に信仰されていたことが知られる。多賀城山王遺跡の須恵器杯もそのような鬼神排除の法を記したものと考えられる。

⑦八世紀以降、各地の遺跡から発掘される土器に「☆」や「井」などの記号を墨書または線刻したものが多く見出されている。☆型では群馬県染谷川河川敷（八世紀前半）、群馬県新田町市野井（同中葉）、長岡京左京南一条二坊十一町作地築地塀雨落溝（同末）、千葉県船橋市印内台《いんないだい》（九世紀前半）、柏市花咲Ⅰ・Ⅱ（同中葉）など、井型では柏市花咲Ⅱ（八世紀前・中・後、九世紀前・中）、千葉市有吉（九世紀前半）、成田市庄作（九世紀）、多賀城市山王（九世紀）などの遺跡がある。

これらについて平川南は、「井」は魔よけの記号で、朝鮮半島で五世紀初頭の青銅鋺、高句麗好太王壺杅《こう》に見ることができるから、この記号は現段階では朝鮮半島から日本列島にもたらされたものであると考えられるとし、「☆」は古代以降の呪符に用いられている一種の魔よけの記号であり、ともに呪符記号として民俗例で確認することができると指摘する。[*8]また高島英之は、「☆」や「井」は何らかの呪術的祭祀に用いられたものであり、「☆」は元来西アジア地方に起源を有する記号で、日本へは早く伝えられ、道教における北斗信仰を象徴する紋様であったらしく、「井」は道教における九字の略号であろうとしている。[*9]

このように両記号は中国、あるいは朝鮮半島から伝えられた魔除けや呪術祭祀にかかわり用いられたもので、道教との関係も指摘されている。☆（五芒星《ごぼうせい》）は円・三角・四角などの幾何学図形とともに西洋中世の占星魔術書にみえ、その起源はアラビア天文学にあると推測されている。[*10] 中国では唐末頃のスタイン将来敦煌《とんこう》文献、計都星《けいとせい》・北方神（水星）供養呪符の中に五芒星が描かれている。[*11] 管見の限り道教の経典類には見い出せないが、中近東起源の呪的記号が中国・西洋にもたらされ、八世紀以前に日本に伝えられて広く地域社会へ浸透したものと推測される。また＃は、道教の天罡法儀礼で、北斗を拝したのち杖で地に四縦五横（▦・九字）を画き禹歩を行うとするが、これをさかのぼる秦代「日書《にっしょ》」の出行儀礼では禹歩のあと北斗を拝し、「五画地《ごかくち》」「午画地《ごかくち》」を行うとする。五＝午画は＋・×など地面に線が交差した図形を書くことで、防御・辟邪の力を有するものと観念されていた。[*12] ＃はそれを重ねたものであり、さらにその展開型が九字であると考えられる。

五芒星を記す呪符木簡は、十二世紀後半の平泉柳之御所跡、井戸遺構出土木簡二点（『木簡研究』13号）、同じ十二世紀後半の出雲市青木遺跡出土木簡（同30号）などがあり、＃を記すものは十二世紀中頃〜後半の三田市川除・藤ノ木遺跡、集落井戸出土の天罡呪符木簡（同23号）があり、いずれも天罡神名を記した呪符木簡である。その後十四世紀には民間で安倍晴明伝承・信仰と結びつき晴明の桔梗紋☆、＃とともにセーマン・ドーマンと称して魔除けの記号として定着するが、ここで多くの中国呪符信仰の受容形態から考えて、五芒星は西方起源、＃は中国起源で辟邪を意味する呪術的な意匠として八世紀以前に日本に伝えられたものであったとしてよいと思われる。

4　陰陽道成立の前提

このように公的な経路で採用される暦・天文・式占などの高度な術数文化ではないが、辟邪・守護・除病を目的とした天文星辰信仰・鬼神信仰にかかわる呪符神、呪文、呪的記号が東アジア世界の一環として日本へ伝えられ侵透していたことが知られる。そしてそのような社会的状況のもとでやがて陰陽道は成立する。

陰陽師は中国の五行家の系譜を引く占師であるが、五行家では陰陽五行の理法による術も行われていた。地域の人々の間で行われた呪法と陰陽寮・陰陽道とかかわるのも五行家の法で、つぎの雨乞いはそのような例とみられる。『日本書紀』皇極元年（六四二）七月二十五日条では、旱により、群臣が相語って「村々の祝部《はふりべ》の教える所に随《したが》い、或《ある》いは牛馬を殺して諸社の神を祭る。或いは頻《しき》りに市を移す。或いは河伯《かはく》」に禱《いの》ったが、効果がなかった。そこで蘇我《そがの》大臣蝦夷《えみし》は大乗仏典の転読を提案するが、微雨しか降らなかったので取りやめ、八月一日条では天皇が南淵の河上に幸し、ひざまずいて四方を拝し天を仰ぎ祈ったところ、雷が鳴り大雨が降り天下は潤ったという。ここで村々の祝部とは村落の宗教指導者と考えられるが、その教えにより頻《しき》りに市を移し、水神河伯に雨を祈っている。同様なことは『三国史記』新羅本紀の真平王五十年（六二八）条に「夏大《おお》いに旱《ひでり》す。市を移し龍を画き雨を祈る」とあり、新羅でも行われていたことが知られる。さらにさかのぼれば、『宋書《そうしょ》』五行志に晋の穆帝《ぼくてい》永和元年（三四五）五月「旱《ひでり》す。有司《ゆうし》は董仲舒《とうちゅうじょ》の術に依りて、市を徙《うつ》し水門を開き、謁者《えつしゃ》を遣して太社を祭らんことを奏す」とあるように、旱のさい市を移す行為は董仲舒の術とされ、五行家の法であった。董仲舒は災異解釈と陰陽五行説を結びつけた前漢武帝期の著名な儒者で陰陽・五行家であり、『漢書』董仲舒伝にも「陰陽の錯行する所以《ゆえん》を推し」雨を求めて失敗することがなかったといい、その術法は七世紀には周辺諸国へ影響していたことが知られる。[*13] また唐末頃の民間のさまざまな呪符を記した敦煌文書ペリオ三三五八号「護宅神暦《ごたくしんれき》」やスタイン五七七五号には董仲舒の「神符」がみえ、その呪術的力への期待は民間にも浸透していた。日本では九世紀後半から陰陽寮が『董仲舒祭書《とうちゅうじょさいしょ》』を典拠に高山祭《こうざんさい》や鬼気祭《ききさい》・火災祭《かさいさい》などの祭祀を行い、当該期に陰陽道が成立する機運を醸成したが、それ以前七世紀から「村々の祝部」の間で五行家説系の術法が行われていたのである。

また『隋書《ずいしょ》』芸術伝によると、『五行大義』の撰者として知られる蕭吉《しょうきち》は、東宮でしきりに鬼魅《きみ》・妖徴《ようちょう》が発生したさいに「桃湯《もものゆ》・葦火《あしのひ》」をもって邪気をはらい、壇を設け四門を作り、五帝《ごてい》（青・赤・黄・白・黒帝）の坐を設けて「謝土」＝土地神の祭祀を行って験《げん》あり、皇帝から賞賜されている。五行家による呪術実践の一端が知られるが、余欣はこのような土公・地神から厄難を避けるため五方・五帝土公を祀り解除する祭文「五土解」が『吐魯番出土文書《とるふぁんしゅつどもんじょ》』に見えること指摘している。[*14] 鎌倉時代の陰陽道の祭祀書『文肝抄《ぶんかんしょう》』によると、土公祭や堂塔地鎮《どうとうじちん》、井霊祭《いりょうさい》、厩鎮《うまやしづ》めなどの地鎮の祭祀では「神座五前」と記している。五座とは室町期の『祭文部類《さいもんぶるい》』所収の土公祭祭文に東南西北中央の五方土公神に謹請《きんぜい》するとあるように、地鎮系の陰陽道祭祀は五行家の祭法を受け継ぐものであった。『正倉院文書《しょうそういんもんじょ》』から天平宝字六年（七六二）以降、陰陽師はしばしば石山院などで寺地の鎮祭を行っていたことが知られるが、これも五行家系統の地神鎮《しづ》めと考えられる。祓の呪術でも「長屋王家木簡《ながやおうけ》」に「各兄麻呂《ろくのえまろ》」（『正倉院文書』「官人考試帳」にみえる陰陽博士觮《ろく》兄麻呂のこととされる）が長屋王家で「厭《えん》」＝祓《はらえ》を行ったと解される資料があり、[*15] これも五行家の法であった可能性が考えられよう。

陰陽道は陰陽寮の術数に関する職務をもとに、九世紀後半に五行家・道家系の個別祭祀を本格的に取り込み、貴族支配層の占術への依存と暦日・方角神の禁忌意識の高まりのなかで呪術宗教として成立するが、すでに七世紀には「村々の祝部」の間で董仲舒系の祈雨法が行われ、出土資料から中国の民俗信仰・道教にかかわる呪符信仰が畿内・地方へ広がっていたことが知られるのである。それらがとくに占者・巫覡《ふげき》や民間陰陽師の活動の知識・技能の基盤となったと考えられるが、それとともに宗教文化が広く社会基盤の上に形成されるものであることを考慮すれば、呪術宗教としての陰陽道の成立も攘災を願う呪術・呪符文化の幅広い定着の上に成し遂げられたものということができるであろう。

注

1 増尾伸一郎「中国・朝鮮文化の伝来」、『日本古代の典籍と宗教文化』吉川弘文館、二〇一五年、初出は二〇一〇年。
2 王育成「桑津遺跡の道教木簡について」、『大阪市文化財論集』大阪市文化財協会、一九九四年。
3 増尾伸一郎「〈天罡〉呪符の成立」、『道教と中国撰述仏典』汲古書院、二〇一七年、初出は一九八四年。
4 大野裕司『戦国秦漢出土術数文献の基礎的研究』北海道大学出版会、二〇一四年。
5 大形徹「二条大路木簡の呪文」、『木簡研究』18、一九九六年。

6　坂出祥伸「呪符の歴史—後漢末より魏晋南北朝まで」、大形徹・坂出祥伸・頼富本宏編『道教的密教的辟邪呪物の調査研究』ビイング・ネット・プレス、二〇〇五年。
7　松本浩一『中国の呪法』大修館書店、二〇〇一年、一四三頁以下。
8　平川南「墨書土器とその字形」、『墨書土器の研究』吉川弘文館、二〇〇〇年、初出は一九九一年。
9　高島英之「墨書村落祭祀論序説」、『出土文字資料と古代の東国』同成社、二〇一二年。
10　吉村正和『図説近代魔術』河出書房新社、二〇一三年。
11　松本栄一『敦煌画の研究』図像篇、同朋舎出版、一九八五年、附図一九二。
12　大野裕司、前掲注4書。
13　中国で行われた祈雨儀礼については水口幹記『渡航僧成尋、雨と祈る—『僧伝』が語る異文化の交錯—』（勉誠出版、二〇一三年）を参照。董仲舒の著作とされる『春秋繁露』巻十六「求雨」にも、季夏に十日間市を邑の南門の外に徙《うつ》し、五日間男子が市に入ることを禁止するとある。
14　余欣「中国中世における陰陽家の第一人者—蕭吉の学と術」、東アジア恠異学会編『怪異を媒介するもの』勉誠出版、二〇一五年。
15　櫛木謙周「長屋王家の宗教的習俗について」、『木簡研究』32、二〇一〇年。

〔追記〕古代の呪符木簡については本稿提出後に「日本古代の呪符文化」（水口幹記編『前近代東アジアにおける〈術数文化〉』アジア遊学244、勉誠出版、二〇二〇年）で整理・検討しているので参照されたい。

05 キリシタン文学と東アジア

キリシタン版の一側面

神田千里

1　はじめに——キリシタン文学『平家物語』『太平記抜書』

十六世紀から十七世紀前半にかけて日本でキリスト教の布教に従事していたイエズス会が、ヨーロッパから活字印刷機を導入し、いわゆるキリシタン版と呼ばれる活字の書籍を出版していたことはよく知られている。出版された書籍はキリスト教の教義書、日本の古典文学、漢籍に素材を取った『金句集《きんくしゅう》』、または『イソポ物語』等、さらには『日《にっ》葡辞書《ぽじしょ》』『日本大文典』『日本小文典』等の日本語研究の成果など多岐にわたっている。

ここで注目したいのはこのうち、天草版《あまくさ》『平家物語』（以下、『天草版平家』と略記）と『太平記抜書《ぬきがき》』である。筆者はいずれもイエズス会による改作を経た、キリシタン独自の思想、信仰、感情を表現した文学と考えたい。もちろん通説では、いずれも日本語学習を目的に出版されたものとされ、キリシタン文学として注目されてはいないように思われる。

確かに『天草版平家』の表題には「日本のことばとHistóriaを習ひ知らんと欲する人のために世話にやはらげたる平家の物語」[*1]と記されているし、ジョアン・ロドリゲス・ツヅ（一五六一？～一六三四年）の『日本小文典』では日本語学習の際に必要な「典雅な文体のゆえに日本人の間で高く評価されている古い古典作家の著述」のうち、『太平記』を

「もっとも荘重で高尚な文体」としている。[*2] さらに森田武によれば、『日葡辞書』の日本の文学作品からの例文引用は、『太平記《たいへいき》』から百五例と『平家物語』の七十九例、『舞の本』七十例に比較しても際立って多く、その後の高祖《こうそ》敏明の研究では、出典を明記しないものを含めれば百七十一例に上るという。[*3] この双方の刊行の背景に日本語学習上の必要性があったことは想像にたやすい。

にもかかわらず、これらをキリシタン文学の一つと考えるのは、すでにこれまでの研究で指摘されているように、双方共に『平家物語』『太平記』の原拠本に比較すると、一定の意図に沿った、少なからぬ本文の削除・改竄《かいざん》が、とくに日本の在来信仰にかかわる表現に多くみられ、イエズス会の立場から再構成がなされていることがうかがえるからである。しかも共にイエズス会の検閲と出版許可がテキスト中に明示されており、発信者としてのイエズス会の立場は明確である。なお『天草版平家』の著者を、序文を書いた不干《ふかん》ハビアン（一五六五〜一六二一年）とみる向きもあるが、これがイエズス会の検閲を経ていることが明記され、しかも当時のイエズス会におけるハビアンの地位が低い以上、ハビアンの著作とみることは妥当ではない。[*4]

2　信仰と道徳——削除・改竄の実態（一）

『天草版平家』の原拠本は百二十句本とされており、[*5] 本章では斯道《しどう》文庫本によりつつ削除・改竄の実態をみてみたい。『天草版平家』は、百二十句本から『平家物語』の著名な挿話が選ばれ、全四巻九十八章に編集されている。そしてすでに多くの論者が指摘しているように、そこでは日本在来の仏教や神道の観念に基づく表現を大幅に削除、改変されている。[*6] そのいくつかを例示してみよう。

屋島の合戦で那須与一《なすのよいち》が扇の的を射る有名な場面（十一・一〇二）では、那須与一が八幡大菩薩に祈ったところ、風が静まったと記述しているのに対し、『天草版平家』は風が静まらず、しばらく後に「風が少し静まり、扇射よげに見えた」（四・一七）と記す。また倶利伽羅谷《くりからだに》に向かう木曽義仲《きそよしなか》（一一五四?〜一一八四年）が、手書の覚明に八幡神社の願文を捧げさせたところ、雲の中から鳩が二羽飛来し源氏の白旗の上を舞ったという逸話（七・六三）は削除されている（三・三）。

一方『太平記抜書』は、原拠本とされる慶長八年古活字本[*7]（四十巻三百九十九章）を四十巻百四十八章につづめたものである。[*8] 原拠本と比較するとやはり同様の点がみられ、戦場に向かう人物の人名列挙の部分、戦闘の詳細な経緯・場面の描写部分が、おそらくあらすじを鮮明にするために削除されているほか、神仏による奇瑞が削除されており、高祖敏明は「本書に見られる省略（抜粋）のほとんどは、仏教の経の名前やその功徳、不動明王の擁護、仏教的因果応報の理、夢現、瑞光、江ノ島弁財天の霊験、熊野大権現の御告げ、八幡大菩薩への祈願」などとしている。[*9] これについてもいくつか例示してみよう。

後醍醐《ごだいご》天皇（一二八八～一三三九年）の「御謀叛」に加担したとの科《とが》で鎌倉幕府に捕縛され処刑された日野資朝《ひのすけとも》（一二九〇～一三三二年）の子阿新《くまわか》が、父の仇討を行い、山伏の助けを得て逃げおおせる挿話（巻第二「長崎新左衛門尉意見事付阿新殿事」）では、原拠本では阿新を助けた山伏の祈禱により沖にいた船が引き戻されて阿新は乗ることができ、無事逃げおおせたとする。一方、『太平記抜書』（以下、『抜書』と略記）では、この山伏の祈禱とその奇瑞が全部削除されている（巻第一第一三章）。

また後醍醐天皇女御で護良《もりよし》親王（一三〇八～一三三五年）母の「民部卿三位局」が、後醍醐天皇が隠岐《おき》に流罪になったことを悲しみ、京都の北野神社に参籠して祈ったところ、夢に北野天神が現れ、「廻りきて遂に澄むべき月影のしばし陰《くも》るを何歎くらん」との神託を得た挿話（巻第六「民部卿三位局御夢想事」）も、『抜書』では北野天神の利益を述べた部分が削除されている。

もちろんこうした奇瑞譚を全部削除すれば、『平家物語』『太平記』それ自体が成立しなくなるので、場合によっては描かれる奇瑞が「天道」の利益に帰せられている。たとえば富士川の戦いで源頼朝《みなもとのよりとも》（一一四七～一一九九年）が「これは全く頼朝が高名に非ず、偏《ひとえ》に八幡大菩薩の御計也」と述べる百二十句本（五・四八）に対し、『天草版平家』では

「これは全く頼朝が高名ではない：ひとへに天道の御計ひぢゃ」（二・一〇）とする。また先ほど見た日野資朝の子阿新のかかわる逸話では、逃亡を助けた山伏に遭うくだりを古活字本が「孝行の志を感じて、仏神擁護《おうご》の眸《まなじり》をや回らされけん、年老たる山臥一人行合たり」とするのに対し、『抜書』が「天道、孝行の志を感じて擁護の眸をや廻らされけん、年老たる山臥一人行合たり」としている。

「天道」はイエズス会の立場からもデウスと等値しうる観念とされていた。『日葡辞書』の「天道」の項には、「天の道、または天の秩序と摂理。以前は、この語で我々はデウスを呼ぶのが普通であった。けれども（その時にも）異教徒は（上記の）第一の意味（「天の道」）以上（のもの）に思い至っていたとは思われない」（筆者訳）と記されている。イエズス会に容認できる観念による改竄が施されている点、キリスト教化の試みがうかがえる。

3　遁世と歴史観――削除・改竄の実態（二）

しかし一方、日本人の伝統的宗教観念をそのまま記述している部分も、『天草版平家』にはみられる。鹿ケ谷《ししがたに》事件の際、藤原成経《ふじわらのなりつね》（?～一二〇二年）の助命を嘆願する平教盛《たいらののりもり》（一一二八～一一八五年）の言葉「今はただ身のいとまをくだされて出家入道して、高野・粉河にも籠りゐて、ひとすぢに後世菩提の勤めを営みまらせうず。……しかじ、うき世を厭うてまことの道に入らうずるには」（一・五）は原拠本ほぼそのまま（二・一五）である。同様に藤原成親《なりちか》（一一三八～一一七七年）の死を聞いた「北の方」が「様を変へ、かたのごとくとむらひなどをして、後世をとむらはれた」（一・八）も原拠本（二・一九）をほぼ踏襲しており、削除されているのは「北の方」が容貌も美しく性格もやさしく、成親との夫婦仲もよかったことを記し、「北の方」の女性的魅力を強調した部分である。

こうした女性の魅力にかかわる描写の削除は『抜書』にもみられ、日野資朝が催した無礼講で、参加者たちが美貌で膚の白い「十七、八なる女」二十人余りに単衣だけを着せて酌をさせたくだりでは、古活字本の「雪の膚《はだえ》すき通て、大液《たいえき》の芙蓉《ふよう》新に水を出たるに異ならず」（巻第一、「無礼講事付玄恵文談事」）という女性の描写は削除されている（巻第一

第六章）。

イエズス会宣教師は日本人の中にも「修道士」「修道女」がおり、それが悪魔によるキリスト教の宗教心の模倣であるとみていた。またイエズス会の教義本『コンテムツスムンヂ』巻第一には「この世を厭ひて、天の御国に志すこと最上の智恵なり」とあり、遁世を尊ぶ観念はイエズス会のそれと一致していたと思われる。*10

さらに往生を希求する宗教感情を示す部分も『天草版平家』にはほとんどそのまま収録されている。鬼界島《きかいがしま》で有王《ありおう》に遭えた俊寛《しゅんかん》が、「さのみながらへておのれに憂き目を見せうも」つらいことと思い切り、「ただひとへに弥陀の名号を唱へて、臨終正念《りんじゅうしょうねん》を祈られた」（一・一二）は原拠本ほぼそのまま（三・二六）である。このほか出家した仏御前《ほとけごぜん》に逢った祇王《ぎおう》の往生を希求する言葉（一・一）も、平通盛《みちもり》（一一五三？〜一一八四年）の「北の方」が往生をもとめて入水する際の往生を希求する言葉（四・一〇〈前〉）も原拠本のままである（祇王一・四、通盛の「北の方」九・九〇）。

往生の希求はイエズス会宣教師のものとされる『貴理師端往来』に「おの〳〵天道を存たてまつり、日夜朝暮御寺に参、後生をねがひ申べき事」*11とあり、イエズス会の容認する宗教心だったことは想像にたやすい。ただし往生を希求した者たちが「往生の素懐《そかい》を遂げた」とする記述はすべて削除されている。祇王・祇女《ぎじょ》とその母、および仏御前（一・一）も、平重衡《しげひら》（一一五七〜一一八五年）の死を聞いて出家した千手御前（四・一二）も、建礼門院《けんれいもんいん》（一一五五？〜一二一三？年）（四・二七）も原拠本の往生の素懐を遂げたとの記述はすべて削除されている。「誰一人「往生の素懐を遂げた」と語られた者はいない」*12のである。キリスト教信仰なしの救済はありえない、との信念によるものと思われる。出家遁世や往生の希求は最大限利用し、日本の神仏の霊験譚は削除・改竄した、イエズス会の価値観による、いわばもう一つの『平家物語』編纂の意図がうかがえる。

一方『抜書』も高祖敏明が指摘しているように「源平交代思想」という思想はそのまま活かされている。*13 イエズス会が『太平記』の源平交代史観を重視した点は『抜書』の巻第二第十章〈後〉にみられる。この部分は古活字本の北条氏の栄枯盛衰を述べた部分（巻第五・「時政参籠榎島事」）を基にしているが、古活字本に北条氏の栄枯盛衰のゆえんとして記された、江之島弁財天《えのしまべんざいてん》の北条時政《ほうじようときまさ》（一一三八〜一二一五年）に対する夢告を全面的に削除した上で、「時已に澆季《ぎようき》に及で、武家天下の権を執る事、源平両家の間に落て度々に及べり。然とも、天道必《かならず》盈《みてる》を虧《か》く故に、或は一代にして滅び、或は一世も待ずして失ぬ。今の高時禅門、已に七代を過、九代に及べり。されば亡べき時刻到来して、斯る不思議の振舞をもせられけるかと覚えける」の部分のみが『抜書』に収録されている。巻第二の中でも、際立って分量の少ない本章には源平交代思想の表明しかない。ほかにも削除された章は決して少なくない中で、江ノ島弁財天の奇瑞の消去により、極端に短く、何ら具体的事件のないものとなった本章をとくに一章として立てた理由は、源平交代思想を重視したとみるのが最も妥当であろう。

イエズス会自身が日本の歴史を源平交代の歴史と把握していた。ガスパル・コエリョ（一五三〇？〜一五九〇年）の一五八八年度年報には、「五百年前、源氏と平家と呼ばれる二つの公方の間で戦争——日本の大部分の史書が扱っている戦争である——がこの地域で勃発した。その時以来、今に至るまで内裏は、日本の支配権を剥奪されたままである」とあり、一五八八年二月二十日ルイス・フロイス（一五三二〜一五九七年）書翰には「五百年来、この地域（日本）では二人の主要な支配者の間で、日本の全統治行政が分割されるほどの戦争が勃発し、内裏はかつての輝きを失った」とある。「源平交代思想」はイエズス会にとって日本の歴史を理解する上で重要であり、神仏に関する記述を削除・改竄した、キリシタンにふさわしい『太平記』を編纂する上でも重要だったと思われる。

4 「日本人」の探求——『平家物語』『太平記』重視の背景

なぜ日本人の仏教的・神道的信仰感情を全面否定した上で、イエズス会は元の筋立て・枠組みをそのままにした、いわばキリシタン文学としての『平家物語』『太平記』を創造しようとしたのか。これら二作品が中世日本でいかに親しまれることが多かったかは、福田秀一の研究が多岐にわたって解明している。*14『平家物語』の一例として、宇治川《うじがわ》の合戦における佐々木高綱《ささきたかつな》（？〜一二一四年）・梶原景季《かじわらかげすえ》（一一六二〜一二〇〇年）の戦陣争いの場面があげられる。『多聞院日《たもんいんにっ》記《き》』には、この場面の絵画を描く記事がみえる（元亀二年四月八日条）。また戦国期の畿内の兵乱を描いた『不問《とわず》物語』は、六角四郎氏綱《ろっかくしろううじつな》が細川澄之《ほそかわすみゆき》を裏切り、澄之と覇権を争っていた澄元に寝返る場面を描き、これを皮肉る和歌として「高綱が面まで汚す四郎かな、誑《たら》すばかりか銭を盗みて」を京都で書かれた落書として記している。「高綱が面」を汚す、「誑す」「盗」むの三つの語が宇治川の先陣争いを喚起する。さらに『信長公記《しんちょうこうき》』は、元亀四年（一五七三）七月に、槙島《まきしま》城に籠城する足利義昭《あしかがよしあき》（一五三七〜一五九七年）を攻撃する織田信長（一五三四〜一五八二年）の軍勢の行動を描く中で、宇治川を渡る織田勢は「先例に任せ川上平等院の丑寅《うしとら》より、昔梶原と佐々木四郎先陣争つて渡られ候所」を渡ったとする（巻第六）。織田軍にもこの合戦は「先例」であった。*[15]

またイエズス会は『平家物語』を語る琵琶法師《びわほうし》を布教に起用しており、事実通常の語りの途中、折をみてキリスト教を説き、聴衆を感激の渦に巻き込んだ琵琶法師も存在したとルイス・フロイスは記している。*[16]琵琶法師の語りを通じた布教活動を管理するためには、まずイエズス会宣教師自身が『平家物語』に通暁する必要があったものと思われる。

『太平記』もまた当時の日本人に最も親しまれた作品であった。社会生活に必要な知識を参照する文献として『壒囊鈔』にも登場するほか、加美宏の指摘するように南北朝動乱の正史であるかのように見なされ、宴席や、寺院で開催される談義の後に、さらには戦国武将たちの戦陣において読まれていた。とくに戦国武将の間で愛好され、注釈・研究も行われ、嫁ぐ娘の嫁入り道具としても書写された。*[17]

また、十六世紀後半の人々が源平交代思想に基づき、平重盛（一一三八〜七九年）の後裔と見なされていた織田信長が、源氏の足利義昭に代わり天下を掌握するだろうと想定していたことは二つの史料から知られる。第一は『多聞院日記』に記された三河国桑子明眼寺（現・妙源寺）の僧可心の逸話である。可心は天下を掌握するはずの信長に聖徳太子が熱田社に奉納された剣を与えると述べた夢告を得て信長に言上し、信長もまたその夢をみたと告白し、天下掌握の暁には明眼寺を再興しようと約束したという（『多聞院日記』天正十年三月二十三日条）。熱田の剣は、『平家物語』「物怪の沙汰」にみられる、八幡神が平清盛から取り上げて源頼朝にわたそうと言ったという逸話の太刀、すなわち統治の象徴を指すものと思われる。

第二には兎庵という僧が天正元年九月、京都から美濃国岐阜へ和歌を詠みつつ旅行した旅行記『美濃路紀行《みのじきこう》』である。ここではこの旅行記の著者が縁ある尼の寺院に安置されていた源義家（一〇三九～一一〇六年）の像をみて、「源家の権柄《けんぺい》も漸々その勢の衰へぬべき時もや廻り来にけむ」と感じる一方、「小松の大臣第二の後胤」である信長に「天が下信公に靡かぬ草木もなき有様」を見て、「暑往寒来《しょおうかんらい》の理《ことわり》にて今四百年の後立ち返り、平氏の再び栄うべき世にや」との感慨を得たという逸話が記されている（『続群書類従』十八下）。

『平家物語』と『太平記』、この二つへの通暁なくして日本人の知性、情緒、信心等を理解することは不可能であるとイエズス会は考えていたと思われる。わざわざ『平家物語』を当時の現代語に直したり、当時流布していた古活字本を利用しつつ、そのイエズス会版を製作した努力はこうした意図から理解することができる。しかし、キリスト教布教のためには、この双方に染みついている「異教」の文化は取り除かなくてはならない。キリスト教化した日本人のあり方をいかに追求すべきか。『天草版平家』と『抜書』の制作は、こうした試みに深くかかわるものであったように思われる。

注

1 テキストはローマ字で書かれているが、亀井高孝・阪田雪子氏により『ハビアン抄・キリシタン版平家物語』（吉川弘文館、一九六五年）として、漢字仮名交り文に翻刻されており、以下同書の引用は原則的にこれによる。
2 日埜博司編訳『日本小文典』新人物往来社、一九九三年、三六～三八頁。
3 森田武「日葡辞書の太平記引用について」（土井先生頌寿記念論文集刊行会編『国語史への道』上、三省堂、一九八一年）、高祖敏明『キリシタン版太平記抜書』三（教文館、二〇〇九年、二一五頁）。
4 神田千里「天草版『平家物語』成立の背景について」、『文学』二〇一二年九月・十月号。
5 『天草版平家』の原拠本に関する研究は多いが、本章では近藤政美の研究による（『天草版『平家物語』の原拠本、および語彙・

語法の研究』和泉書院、二〇〇八年)。

6 たとえば市井外喜子『天草版平家物語私考』新典社、二〇〇〇年。

7 『太平記抜書』の原拠本については、原田福次「きりしたん版「太平記抜書」の底本について」(野田寿雄教授退官記念論文集刊行会編『野田教授退官記念 日本文学新見―研究と史料』笠間書院、一九七六年)による。なお神田千里『宣教師と『太平記』』(集英社、二〇一七年、六頁)参照のこと。慶長八年古活字本の引用は後藤丹治他校注『太平記』(岩波日本古典文学大系、一九六〇~六二年)により、『太平記抜書』の引用は、高祖敏明校注『キリシタン版太平記抜書』一~三(教文館、二〇〇七~二〇〇九年)による。

8 高祖前掲書(注7)一、「解題・解説」。

9 高祖前掲書(注7)一、「解題・解説」。

10 前掲(注4)神田千里「天草版『平家物語』成立の背景について」。

11 『貴理師端往来』は土井忠生『吉利支丹文献考』(三省堂、一九六三年)より引用。

12 玉懸洋子「天草版平家物語論(一)―後生を願う人々」、『佛教大学大学院紀要』文学研究科編37、二〇〇九年。

13 高祖前掲書(注7に同じ)一、「解題・解説」。

14 福田秀一「平家物語享受史年表」(中世)(高木市之助ほか編『平家物語』増補国語国文学研究史大成九、三省堂、一九六〇年、増補一九七七年)、同「太平記享受史年表 中世」(日本文学研究資料刊行会編『戦記文学―保元物語・平治物語・太平記』有精堂、一九七四年、初出一九六四年)。

15 前掲(注7)、神田千里『宣教師と『太平記』』参照。

16 前掲(注4)神田千里「天草版『平家物語』成立の背景について」。

17 加美宏『太平記享受史論考』(桜風社、一九八五年)、なお前掲(注7)神田千里『宣教師と『太平記』』参照のこと。

06

韓国の壇君神話と檀君神話

張 哲俊

1 壇君神話と檀君神話の文献

「檀君神話《だんくんしんわ》」というとき、檀君神話と表記する場合と、壇君神話と表記する場合の二通りがある。檀と壇とは漢字が異なり、そこに含まれる内容もまったく違う。古代から現在にいたるさまざまな文献や研究著作はほとんど檀君神話と表記していて、檀君神話が標準的な表記になっている。壇君神話と表記する文献や著作がないとはいえないが、そのような例はめったに見えない。そうしたなか、李氏朝鮮の文人申景濬《しんけいじゅん》（一七五六年）は「按《三国遺事《さんごくいじ》》神檀作神壇，檀君作壇君，蓋《三国遺事》東方始出之史，而以神字観之，壇壝之壇較是矣」*1と記し、壇君に作る表記の存在を強調した。『三国遺事』と『帝王韻紀《ていおういんき》』は最初に壇君神話を記録した文献だが、『三国遺事』は壇君と壇樹と記して、『帝王韻紀』は檀君と檀樹と記した。二つの文献の差異は一つの漢字の違いのみであり、大きな問題ではないようにみえる。けれども、漢字の意味はまったく異なるので、やはりこれは大事な問題だと思う。檀君かそれとも壇君か、果たして一体どちらが正しいのだろうか。たしかに檀と壇の字形は似ているので、書き誤る可能性も高く、書き誤りであれば校勘《こうかん》を行って処理すればいいということになる。しかし、この字の問題は校勘のみによって明らかにすることができるものではなく、さらに広い面から研究していかねばならないと思う。一字の漢字の違いによって、この神話が有する信仰はまったく異なる意味をもつものとなり、神話の基本的な内容も変わるばかりでなく、この神話の要素が形成された時期も異なることとなる。壇君と壇樹は神壇にかかわる信仰で、神壇の歴史とも関係がある。檀君と檀樹は神木の信仰で、木の種類と神木の歴史と関係がある。それでは、本来のテキストの表記は壇君と壇木だったのだろうか、それとも檀君と檀樹だったのだろうか。あるいは、壇君と壇木が先に現れたのだろうか、それとも檀君と檀樹が先に現れたのだろうか。この一漢字の変化がこの神話にどのような性質の変化をもたらすかということは重要な問題だと思う。

現存の文献から見ると、壇君と壇木とあるのが早い時期の表記で、檀君と檀木は遅い時期に現れる表記だ。その理由は以下のとおりだ。

1、『三国遺事』と『帝王韻紀』はほぼ同じ時代の文献だが、『三国遺事』は『帝王韻紀』よりもすこし早く成立している。『三国遺事』は一然《いちねん》（一二〇六～一二八九年）の晩年の作品で、おもに一二七〇年代の後半から一二八九年にかけて撰述され、一然の死後、弟子の無極《むきょく》が一部を加筆した。李承休《りしょうきゅう》（一二二四～一三〇〇年）の『帝王韻紀』は一二八七年の成立で、一三六〇年と一四一三年に重刊された。上にあげた年代から見れば、李承休の『帝王韻紀』の成立は『三国遺事』より早いが、『帝王韻紀』は長い作品ではなく二巻しかなく、一方の『三国遺事』は大部の作品で、一然はこれを少なくとも十年の時間をかけて撰述したので、『三国遺事』の記録の方が『帝王韻紀』より早いものだといえる。

2、一然の『三国遺事』と王沈《おうしん》の『魏書《ぎしょ》』の関係。『三国遺事』よりも以前に壇君神話を記録した文献がないという見解は現在の定説であり、また、この定説を基礎としてさまざまな研究がなされていることも壇君神話を否定する主な根拠となっている。しかし、この定説は正確なものとはいえない。十三世紀以前に壇君神話を記録した文献が存在するからだ。その文献は『三国遺事』に引用されている『魏書』だ。『魏書』といえば、二十四史の一である魏収《ぎしゅう》の『魏書』が思い起こされるだろうが、魏収の『魏書』には檀君神話は記録されていない。従ってこれまで、一然が引用する『魏書』についてはあまり重視されなかった。しかし、一然が引用した『魏書』は彼自身が作ったものなどではなく、また、魏収の『魏書』でもなく、じつは王沈の『魏書』である。*2 中国の歴史上、『魏書』という書名の本は多く存在するが、十三世紀以前には『魏書』という本は一つしかない、それは王沈の『魏書』であり、ほかの『魏書』は『後魏書』などと呼ばれる。このことは次の文献によって証明することができる。

第一、官修正史の記録。『隋書《ずいしょ》』経籍志《けいせきし》は文献目録学の重要な著作だが、『隋書』経籍志に著録された『魏書』は王沈の『魏書』だけだ。魏収の『魏書』は『後魏書』と著録されている。『隋書』経籍志の後の資料はすべてこの記載に従い、『新唐書《しんとうじょ》』芸文志《げいもんし》には、王沈『魏書』、魏収『後魏書』、魏澹《ぎたん》『後魏書』一百七巻、張大素《ちょうたいそ》『後魏書』一百巻、『元魏書』三十巻（字適之，大中江陵少尹［裴安時《はいあんじ》は字が適之で、唐の大中の年間に江陵の少尹だ］）、梁祚《りょうさく》「魏書国紀」十巻などが著録されている。また『通志略』芸文略第三には、『魏書』四十八巻（晋司空王沈《しくうおうしん》撰）、『後魏書』一百三十巻（後齊《こうさい》僕射《ぼくや》魏収《ぎしゅ》撰）、『後魏書』一百巻（隋著作郎《ずいちょさくろう》魏彦深《ぎげんしん》撰）、『後魏書』一百巻（張太素《ちょうたいそ》撰。「天文志」二巻）、『元魏書』三十巻（裴安時撰）などが著録され、『宋史』芸文志や、司馬光《しばこう》の『資治通鑑考異《しじつがんこうい》』巻三も魏収の『魏書』を『後魏書』と記載している。

第二、専門の目録学書の記録。『崇文総目《すうぶんそうもく》』巻三、南宋の晁公武《ちょうこうぶ》『郡斎読書志《ぐんさいどくしょし》』巻五、南宋の陳振孫《ちんしんそん》『直斎書録解題《ちょくさいしょろくかいだい》』巻四などは魏収の『魏書』を『後魏書』と著録している。北魏は後魏であり、魏とは称さないので、魏収の『魏書』を『後魏書』とするのは正しい。魏収の『後魏書』を『魏書』とするようになるのは、王沈の『魏書』と魏収以外の『後魏書』が亡佚《ぼういつ》したため、前と後と表記することもなくなり、魏収の『後魏書』をただ『魏書』と呼ぶようになったのだろう。以上の文献によると、『魏書』は本来は一つしかなかったのであり、それは王沈の『魏書』だ。王沈の『魏書』の巻数については記載がそれぞれ異なり、『隋書』経籍志は「魏書四十八巻（晋司空王沈撰）」、『旧唐書《くとうじょ》』経籍志は「魏書四十四巻（王沈撰）」、『新唐書』芸文志は「王沈魏書四十七巻」と著録している。このように巻数が異なるのは、王沈撰以外の『魏書』があるということではなく、すべての文献は『魏書』の作者は王沈と記しているので、これらは同じ『魏書』でありながら、テキストが異なるものを指すのだろう。

第三、一然が直接王沈の『魏書』を目睹した可能性。一然は『三国遺事』の執筆に際して、王沈の『魏書』を読み直接引用した可能性がある。一然の生存年代には、王沈の『魏書』はまだ散佚《さんいつ》してはいない。曹公武の『郡斎読書志』は中国の現存の目録学の著作のなかでは、最も早い私蔵書の目録であり、そこに著録されているのは彼自身が所蔵した書物だから、王沈の『魏書』は十二世紀末期にはまだ亡佚してはいない。また、陳振孫の『直斎書録題解』も王沈の『魏書』を著録している。そうすると十三世紀の中後期にもまだ王沈の『魏書』は伝存していたことになる。このような記録からみると、一然が『三国遺事』を撰述する際に、王沈の『魏書』を読んだ可能性はあると思う。[*3]

一然が引用した『魏書』は王沈の『魏書』だから、魏収の『後魏書』に壇君神話を探してもそこにはない。『三国遺事』は明確に『魏書』と『後魏書』を区別し、一然は王沈の『魏書』と『後魏書』とをはっきりと別のものとしていた。一然は王沈の『魏書』を引証するばかりでなく、『後魏書』も引用している。『三国遺事』巻一の靺鞨伝《まつかつでん》に「『後魏書』靺鞨作勿吉《もっきつ》」[*4]と靺鞨を勿吉と記載した。これは一然による記述だが、その内容は『後魏書』によって証明することができる。魏収の『後魏書』は北齊の成立だから、靺鞨という記述はない。靺鞨は隋唐時期の国家で、隋唐時期の文献から現れはじめるからだ。南北朝期に勿吉と称されたものが靺鞨の前の国家だ。一然は『後魏書』が靺鞨を勿吉と表記していると述べているが、魏収の『後魏書』には勿吉についての記載が確かにある。一然が指す『後魏書』がほかの『後魏書』を指す可能性もあるが、ほかの『後魏書』は後世散佚してしまうので、一然は魏収の『後魏書』を読んだ可能性が高いといえる。一然は明確に『魏書』と『後魏書』を区別し、引用しているのであり、壇君朝鮮を記録した『魏書』は王沈の『魏書』なのだ。

一然が引用した『魏書』が王沈の『魏書』ということになると、王沈の生存年代と『魏書』の成立年代が大切な問題となる。王沈は魏から晋に渡った文人で、『晋書』には伝記がある。王沈の『魏書』は歴史の事実をそのままに記録しなかったので、『三国志』よりも価値が低いと評価されたこと、これが『魏書』がついに散佚してしまった原因だろう。『魏書』が歴史の事実をそのままに記録できなかった原因は、王沈が魏当時の人であるため、客観的に歴史を記せなかったことにある。しかし、魏以外の国家については、さまざまな複雑な関係もないので、事実のとおりに記すことができる。王沈の『魏書』そのものは現存しないが、宋代以前の文献にはしばしば引用されている。たとえば裴《はい》松之《しょうし》の『三国志』の注釈、『文選《もんぜん》』『水経注《すいけいちゅう》』『初学記《しょがくき》』『太平御覧《たいへいぎょらん》』『冊府元亀《さつぷげんき》』などにも引用され、その価値を十分に発揮している。

王沈は魏の末期、晋（二六五～三一六年）の初期の文人であり、『魏書』が成立したのは三世紀の中期だろう。王沈の生卒は不詳だが、清代の厳可均《げんかきん》は王沈の『魏書』は嘉平年間（二四九～二五四年）に成立したものではないとしている。

案：《魏書》王沈撰。沈卒於晋泰始二年、恕卒於嘉平四年、《魏書》之成、未必在嘉平前、則《敍伝》晋人編附。

という厳可均の意見は認めることができるが、『魏書』は王沈が書き、王沈は二六七年（晋の泰始二年）に死んだという記載によると、『魏書』は二六七年の前に完成したであろう。『魏書』の『敍伝』の作者は二五二年（嘉平四年）に死んだから、嘉平年間のまえに成立したと主張した。実はどの時間を基準にしても、壇君神話を最初に記録したのは十三世紀の『三国遺事』ではなく、三世紀の『魏書』となり、三世紀に初めて壇君神話を記録した結論は変わらない。これは壇君神話の研究にとってはきわめて重要な問題で、壇君神話の基本的な見解はこれによって変わることとなる。

しかし、ここに解決しなければならない問題が一つある。それは、一然の引用が信頼するに足るものかどうかという問題だが、その問題は簡単に解決することができない。王沈の『魏書』はすでに散佚しており、王沈の『魏書』が壇君神話を記録していたかどうかを直接調べることはできない。もし『三国遺事』のほかに、別の典籍にも『魏書』の同じ記載が引用されているのであれば、『三国遺事』の引用を証明することができるが、古代の文人にとって壇君神話は重要な記述だと認識されることがなかったため、繰り返し転載された可能性はきわめて低い。[*6] 一然『三国遺事』の引用は唯一の記載であるため、その信頼性を完全に証明することは無理だと思われるかもしれない。しかし、実はそうでもない。

一然の引用の信頼性は、以下の方面から証明することができると思う。引用の内容と歴史事実の関係があう。『魏書』が記す内容は三世紀の歴史状況にかなっており、歴史に合わない記載は一つもない。

「魏書」云：乃往二千載有壇君王倹，立都阿斯達，開国号朝鮮，与高同時。「古記」云：昔有桓因，庶子桓雄。……*7

これは壇君神話の冒頭の文章で、二千年まえに壇君は阿斯達を首都にし、国名を朝鮮と称し、帝堯《ていぎょう》と同じ時代だと一然は初めに王沈の『魏書』を引用している。上に見えるのは引用文冒頭に用いられる特別な書き方で、書名とともに文章を引用して書き始めるのは作者が引用の文章を重視しているためだと考えられる。一然にとって『魏書』の記載は大事な発見だったのだろう。実は『魏書』の記載がその当時の事実に合うことは、次の面から検証することができる。

まず、王沈の『魏書』によると、壇君は阿斯達《あしたつ》を首都にしたとあるが、もう一つの首都名の平壌《ペンヤン》は記されていない。三世紀の平壌の地の名は王険で、王険はすなわち王倹であり、『魏書』の「壇君王倹」という記載から見ると、王険という地名が王倹と変わったのだと考えられる。もし『魏書』に平壌の地名が現れていたら、『魏書』の記載を信頼することはできないが、『魏書』に平壌の地名が現れないことによって、この資料は信頼することができるわけである。

檀君と檀木と表記される場合は木の種類と分布を考えなければならない。壇木には三種類あるが、*8一番多くみえるのは香りがある檀木だから、檀木について検討したいと思う。香りがある檀木（白檀と紫檀）の分布状況からみると、壇君神話の樹は壇樹で、檀木ではない。檀木は貴重な木で、中国古代文献には檀木についての記載が少なくないが、『本草綱目』にも檀木の分布に関する記載がある。

集解：蔵器曰：白檀出海南。樹如檀。恭曰：紫真檀出昆侖盤盤国。雖不生中華，人間遍有之。頌曰：檀香有数種，黄、白、紫之異，今人盛用之。江淮、河朔所生檀木，即其類，但不香爾。時珍曰：按《大明一統志》云：檀香出広東、雲南，及占城、真臘、爪哇、渤泥、暹邏、三仏斉、回回等国。今嶺南諸地亦皆有之。樹、葉皆似荔枝，皮青色而滑澤。*9

檀木には二種類あるが、一つは河朔《かさく》の檀木で、香りがなく、弓を作る材料だ。*10もう一種は香りがある檀木、すなわちビャクタン、紫檀などの類だ。『本草綱目』の記載によると、ビャクタンは海南にあり、紫真檀は昆侖盤盤国《こんろんばんばんこく》（古代南海古国の名で、現在は泰国の南方のあたり）にあり、中国にはないけれども、ほかのところには生える。『大明一統志』は中国の広東《カントン》、海南《かいなん》、雲南《うんなん》などのところにあると記載したが、全部中国の一番南のところだ。現在の植物学の書物によると、檀木の学名はPerocarpus sanalinus L.fで、分布についても明確に記載されている。「地球の熱帯地域に分布し、わが国（中国）には一種類がある。[*11]」とかかれ、具体的には熱帯と亜熱帯のインド、インドネシア、マレシア、タイ、ベトナム、フィリピンなどの国とアフリカ、アメリカなどに育つ。上原敬二はインド南地方を檀木の原産地とし、マレーシア、ハワイに半自生の檀樹があると述べている。[*12]檀木は中国の東北や朝鮮半島の原産木ではなく、そのことは檀木が壇君神話の原始的な要素ではないことを証明するものではないかと思う。

2　壇樹の歴史

壇樹は東アジアに普遍的に存在するもので、塹星壇《ざんせいだん》【図1】は壇君神話にかかわる神壇で、壇君祭天台ともいわれる。塹星壇は江華島《こうかどう》摩尼《まに》山頂の西北にあり、ここは壇君が天を祭った神壇だという伝説がある。この神壇は壇紀五十四年（西元前二二七九）に作られたそうだ。

有摩利山（在府南、山頂有塹星壇、世伝檀君祭天壇。）伝灯山（一名三郎城、世伝檀君使三子築之。[*13]）

今江華県南摩尼山頂有塹星壇、諺伝檀君祭天処。伝灯山有三郎城、亦伝檀君命三子而築之。[*14]

この記載によると、江華島の摩尼山の山頂に塹星壇があり、壇君が天を祭るところだといわれ、また伝灯山《でんとうさん》があるが、三郎城《さんろうじょう》とも呼ばれ、壇君は息子を派遣して建造した。塹星壇はすでに四千年以上の歴史があることになるが、これは事実ではないだろう。しかし、塹星壇がいつ建てられたのかは不明ではあるものの、『三国遺事』の成立以前に存在したことは確かな事実であり、塹星壇は『三国遺事』の影響を受けて建てられたものではないので、これは信頼ができる物質証拠として、研究の根拠としても問題はない。高麗の高宗は三郎城で祭祀を行う。

高宗（在位一二一四～一二五九年）末、補郎将王在江都、嘗問延基之地、勝賢曰、願幸穴口寺談揚「法華経」，又刱闕於三郎城、以試其験！……景瑜等不得已曰、勝賢之言、雖不可信、姑試之。於是命営仮闕於三郎城及神泥洞。[*15]

高宗の末期、延基の場所を討論するときに、白勝賢《はくしょうけん》は高宗が穴口寺へ行き、『法華経』を読み、三郎城で宮殿を作ろうと推薦した。景瑜《けいゆう》などは白勝賢の話は信じにくいけれども、宮殿を建築して『法華経』の話は事実かどうかを試してもいいだろうと主張したから、三郎城と神泥洞で宮殿を建築した。白勝賢が三郎城で延基の地を選び宮殿を造ると主張した理由は、三郎城と壇君神話とに関係があるからだ。塹星壇は壇君の息子三郎が建てたと伝えられている。この説は言うまでもなく伝説だが、高宗時期には塹星壇があったことがわかる。また高宗は摩尼山の南にも離宮を建てた。

図１　摩尼山塹星壇（江華島）[*16]

　塹星壇の存在は、壇君神話が檀君神話ではないことを証明する。熊女は神壇と壇樹で祈禱を行い、檀樹の下で祈禱したのではない。塹星壇の存在からすると、壇君神話は高麗時期にすでに相当に流行していたことが知られ、高麗の国王もここに離宮を建てているが、『三国遺事』の前に壇君神話が庶民の間でも流行していただろう。塹星壇は『三国遺事』より以前に具体的事物の形式で壇君神話の「壇」を解釈したものだと思う。塹星壇の構造と特徴が壇君神話と合致するものかどうかということは壇君神話の「壇」を証明する一つの根拠となる。塹星壇は神壇と壇樹によって構成されており、壇君神話と同じだと考えられる。

　それでは神壇の歴史は何時までさかのぼることができるか、東アジアの神壇の歴史はきわめて古い時代から始まる。文献における記録によると三皇五帝の時代から始められたとされる。

左氏注曰、除地為墠、築土為壇。《書・金縢》：武王有疾、周公為三壇同墠。《黄帝内伝》乃有築壇墠事、是為其制、起自黄帝。[17]

『左伝』の注によると、土を積み重ねて壇を建てる。『尚書《しょうしょ》』金縢には武王が病気にかかった時に、周公《しゅうこう》は三壇をつくった。『黄帝内伝《こうていないでん》』は土を積み重ねて壇を作る制度は黄帝の時代から始まると同様の記載がある。考古調査の発見によると、壇の歴史は文献に記録された時間よりもさかのぼり、すくなくとも五千五百年以前から神壇が形成されていたとされる。紅山《こうざん》文化は新石器時代の遺跡で、一九七九年遼寧朝陽《ちょうよう》の東山嘴《とうさんし》の遺跡で小さな円壇が発見された。また、牛河梁《ぎゅうかりょう》遺跡の祭壇はさらに重要な発見で、学会に大きな反響を起こした。

紅山文化の祭壇に壇樹があるかどうかはわからないが、紅山文化の墓と壇を一体に作る構造は文献の記載にもよく見られる。晋代の嵇含《きがん》「長生樹賦《ちょうせいきぶ》」に、

祇奉慈令、遂家於墳左、掃除壇封、種植松柏。松柏之下、不滋非類之草，猥有長生育於域内、豈老母至行表徵於嘉木哉！[18]

とある。お墓の左に家を作り、壇を掃除し、松と柏を植えた。松と柏のしたに、よくない草が生えないようにし、長生することができるものだけはその周りに生え、年寄りの母親の素晴らしい徳性がその嘉木から現れる。これは母親の墓を描写する文章で、墓には祭壇と壇樹があり、松と柏が壇樹だ。このような構造は紅山文化と要素が類似していることが確認できる。

中国の先秦文献における壇樹の記録は、たとえば『尚書』に「大社唯松、東社唯柏、南社唯梓、西社唯栗、北社唯槐」[19]とある。社は社稷《しゃしょく》で、大社は松だけ、東社は柏だけ、南社は梓だけ、西者は栗だけ、北社は槐だけを植える。松、柏などの木は社稷の壇木だ。君王の社は大社で、東西南北の社に植えた木はこれとは異なる。『周礼《しゅらい》』に記載された壇木は松、柏、栗などで、『論語』には「夏後氏以松、殷人以柏、周人以栗」[20]とあり、夏朝は松、商朝は柏、周朝は栗を社木にし、ここに記される木は大社の木だ。『論語』の記載によると、夏の時代にすでに壇樹の制度があり、夏朝の壇樹は松だった。壇樹の木の種類には規定はなく、その土地に合う木ならばどのような木でもよいが、よく見られる壇

樹の種類は松、柏、栗、柳、楡《ゆう》などで、これらの木は朝鮮半島にもよく見られる木だ。壇木において、木の種類は重要なことではない。『泰泉郷礼《たいせんきょうれい》』には次の記載がある。

凡城郭坊廂以及郷村，毎百家立一社，築土為壇，樹以土所宜木，以石為主。立二牌位，以祀五土、五穀之神。設社祝一人掌之。*21

すべての都市、町および村は百家に一つの社を作り、土を積み重ねて壇を建て、その土に相応しい木を植え、土の神と穀の神をまつり、社を管理する社祝を一人設けた。壇は石を主たる材料として造り、壇木は木の種類の規則はないと記されている。壇木を植える一つの目的は天神が壇木に降るためだ。

問：〝古者各樹其所宜木以為社，不知以木造主，還便以樹為社主？〟朱子曰：〝看古人意思，只以樹為社主，使神依焉，如今人説神樹之類。*22〟

朱熹《しゅき》の言によると、社は樹を中心にするが、天神は樹から降りてきて、樹に付かれた存在するから、実は神樹だとある。

為壇壝宮棘門：築土為壇，於其中委壝土起堳埒為宮周其外，而以棘為門，所以待合諸侯，而命事必為壇者，所以致其亶先王所以交神人者，皆質実以垣壇効此焉。*23

古代の人は土を積み重ねて壇を建て、その周りに低い壁で囲み、木で門を作る。そのところで諸侯と会い、古代の人は重要なことがらは必ず神壇において天神と交信してから決めた。壇樹の性質と機能からみると、文献に記録された壇木と壇君神話の壇木はぴたりと合致する。壇君神話の桓雄は天神をつれて神壇樹に降りて、太伯山の山頂にやってきた。熊は壇樹に祈禱して女に変じ、また壇樹に祈禱して息子を産んだ。神と人とが交流する場が壇樹だ。先秦時代以来の壇木の性質と機能は壇君神話のストーリーと壇木が形成される条件なのであり、東アジアの壇木の歴史は壇君神話と壇木とを形成する可能性を提供する。

壇君神話の壇樹は天神が降りる場所というだけではなく、また国王王倹のシンボルでもあり、壇君という名前を生み、国家も壇君朝鮮と呼ばれたので、壇木は国君と国家の象徴となった。東アジアの古代社会において、神壇と壇樹は君王と諸侯、大夫の象徴であり、壇の主人を示すものだ。それは田主《でんしゅ》ともいわれ、田神の主を意味する。

又於廟門之屛、設勝国之社稷。其社稷外、皆有壝埒於四面也。云、而樹之田主，者，謂籍田之内、依樹木而為田主、云各以其野之所宜木者、王之田主唯一而已[24]。

廟の門の外に社稷を設けるが、社稷の外には低い壁で四方を囲む。田主として植える樹は天子か諸侯かの田に植えた樹で、春に種まく前に儀式のために植えたので、各ところに生えることができる樹ならばいいが、この樹は唯一の王の田主だ。そのほかに、田主の名も木の種類によってつけるが、この名前をつける方法は壇君神話と同じだ。

而弁其邦国都鄙之数、制其畿疆而溝封之、設其社稷之壝而樹之田主、各以其野之所宜木、遂以名其社与其野。

（……溝、穿地為阻固也。封、起土界也。社稷、後土及田正之神。壝、壇与堳埒也。田主、田神後土田正之所依也。詩人謂之田祖、所宜木、謂若松、柏、栗也。若以松為社者、則名松社之[25]。）

国の広さは境界線の溝で表示し、社稷の低い壁を建て、田主の樹を植え、そのところに適当な樹を選び、田神はその樹に付き、詩人はその樹を田祖といわれ、その適当な樹は松、柏、栗で、松を植えるなら、松社と言われる。このような内容から見れば、壇木は国王や諸侯のシンボルで、彼らの偉大な業績を象徴するということだ。班固《はんこ》『白虎通《びゃっこつう》』には「社稷所以有樹何？　尊而識之、使民人望見師敬之、又所以表功也。故《周官》曰、司社而樹之、各以土地所生[26]」とある。社稷はどうして樹を植えるかというと、庶民はその樹から国王や諸侯を知り、彼らを学び、尊敬し、その樹は彼らの功績を宣伝する。だから、その土地に生える樹を選んで植え、壇木の木の種類によって社稷の名とすることだ。壇木が松ならば松社《しょうしゃ》と名前をつけ、柏ならば柏社《はくしゃ》と名付ける。宋陳祥道《ちんしょうとう》の『礼書《れいしょ》』にも「陳氏曰、後世宋有櫟社、豊有枌楡社。先儒謂諸侯社、皆立樹以為主、以象其神。大夫以下、但各以地之所宜木立之，於義或然[27]」とある。宋は櫟社《がくしゃ》があり、豊は枌楡社《ふんゆうしゃ》がある。先秦時代の儒者は諸侯社の樹を重視し、神を象徴するからだ。大夫以下の人は各地に適当な樹を植えることは同じ道理によってやるが、このような制度が先秦時代から存するのだ。

李氏朝鮮時期の文人李《り》衡祥《こうしょう》も塹星壇の木を壇樹として理解し、壇君朝鮮の国家と王権のシンボルと解釈した。

> 在摩尼山上頂、世伝檀君祭天処、我朝仍高麗之旧、醮星於此、而設帳於壇上、且無木主。只以紙榜書四上帝位号、下壇設星官九十餘位、祭畢焚之。春秋行祭時、昭格署官員、前期四十日下来、醸酒以素饌行之。此渉於道家事、而蜚名山等例也。壬辰後中仁祖十六年戊寅、礼曹啓、下行關使之、依前致祭。*[28]

摩尼山の山頂は檀君が天を祭るところで、これは高麗の古い制度で、ここにテントを張ったが、その樹は主人がない。下の壇に紙に上帝の名前を書き、九十名以上の星官の位置を設け、祭る儀式が終わると、全部焼いてしまう。春と秋に祭る儀式を開催するときに、各部門の官員は四十日前にきて、道教の儀式をやり、高麗仁祖十六年にも祭った。ここで重要な内容は「且無木主《しょもくむしゅ》」である。木主とは壇樹の主な機能の一つで、土地の所有者であることを象徴する。塹星壇の壇樹は所有者がないので、「且無木主」と記す。塹星壇は本来、壇君が所有するものだが、壇君は数千年前の虚構の神話人物なので、実際には壇樹は所有者は存在しないということで、「且無木主」という表現で壇樹の制度が述べられた。こうした制度を鑑みると、壇君という名も壇木に基づくものだろう。このように名付ける方法は社稷の名を付す方法と同じだから、壇君という名はこの壇木の制度から形成されたものだと思う。

注

1 ［韓］申景濬：《旅菴全書・疆界考・三朝鮮》巻四、尹以欽編《檀君：理解와資料》、四七〇頁。

2 「「魏書」は説くまでもなく北斎の魏収が撰せしものにして、其なりしは文宣帝天保五年（西紀五五四）にあり。然るに「魏書」には斯る記事は全然無きのみならず、其他シナの古史籍にも、元代以前の書には斯る記事絶無なり、或いは説くものあらん、現存の「魏書」には此記事を失すれども、嘗ては此記事ある別本の高麗に伝はるありて、終に普覚国尊の見るに至れるものなりと。」（今西竜「朝鮮古史の研究」、国書刊行会、一九七〇年、八頁）。
「北斉魏収の勅撰『魏書』（百三十巻）は宋の頃に完本がなくなっている（二十九篇亡佚）。現存『魏書』には、いずこにも「乃往两千載有壇君王倹……」の文は見当たらない。おそらく、この『魏書』はその後亡佚したものか、あるいは『三国遺事』の著者が引用書を誤って記述したものであろうか。なお参考までに、ほかの『魏書』というべきものを記せば、つぎのとおりであるが、檀君のことはみえない。魚豢の『魏略』（五十巻）、王沈の『魏書』（四十七巻）（以上二書は逸文が伝わるのみ）、陳寿の『三国志』魏志（三十巻）、魏澹（隋代の人）の『魏書』（一〇七）、張大素（唐代の人）『魏書』（百巻）、裴安時（唐代の人）の『元魏書』（三十巻）（以上三書は伝わず）。」［日］三品彰英：《三国遺事考証》上冊、塙書房、一九七五年、三〇二頁。

3 王沈の『魏書』は南宋まで存在したが、王沈の『魏書』のあとの官修正史はどうして壇君朝鮮を記載しなかったのだろうか、これは『三国志』と関係がある。陳壽の『三国志』は王沈の『魏書』を多く参考したが、陳壽は壇君朝鮮を記載しなかったが、壇君朝鮮を歴史の事実ではないと思うからだ。裴松之の『三国志』校注も王沈の『魏書』を参考したが、同様に壇君朝鮮を補記しなかった。陳壽と裴松之の態度の影響は大きかっただろう。

4 一然撰、李載浩訳注：《三国遺事・紀民篇・靺鞨（一作勿吉）渤海》巻一、九一頁。

5 清・嚴可均輯：《全三国文・魏四十二》巻四十二（下冊）、商務印書館、一九九九年、四四六頁。

6 李氏朝鮮時期李詹の「檀君朝鮮」：「魏書雲：乃往二千載、有檀君立都阿斯達山。注雲無葉山、亦雲白嶽、在百州地。或雲在開城東、今百嶽宮。開国號朝鮮、與堯同時。或雲都平壤城、始稱朝鮮、又移都放白嶽山、未知是否。」［韓］李詹：《雙梅堂篋藏集》巻之二十二、影印標點《韓国文集叢刊》第六冊、韓国民族文化推進會、一九九〇年、三四五頁）。

7 ［韓］一然著、李載浩訳注：《三国遺事・古朝鮮》第一冊、솔출판사、一九九七年、七〇～七一頁。

8 崔豹《古今注》、蘇恭《唐本草》、蘇頌《圖經本草》、葉延璉《香譜》、趙汝適《諸蕃志》、《大明一統志》、王佑增訂《格古要論》、李時珍《本草綱目》、方以智《通雅》、屈大均《廣東新語》、李調元《南越筆記》等などの本に記載がある。

9 明・李時珍：《本草綱目・木之二》巻三十四（下冊）、人民衛生出版社、二〇〇五年第二版、一六〇〇頁。

10 これは朴達樹（박달나무）で、朝鮮半島に自生しているけれども、文献には神樹として崇拝した記録は一つもないから、壇君神話と関係がないと思う。

11 《中国植物志・豆科》第四十冊、北京：科學出版社、一九九四年、一二二頁。

12 上原敬二：《樹木大圖說》第一冊、東京：有明書房、一九五九年、九三七頁。

13 《高麗史・志十・地理》巻五十六、首爾大學校奎章閣本。

14 ［韓］李源益：《紀年東史約》、《古朝鮮・檀君・夫餘資料集》上冊、高句麗研究財團、二〇〇五年、五一頁。

15 《高麗史・列傳三十六・嬖幸一・白勝賢》巻百二十三、首爾大學校奎章閣本

16 http:www.cha.go.krkoreaheritagesearchDirectory_Image.jspVdkVgwKey=13,01360000,23&imgfname=4960_3770.jpg&dirname=history_site&photoname= 참성단

17 宋・高承：《事物紀原・禮祭郊部第九・壇壝》巻二（第一冊）、中華書局、一九八五年、四九頁。

18 清・嚴可均輯：《全晉文》卷六十五（中冊）、商務印書館、一九九九年、六七七頁。
19 清・陳立：《白虎通疏證》卷三、中華書局、一九九七年、八九～九〇頁。《尚書・無逸篇》は《白虎通義》から取り出す。
20 魏・何晏集解、唐・陸德明音義、宋・邢昺疏：《論語注疏・八佾第三》卷三、《十三經注疏》下冊、中華書局、一九八〇年、二四六八頁。
21 明・黄佐：《泰泉鄉禮・鄉社》卷五、《景印文淵閣四庫全書》第百四十二冊、六三九頁。
22 宋・朱熹：《朱子語類・衣公問宰我章》卷二十五（第二冊）、中華書局、一九八六年、六二七頁。
23 宋・王昭禹：《周禮詳解》卷七、《文津閣四庫全書》第三十一冊、北京商務印書館、二〇〇五年、四三四頁。
24 宋・王昭禹：《周禮詳解》卷七、《文津閣四庫全書》第三十一冊、北京商務印書館、二〇〇五年、四三四頁。
25 漢・鄭氏注、唐・陸德明音義、賈公彥疏：《周禮注疏》卷十、《十三經注疏》上冊、中華書局、一九八〇年、七〇二頁。
26 清・陳立、吳則虞校點：《白虎通疏證》卷三、中華書局、一九九七年、八九～九〇頁。
27 宋・陳祥道：《禮書》卷九十二、《文津閣四庫全書》第四十四冊、北京商務印書館、二〇〇五年、三八七頁。
28 ［韓］李衡祥：《江都志・祠壇》上卷、尹以欽編《檀君：理解와資料》、七一〇頁。

07

北部ベトナムの宗教文化

九天玄女信仰の発展

大西和彦

1　はじめに

本章の目的は、中国道教の女神である九天玄女《きゅうてんげんにょ》に対する信仰が、十七〜十八世紀の間に北部ベトナムで発展し、後世の正月行事にまで組み込まれた経緯を考察するものである。

2　問題の所在

図１　九天玄女像と神牌「祖師九天玄女真君霊位」（フンイエン省フンイエン市レーロイ坊ディエン・ビエンII通り、九天玄女祠：đền Cửu Thiên huyền nữ, đường Điện Biên II, phường Lê Lợi,Thành phố Hưng Yên, tỉnh Hưng Yên）

九天玄女は、中国の伝説の皇帝である黄帝を助けて、怪物の蚩尤《しゆう》を討たせた神霊で、中国では唐代（六一八〜九〇七年）から宋代（九六〇〜一二七九年）にかけて軍神として信仰された[*1]。その後、中国において九天玄女は風水や恋愛の神に変化し、本来の軍事に関する権能は希薄になっている[*2]。

一方ベトナムでは、中・南部を中心に九天玄女は現在も信仰されている[*3]【図1】。そして以下考証するように、北部における九天玄女信仰の普及は十七世紀より明らかになる。それ以後も、女神の軍神としての権能と、その派生である魔除けの神・辟邪神《へきじゃしん》としての役割は、宗教職能者の護身呪文や正月行事カイーネウ（cây nêu）に伴う辟邪の描画などベトナム人の信仰概念の中で長く保持されていく。

このような九天玄女信仰の発展は、一六二七年から一六七二年までベトナムを南北に二分する支配勢力であった北部の鄭氏《ていし》（一五四五～一七八六年）と南部の阮氏《げんし》（一五五八～一七七七年）の政権により激しく戦われた事象が、一つの大きな要因になったと思われる。この仮説に基づき、本章では北部ベトナムにおける九天玄女の信仰を考察する。

３　正月行事「カイーネウ」と九天玄女信仰

本項では、かつてベトナム全土に普及していた正月行事「カイーネウ」にまつわる九天玄女信仰を再確認すると共に、この習俗が十七世紀と後代とでは異なることを論ずる。カイーネウとは、飾り物をつけた竹ざおを、大晦日に各家庭が庭先や門口に立て、そばの地面に石灰で弓矢の形を描いて辟邪《へきじゃ》にする風習である**【図2】**。カイーネウのカイー（cây）は竹木や細長い物につける言葉（類別詞）で、ネウ（nêu）は「挙げる、掲げる」という意味の動詞である。

図２　20世紀初頭の版画に描かれたカイーネウ（Henri Oger (ed.) , *Technique du peuple annamite*, 1909 より）

（１）正月行事カイーネウの「弓矢描画」に見る九天玄女信仰の反映

ベトナムの年中行事において最も重んじられるのは陰暦正月テトである。ベトナム人により、その風俗習慣についてベトナム語で最初に書かれ、以後再版を重ねてきたファン・ケー・ビーン（一八七五～一九二一年）著『ベトナム風俗』の「元旦節」の項に、次の記述がある。

また多くの所で、竹を切ってカイーネウを立て、そこに藤か竹で作った平紐を三箇所に巻き、ひとつかみの金紙を結びつける。あるいはガジュマルの枝やパイナップルの葉を、路地に面した門口に差し込む。あるいは庭の中や門口に石灰の粉をまいて碁盤、弓、弩《いしゆみ》などを描く。全て鬼を排除する意味があり、そうしなければ新年に鬼が家に入り騒動が起きると恐れるのだ。[*4]

ここには、白墨で描かれた弓矢について抽象的に辟邪としか書かれておらず、来歴にも言及がない。しかし管見の及ぶ所、この「弓矢描画」の風習は、十九世紀以前にさかのぼると共に、九天玄女信仰を反映したものである。なぜなら、阮朝《げんちょう》（一八〇二～一九四五）の文人官僚范廷琥《はんていこ》（一七六八～一八三九年）が、明命八年（一八二七）に編纂した辞典『日用常談《にちようじようだん》』道教の九天玄女の条文に、

九天玄女は徳九天玄女にして、兵家の祖又符水の祖と為す。常に民に教えるに石炭を以って弓矢を庭中に画《えが》き、以って夭鳥《ようちよう》が人を害すを除かんとす。故に後世の除夕《おおみそか》に弓矢を画く法は其の遺《のこ》せし意なり。

と記されているからである。ここで九天玄女は、兵家つまり軍事専門家ならびに符水《ふすい》（師《し》）ことベトナムにおける道教系呪術師の祖師と見なされている。次いで夭鳥[*5]つまり怪しい声で鳴く不吉な鳥の害を除くために、石炭で弓矢を描くことを人に教えたので、除夕：大晦日にこうした儀式を行うと記している。弓矢を描く材料が石灰と石炭とで少し異なっているが、『日用常談』は十九世紀前半期には「除夕に弓矢を描く」という風習が行われていたことを示している。

またフランス植民地政権初代教育局長で、ベトナムの民間信仰研究にも大きな足跡を残したギュスターヴ・デュムーティエ（一八五〇～一九〇四年）も、遺稿集『安南《あんなん》の信仰』の中で、九天玄女を「全ての軍事上の技術と書籍を司《つかさど》り、常に軍事に関係する符水師を鼓舞する」[*6]と述べた後、『日用常談』の記事と同じく大晦日に九天玄女信仰に基づく弓矢の描画が行われていたことを報告している。

これらの記載から、大晦日に弓矢を描いて行われる辟邪の儀式は、九天玄女が本来持つ軍事的権能に依拠していたと思われる。

(2) 十七世紀半ばと後代のカイーネウ樹立目的の相違

十七世紀半ばのカイーネウを立てる目的は、後代と異なっている。一六二六年から一六四六年にベトナムで布教し滞在したアレクサンドル・ドゥ・ロード神父(一五九一〜一六六〇年)は、『トンキン王国史』をラテン語で著した。一六五一年にリヨンで出版された本書が、十七世紀前期における北部ベトナムのさまざまな事象の描写をする中で、以下のような記述が見える。

(前略)一方、家長のような責務を持つ他の人々は、家の門の近くに屋根を越える高さの柱を立て、その頂きに多くの穴の開いた一つの籠あるいは袋を吊るし、金銀の紙を満たす習慣がある。無分別な彼らは、亡くなった父母は年末になると恐らく金に困り、負債を返すために金銀が非常に必要になると想像するのである。[*7]

本書をベトナム語訳したホン・ニュエは、本文の「家の門の近くに屋根を越える高さの柱を立て」の箇所に、「つまりカイーネウを立てること」と注釈を付けている。[*8] この『トンキン王国史』の記載から考えると、十七世紀中期の北部ベトナムでは、すでにカイーネウの風習が普及していたようだ。

とはいえ、注意すべきは『トンキン王国史』が記すように、当時のカイーネウの目的は、亡くなった親族の冥界での負債を子孫が負担するための一種の祖先崇拝儀礼であったことである。しかし、前節で引用したファン・ケー・ビーンの記述では、カイーネウ樹立の目的は辟邪であり、前後の時代で目的に大きな差異を認めることができる。そして、ロード神父が、『トンキン王国史』を著した八年後の一六五九年に、ベント・ティエンがベトナム人として初めてアルファベット表記のベトナム語で記述したことで名高い『安南国史』に、次のような正月の習俗が示されている。

(正月)一日になると、鬼がひどい悪戯《いたずら》をしに来ないうちに、すぐさま全ての家で(カイー)ネウを揚げる。言われる所では、ネウを揚げた誰それの家は仏の領地であり、全くネウが無い家は、鬼の領地である。(中略)ネウが無い家や土地は鬼のものになる。それで天下はネウを掲げなければならないのだ。[*9]

このように、比較的短期間にカイーネウ樹立目的が、家族の内的要求を成就しようとする祖先信仰から、外的要因を仏教信仰により回避する辟邪へと変化したことが認められる。この変化は、長期化する鄭阮戦争《ていげんせんそう》が必然的に引き起こしたであろう社会不安が影響したものと考えられる。そして、このように人々が戦争と隣り合う状況によって、軍神としての権能に基づき、より強力な辟邪を祈念されたと思われる九天玄女の信仰発展へと道筋が開かれたと考えられるので、引き続き考察する。

4　考察

カイーネウを立てる目的が、九天玄女信仰に通じる辟邪へと変化するに至った背景を、関連する以下の五つの事象から考える。

（1）カーンスアン（看春）村の亭における銃火薬庫守護神としての九天玄女祭祀

往昔のハノイ市街西北地域には、九天玄女を祭祀したカーンスアン村の鎮守社兼集会所である亭《てい》があった。カーンスアン村の亭は、現ハノイ市植物園（ハノイ市バーディン区ゴックハー坊［旧クーンスアン坊］ホアーン・ホアー・ターム通り三番地）の地に位置し[*10]、ついで現ハノイ市バーディン区ソーンタイー通り三番小路のスアンビュー亭[*11]に移転した。しかし、現在の同亭内ではもはやこの女神を祭祀しておらず、亭の傍らの神体もない小祠の前に、九天玄女の別名「バーヌーオア：Bà nữ Oa（婆女媧《ばじょか》）」[*12]の名前を記したプレートが、わずかに名残を留めるのみである。

しかしながら、カーンスアン村で祭祀された神々の縁起と歴朝皇帝による神階認定状「冊封《さくほう》」を集めて、一九三八年に編纂された『カーンスアン村の神蹟《しんせき》―神勅《しんちょく》』には、同村での九天玄女の祭祀が記された後に、次のような注目すべき記載がある。

九天玄女の事跡は残されていないが、伝えられるところでは、天を開き地を立てられた。李朝時代に至ってタンロンに遷都した時、歴代皇帝は、神を倉庫の主とした。そのため薬場《やくじょう》祠《し》（原文注記：đền Kho thuốc súng［弾薬庫祠］）と皆が初めて呼んだ。[*13]

カーンスアン村は以前カーンソーンヌーイスア（看山昔）村と呼ばれ、現ハノイ市バーディン郡西北部に相当する旧バックターオ区に存在したカーンソーンに位置していた。[*14] ここに見えるカーンソーンは、漢字表記すれば「看山《かんざん》」である。阮朝の官撰地誌『大南一統《だいなんいっとう》志《し》』河内省山川の条文に、

> 看山、省城の西北に偏《かたよ》って在り。周囲二十丈。黎《れい》の淳皇帝《じゅんこうてい》山に登り、武を講ずるを看閲《かんえつ》す。故《ゆえ》に名づけたり。

という記述がある。文中の「黎の淳皇帝」とは、後黎朝前期《こうれいちょうぜんき》の名君である聖宗《せいそう》（在位一四六〇～一四九七年）にほかならない。[*15]

この看山が位置している、宮城の西北方には、紅河《こうが》の最狭部ならびに西湖を縦断する堤道などタンロンこと昇龍《しゅうりゅう》城防衛上の要地がある。十五世紀頃、同山が軍事演習を監閲する場所であったという記事と共に、上記の地理条件を考え合わせると、看山地域は京城西北部の軍事的要衝であったと考えられる。そして、この要地に九天玄女が祭祀されたことは、宮城西北の軍事要地を鎮護する神として重視されていたことを物語っている。

さらに考慮すべき問題は、旧看山村に所在した九天玄女祠が、「弾薬庫祠」の異名で呼ばれたことである。この事象は九天玄女が単に抽象的な軍神としてではなく、弾薬を司る神として特に信仰されたことを示すものである。ただ、このように特化した信仰が、いつから始まったのかは上記の『神蹟』に記されていない。しかし、このような新たに特化した権能を付与した九天玄女信仰は、十七世紀前半に宗教職能者も銃砲を取り扱うようになった時期に発展したと考えられるので、その状況と背景について次項以降で述べたい。

（2）十七世紀前半期北部ベトナムにおける宗教職能者の銃砲操作熟練

ローマ法王庁文書館が保管するイタリア人宣教師ジュリアーノ・バルディネッチが一六二六年三月八日から同年八

月十八日にかけて北部ベトナムを訪れた記録『トンキン旅行［報告］』の宗教の条文に、皮相的ながら当時の仏僧あるいは宗教職能者の状況を以下のように記している。

その坊主（僧侶）に対する社会的評価は、彼らが少数であり、しかも彼等の言っていることが馬鹿げていること、学問を深めず武器を与えられて、特に大砲と鉄砲に巧みであるために低いというものであった。[*16]

バルディネッチが報告の前半で、異教の職能者である仏僧を低く評価しているのは、ある程度割り引いて理解しなければならないだろう。しかし、その後半で仏僧が武装し、かつ銃砲の操作に習熟している、という部分は注目される。

なぜ仏僧が武装し銃砲の操作に熟練していたのか、バルディネッチは、その理由に触れていない。しかし、この報告に接する時に再び想起するのは、本章前節で述べたカーンスアン村の神祠が、「弾薬庫の神祠」と呼ばれたことである。これは、その祭神九天玄女が弾薬庫の守護神となっていたことに通じ、さらには次に述べるような銃砲を多用する鄭氏の兵に信仰された状況の反映と考えられる。

このような状況と共に、前近代のベトナム僧がおおむね符水師を兼務[*17]していたことから推察すると、十七世紀頃には九天玄女が軍人および軍事に係わる符水師の「芸祖《げいそ》」として信仰される方向にあったと思われる。

（3）九天玄女信仰発展の背景——十七世紀の鄭阮戦争

前節で引用したバルディネッチの報告書が著された翌年の一六二七年、十六世紀以来、北部ベトナムを実質的に支配していた鄭氏政権（一五四五〜一七八六年）は、ベトナム中部に依拠する阮氏広南国（一五五八〜一七七七年）を初めて大規模に攻撃した。以後一六七二年まで半世紀近くもの長期間にわたり、鄭阮両氏は激戦を繰り返した。その間、両軍は銃砲など大量の火薬兵器を使用している。バルディネッチの報告に見える宗教職能者が武装させられ、銃砲に習熟しているありさまは、鄭氏が国内の総動員を行ない大攻勢直前の準備をしていた状況の一端が示されたと考えられる。

両軍の戦況については、阮氏側で記された『南朝功業演志《なんちょうこうぎょうえんし》』（以下、『演志』と略称）が、かなり詳細に記している。『演志』は阮氏広南国の重臣である阮科占《げんかせん》（一六五九～一七三六年）が、一七一九年に著した史書である。同書によれば、この戦役の間に両軍は火薬兵器を多用している。たとえば『演志』巻四、盛徳四年（一六五六）十二月の条文には、阮氏の名将阮有鎰《げんゆういつ》の率いる軍と、鄭氏の武将隴郡公武文添《ろうぐんこうぶぶんてん》が率いる兵との間に起きた激闘が、卯《う》の刻《こく》：午前五時から巳《み》の刻《こく》：午前十一時まで延々六時間も続いたことを次のように記す。

（前略）両軍は相対して、大いに戦うこと卯より巳に至る。銃は雷の動《ふる》える如く、弾は星の飛ぶが若《ごと》く、彼我相持して未《いま》だ勝負を分かたず。（下略）

このような記述から、激しい銃撃戦が繰り広げられていた戦況の一端がうかがえる。銃撃戦が頻発した鄭阮両氏の戦闘状況と共に、本章4の（1）で述べたハノイのカーンスアン村の亭の九天玄女が、「弾薬庫」の守護神として祀られたことを再思しなければならない。九天玄女が、抽象的な軍神から火薬兵器の神に特化した事象は、銃撃戦が頻発した鄭阮両氏の闘争時代に即応して女神の権能が変化したことの現れである。これは上記のように火薬兵器を多用した鄭氏将兵による九天玄女信仰の反映と考えられる。

さらに、鄭氏将兵が、長期にわたる戦いの中で疲弊していったことも、九天玄女信仰が発展した要因の一つに挙げることができるだろう。『演志』巻七、景治十年（一六七二）十二月二日の条文では、鄭氏は「国を傾けての兵」つまり全力で侵攻したのであるが、依然として戦況は膠着した。そのため鄭氏の将兵は慣れぬ環境に加え、戦死傷病兵の増加によって、戦いに倦《う》み怨嗟《えんさ》の心を抱いたことが次のように記されている。

兵の屯《とどまりまも》ること六七月余り、将士は水土に服《あわ》ず、疾病頻《しき》りに作《おこ》り、しかも戦争に死す者また甚だ衆《おお》く、軍の心に怨嗟あり。（下略）

結局この最後の大攻勢が失敗したことで、半世紀近い鄭阮両氏の激戦は終息した。こうした過酷な状況の中で、鄭氏の将兵が武運を祈り、神霊に心身の加護をもとめたことは想像に難くない。直接の史料は未だ見当たらないものの、十七世紀後半から軍神九天玄女の信仰が北部ベトナムで発展した要因には、鄭氏将兵の信仰が存在した可能性が高い。さらに、北部の兵力をこぞって半世紀近く戦った鄭氏将兵は、膨大な数であったに違いない。そして将兵の家族縁者はさらに多い。鄭氏将兵が九天玄女を信仰していたとすれば、鄭氏将兵周辺の人々にも同じ信仰が広まったと思われる。

この仮説は、カイーネウを立てる習俗の目的が、十七世紀後半以降、祖先信仰から軍神九天玄女信仰に関係する辟邪へ変わった事象により、その一端が裏付けられる。正月行事という重要な習俗の内容が、九天玄女信仰へ変化していった事象は、軍事関係者の信仰に基づく九天玄女の威信が、北部ベトナム社会に広まったことを物語っている。さらに、カイーネウを立てる目的の変化以外でも、鄭阮戦争以後の北部ベトナムで九天玄女信仰が顕著となる事象が認められるので次節以降に述べる。

（4）十七世紀末以降の九天玄女信仰——天地をつなぐ信仰対象となる女神

管見の及ぶところ、鄭阮戦争以後に九天玄女への信仰が北部ベトナムで顕著になった。これを示す事象の一つとして、九天玄女が天界と地上をつなぎ、人間の願望を神々に伝える権能を持つという信仰が、十七世紀末期に現れたことが挙げられる。

この事象を示すものに、ハノイ市東郊ザーラム県フードン社のキエンソー（建初）寺の中庭に、一般にカイーフォン（核香）[*18]と呼ばれる石柱があり、石製香炉を乗せている。その石柱の四面に刻まれた正和十六年（一六九五）記年の銘文冒頭に見える讃文は、以下のように記されている。

讃《たた》えて曰く、玄女の身は前に樹に化し、天に孛《かがや》いて後、望《みあげ》て拝《ぬかず》き祈らる。[*19]

ここで玄女こと九天玄女の前身は、樹木に化しており、その後は天界で輝き望拝される対象になったと述べられている。この「樹木に化す」との記事は、九天玄女が樹木と同一視されたことを示している。そして、この樹木とは天と地を結ぶ役割を持ついわゆる「宇宙樹《うちゅうじゅ》」と考えられていたことが推測される。

北部ベトナム東南地域のターイビーン省タイートゥイー県コーホイ村ダーク（陀具）寺が所蔵する正和二十五年（一七〇四）の年号を刻むカイーフォンにも注目したい。その上部四面を取り巻いて「九天玄女の天台一柱を陀具寺に興し行う」と刻まれている。これは、このカイーフォン建立も九天玄女信仰に基づいていたことを示している。さらに石柱下部には、「（上略）一柱を興行し、心を毌《つな》ぎ九天に透《とお》り連《つら》ならしむ（下略）」*20という銘文がある。これらの銘文に従えば、十七世紀末までに、九天玄女は「宇宙樹」と同一視され、天地間を連絡する神と考えられていたようだ。つまり、人間が天界に祈念する場合に、九天玄女が仲立ちをするという信仰の存在を明示するものである。これは言わば天界の代理者と見なされた九天玄女の権威の反映にほかならない。このように、十七世紀末に九天玄女は、天地をつなぐ存在として崇拝されるようになっていた。この事象は、前節4の（3）で述べたように十七世紀に長期間戦い続けざるを得なかった鄭氏将兵とその周辺の人々による九天玄女信仰の発展を反映したと思われる。

（5）十八世紀前半の九天玄女信仰——伝統宗教職能者の守護神となる

さらに十八世紀になると、本章3の（1）でギュスターヴ・デュムーティエが述べたように、九天玄女はベトナムの伝統宗教職能者の重要な守護神となった。たとえば、後黎朝後期の保泰四年（一七二三）に刊行され、仏僧や符水師が使用した葬送儀式書『三教正度実録《さんきょうせいどじつろく》』*21に見える儀礼執行者の護身呪の末尾に、「急ぎ急ぎ九天玄女の律令の如くせよ。南無観世音菩薩、三声《さんせい》」と、呪文の威力を保障する神仏の筆頭として九天玄女が挙げられていることに注目したい。こうして十八世紀前半から、九天玄女は伝統宗教職能者の守護神として発展していく。これは既述のように、十七世紀末には九天玄女が地上の人々の願いを天界に取り次ぐ存在となった威信があったこと、さらにその威信を生み出した十七世紀中における鄭阮両氏の激戦を耐えた軍人ならびに軍事に携わる符水師の信仰に起因すると思われる。

5　おわりに

以上、述べてきたことを考え合わせると、北部ベトナムで九天玄女信仰が発展した理由の一つは、十七世紀に鄭氏がベトナム中部に割拠する阮氏広南国を攻撃するために、符水師のような道教系祈禱師も兼ねていたと見られる仏僧も含めた総動員を行ったことにある。まさにそのため、九天玄女は軍人階級のみならず仏僧や符水師のような宗教職能者の信仰対象となったのである。そして、半世紀近くにも及ぶ鄭阮両氏の激戦によって、必然的に生じたと推測される兵員自身の護身の願いが、軍神である九天玄女信仰を発展させ、軍神という権能を長期にわたり維持した大きな要因になったと考えられる。

これらの事象は、十七世紀における鄭阮両氏の戦争のインパクトの強さを反映すると共に、十七世紀後半期において九天玄女信仰が北部ベトナム社会に深く浸透した普及したことを物語る。そのような北部ベトナム社会における信仰概念の動きは、カイーネウを立てる目的が祖先崇拝から、九天玄女の信仰に基づく辟邪に変化したことに象徴されている。

注

1　宮川尚志『中国宗教史研究　第一』同朋社、一九八三年、三九三頁。

2　何怡儒「「九天玄女」研究初探」、淡江大学中国女性文学研究室『淡江大学女性研究部落格』台湾新北、二〇一一年、studentclub. tku.edu.tku.edu. .tw/ ~ tkuwl//letter14.htm（二〇一八年三月三十一日最終閲覧）。

3　ベトナム北部における九天玄女信仰の一斑と中・南部の同信仰は、大西和彦「フエ地域の九天玄女信仰について」（西村昌也、ほか編、『周辺の文化交渉学シリーズ七　フエ地域の歴史と文化―周辺集落と外からの視点』関西大学文化交渉学教研究拠点（ICIS）、二〇一二年、五五七～五七七頁）、大西和彦「九天玄女信仰の南部ベトナムへの伝播」（末成道男主編『人類学と「歴史」第一回東アジア人類学フォーラム報告集』社会科学文献出版社、北京、二〇一四年、上巻一九九～二〇五頁、下巻五七一～五七八頁）を参照されたい。

4　Phan Kế Bính, *Việt Nam phong tục*, Nhà xuất bản Hồng Đức, Hà Nội, 2014/1915, tr. 33-34.

5 ベトナムの夭鳥の概念は、六世紀に成立した中国の宗懍の撰述『荊《けい》楚《そ》歳《さい》時《じ》記《き》』に見える「鬼鳥」の話に影響を受けた可能性が高いけれども、この考察は別稿に譲りたい。

6 Gustavu Dumoutier, *Les cultes annamites*, F-H.Schneider.Imprimeurs-editeur, Hanoi, 1907, p.56

7 Alexandro de Rhodes, *Histoire du royaume de Tunquin*, Lyon , 1651, p.66（Hồng Nhuệ, những người khác［dịch］, *Lịch sử vương quốc Đàng Ngoài*, Tủ sách Đại Đoàn Kết, Ủy ban đoàn kết Công giáo, Thành phố Hồ Chí Minh, 1994, tr. 105）.

8 前掲注7書、三四〇頁注（47）。

9 Đỗ Quang Chính, *Lịch sử chữ quốc ngữ 1620 – 1659*, Tủ sách ra khơi, Sài Gòn, 1972, tr. 121.

10 Nguyễn Vinh Phúc, Nguyễn Duy Hình, *Thần tích Hà Nội và tín ngưỡng thị dân*, Nhà xuất bản Hà Nội, Hà Nội, 2004, tr. 16.

11 前掲注10書、二五～二六頁。

12 Nguyễn Hữu Hiếu, *Tìm hiểu văn hóa tâm linh Nam Bộ*, Nhà xuất bản trẻ, Hồ Chí Mính, 2004, tr, 137.

13 カーンスアン村の『神蹟―神勅』は、社会科学通信院（ハノイ市）所蔵。請求記号：TT – TS FQ 4018/ IV ,13。

14 前掲注10書、二八二頁。

15 『大《だい》越《えつ》史《し》記《き》全《ぜん》書《しょ》』本紀、巻十二、黎紀、聖宗淳皇帝［上］の条項冒頭文。

16 五野井隆史「イエズス会日本管区によるトンキン布教の始まり」、『史学』60‒4、一九九一年、九一（四九三）～一一三（五一七））頁、一〇六（五一〇）頁。

17 Paul Mus, "Les religions de l' Indochine"（Sylvain Levi（ed.）, *Indochine*, Exposition colonieale international, Paris, 1931, I , pp.103 – 156）p.122, 126.

18 ポール・ミュスは、病気や悩み事の原因を、自分の属する神霊の祟りと考えるベトナム人女性が、その解除祈願のためにカイーフォン上部の香炉で線香を燃やすと指摘している（前掲注17書、一二九頁）。

19 二〇一五年三月五日に、ベトナム社会科学アカデミー宗教研究院グェン・ヒュー・スー（Nguyễn Hữu Sử）研究員が採取した拓本より引用。

20 ダーク（陀具）寺カイーフォン銘文の拓本は、漢喃研究院（ハノイ市）所蔵：請求記号 3020, 3021, 3022, 3022。

21 保泰四年版『三教正度実録』は、漢喃研究院（ハノイ市）所蔵：請求記号 A.3025。

08

須弥山と芥子

極大と微小の反転

高陽

1　仏教の空間
——須弥山から「芥子納須弥」のたとえへ

須弥山《しゅみせん》とは前近代の、僧侶の観想によって想像された世界観のことである。須弥山は世界の中心にあり、逆三角形の形をして、まわりには九山八海に囲まれ、左右には日と月がかかっていて、東西南北にはそれぞれ四つの洲があり、人間の住んでいる洲は南の南瞻部洲《なんせんぶしゅう》である。須弥山の下方は地獄であり、上には天上界がある。須弥山にはそれぞれのトポスに応じた住民がいる。その住民の品性・能力が落ちれば下の世界に下り、上がれば上の世界に昇る。須弥山山頂には忉利天《とうりてん》（帝釈天《たいしゃくてん》）があり、またその上の天上世界にも欲界、色界と無色界がある。

図1　莫高窟第220窟維摩変図像（中国敦煌壁画全集』）第5集「敦煌・初唐」、天津人民美術出版社出版、2010年より）

図2　莫高窟第220窟維摩変図像模写復元図（撮影：高陽）

空間の違いによって時間の長さも異なる。以上のはただ一つの須弥山小世界《しょうせかい》である。小世界は千あって「一小千世界」、小千世界が千あって「中千世界」、千の中千世界が一つの「大千世界」で、一つの大千世界には小、中、大の「千世界」が含まれ、「三千大千世界」という。大千世界に比べて、その一つの須弥山世界は微小になる。これはいわば須弥山と芥子《けし》の関係に相当し、「芥子納須弥《けしのうしゅみ》」（芥子に須弥を納める）と言われる。その典拠は『華厳経《けごんしゅう》』である。芥子は非常に微小のもののたとえであるが、仏法は精妙、神通広大なので、巨大な須弥山は微小の芥子に納めることができるというたとえを表す。

「芥子納須弥」は、極大が極小に納まる説で、大小平等の概念に通じ、大乗仏教にも深い影響を与えている。須弥山の図像について、九世紀の敦煌《とんこう》本「三界九地之図《さんがいきゅうちのず》」（フランス国立図書館所蔵・ペリオ文書）や十五世紀初の「日《に》本須弥諸天図《ほんしゅみしょてんず》」（ハーバード大学所蔵）、明代（十四〜十七世紀）の「法界安立図《ほうかいあんりゅうず》」（個人蔵）などの図像資料が挙げられる[*1]。ここでは「芥子納須弥」、いわゆる、極大が極小に納められる図像例について検討を試みる。

『維摩詰経《ゆいまきつぎょう》』には、「芥子納須弥」の神通力に言及した文が二箇所ある。一つは「不可思議品《ふかしぎぼん》第六」、もう一箇所は「見阿閦仏品《けんあしゅくぶつぼん》第十二」である。まず「不可思議品第六」についてみると、維摩詰居士は文殊師利《もんじゅしり》に「どの国の獅子座が一番よいのか」と聞き、文殊師利は「須弥灯王《しゅみとうおう》の国の獅子座が一番貴《とうと》い」と答えた。すると、維摩詰居士は神通力を使って須弥灯王に三万二千の獅子座を自分の部屋に送らせた。維摩詰居士の部屋もすぐ大きくなり、三万二千の獅子座が中にあっても狭い感じがしないという。異なる須弥山世界からの獅子座が入っていても、今住んでいる須弥山世界の四天下《してんげ》が狭くならず、その大きさは前と同じである。一つの獅子座の大きさは八万四千由旬《ゆじゅん》で、たくさんの獅子座が小さな維摩詰居士の部屋に納められたという。この内容を絵画化したのが莫高窟《ばっこうくつ》の初唐の第二二〇窟の東壁画で、「維摩変《ゆいまへん》」の図像[*2]が描かれている【図1・図2】。左下から右上へ獅子座が流れているさまが描かれ、躍動感あふれる図像である。

それでは、「芥子納須弥」の現象はいかに実現したのかというと、「不可思議品第六」にみるに、維摩詰居士は不思議な解脱法門があって、菩薩などが解脱《げだつ》境界に住するときに、芥子は大きくならず、須弥山も縮小しないまま、須弥山を芥子の中に納められるという。普通の人は芥子に納められた天王などの眷属《けんぞく》も察知できないが、「異《い》人《じん》」得道者《とくどうしゃ》（悟った人）は芥子に入ったことがわかる。また、海にいる龍、神、鬼、阿修羅《あしゅら》なども察知できないほど、四海《しかい》の水を毛穴の中にも納められるという。またこの境界にいる菩薩は一つの三千大世界を右手に置くことができ、その世界を投げてもそこに住んでいる衆生が察知できないという。さらに、菩薩は日・月・星などを毛穴に入れられるとも。

仏土や星辰を毛穴に置く記述は「芥子納須弥」思想の現れであろう。ここまでできる原因は菩薩の不可思議な解脱法門によると解釈されている。

また、その莫高窟の「維摩変」の図像には、左には維摩が座り、右には維摩の神通力で手掌に須弥山が載っている。須弥山の世界に四大洲、日月などもあり、須弥山の山頂に一仏と二菩薩が配置されている。その背後は菩提樹であろうか。手掌から示された世界は「衆人《しゅうじん》」の憧れた妙楽世界であり、真ん中に描かれている仏はその妙楽世界の阿閦仏である。小さい手に大きな須弥山が載ることは、明らかに「芥子納須弥」思想の現れである。この絵は『維摩詰経』の「見阿閦佛品第十二」によって描かれたことがわかる。概要を述べれば、維摩詰居士は右手の掌で、如来をはじめとする菩薩、声聞《しょうもん》などを含む東方の妙楽仏国を見せたが、妙楽仏国自体が動かされても変化が生じなかった。ここでは、維摩詰が神通力で妙楽世界を示し、広大の衆生に妙楽世界への無上道心を生じさせたのである。

2 「芥子納須弥」への疑問

「芥子納須弥」の概念は過去と現在を問わず、人間の理解しにくい空間概念である。たとえば白楽天《はくらくてん》もこの概念に疑問を抱いていた。九世紀の『白氏長慶集《はくしちょうけいしゅう》』「三教論衡《さんきょうろんこう》・問僧《そうにとう》」に以下のようにある。

儒書奥義、既已討論、釈典微言、亦宜発問。問、維摩経不可思議品中云、芥子納須弥、須弥至大至高、芥子至微至小、豈可芥子之内入得須弥山乎。假如却出、云何得知、其義難明、請言要旨。難、法師所云、芥子納須弥、是諸仏菩薩解脱神通之力所致也、敢問諸菩薩、以何因縁、証此解脱、修何智力、得此神通、必有所因、願聞其説。

つまり白居易《はくきょい》はこの「芥子納須弥」の問題に疑問を抱いたが、僧がそれは悟った人の神通力によると答え、実はその背後に非常に深い仏教教義が含まれている。

また、十世紀の禅宗の『祖堂集《そどうしゅう》』「帰宗和尚《きしゅうおしょう》」にも以下のように記述されている。

有李万巻、白侍郎相引、礼謁大師。李万巻問師、「教中有言、須弥納芥子、芥子納須弥。須弥納芥子、時人不疑、芥子納須弥、莫成妄語不？」。師却問、「于国家何芸出身？」。抗声対云、「和尚豈不知弟子万巻出身？」。師云、「公因何誑敕？」。公云、「因何誑敕？」、師云、「公四大身若子長大、万巻何処安著？」。李公言下礼謝、而事師焉。

白居易と李渤《りぼつ》（名前は李万巻ともいう、万巻の本を読んだ意味の別名）は帰宗寺《きすじ》の智常《ちじょう》に禅の道理について聞く。李渤は「芥子納須弥」について疑問を持ち、智常が「あなたの頭にはどうして万巻の本の内容が入れるのか」という反問で、李渤が納得できたという。

「芥子納須弥」に対する問答をめぐる逸話は中国に例が多いが、日本に伝わった初例は円珍《えんちん》『授決集《じゅけつしゅう》』「須弥内芥子第八」である。*3 これは「説話」という言葉の日本の最初の用例であり、「唐人説話」の内容が「芥子納須弥」の話に相当する。

……唐人説話、什公嶮訳、浄名経呈、当時国主姚与天子、主上怪曰、須弥納芥子、此無道理、什公以鏡示主、問曰、聖人見鏡中面像不、主答、我能見之、什師問曰、面之與鏡何者大乎、與曰、鏡小面大、什曰、若鏡小面大何以現像乎、主上驚悟更無言語、此義合知。

これは巨大と微小の哲学で、微小のものに巨大なものが納まることはもともと菩薩の神通力によるが、なかなか理解しにくいから、小さい鏡に大きい人の像が入ることを例にして説かれたのである。

3 「芥子納須弥」の文学表象

「芥子納須弥」の観念は仏教空間の無限大から極小への縮図であり、また仏教空間の多層の表現である。こうした発想は中国文化・文学に、多大な影響を与えた。たとえば、四、五世紀の『霊鬼志《れいきし》』の「外国道人」には、人は小さい籠に入ることができるという説話があるが、『旧雑《きゅうぞう》譬喩経《ひゆきょう》』の「梵志吐壺《ぼんしとこ》」の故事からきたという指摘がある。葛洪《かっこう》の『神仙伝』の「壺公《ここう》」の事では、費長房は壺の口から壺の中の世界に入るというが、これも道教が仏教の空間概念を借用したとされる。*4『太平広記《たいへいこうき》』巻十八・神仙十八の「劉広通《りゅうこうつう》」では、劉広通は山洞に入って、別の世界に入った。山洞から出た時、人間世界はすでに十二年経ってしまったという。大きい空間は小さい空間に融合するという発想は、「芥子納須弥」の時空認識の影響を受けたのであろう。

また、『敦煌願文集《とんこうがんもんしゅう》』「転経文《てんきょうもん》」の最初に「納須弥于芥子、坼大地於微塵」と仏法の神通力を称えている。これに続いて地方長官である「府主《ふしゅ》」の個人としての安寧と国家安康のための経文がある。「芥子納須弥」のたとえと、その言い回し（「納須弥于芥子、坼大地於微塵」のことを指す）は広範に流布していたことがうかがえる。

さらにこの「芥子納須弥」の空間概念は日本の文学作品にも影響を与えたことがうかがえる。天竺《てんじく》での戦いで最も有名な話題は、帝釈天と阿修羅の戦闘であろう。*5『今昔物語集』巻一第三十話をはじめ、さまざまな資料にみられる。ここでは『今昔物語集』によると、帝釈天の妻舎脂夫人《しゃしぶにん》は羅睺阿修羅王《らごあしゅらおう》の娘で、娘を取り返すために常に阿修羅は帝釈天と合戦していた。あるとき、帝釈天が負けて帰る際、阿修羅に追われ、須弥山の北面から逃げたが、道に多くの蟻の行列が出ていたため、帝釈は「たとえ阿修羅に負けて討たれることはあっても殺生の戒を破ることはできない」と決意して引き返す。すると、阿修羅は帝釈天が多くの援軍を従えて反撃に来たと勘違いし、逃げて蓮の穴に隠れたという。蟻を殺さず殺生戒《せっしょうかい》を守ったのが帝釈天の勝因になったわけで、「戒律を守るのが三悪道に堕ちず、緊急の災難から逃れる道なのだ」と仏が説いている通りだという。

『今昔物語集』では阿修羅が逃げて隠れた場所が蓮の穴になる。『観仏三昧海経《かんぶつざんまいかいきょう》』や『菩薩処胎経《ぼさつしょたいきょう》』には、帝釈天の妻の嫉妬で、阿修羅は戦争を起こし、失敗したので、阿修羅が「藕糸孔《ぐしこう》」もしくは「池水の中の蓮茎の穴の中」に入ったとある。このモチーフが『今昔物語集』の中で生かされていることがわかる。巨大な阿修羅が蓮根の穴に隠れるという、これも巨大なものを小さな穴に取り込めてしまう面白さがある。さらには、巨大な須弥山を舞台に巨大な存在同士が衝突し合うスケールの大きい戦闘に反して、蟻の行列という極小なものとの対比がよく生きている。この蟻の行列は経典類にみえないもので、とくに注目されるが、逃げた阿修羅が蓮の穴に籠もった点とも対応するように思われる。つまり、この説話では、巨大な須弥山を舞台に繰り広げられる巨大な帝釈天対阿修羅に対して、帝釈天―蟻の行列、阿修羅―蓮の穴という巨大な存在と微少のものとの対比が仕組まれていることになる。この話は『日蓮集』「佐渡御書」（日本古典文学大系、四三〇頁）にも引用される。以下のようである。

……畜生の心は弱きをおどし、強きにおそる。当世の学者等は畜生の如し。知者の弱をあなづり王法の邪をおそる。諛臣と申は是也。強敵を伏て始て力士とし。悪王の正法を破るに、邪僧等が方人をなして智者を失はん時は獅子王の如く心をもてる者、必ず仏になるべし。例せば、日蓮が如し。これおごるにはあらず。正法を惜しむ心の強盛なるべし。おごる者は必ず強敵に値ておそるゝ心出来る也。例せば修羅のおごり、帝釈にせめられて無熱池の蓮の中に小身と成て隠しが如し。正法は一字一句なれども時機に相違しぬればしるしなし。

動揺している弟を檀那に示めされた訓戒の書が「佐渡御書」であり、おごれるべきではない道理を説教する場合、帝釈天と阿修羅の戦いの話が引用され、巨大な身を持った阿修羅は敗れて、蓮の中に小身となって隠れたという。これもここでみてきた「芥子納須弥」のたとえに対応するのではないだろうか。

以上のように、「芥子納須弥」のたとえは東アジア文学にも新しい故事の磁場を提供することによって、文学の想像空間を豊饒にしたといえよう。それは、空間上、須弥と芥子の大きさが同じであるように、境界上の娑婆世界と妙楽世界は同じであり、存在上の帝釈天と蟻の尊卑も同じであることを示している。その背後には仏教の大乗の教義が横溢しているのである。

注

1　高陽「須弥山と天上世界―ハーバード大学所蔵『日本須弥諸天図』と中国の『法界安立図』をめぐって」(小峯和明編『中世文学と隣接諸学1　漢文文化圏の説話世界』竹林舎、二〇一〇年二月)、「「三界九地之図」と敦煌本の須弥山図像」(小峯和明編『東アジアの今昔物語集　翻訳・変成・予言』勉誠出版、二〇一二年七月)。

2　黄騫「敦煌莫高窟唐宋時期維摩詰経変神通力「生発」与「示現」研究―以初唐第二二〇窟為例」(重慶大学修士論文、二〇一七年四月)では敦煌第二二〇窟やその周辺の図像資料など詳しく論じている。なお、同じ構図は『維摩詰経』第三三二窟北壁の図像にも見られる。

3　本田義憲は「解説　今昔物語集の誕生」(『今昔物語集』本朝世俗部一、新潮日本古典集成)の中で、円珍の『授決集』の内容に触れ、また、敦煌本「鳩摩羅什断簡」に載る「芥子納須弥」の話についても論及している(本田義憲『今昔物語集仏伝の研究』勉誠出版、二〇一七年)。

4　呉洪生「漢訳仏経対『幽冥録』、『宣験記』的影響」(西南大学修士論文、二〇〇八年四月)。

5　高陽「天竺神話のいくさをめぐって―帝釈天と阿修羅の戦いを中心に」(原克昭編『日本文学の展望を拓く3、宗教文芸の言説と環境』笠間書院、二〇一七年十一月)。

09

仏陀の夢と非夢

西行伝への示唆をもとめて

荒木 浩

1 始原としての夢

兜率《とそつ》天内院の菩薩であった釈迦は、人の住む閻浮提《えんぶだい》への「下生」を決意し、「迦毘羅衛《かびらゑ》国ノ浄飯《じやうぼん》王ヲ父トシ、摩《ま》耶夫人《やぶにん》ヲ母トセムニ足《た》レリト思ヒ定」めて、母の胎内へと飛び込んだ。日本語で書かれた初めての組織的仏伝『今昔物語集』[*1]の巻頭話は、出典では「于レ時摩耶夫人於二眠寤之際一、見二菩薩一……」（十巻本『釈迦譜』巻一）と、ただ夫人が眠って見た、とあったその時間を明確に「夢」と訳出し、次のように描く。よく知られた伝承である。

癸丑《みづのとうし》ノ歳ノ七月八日、摩耶夫人ノ胎《はら》ニ宿《やど》リ給フ。夫人夜寝給タル夢ニ、菩薩六牙《ろくげ》ノ白《びやく》象ニ乗テ虚空ノ中《うち》ヨリ来《きたり》テ、夫人《ぶにんの》右ノ脇ヨリ身ノ中ニ入給《いりたまひ》ヌ。顕《あら》ハニ透徹《すきとほり》テ瑠璃ノ壷ノ中ニ物ヲ入タルガ如《ごとく》也。夫人、驚《おどろき》覚《さめ》テ浄飯王ノ御許ニ行テ此ノ夢ヲ語リ給フ。

（『今昔物語集』巻一第一、新日本古典文学大系）

夫人から夢の受胎告知を語られ、「我モ又如此《かくのごとき》ノ夢ヲ見ツ」と答えた王は、この同夢の意味を、自分たちでは解決しようがないと考え、すぐに善相婆羅門を喚んで夢相を問うた、と説話は続く。これがさまざまに図像化され、後世にはフキダシの形象を伴って、夢の文化の原点的存在の一つとなっていく。[*2]

日本では、聖徳太子をはじめとする、聖人懐胎譚のひな形となった。[*3]

初メ、母夫人、夢ニ、金色《こんじき》ナル僧来《きたり》テ云《いはく》、「我ハ世ヲ救《すくはむ》　誓《ちかひ》有《あり》。暫ク其《そこ》ノ御胎《はら》ニ宿《やどら》ムト思《おもふ》」ト。夫人答テ云ク、「此、誰《た》ガ宣《のたま》ヘルゾ」ト。僧宣ハク、「我ハ救《く》世《せ》ノ菩薩也、家ハ西ニ有リ」ト。夫人ノ云《いはく》、「我ガ胎ハ垢穢《くゑ》也。何ゾ宿リ給ハムヤ」ト。僧宣ハク、「我、垢穢ヲ不厭《いとはず》」ト云テ、踊《おどりて》口ノ中ニ入《いる》ト見テ、夢覚《さめ》ヌ。其後、喉中《のむどのうち》ニ物ヲ含《ふふみ》タルガ如ク思ヘテ、懐妊シヌ。

（『今昔』巻十一第一）

『今昔物語集』本朝部の巻頭話である。天竺・震旦・本朝という三国をかたどり、各国をそれぞれの仏法の発生と伝来から語り始める説話集『今昔物語集』は、天竺と本朝については、夢を起源にして、釈迦と聖徳太子という最重要人物の登場を、対のように描いている。そして「和国の教主」（親鸞和讃）聖徳太子は、救世菩薩＝観音の化身であるというのだから、太子は、インドのブッダの弟子として、日本仏教を天竺と直結する役割を担う。[*4]

　ところが『今昔』の震旦部は対照的だ。夢を描かずに開巻する。しかもその巻頭に置く仏法初伝について、「天竺ヨリ僧渡レリ、名ヲ釈ノ利房ト云フ。十八人ノ賢者ヲ具セリ、亦、法文・聖教ヲ持テ来レリ」と初伝の使徒を提示しながら、彼らの物語を聖徳太子のような根源的聖人譚とはしなかった。逆に秦の始皇帝という、始原の王の無理解によって仏法伝来が阻害され、利房以下は獄中に追い込まれた、と伝える。皮肉なことに仏陀は、利房の祈りによって出現し、彼らを震旦から破壊的に救出する、圧倒的な復活者として描き出されることとなった。

> 悲哉《かなしいかなや》、我ガ大師、釈迦牟尼如来、涅槃ニ入《いり》給テ後久《ひさし》ク成《なり》ヌト云ヘドモ、神通《じんづう》ノ力《りき》ヲ以テ新タニ見給フラム、願《ねがは》クハ我ガ此ノ苦ヲ助ケ給ヘ」ト祈念シテ臥《ふ》シタルニ、夜ニ至《いたり》テ、釈迦如来、丈六《ぢやうろく》ノ姿ニ紫磨黄《しまわう》金《ごん》ノ光ヲ放《はなちて》、虚空ヨリ飛ビ来リ給テ、此ノ獄門ヲ踏ミ壊《やぶり》テ入給《いりたまひ》テ、利房ヲ取テ去《さり》給ヒヌ、十八人ノ賢者同ク迯去《にげさり》ヌ。其ノ次《つい》デニ、此ノ獄《ひとや》ニ被禁《いましめられ》タル多《おほく》ノ罪人、如此《かくのごと》キ獄ノ壊《やぶれ》ヌル時ニ、皆心ニ随《したがひ》テ方々ニ迯ゲ去ヌ。
> （『今昔』巻六第一）

「獄ノ司《つかさ》ノ者」が見聞したその姿は、「空《そらに》大キニ鳴ル音有リ」、「金《こがね》ノ色ナル人ノ、長《たけ》一丈余許《ばかり》ニシテ、金ノ色ノ光ヲ放テ虚空ヨリ飛来《とびきたり》テ、獄門ヲ踏壊《ふみやぶり》テ」突入した、という。仏陀は、本朝の聖徳太子懐胎を想起させる、金色をしていた。結句、「此レニ依《より》テ、其ノ時ニ、天竺ヨリ渡ラムトシケル仏法止《とどまり》テ不渡《わたら》ズ成《なり》ニケリ。其ノ後、々漢《ごかん》ノ明帝ノ時ニ渡ル也」と、震旦への仏法不伝来を招く。天竺を基点に、本朝と震旦は対照的な相貌を見せ、『今昔物語集』における三国観の様相を、象徴的に示すこととなった。[*5]

　始原としての夢は、日本の歴史叙述においても同様に存する。記紀では、夢見は神代に描かれない。『古事記』では、本編中巻の神武天皇の代になって初めて「夢」が現れる。天皇が見た初めての夢は、崇神天皇が神牀で観た大物主の示現であり、そのことはわざわざ神武天皇の事跡に続けて、序文でも語られている。神武と崇神は、いずれも「ハツクニシラス」の名前を持つ、始原の帝王であった。[*6]

2　夢告無き子

釈迦にも一人の子がいた。羅睺羅である。しかし彼と父仏陀との間には、決定的な違いがあった。受胎告知における夢と非夢である。羅睺羅の懐胎は、神秘的な夢告で知らされるのではない。北伝の漢訳では通常、太子時代の釈迦が妻の腹を片手で差し、妊娠を果たす。

「すなわち、相師たちの予言に歓喜して（＝引用者注、「諸大相師」が太子を占い、もし出家しなければ、七日後に転輪王となって四天下を治め、七宝も自ずと到来する、と言ったので、王が「釈迦種姓、於㆑此方興」と釈迦族の繁栄到来を喜んだこと）、父王は国嗣のない絶俗を認めない。シッダールタは父王の意を知り、それを満たすために、妃の腹を左手で指さし、彼女は身ごもることを知る。光明の中に時は熟した。ただし、父王は勅して守りは厳重である。シッダールタのことばにこたえて、神々が方便して王宮を眠らせる」[*7]。

王語㆓太子㆒、「我昔既聞㆓阿私陀説、及衆相師、并諸奇瑞㆒、必定知㆓汝不㆒㆑楽㆓処世㆒。国嗣既重、属当相継（係）、唯願為㆑我、生㆓汝一子㆒、然後絶㆑俗、不㆓復相違㆒」。爾時太子、聞㆓父王言㆒、心自思惟、「大王所㆓以苦留㆒㆑我㆒者、正自㆔為㆑国無㆓紹嗣㆒耳」。作㆓是念㆒已、而答㆑王言、「善哉。如㆑勅」。即以㆓左手㆒、指㆓其妃腹㆒。時耶輸陀羅、便覚㆓體異㆒、自知㆑有㆑娠。王聞㆓太子如㆑勅之言㆒、心大歓喜、当謂、「太子七日之内、必未㆑有㆑児。若過㆓此期㆒、転輪王位、自然而至、不㆓復出家㆒」。（中略）然父王勅㆓内外官属㆒、厳見㆓防衛㆒、欲㆑去無㆑従。（中略）諸天即便以㆓其神力㆒、令㆓諸官属㆒、皆悉惛臥。

（『過去現在因果経』巻二、十巻本『釈迦譜』巻一）

釈迦は十九になり、出家を決意して王に懇願したが、強く反対されて聴されない。それでも彼は、妻を置いて家を出て、修行の旅に向かう。その一連を描く『今昔物語集』巻一「悉達太子、出城入山語第四」は、右引用部を含む十巻本『釈迦譜』巻一に依拠する。だが『今昔』は、当然配当されるべきこの耶輸陀羅懐妊の場面をあえて採らなかった。「『釈迦譜』ないし『因果経』の「思惟出家愁憂不楽」につづく、あるいは王法的に現実的な、あるいは神話化された出来事が省かれる」のである。[*8]だから『今昔』は、羅睺羅の懐胎プロセス自体を語らない。出家を決意した仏陀を前に、閨に同衾する妻耶輸陀羅が、ふと眠りから目覚めるエピソードから、『今昔』巻一第四はようやく出典の逸話を再開するのである。[*9]

然ルニ、太子ノ御妻《みめ》耶輸陀羅、寝タル間ニ三ノ夢ヲ見ル、「一ニハ月地《ぢ》ニ堕《おち》ヌ、二ニハ牙歯《げし》落ヌ、三ニハ右ノ臂《ひぢ》ヲ失ヒツ」ト。夢覚テ太子ニ此ノ三ノ夢ヲ語《かたり》テ、「此レ何《いか》ナル相ゾ」ト。太子ノ宣《のたま》ハク、「月ハ猶《なほ》天ニ有リ、歯ハ又不落《おち》ズ、臂、尚《なほ》身ニ付《つけ》リ。此ノ三ノ夢虚クシテ実ニ非《あらず》。汝ヂ不可恐《おそるべから》ズ」ト。

『今昔物語集』が「夢」を話題に出すのは、仏陀の懐胎以来、これが二回目のことである。象徴的な対比といえよう。再び眠りに落ちた妻を置き、彼は出城して旅に出る。

羅睺羅の懐妊については、仏伝経典類に、懐疑と非難を露骨に描く。夢の受胎告知無き聖人の子の出産は、北伝では、仏陀出家の六年後、その成道の日だったという(『大智度論《だいちどろん》』)。ならば妻耶輸陀羅は、一体いつ懐妊したのか。そもそもかつて「時王日日問二諸婇女一、「太子与レ妃相接近不」。婇女答言、「不レ見三太子有二夫婦道一」。王聞二此語一、愁憂不レ楽、更増二妓女一、而娯二楽之一。如レ是経レ時、猶不二接近一。時王深疑、恐不能男」(『過去現在因果経』巻一、十巻本『釈迦譜』巻一)と女を一切近付けず、男性として「不能」なのではと父王を心配させたあの聖者が、妻を妊娠させるはずがない。それは耶輸陀羅の不貞故だろう、と。釈迦族たち、周囲の女官、そして父浄飯王の激しい罵倒さえ仏典は伝えている。[*10]『今昔』はもちろん、このことも描かない。

一方、ジャータカや南伝では、釈迦の出家前に羅睺羅は生まれていた、と説く。タイなどでは、耶輸陀羅が羅睺羅を抱いて眠る姿を釈迦がのぞき、そっと出家の旅に出る形象(壁画などに描かれる)が通常である。[*11]この伝承は、わずかながら漢訳の『仏所行讃』や『仏本行集経』にもうかがうことができる。ならばその子は、そもそも誰の子なのか。障礙の象徴、あるいは悪魔の子という含意さえ持つ羅睺羅の出生に妻の不貞をかぶせ、釈迦のそもそもの出家理由を、在俗時の妻の不貞発覚にもとめる読みさえ、仏教学的には蓋然性の内にある。[*12]

3　子を残して出家すること
——西行伝承への視界

残された子供と妻という点に着目すれば、仏陀の出家譚と興味深い関連性を示すのが、西行（一一一八〜九〇年）の出家（一一四〇年）譚である。西行伝における仏伝の投影についてはすでに多くの論考が残されているが、意外と注意されてこなかったのが、出家譚の形象である。仏陀と同様、覚醒としての出家を認識していた西行[*13]は、西行伝の中では、出家前の最後の夜、妻と閨で語り、彼女と一人の子を置いて、翌朝出家していく。ごく自然に仏伝を思わせる流れだ。細かい説明は別稿[*14]に譲るが、この西行出家譚の流伝をめぐっては、日本の中世仏伝との相互交渉なども見られ、注目すべき関係が継続する。

西行の出家譚で残される子供は、あの蹴り落とされた女子であるが、『尊卑分脈』には、隆聖という男子があったと伝える。永井義憲は、その伝記を追い、隆聖が「西行出家時の保延六年に」「一歳」で、「いまだ乳飲み子であった」とする想定を残した。[*15]その後、信頼すべき新資料の血脈に基づき、隆聖は、西行出家の年に生まれていることを考証したのは落合博志である。[*16]同説の確認をした上で考証を重ね、出家に周到な準備を進めていた西行が、そのような年時関係で、子を成す蓋然性は低いのではと、「不審」を表明したのが宇津木言行であった。[*17]

その真否は私に判断する蓄積がない。しかし、西行の男子をめぐって、興味深い言説の重なりが、ブッダ伝との間に生じることに関心を抱く。仏陀を気取る西行の出家の時に、母に抱かれるような年ごろで所在した隆聖を想定する落合説は、ブッダが出家する一週間前に生まれていたとする、ジャータカのラーフラ（羅睺羅）を想起させる。一方、それは仏陀の子ではない、となじる北伝の仏伝や南伝の解釈としての耶輸陀羅不倫説は、宇津木説の志向と裏返しに重なっていく。隆聖が西行とどのような関係にあったのか。今後の議論に委ねるが、どちらに傾いても、西行伝の男子は、仏伝の羅睺羅の所在を奇妙に模倣する。西行の仏陀思慕は、広い意味で、しかるべき深層へと私たちを誘う。

注

1　本田義憲『今昔物語集仏伝の研究』（勉誠出版、二〇一六年）参照。以下引用の仏伝資料も、同書所掲を参照しつつ、大正新脩大蔵経に拠る。

2　*The Indian Night: Sleep and Dreams in Indian Culture*. edited by Claudine Bautze-Picron. New Delhi: Rupa & Co., 2009、三戸信惠「日本絵画における「夢」の位相―中世から近代へ」(『武蔵野美術大学研究紀要』43、二〇一二年)、同「夢の位相、現実の位相―日本絵画における夢の表現の類型とその史的展開」(荒木浩編『夢と表象―眠りとこころの比較文化史』勉誠出版、二〇一七年)、入口敦志「描かれた夢―吹き出し型の夢の誕生」(荒木浩編『夢見る日本文化のパラダイム』法藏館、二〇一五年)など参照。

3　その諸相については、藤井由紀子「〈懐妊をめぐる夢〉の諸相―説話と物語のあいだ」(前掲『夢見る日本文化のパラダイム』)ほか参照。

4　『今昔物語集』における太子伝の意味などについては、荒木浩『説話集の構想と意匠―今昔物語集の成立と前後』(勉誠出版、二〇一二年)ほか参照。

5　こうした史観についても、前掲(注4)荒木浩『説話集の構想と意匠』参照。

6　荒木浩「夢―古人は〝夢〟といかにしてつきあってきたか」(『怪』Vol.0043、KADOKAWA、二〇一四年十二月)など参照。『日本書紀』の夢については、河東仁『日本の夢信仰』(玉川大学出版部、二〇〇二年)参照。

7　引用は、前掲(注1)本田義憲『今昔物語集仏伝の研究』Ⅱ・Ⅰ。

8　前掲(注1)本田義憲『今昔物語集仏伝の研究』Ⅱ・Ⅰ。

9　『今昔』はこの後、やや矛盾するような仏陀の三人の妻の説話を接合する。荒木浩『かくして『源氏物語』が誕生する―物語が流動する現場にどう立ち会うか』第六章(笠間書院、二〇一四年)、荒木浩「〈妊娠小説〉としてのブッダ伝―日本古典文学のひながたをさぐる」(『海外シンポジウム報告書　南太平洋から見る日本研究―歴史、政治、文学、芸術』国際日本文化研究センター、二〇一八年三月、オープンアクセス)など参照。

10　以下論じる耶輸陀羅不貞説と依拠経典の展開などについては、並川孝儀『ゴータマ・ブッダ考』(大蔵出版、二〇〇五年)、荒木浩「出家譚と妻と子と―仏伝の日本化と中世説話の形象をめぐって」(小峯和明編『東アジアの仏伝文学』勉誠出版、二〇一七年)、同「出産の遅延と二人の父―『原中最秘抄』から観る『源氏物語』の仏伝依拠」(『国語と国文学』平成三十年二月号)など参照。

11　前掲(注9)荒木浩「〈妊娠小説〉としてのブッダ伝」に画像を示した。

12　前掲(注10)並川孝儀『ゴータマ・ブッダ考』、前掲(注9)、荒木浩「〈妊娠小説〉としてのブッダ伝」参照。

13　ブッダとはそもそも覚醒した人のことで、眠りや夢から離脱する存在であるが、西行の『山家集』にも「侍従大納言成通のもとへ、のちのよの事おどろかし申したりける返事に」として「おどろかすきみによりてぞながき世のひさしきゆめはさむべかりける」(七三〇番)という成通歌を載せ、それに対する西行の「返事」として「おどろかぬ心なりせばよの中を夢ぞとかたるかひなからまし」(七三一番)を誌す(『新編国歌大観』)。

14　前掲(注9)荒木浩「出家譚と妻と子と―仏伝の日本化

と中世説話の形象をめぐって」参照。

15　永井義憲「西行の子―隆聖僧都のこと」(『日本仏教文学研究　第三集』新典社研究叢書十二、一九八五年)。また「隆聖僧都と西行」(同上書所収)参照。

16　落合博志「西行の和歌および周辺の人物等に関する二、三の知見―覚雅と西住・「空也上人持言」のことなど」(和歌文学会例会発表、二〇〇五年一月八日、慶応大学三田キャンパス)。『東寺血脈小野本・末』(湯浅吉美「東寺観智院金剛蔵『東寺血脈小野本・末』(真言付法相承血脈次第)の翻刻」『成田山仏教研究所　紀要』32、二〇〇九年)に「隆聖大法師(中略)建仁三年(＝一二〇三)五月任、権律師六十四」と記される。

17　宇津木言行「熊野より伊勢へ行く西行」(平成三十年度西行生誕九〇〇年記念 第十回西行学会大会シンポジウム「紀伊半島と西行」発表、二〇一八年十月二十八日、和歌山県立近代美術館。同題で『西行学』10、二〇一九年八月に論文が載る)。なお落合・宇津木の発表内容については、谷知子のＳＮＳと教示により確認し、山口眞琴からも教示と資料の提供を得た。

10 神道と東アジア

伊藤 聡

1 はじめに

本コラムは、神道の形成過程における、東アジア文化の影響を素描するものである。神道について語る少なからぬ論者は、日本〈固有〉であることを過度に強調し、上代からその本質を変えることなく持続していたと見なす。しかしそれは、ナショナリズムに婬した臆見である。何であれ日本文化の組成のほとんどは、中国大陸や朝鮮半島の諸国家からの受容と内部での変質の所産なのであって、純粋に固有なるなにがしかを見いだすことなどできはしない。他と同様に神道もまた、東アジア諸地域の信仰・思想・儀礼の受容とその改変の中で歴史的に形成されたものなのである。

2 古代

カミが、在地信仰として明確に意識されるようになるのは、六世紀に百済から仏教がもたらされて以降である。そのことを伝える『日本書紀』では、日本のカミ信仰を「神道」と表記して、「仏法」に対置した。カミ信仰は、おおむねどの原始的文化にも通有する自然崇拝の一種であって、他と較べて、何か独特な特徴を有しているわけではない。日本宗教の典型は、かかるプリミティブな信仰の上に、仏教が被さることによって形成されていくのである。

仏教は、伝来の当初、単に新しいカミ信仰としてのみ理解されていたがゆえ、また信仰者も朝鮮半島からの移住者や一部の豪族に限られたため、両者の質的相違が問題になることはなかったと考えられる。ところが七世紀から八世紀にかけての古代国家形成期において、中国からの仏教の組織的な導入がはじまり、とくに律令国家における護国宗教の根幹に神祇祭祀とともに仏教が据えられた結果、在来のカミ信仰と仏教との関係が問題として浮上するのである。

そのなかで本格化したのが「神仏習合《しんぶつしゅうごう》」とよばれる仏教によるカミ包摂の現象であり、これが古代・中世を通じて、日本の信仰世界の主調音となった。旧来の研究では、神仏習合が成立する背景として日本の融和的な宗教風土が強調されることが多かった。またその過程については、①衆生《しゅじょう》としてのカミ（神身離脱）→②神の菩薩化→③仏の化身としてのカミ（本地垂迹説《ほんじすいじゃくせつ》）と内的に進展してきたと説明されてきた。

　しかし、近年の新しい研究によって、神仏習合は日本独特の現象ではなく、東アジア社会における仏教の他宗教包摂のための通有の現象であること、さらに、その展開過程についても、大陸・半島などと類似していることが分かってきた。たとえば、カミが自らの境遇を苦ととらえ、仏道に帰依することで救済に預かろうとする〈神身離脱〉の説話（『藤氏家伝』武智麻呂伝など）などは、日本独特の現象と理解されてきたが、実は中国の僧伝などに収められた話を模倣して作られたものであった。

　また、本地垂迹説の成立した平安後期以降、その信仰的表象として銅鏡（神体）の表面に仏菩薩の図像を線刻あるいは添付する「御正体」が作られた。これなどは、本地と垂迹との関係を表象した独創的表現であると思われてきたが、中国でも同様の「線刻鏡」が先行して存在しており、御正体の発生もその借用だった可能性が高いのである。

3　中世

中世に入ると、カミの教説化が起こった。「神道」という語が、カミ信仰に関する思想や集団を指す語として定着していくのはこの時期のことである。かかるカミの教説化＝中世神道説について、これまでは本地垂迹説の連続ととらえる見方と、仏教の引力圏からのカミ信仰の自立化とする見方に分かれていた。ただ、何れも本地垂迹説の内的展開として捉えていることは共通であった。

　しかし近年の新しい研究の成果は、両部神道や伊勢神道における新しいカミ解釈や宇宙・日本の起源に関する言説の典拠の多くが、中国に留学した禅僧がもたらした禅籍や新しい道家文献（老子注釈）だったことを明らかにした。たとえば、最初期の両部神道書である『三角柏伝記』に、天地開闢《かいびゃく》の原初について「神は道化の一気、乃ち無の中の有なり。釈氏、虚神を以て実相と謂ふ」との一節があるが、これは『道徳真経直解』という宋代にできた新しい老子注の一節だった。また、同じく初期両部神道書のひとつ『天地霊覚秘書』に見える「湛然凝寂」「虚徹霊通」などの語句は、北宋の禅僧圜悟克勤《えんごこくごん》の語録『圜悟心要《しんよう》』を出典とするのである。平安後期から鎌倉期にかけての日宋貿易によって日本に移入された文物は日本の文化を大きく変えたが、中世神道もまた新しい宋代思想からの強い影響を蒙っていたのだった。

かかる新しい文献を日本にもたらした禅僧社会（禅林）は、中世を通じて、日本における大陸文化のセンターであり続けるが、中世神道説のその後の展開にも深く関係した。禅僧たちが大陸から移植した思想の中で、最も重要だったのが三教一致である。中国禅林の儒仏道一致の風土は、従来の本地垂迹説とも融合して日本型の仏教・神道・儒教一致の考え方を生み出した。この思想に基づく最大の達成が吉田兼倶《よしだかねとも》（一四三五～一五一一年）による唯一神道（吉田神道）である。兼倶は「神道」を万物の根源と定義し、仏教・儒教・易・道教もそれに包摂されるものと説いた。つまり、彼は「神道」を中核とした三教一致を構想したのだった。

兼倶は、「日本紀の家」「神道の家」としての卜部《うらべ》吉田家の家職の伝統と、両部・伊勢神道の教理・儀礼を土台にして自らの神道を樹立したが、それらのみをもとに教説を構築したのではなく、禅僧を通じて知った大陸の宗教思想をも取り込んだのだった。なかでも彼が注目したのが道教である。兼倶の主著『唯一神道名法要集《ゆいいつしんとうみょうほうようしゅう》』には二箇所にわたつて「北斗元霊経云」としてその引用が見える。『北斗元霊経』とは、道教経典である『太上玄霊北斗本命延生経』を指す（実際は、経典の本文ではなく、その注釈）。さらに彼は、本経に基づく北斗法を吉田神道の重要祭祀に位置づけた。そのほか、兼倶は存思《ぞんし》法など道教の修行法を説く『太上老君説常清静経』も所持していた。元来、神道には体系的な修行法などないので、これを参考に神道独自の修行法を作ろうとしていたらしい。

4 近世

近世になると、神道から仏教的要素を排除するいっぽう、儒教と神道の融合を説く傾向が強くなる。これが儒家神道で、林羅山《はやしらざん》（一五八三～一六五七年）の理当心地《りとうしんち》神道や山崎闇斎《やまざきあんさい》（一六一九～一六八二年）の垂加《すいか》神道などが出た。彼らは、神道を儒教と結びつけることで、神道の道徳化を進めるとともに、政治哲学化を志向した。すなわち神道即王道論である。これらを通じて神道を普遍思想たる儒教の日本的形態と位置付け、それによって、儒教が日本に適合した教えであることを示そうとしたのである。

かかる神儒一致の傾向に対しては、批判も起こった。本《もと》居宣長《おりのりなが》（一七三〇～一八〇一年）の「からごころ」批判がその典型だが、それに先だって、儒学内部では、とくに徂徠学派が論難を加えた。荻生徂徠《おぎゅうそらい》（一六六六～一七二八年）やその弟子だった太宰春台《だざいしゅんだい》（一六八〇～一七四七年）は、今般「神道」として流布しているものは「巫祝《ふしゅく》の道」を、吉田兼倶が粉飾して作り出したものであって、「神道」とは全く無関係だと主張した。ここで興味深いのは、徂徠や春台が儒家神道とは別の意味で、「神道」の普遍性を問題の俎上に載せたことである。

ただし彼らによれば、それは日本古来の「巫祝の道」ではなく、『周易《しゅうえき》』に「天の神道を観て四時忒《たが》はず、聖人神道を以て教を設け、天下服す」とあるのが、真の「神道」である。日本における「神道」発見は、「聖人の道」を学ぶことを通じてはじめてなされたというのである（荻生徂徠『南留別志《なるべし》』、太宰春台『弁道書《べんどうしょ》』）。

これに対して国学は、中国の「道」の到来で日本本来の「道」が失われたのだと主張し、まさに「日本的特殊」として「神道」を再構成するようになる。だが、彼がいう日本の「道」とは、たとえば「古への道は、天地のまにまに丸く平らかにして、人の心詞に、いひつくしがたければ、後の人、知えがたし」（賀茂真淵《かものまぶち》『国意考《こくいこう》』）とあるように、それのみで明確に定義できず、中国の「道」を批判することを以てはじめて立ち現れるのである。

5 おわりに

冒頭で述べたように、神道は日本〈固有〉の信仰などではなく、日本における東アジアの諸信仰・諸思想の受容と融合の中から形成されてきたものである。日本文化自体が、基本的にそのようなものであるから、神道も同様であるのは至極当然である。

しかし、近世より始まる国民国家形成の過程で、日本文化の独自性（もっというと中国との異質性）が模索される。その中で「神道」は、日本〈固有〉の信仰と見なされるようになっていったのである。神道の中に古代の日本人の精神性の原型を見ようとする者は多いが、彼らが見ているのは古代人のこころではなく、近世人の頭の中で作り上げられた幻影なのである。

参考文献

・伊藤聡『中世天照大神信仰の研究』法藏館、二〇一一年。
・同『神道の成立と中世神話』吉川弘文館、二〇一六年。
・同「中近世の「神道」」、伊藤聡・吉田一彦編『日本宗教史3　宗教の融合と分離・衝突』吉川弘文館、二〇二〇年。
・小川豊生『中世日本の神話・文字・身体』森話社、二〇一四年。
・斎藤公太『「神国」の正統論―『神皇正統記』受容の近世・近代』ぺりかん社、二〇一九年。
・菅原信海『日本思想と神仏習合』春秋社、一九九六年。
・奈良国立博物館『聖地寧波日本仏教一三〇〇年の源流―すべてはここからやって来た』同館、二〇〇九年。
・樋口達郎『国学の「日本」―その自国意識と自国語意識』北樹出版、二〇一五年。
・増尾伸一郎・坂出祥伸「中世日本の神道と道教―吉田神道における『太上玄霊北斗本命延生真経』の受容」、酒井忠夫ほか編『日本・中国の宗教文化の研究』平河出版社、一九九一年。
・松下道信『宋金元道教内丹思想研究』汲古書院、二〇一九年。
・吉田一彦『古代仏教を読み直す』吉川弘文館、二〇〇六年。

第3部　東アジアの侵略と文学

01

モンゴルの侵略とその言説

『越甸幽霊集録』を読む

佐野愛子

1 はじめに

十三世紀にはじまるモンゴルの侵略は日本のみならず、ユーラシアの東西南北の広範囲にまたがるものであった。日本に蒙古《もうこ》の襲来があったのは二度で、それぞれ「文永の役」（一二七四年）、「弘安の役」（一二八一年）と呼ばれる。蒙古によって外部から侵略される恐怖は大きく、日本全国の主要な寺社において敵国降伏の祈願が行われた。[*1]

そして侵略行為をはねかえすことのできる強力な神への信仰を呼び起こした。外部の脅威から守る神として八幡大《はちまんだい》菩薩《ぼさつ》が著名である。また八幡大菩薩の母である神功皇后には三韓《さんかん》侵攻という『古事記』『日本書紀』に語られる神話があるが、蒙古襲来の際に、異国と戦ったという点から、戦う女神として大きく称揚されるようになる。つまり蒙古襲来を通して多くの言説が生み出されたといえる。その結果として作り出されたのが『八幡縁起《えんぎ》』や『八幡愚童訓《ぐどうくん》』である。

一方、大越《だいえつ》（現在の北部ベトナム地域）においても一二五七年、一二八四年〜八五年そして一二八七年〜八八年と三度にわたってモンゴルの侵略を受けている。大越におけるモンゴルの侵略は首都（現ハノイ）を陥落させるほどの被害をもたらしたが、そのすべてを撃退することに成功した。

さて、日本で蒙古襲来の際に神々への敵国降伏の祈願が行われたことは先に触れた。同じくモンゴルの侵略をうけた大越においても、この強大な脅威に打ち勝つべく、神の力を頼りにしたことが『越甸幽霊集録《えつでんゆうれいしゅう》』によってわかる。『越甸幽霊集録』がモンゴルの侵略を機に成立したことはすでに指摘されており、[2]モンゴルの侵略が日本と大越の対外的な神への信仰に及ぼした影響は大きいといえる。

本章では、モンゴルの侵略によって成立した『越甸幽霊集録』において、いかにして神は侵略者から大越を守ろうとしたのかについて考察したい。その際、日本と大越の風土や歴史といった相違点に注意を払いながら、日本の蒙古襲来言説を視座にいれて見てゆく。

2 『越甸幽霊集録』とは

『越甸幽霊集録』[3]は守大蔵、書文正掌[4]、中品奉御、安暹路転運使の李済川《りせいせん》なる人物が陳朝（一二二六〜一四〇〇年）の開祐元年（一三二九）に撰した書である。書名の「越」は大越国を、「甸」は天子に直属した地を意味する。つまり、「越甸」とは、大越の皇帝が支配した地域を意味する。その大越の神々を、「歴代人君（八位）」、「歴代人臣（十二位）」、「浩気英霊（十位）」の三つにわけ、計三十位の神の事績を記したのが、『越甸幽霊集録』である。本書に載る神は次のものである。

・『越甸幽霊集録』目録[5]（計三十位）

歴代人君〈附后妃〉（八位）[6]	歴代人臣（十二位）[7]	浩気英霊（十位）
一　嘉応善感霊武大王	八　威明顕忠大王	十九　応天化育元君
二　布蓋彰信大王	九　校尉威猛大王	二十　広利大王
三　趙越王	十　太尉忠輔公	二十一　盟主昭感大王
四　後李南帝	十一　国都城隍大王	二十二　開元威顕大王

五　社壇帝君
十二　洪聖佐治大王
二十三　冲天威信大王
六　徴聖王
十三　都統匡国王
二十四　佑聖顕応王
七　貞烈夫人
十四　太尉忠恵公
二十五　開天鎮国大王
十五　却敵威敵二大王
二十六　忠翊威顕大王
十六　証安佑国王
二十七　善護国公
十七　回天忠烈王
二十八　利済通霊王
十八　果毅剛正王

後世に、多くの人物によって増補、削除および改稿などの手が加わって[8]はいるものの、『交州記』、杜善の『史記』および『報極伝』[9]といった李朝期（一〇〇九～一二二六年）以前の現存していない資料等を典拠にして編纂されており、陳朝時代以前の祭祀体系を探る上で重要な書といえる。

本書の特徴といえるのが、二十八編に登場するすべての神に、特定の年に神号《しんごう》が付与されたことを記している点である。すなわち「重興元年（一二八五）」、「同四年（一二八八）」、そして「興隆二十一年（一三一三）」の三回にわたり、神への神号付与が一斉に行われている。[10]このうち、重興元年と重興四年がモンゴルの侵略を撃退した年にあたるのは、先に見た通りである。このように『越甸幽霊集録』の特徴ともいえる特定の年における神号付与の記述が、モンゴルの侵略を撃退した年とかかわっていることは、『越甸幽霊集録』の成立が外部の侵略を契機としていることをうかがわせる。

次に『越甸幽霊集録』に記載されるもう一つの年である、興隆二十一年についても見ておきたい。こちらも同じく外部との戦いに勝利した後の年であるが、中国という北方ではなく、南方にある占城（チャンパー[11]）との戦いに勝利した年にあたる。『越甸幽霊集録』にはこの占城との戦う記述が北方にある中国と戦う記述と同程度ある。北方の脅威と対抗する大越にとって、その後背地にあたる南方の占城が重要な地域であったことは言うまでもない。十世紀に中国から独立した大越が後背地確保のため、「南進（Nam tiến: インドシナ半島東部の海岸平野地帯を、大越が南へむかって進出していったことを指す）」したことはそれを裏付ける。

これまで見てきた内容から、『越甸幽霊集録』が外部の脅威を取り除く内容で構成されており、なおかつモンゴルや占城との戦いで勝利した際には、功績があった神に対して神号が付与されたことが読み取れる。それでは神はどのようにして戦いに臨む人々を助けているのであろうか。次にそれを見てゆきたい。

3　国土を守る神

『越甸幽霊集録』が外部の脅威との戦いが内容の中心にあることは先に述べた。しかしながら、外部の脅威は北方にある中国と南方にある占城では大きく意識が異なっており、同列に扱うことは危険といえる。そこで今回は、外部からの侵略、すなわち中国との戦いに焦点を合わせて見てゆきたい。『越甸幽霊集録』で中国の侵略を防ぐために神が助ける話を三つ引用する。

①布蓋孚祐彰信崇義大王（二話）

呉先主時、北兵入寇、呉主憂之。夜夢王来助、督進兵。呉主異之、遂進兵、果有白藤勝状。

②証安佑国王（十六話）

至陳元豊間、韃靼入寇、至其境、馬蹶不進、村民相率拒戦。賊奔散。賊既平、詔封神為「証安国公」、所在民為護舎、準免兵徭。重興元年、北人復入寇、所至残破。及経過此邑、秋毫無犯、如有保護者。賊既平。敕封「証安王」。

③回天忠烈王（十七話）

至陳元豊間、韃靼入寇京城、帝欲出避順流邸。至天幕江口泊宿、神現告帝曰、「陛下不須遠幸」。帝悟、命官詣祠致祝。後賊不至此江口、果如神言。及賊平、敕封「回天神王」。

①の話は呉先主の時代に、南漢がベトナムを侵略しにきて、呉先主はそれを憂う。すると呉先主は布蓋孚祐彰信崇《ふがいふゆうしょうしんすう》義大王《ぎだいおう》が助けに来る夢をみる。そこで呉先主は兵を進めると白藤江で南漢を撃退できた。なお本話に登場する布蓋孚祐彰信崇義大王は、自身もまた安南都護の高正平《こうせいへい》*12に対して兵を挙げた人物であることが先に記される。

②の話は六世紀に梁に抵抗して建国した李南帝に仕えた李服蛮《りふくばん》という将軍の話である。陳朝の元豊年間に韃靼《だったん》（モンゴル）がベトナムの境界に入寇した際、モンゴル軍の馬は進むことができなかった。そこで村民はモンゴル軍と戦い撃退した。この功績によって李服蛮は陳太宗から「証安《しょうあん》国公」に封じられた。また重興元年のモンゴルの侵略の際、モンゴル軍は至る所を破壊したが、李服蛮のいる村だけは攻め寄せてこなかった。これは李服蛮のおかげである。よってモンゴル軍を撃退した際に、「証安王」に敕封された。

また李服蛮は「高駢《こうべん》が南詔を破るとき、呉王が南漢を破るとき、黎大行が宋兵を破るときに手助けをした（高駢破南詔、呉王破南漢、黎大行破宋兵、臣皆預有陰助之力也）」とも記されている。

③の話もモンゴルの侵略時に関する話である。陳朝の元豊年間に韃靼（モンゴル）が京城にまで入寇したとき、帝はそれを避けるために天幕江《てんばくこう》の河口までやって来てそこに泊まった。すると神があらわれて帝に遠くに行く必要はないことを告げる。その後、神を祀ったところ、神の言ったとおり、賊はこの河口までは至らず撃退することができた。そこで「回天《かいてん》神王」と敕封した。

このように『越甸幽霊集録』では、神の陰助によって外部から入寇してくる侵略者を撃退していることがわかる。

4　侵略と託宣

さて、ここで日本の蒙古襲来に目を向けたい。はじめに触れたように、日本においても蒙古襲来の際には、全国の主要な寺社において敵国降伏の祈願が行われ、対外的な神、すなわち外部の侵略者と戦う神が称揚された。その象徴ともいえるのが八幡大菩薩（以下、八幡）である。そこでまず蒙古襲来といった異国襲来において八幡の威力を説いた

『八幡愚童訓』甲本《こう》*13から神仏の冥助《みょうじょ》を見てゆきたい。

外部からやってくる侵略者を八幡の力で撃退する点においては、先の『越甸幽霊集録』で見た内容と変わりはないが、そこには異なる展開も含まれているように思われる。それが託宣による外部侵略の予告という点である。その例を引用する。

然間、皇后御物狂ク気出来ル。武内大臣、御簾ヲ半ニ巻上テ、「如何ナル事ニテ坐スヤ」ト被レ申レバ、「我ハ五十鈴川ノ辺ニ栖ム天照大神也。三韓既ニ十万八千艘ノ船ヲ出シ立テ、数万ノ軍兵只今来ラントス。此地ニ不レ着前ニ急異国ニ可二向給一也」トゾ仰ケル。

八幡の母にあたる神功皇后に関するものである。託宣は天照大神のもので、三韓が日本を侵略しようとしていることを告げ、襲来する前に三韓へ向かうように説く*14ものである。

もう一つ、今度は蒙古襲来前の八幡の託宣を見てみよう。

天平勝宝七年ノ御託宣ニ、「若吾氏人乃中仁一人毛有二愁歎一波、社於去弖虚空尓住志弖、天下尓起二種々乃災一牟」ト在ル。当時ノ氏人抱二道理一溺二悲涙一、神事衰ヘ廃テ崇敬無レ誠。大菩薩社ヲ去リ災ヲ示給ニヤ、天変地夭、風雨水旱、疫癘兵革、横死頓病打続、国土不レ穏、人民雖レ無二絶事一、政ヲ以テ蝗虫ヲ駈シ謀ヲ忘レ、夭ハ徳ニ不レ勝様ニ背ケバ、蒙古、折ヲ得テ牒使牒状ヲ奉ル。

天平勝宝七年（七五五）の託宣に、八幡が「社於去弖虚空尓住志弖、天下尓起二種々乃災一牟」と、当時の氏人が八幡に対する崇敬がなくなったために、八幡は虚空へと去り、さまざまな天変地異が起こってゆく。そしてそのような状態の中で蒙古襲来が生じた、とここでも託宣は外部侵略とかかわりがある。『八幡愚童訓』甲本には、このほかにも多くの託宣記事があり、託宣の機能が重要視されていることがわかる。*15

次に蒙古襲来とかかわる丹生明神《にうみょうじん》の託宣を見てみたい。

太政官牒（紀伊興山寺文書）（『鎌倉遺文』一八一三四号）

> 而弘安四年四月五日同十二日、当社四所明神之中、三大神号蟻通神、託宣曰、日本国神發向蒙古、任先例、天野大明神可令向一陣給之由、議定既畢、吾為彼楯築、可懸初《（ママ）》前《（箭カ）》也、而惣無武具鏑矢一手・弓弦一筋、来廿一日以前可令得之、明神進発者、来廿八日丑剋也、其時定可有瑞相、以不動火界呪、可増神威光、来六七月中、本朝可成安全（云々、取要）、其後異国賊船不知幾千万、充満海上之由、鎮西早馬関東到来之間、万人変色、貴賤失度之処、彼託宣文披露之刻、人皆含随喜、知神威不墜、仍自関東任彼託宣、被送献弓箭御剣帛等、然間合戦之後、如鎮西所進戌虜白状者、去四月四日蒙古賊船解纜之由戴之、明神託宣相当、彼翌日自余諸社、各雖有霊異之聞、皆是凶賊猖狂、襲来之後也、兼謀未然之前、遙鑑絶域之外、示両度之霊託、告四海之安危、当社效験殊以厳也。

弘安四年四月五日に丹生明神の託宣があった。蒙古との合戦の後、捕虜が白状した話によると、蒙古の出発は丹生明神の託宣の一日前であったという。他の神々がみな襲来後に霊異を発揮するのに対し、丹生明神は襲来前に託宣をしてそれを知らせている。ここでも託宣の予言力が高く評価されている。

このように、日本の蒙古襲来時に生み出された託宣記事の予言力、すなわち異国から来襲する前に知らせるという内容を見てゆくと、先にみた『越甸幽霊集録』の神との違いが浮き彫りになる。『越甸幽霊集録』における神はすべて、北方から大越の地を侵略した後の功績を記しているのである。*16

大越　侵略　→　神の冥助　→　撃退

日本　託宣　→　侵略　→　撃退

外部の脅威が侵略する前に、神の託宣がないことは、『越甸幽霊集録』の大きな特徴といえる。

5　神の冥助の差異

それではなぜ『越甸幽霊集録』では、外部侵略を予言する託宣がみられないのであろうか。それを考察するために、まずは日本の蒙古襲来によって作り出された神々に関する言説が、なぜ託宣を重視しているのかについて考えてみたい。

蒙古襲来の際に霊験のあった神々について語るテキストが、その神々を祭祀する各々の寺社から生み出されている点は大きな意味をもつ。つまり先に引用した例で述べるならば、『八幡愚童訓』甲本は石清水《いわしみず》八幡宮の祠官《しかん》が、丹生明神の託宣は天野《あまの》社が書いたとされる。蒙古襲来から各々の寺社の神々こそが日本を守ったということは、「宗教界において恰好の教線拡張、布教喧伝の手だてとなった」[*17]のである。

ここで強調しておきたいのは、神の霊験をことさら誇示する必要があった背景には、「社寺等の幕府に対する恩賞要求とその実地」[*18]があったためである。つまりこれらのテキストは「幕府に注進して恩賞に与ろうとした事情が介入」[*19]して成立したといえる。事実、天野社はこの功績を評価されて和泉国近木荘《こぎのしょう》を給付される。

このようにみてゆくと、蒙古襲来時になぜ予言という託宣が重要視されたのかがみえてくる。他社の神々と差異をつけ、自社の神の霊験を高める一つの手段が侵略の予言という託宣の形で表出するのである。

一方、ベトナムの『越甸幽霊集録』は三十位もの神々の活躍が一巻の中に描かれており、日本の神々のように一神の霊験を誇示する目的で編纂されたわけではない[*20]。『越甸幽霊集録』の編纂目的は明らかではないものの、Taylor は次のように述べる。

Taylor は『越甸幽霊集録』が王権からの命令によって編纂されたという証拠はないとしながらも、その序が陳明宗が退位し、陳憲宗が即位した年にあたることを重要視する。この陳明宗の父である陳英宗こそ、『越甸幽霊集録』の三つの年号にすべてかかわりのある人物である。陳英宗は、その生涯に二度のモンゴルの撃退と、占城親征の成功を経験している[*21]。そして陳英宗は興隆二十一年、すなわち戦勝に貢献した神への神号付与をした翌年[*22]に退位して、陳明宗へと皇位を譲位した。ここから Taylor は神々への三度の神号付与が行われた時代を生きた陳英宗の下で仕えていた李済川が、『越甸幽霊集録』を編纂し、英宗の息子である明宗の退位後[*23]に進呈したのではないかと推測している[*24]。

李済川が陳朝に仕える官僚であったことを鑑みるに、『越甸幽霊集録』の成立が王権とかかわっているという指摘はおそらく疑いない。しかし『越甸幽霊集録』の成立が、モンゴルの侵略を契機とした理由については、もう少し考察する必要がある。というのも、大越はモンゴルの侵略以前にも、何度も侵略を受けているためである。そこでモンゴルの侵略がそれ以前のものと、どのように異なっていたのかについて考えてみよう。

まず一般的に言われているように、モンゴルの侵略はそれ以前のものとは比較にならないほど強大な力を持っていた。[*25] 一回目の侵略から考えれば、モンゴルの脅威は三十年以上にわたって続いたことになる。

また、『大越史記全書』をみると、モンゴルの脅威は元への投降を引き起こした。[*26] むろんこれまでの戦争においても、投降者がいなかったというわけではないだろう。モンゴルの侵略時の投降者において、注目したいのは陳朝の宗室が次々と投降したという事実である。その中には、「昭国王益稷《しょうこくおうえきしょく》」もみられ、陳聖宗の弟である彼が投降した衝撃は決して小さいものではなかっただろう。

『越甸幽霊集録』では、神は侵略をされた後に援助にあらわれる。そして侵略は必ず神によって撃退される。つまり、大越の地は神に守られており、決して投降する必要はないのである。『越甸幽霊集録』に外部からの侵略を予言する話がない理由は、モンゴルの侵略時に陳朝の宗室すら投降する状況があったからではないだろうか。侵略をされても決して降伏する必要がないことを示すために、『越甸幽霊集録』の神は侵略後に霊験をあらわすのである。

6　おわりに

十三世紀にはじまるモンゴルの侵略が日本や大越に与えた衝撃は大きい。この強大な脅威を取り除くために、日本においても大越においても対外的な国を守る神が称揚され、神々の活躍を描くテキストが成立する。

外部からの侵略に対し神が人々を助けるという点で、日本のテキストも大越のテキストも同じであるが、そのかかわり方には違いがある。すなわち、蒙古襲来から日本を守ったとされる神々には、侵略の前に人々に知らせる託宣がえがかれるのに対し、『越甸幽霊集録』では、侵略後に、神が手助けに現れる。

日本では各々の寺社で各々の神が蒙古襲来にどのように威力があったかを示すためにテキストが作られた。それによって幕府からの恩賞を得る目的が背景にある。つまり寺社自身の神がほかの寺社の神よりもすぐれていることを述べる必要があったのである。このため日本におけるテキストでは、ほかの神よりもはやく侵略者に対応したという託宣がみられるのである。

一方、大越の『越甸幽霊集録』は、二度のモンゴルの侵略および占城親征の勝利の際に功績のあった神々をまとめた本である。功績のあった神々に神号を付与した英宗の功績を遺した書ともいえ、英宗を神格化する意味もあったろう。またモンゴルの侵略は、それ以前のものと比べるに強大なものであった。それは陳朝の宗室が投降した記事からも指摘でき、大越国内では敵への降伏をしないよう標榜や檄文が作成された。『越甸幽霊集録』はこのようなモンゴルの侵略を背景として成立している。『越甸幽霊集録』の神は外部からの侵略後に霊験をあらわす。これは大越の地は神によって守られており、侵略をうけても決して降伏する必要がないことを説明するためといえるのではないだろうか。

注

1　寺社の敵国降伏に関しては相田二郎『蒙古襲来の研究（増補版）』（吉川弘文館、一九八二年）に詳しい。

2　後藤均平『ベトナム救国抗争史―ベトナム・中国・日本』（新人物往来社、一九七五年、K.W.Taylor, Note on the *Việt điện u linh tập*, *The Vietnam Forum*, 8, 1986）、佐野愛子「『粤甸幽霊集録』における神―モンゴルの侵略を通して」（『立教大学日本学研究所年報』13、二〇一五年）。

3　書名は『粤甸幽霊集録』、『越甸幽霊集全編』、『粤甸幽霊』、『越甸幽霊』など諸本により異なる。本稿では、現在もっとも古態をとどめるとされるX-3-9（東洋文庫蔵）を底本とした。なお、底本では、書名は『粤甸幽霊集録』となっているが、「粤」と「越」は通音であることから、『越甸幽霊集録』に改めた。また字体に関しては新字体に統一した。

4　諸本によっては「書火正掌」とある。『大越史記全書』には陳朝期に「内書火正掌」という役職の者が一二八〇年条、一三一六年条、一三二六年条と李済川とほぼ同時期に登場する。今回は底本に従っておくが、「書火正掌」が正しいか。

5　目録の漢数字および神位は簡便のために筆者が付した。

6　五話の「徵聖王」は姉妹神で二神が登場する。そのため神の合計は八位となる。

7　十四話の「却敵威敵二大王」は兄弟神で二神が登場する。そのため神の合計は十二位となる。

8　たとえば李済川の『越甸幽霊集録』に「按録」をほどこした金冕軼、十五世紀に話を増補した阮文質、十六世紀に話を増補した黎似之がおり、そして一七一二年には黎純甫が校訂して跋を加えている。さらに十九世紀に高輝耀が注と評を加えており、呉甲豆は一九一九年に「英烈正気」の項目を重補した。またそれとは別に一七七四年に、諸葛氏が新たに『新訂較評越甸幽霊集』を編纂している。

9　それぞれ記述内容から、『交州記』は北属期（唐時代）、『史記』および『報極伝』は李朝時代のテキストと考えられる。

10　例外は六話「徴聖王」、十四話「太尉忠恵公」、二十五話「開天鎮国大王」の三話である。六話は重興元年の神号付与がなく、十四話は重興元年の神号贈号の後にある美字の追号が、「後」とあるのみで何年かわからない。二十五話は重興元年の神号付与がなく、その後にある神号の贈号も「四年」とあるのみで重興年の出来事か不明。

11　現在のベトナム中部に二世紀末ころに建国された王国。後漢から自立し、七世紀以後は滅亡までチャンパーというインド風国名を名乗った。後漢から自立した時期は中国では林邑と呼ばれていたが、九世紀後半以後は占城と呼ばれた。

12　底本「高士平」。『唐書』、『大越史略』、『大越史記全書』により改めた。

13　テキストは桜井徳太郎・萩原龍夫・宮田登校注『寺社縁起（日本思想大系）』（岩波書店、一九七五年）を使用した。

14　神功皇后の神話は『古事記』『日本書紀』に語られていたものであるが、そこでは「富の遠征を勧める」神託がなされている。異国襲来の託宣への変更は蒙古襲来の影響が大きいことは多田圭子「中世における神功皇后像の展開―縁起から『太平記』へ」（『国文目白』31、一九九一年）、清水由美子「延慶本『平家物語』と『八幡愚童訓』―中世に語られた神功皇后三韓出兵譚」（『国語と国文学』80-7、二〇〇三年）に指摘がある。

15　小峯和明「〈侵略文学〉の位相―蒙古襲来と託宣・未来記を中心に、異文化交流の文学史をもとめて」（『国語と国文学』81-8、二〇〇四年）にも、『八幡愚童訓』甲本のテキストにおいて託宣が重要であることが指摘されている。

16　『越甸幽霊集録』に、戦闘を予言する託宣の話がまったくないわけではない。たとえば、二十一話「盟主昭感大王」には、李太宗の即位に反対する後継者争いに触れ、即位前の李太宗への反乱が起こる前に、銅鼓山の神が事前に李太宗に夢で危機を知らせている。各王朝の皇帝の即位と滅亡の前に託宣がよく出現したことはグエン・ティ・オワイン「ベトナムにおける「讖文」―李王朝についての史書を中心に」（小峯和明編『〈予言文学〉の世界』アジア遊学159、勉誠出版、二〇一二年）に詳しい。

17　小峯和明「〈侵略文学〉の位相―蒙古襲来と託宣・未来記を中心に、異文化交流の文学史をもとめて」、『国語と国文学』81-8、二〇〇四年。

18　川添昭二「蒙古襲来と中世文学」、『日本歴史』302、一九七三年。

19　川添昭二「蒙古襲来と中世文学」、『日本歴史』302、一九七三年。なお武士の軍忠状として竹崎季長の『蒙古襲来絵詞』が著名である。

20　『越甸幽霊集録』の序文には、「我が大越の地には古来から神が多くいる。その事績をあきらかにし、人民を助けることができるものはどのくらいいるだろうか。（略）もしも真実を記さなければ、正邪を見分けにくくなってしまう。そこで浅見寡聞ではあるが、本書を編纂した（我皇越宇内諸神、古来多矣。能彰厥績、陰相生霊者有幾哉。（略）若不紀寔、朱紫難明、因随浅見早聞、編集成書）」と、編纂の動機が述べられている。

21　ただしモンゴルを撃退した時の皇帝は陳仁宗である。

22　『大越史記全書』（本紀巻之六）は、興隆二十年に神号付与の記事が載る。

23　このとき英宗はすでに崩じている。

24　K.W.Taylor, Note on the *Việt điện u linh tập*, *The Vietnam Forum*, 8, 1986.

25　川本邦衛『ベトナムの詩と歴史』文藝春秋、一九六七年、後藤均平『ベトナム救国抗争史―ベトナム・中国・日本』（新人物往来社、一九七五年）、K.W.Taylor, Note on the *Việt điện u linh tập*, *The Vietnam Forum*, 8, 1986 等。

26　『大越史記全書』本紀巻之五、一二八五年二月条、三月条、一二八七年十二月条など。

02 倭寇と文学
中国明清文献にみる秀吉像を中心に

陳 小法

1 はじめに

現代の中国では、日本歴史人物の知名度といえば、一休宗純《いっきゅうそうじゅん》（一三九四～一四八一年）と豊臣秀吉（一五三七～一五九八年）が五本の指に入っていると思う。一九八〇年代、日本のテレビアニメ『一休さん』が中国遼寧《りょうねい》テレビ放送局で最初に（中国語名：聡明的一休《そうめいてきいっきゅう》）放送されるやいなや、一休の名は瞬く間に中国全土に広まった。それに対して豊臣秀吉の名は、明末の万暦年間（一五七三～一六二〇年）にはすでに周知のものであった。対照的なことに、頓知の化身である一休宗純とはまるで逆の存在として、秀吉には「悪玉」「妖怪」「好色」などというレッテルが貼られて、嫌われる人物の代表となってしまった。

では、なぜ中国人が豊臣秀吉のことを明末までに知らなければならないか。その一番の理由はやはり秀吉の朝鮮出兵にほかならない。戦争と対面する中国人は、よく「彼を知り、己を知れば、百戦するも殆《あや》うからず」という孫子の名句を思い出すが、この日本朝鮮出兵の報を受け、明国では、「彼」すなわち日本、より具体的にいうと戦争の親玉である豊臣秀吉を知る努力が行われたのは言うまでもない。

ただ、元末明初から始まった倭寇《わこう》の猖獗《しょうけつ》で、外敵対策に迫られた中国人が日本知識をかなり持つようになっていて、鄭若曾《ていじゃくそ》の『籌海図編《ちゅうかいずへん》』や侯継高《こうけいこう》（一五三三〜一六〇二年）の『全浙兵制《ぜんせつへいせい》』などはその中の傑作といえる。しかし、その知識はほぼ倭寇《わこう》の被害を最大に受けた沿岸地区の有識者に限られていて、北方人はそれほどでもない。だが、ときには真面目そうな歴史も冗談を言う、明が朝鮮救援のために動員を下したのは、まさに日本知らずの遼東軍隊がほとんどである。この地区の人々は、江南《こうなん》を荒らした倭寇のうわさをたまに識者が風の便りに聞くに過ぎない。動員された兵隊たちは、おそらく日本という国名さえ、初めて聞いたのではなかろうか。だから、朝廷から援軍の指揮官まで急いで日本の情報を各ルートで収集したようだ。しかし、情報源の雑多も原因か、秀吉のイメージはなかなか定かでなく、終始謎に包まれたまま、異変に至る。本章は、その変異された秀吉像の真相と成り行きに迫ってみたい。

2　引切り無しな「倭警」と関白情報

最初の秀吉朝鮮出兵についての消息は、琉球王国から明へ伝わってきた。それは、万暦十九年（一五九一）四月のことであった。侯継高『全浙兵制』の文末の付録「近報倭警《きんほうわけい》」に、以下の記事が示されている。

琉球国中山王府長史掌司事長史鄭迥為報国家大難事。（中略）今倭王関白、日本六十六州兼併為一主。陰蓄席捲琉球、中国之心。（中略）令陳申搭貢船馳報情、不漏洩事亦可済。為照倭人入寇、係重大事情。琉球・中国実唇歯相関、備由稟請。王印伝差通事鄭迪齎、赴告投報知、相機勦殺、須至報者。万暦十九年四月。[*1]

鄭迥《ていけい》、もともとは福建長楽《ふっけんちょうらく》の出身で、当時は中山王府長史掌司事長史《ちゅうざんおうふちょうししょうしじちょうし》をしている。陳申《ちんしん》という者は、福建同安《どうあん》の出身で、万暦十六年（一五八八）琉球王国へ商売に行く途中、海難に遭ってそのまま琉球に一時居留された。最初秀吉の朝鮮出兵消息を得た陳申は、いち早く長史の鄭迥に相談した。結局、琉球国の王世子から一小舟を賜り、陳申と通事の鄭迪《ていてき》にその任務を与えた。情報を受けた福建巡撫趙参魯《じゅんぶちょうさんろ》（一五三七〜一六〇九年）は、朝廷に報告したが、「倭人入寇」の情報があまりに簡略模糊で、関白個人の情報についても、「今倭王関白奮身奴隷、弑其王而奪之位」[*2]（今の倭王関白は、奴隷の身から奪い立ち、其の王を弑《し》し、而《しか》もその位を奪った）だけであったためか、情報の信憑性が疑われた。結局、貴重なイニシアチブは明廷に見逃された。

五カ月後、また同じ情報が蘇八《そはち》という人から伝来してきた。蘇八は浙江《せっこう》省台州《たいしゅう》府臨海《りんかい》県三十九都の漁民で、万暦八年四月一日に「撐礁洋《しょうしょうよう》」で漁獲をしているところ、同伴と共に倭寇に拉致された。七人のうち、兄の蘇六《そろく》、石八《せきはち》、毛《もう》思山《しさん》、胡佩《こはい》が殺され、彼と董朝明《とうちょうめい》、劉慶《りゅうけい》三人が薩摩藩に転売されたが、蘇八自身は薩摩藩江北州にある陳公寺《ちんこうじ》のある僧侶の召使となった。万暦十三年、蘇八はまた対馬《つしま》で商売をしている福建漳州《しょうしゅう》人の曾六《そうろく》に転売された。万暦十八年九月、蘇八は秀吉の命令に応じ、中国侵略の案内役として、漳州商人振峰《しんほう》の商船に乗って、ルソン国に至った。次の万暦十九年四月に、漳州商人王環山の船に乗り、蘇八は十二年ぶりにやっと祖国の漳州海澄《かいちょう》県にたどり着いた。五月、帰宅した蘇八は早速地元の台州周参将に会い、関係事情を報告したが、事は重大で、周参将が即時蘇八を台州兵巡道に送った。そこで、蘇八は秀吉の朝鮮出兵の情報を詳しく報告した。四カ月後、中軍左遊撃李承勛《りしょうくん》（一四七三〜一五三二年）のまとめた報告書は朝廷に届いた。

秀吉の朝鮮出兵のほか、蘇八は秀吉個人の情報も以下のように若干提供した。

有本国倭奴関白即名方白古登、向在銀山大頭目世子四也屯部下充小頭目。四也屯見方白古登驍勇、屢差帯領倭奴征勦各島、有功。遂委方白古登掌管銭帛、糧米、軍器。方白古登威権日重、乗見四也屯年老無用、殺死衆頭目、推遜方白古登為六十六州総頭目、亦就占住四也屯銀山地方。[*3]

蘇八によると、関白は「方白古登《ほうはくこと》」（関白殿の中国語表記か）とも呼び、もともとは銀山大頭目世子四也屯《しやとん》部下の一小頭目にすぎない、年寄の主君「四也屯」を殺害して自ら六十六州総頭目となった。情報に秀吉の名は終始一度も出て来なかったが、蘇八が供述した「方白古登」はおそらく秀吉を指すに違いない。また、まれなことに、蘇八はかなり近くで「方白古登」の様子を見たと思しい。

（蘇）八住飛蘭島、親見方白古登於万暦十八年二月、内差各頭目領駕前船、到於朝鮮国交界則室馬海島住泊。（中略）八親見方白古登、左頬上有黒痣数点、面似犬形、約年六十余歳、止生一子、才三歳。[*4]

蘇八が「左頬上有黒痣数点、面似犬形、約年六十余歳」の関白を見たのは、万暦十八年二月で、場所は飛蘭島《ひらんとう》であった。日本では秀吉のことを「猿面冠者」というが、蘇八は犬の形に似ていると報告している。また、蘇八の報告に眉唾物も否定できなさそうで、それは万暦十八年の秀吉は小田原に出陣しているはずで、「朝鮮国交界則室馬《こうかいそつしつま》（対馬）海島」ではない。ただ、黒い痣が数点という描写はリアルで興味深い。

　蘇八が日本から逃げてきた半年後の万暦二十年三月、「倭警」がまた来報された。情報提供者は同じく倭寇に拉致された明人で、朱均旺《しゅきんおう》という人である。朱氏の故郷は江西《こうせい》省臨川《りんせん》県で、万暦五年（一五七七）三月、交趾《こうし》へ商売に行く途中掠《かす》められて、同郷人許儀後《きょぎこう》の助けを得て、一命を取り留めて薩摩に居留された。万暦二十年正月十六日、日本から逃げ出し福建省にたどり着いた朱氏は、自分の日本見聞だけでなく、在日明人の許儀後と郭国安《かくこくあん》（?～一六三九年）の連署した報告書「許儀後陳機密事情《きょぎこうちんきみつじじょう》」も福建軍門に献上した。「許儀後陳機密事情」は、日本についての情報がかなり詳細で、「陳日本国之詳《ちんにほんこくのしょう》」「陳禦寇之策《ちんぎょこうのさく》」「陳日本関白之由」「陳日本六十六国之名」などが含められる。その中の「陳日本関白之由」に、関白の情報が最も豊富で、やや長文ながら、引用させていただく。

　　日本関白即漢大将軍号也。挟天子淩諸侯、擅拠京洛。今之関白、乃民家之僕、以採薪之役遇正関白於道、左右欲殺之、関白釈而用之、以為前部。多乎出征隣国、遂斬首獲功。関白悦之、賜姓木下、賜名十吉次郎。毎以滔佞事関白、累出累捷、関白以為大将軍兼相事。更賜姓羽柴、名執前。次年遂殺其関白、逐其子而自立、僭号関白、即初之十吉次郎、而今之関白也。東征西伐、併日本諸国。然未有戦一陣勝一陣、惟皆甜言大話、黄金詭計得之也。去年十一月死其弟、今年七月死其子、内外無親、一人而已[*5]。

情報によると、今の関白は京都に在住、もともとは民家の召使で、「正関白《せいかんぱく》」と邂逅してから、運命が一変した。最初は木下十吉次郎《きのしたとうきちじろう》と言い、功績が重なるにつれて、氏名は羽柴執前と変更された。次年、正関白を殺し、その子を追い払い、自分を関白と僭越《せんえつ》した。陰謀で日本諸国を合併し、家族はいない。

許儀後と郭国安が連合で提供した秀吉の情報は、陳申、蘇八などのよりかなり正確で、真実に最も近いものと言えるだろう。

残念なことに、何人かが命からがらで探偵してきた関白の情報は、活用されていないばかりか、もはや無視されたまま終わった。現在、明人の関係著作を紐解くと、関白の記述は想像に任せたり、委曲《いきょく》を尽くしたりして荒唐無稽なものが圧倒的である。

3　卑賤之身

右に言及したように、文禄慶長の役の前後、豊臣秀吉の情報が続々と明に入り、その第一の情報源は、日本在留の明国人からであろう。しかし、一般の中国人にすれば、朝鮮出兵はとにかく、その戦争相手の親玉である関白は一体何者かが、まず肝心なことであろう。その攫《さら》われた関心に応じるため、文人たちは興味津々に関白の出自を語りはじめた。

(1) 魚屋

明・諸葛元声《しょかつげんせい》『三朝平攘録《さんちょうへいじょうろく》』巻五に、

而平信長為関白、信長雄鷙能御下、而秀吉為之義子。秀吉幼微賤、不知父所出、其母為人婢、得娠、生欲棄之、有異徵、不果棄。乃長勇力矯捷、不事生業、初以販魚。酔臥樹下、信長出猟、吉驚起衝突、欲殺之、復以吉舌弁留之養馬、名木下人[*6]。

(而《しか》して平信長が関白と為り、信長が雄鷙《ゆうごう》で能く下を御《よ》し、而も秀吉がその義子と為る。秀吉が幼いに微賤で、父の所出を知らず、其の母人婢と為り、娠を得て、生まれ之《かれ》を棄て欲し、異徴が有り、棄を果《は》たらず。ついに長して勇力かつ矯捷《きょうしょう》で、生業に事ともせず、初販魚を以つ。酔って樹下に臥し、信長が猟に出し、吉が驚いて衝突を起し、之を殺して欲し、復び吉の舌弁を以《も》ち之を留め養馬させ、木下人と名す。)

と、秀吉の出自を記している。賤しい下女の子として生まれた秀吉は、最初魚の販売をしていたが、偶然に信長と出会い、弁舌の巧みさにより起用され、木下人と名づけて、馬の世話をさせていた。諸葛のこの書き出しから、すでに誤りが満ちている。信長は関白になってもいないし、秀吉を養子にしたこともない。信長と秀吉の邂逅は、おそらく矢矧橋《やはぎ》における蜂須賀小六《はちすかころく》と日吉丸《ひよしまる》の出会いが、信長にすりかえられたものである。

『三朝平攘録』の後で成立した、明・張燮《ちょうしょう》（一五七四～一六四〇年）の『東西洋考《とうざいようこう》』「外紀考《がいきこう》」「日本」という一節には、

万暦十四年、平信長為関白、其義子平秀吉者、先是母為人婢、得娠、欲勿挙、念有異徴、育之。秀吉幼微賤、販魚為業、酔臥樹下。信長出猟、吉驚起衝突、将殺之、見其鋒頴異常、因留養馬、名木下人。*7

とあり、ほぼ『三朝平攘録』と同じ内容で、秀吉の出自を記している。

同じく明・謝国楨《しゃこくてい》の『仿洪小品《ほうこうしょうひん》』巻二十八には、日本に関する記事が多いが、その中「倭官倭島《わかんわとう》」という一節に、

関白、倭之官号、如中国兵部尚書之類。平秀吉者、始以販魚。酔臥樹下、別酋信長為関白、出山畋猟、遇吉衝突、欲殺之、吉有口弁、自詭曾遇異人、得免。収令養馬、名曰木下人。吉又善登高樹、称曰猴精。信長漸委用、合計奪二十余州。*8

とあり、魚屋であった関白（秀吉）のことを記録している。さらに木登りがうまいので、猴《さる》の精と称されたとある。この『仿洪小品』のように、明・清においては、豊臣秀吉を「関白」「平秀吉」「倭酋《わしゅう》」「木下人」「猿精」などと呼称する史籍も多い。

（2）厠役

明・章潢《しょうこう》（一五二七～一六〇八年）の『図書編《としょへん》』巻五十「計処野酋《けいしょやしゅう》」に、「平秀吉、此酋起於厠役、由丙戌至今不十七八年而簒奪国柄」とある。「酋《かしら》」の秀吉は、もともと「厠役《かわややく》」（厠の清掃などの雑務をする下男か）であったにもかかわらず、十七、八年で国家権力を簒奪したという。

(3) 奴隷

『明史《みんし》』巻三百二十二「外国三」「日本」に、「平秀吉、薩摩洲人之奴。雄健蹻捷有口弁、信長悦之、令牧馬、名曰木下人」と記される。すなわち秀吉は、薩摩人の奴隷であったが、体が丈夫で口がうまいため、信長に起用され、馬の世話係となったという。

4 首級懸賞

「擒賊擒王《きんぞくきんおう》」(敵を虜にしたければ、その王を捕らえるべきである)と言われたように、日本軍の指揮官である秀吉を捕らえられれば、朝鮮まで侵入した部隊といちいち交戦せずとも、敵を弱体化できるという。それで、豊臣の首級を狙った特別な「禦倭賞格《ぎょわしょうかく》」は「文禄慶長の役」が勃発する直前の一五九一年に提起された。提案者は両広総督劉継文《りゅうけいぶん》で、主な目的は日本の朝戦侵略を阻止しようとするためとされる。

そもそも「禦倭賞格」とは、倭寇を退治するために、明朝政府が日本人の首級を戦功の証拠として、それと引き換えに懸賞を授与する制度で、制定時期は洪武年間までさかのぼることができる。

劉継文の上奏した「禦倭賞格」は、『明神宗実録《みんしんそうじつろく》』巻二百四十二「万暦十九年十一月壬午」条に、

> 総督両広侍郎劉継文備陳防倭条議、(中略)仍将奴入犯情節暁諭澳夷、令其擒斬関白入献、重加賞賚、尤銷患安邦之一策也。[*9]

と記されている。すなわち、日本の朝鮮侵略情報をマカオにいるポルトガル人に通告し、懸賞をもって彼らに関白こと秀吉を殺害させようと、劉継文が万暦帝《ばんれきてい》に提案した。提案は皇帝の内諾を得たが、その後の交渉は謎であり、実際の実行まで踏み切ることはなかった。

明朝が本格的に秀吉の首級を狙った懸賞策を提出したのは、「文禄慶長の役」が勃発後のことである。朝鮮に援軍を

派遣するとともに、兵部は士気を鼓舞するために、秀吉目当ての「禦倭賞格」を提案した。具体的な条目は、当時兵部左侍郎《さじろう》を務める宋応昌《そうおうしょう》（一五三六〜一六〇六年）『経略復国要編《けいりゃくふっこくようへん》』「部垣台諫条議疏略《ぶがきだいかんじょうぎそりゃく》」に収載されている。かいつまんでいえば、

第一、秀吉とその共謀者である景轍玄蘇《けいてつげんそ》を擒拿《きんだ》・斬殺し、朝鮮の領土を回復した者に、銀一万両を奨励し、世襲できる伯爵の爵位を授与する。

第二、以上の武功をあげた侯爵と伯爵は、公爵まで昇進する。

第三、在日中国人が秀吉を擒拿すれば、同等の懸賞を与える。

だが、朝鮮援助軍の総司令官「経略《けいりゃく》」に任命された宋応昌は、懸賞対象は秀吉と景轍玄蘇の二名に限られたことに対して、不十分と考えていた。結局、懸賞通告は皇帝の命令という形で、援助軍はもちろん、国内の軍事施設から、朝鮮国ないし海外諸国まで配布した。最後に、明朝に懸賞をかけられた秀吉とその家臣は九名にも達した。つまり、平秀吉（豊臣秀吉）・玄蘇（景轍玄蘇）・平秀次（豊臣秀次《とよとみひでつぐ》）・平秀嘉（宇喜多秀家《うきたひでいえ》）・平秀忠（豊臣秀勝《ひでかつ》か）・平行長（小西行長《こにしゆきなが》）・平義智（宗義智《そうよしとし》）・平鎮信（松浦鎮信《まつらしげのぶ》）・宗逸（竹渓宗逸《ちくけいそういつ》）で、懸賞金額はそれぞれ銀一万両から五千両までである。

5　死亡伝聞

日本軍の戦意を失わせ、戦争を速やかに終えようという狙いで、朝鮮の大臣である柳成龍《りゅうせいりゅう》が、文禄慶長の役が勃発した直後の一五九二年六月に、朝鮮国王に「秀吉の死亡消息を偽造すべき」と献言した。

明朝も秀吉の死亡情報をきわめて重視していた。一番早く明朝に秀吉の死を報告した人は、おそらく朝鮮通事の朴《パク》仁倹《ジンケン》であろう。彼によると、秀吉は対馬に駐屯していたとき、薩摩人に奇襲され全滅したという。その内容は宋応昌の万暦二十年（一五九二）十二月四日付の書簡に記されている。上述の死亡情報は北京まで伝わったが、明朝にはあまり影響を与えなかったようである。

だが半年後、明朝の間諜沈丙懿《しんへいい》が手に入れた死亡情報は明朝に大きな影響を与えた。死亡情報は戸科給事中《こかきゅうじちゅう》呉応明《ごおうめい》によって政府に上奏した。呉は、秀吉の死亡について明確に断言はしていないが、当時日本軍の連続的な退却の戦況から、軍隊内に必ず疫病があったか、それとも秀吉が死亡したかをほのめかしていると推測した。その一方、死亡情報が完全な誤報で、下心のある講和のため作った虚報であると思っていた大臣もいた。戸科給事中張輔之はその代表的人物である。

その後、秀吉の死亡情報にはまたさまざまな種類があった。その一つに、万暦二十四年（一五九六）四月、秀吉がすでに病死したと、朝鮮側に伝えられた。二つに、万暦二十五年初、日本の講和使者柳川調信《やながわしげのぶ》が中日の和談を成立させるために、秀吉が近いうちに必ず死ぬといううわさを故意的に作った。その後、そのにせの情報は明朝の冊封使《さくほうし》である楊方亨《ようほうきょう》らによって中朝両国にもたらされた。日本の朝鮮戦争が再開された一五九七年の翌年に、秀吉の死亡情報はまた複数のルートによって中・朝にもたらされた。その情報の持ち主は日本に潜入した明朝間諜、戦場で活躍した人々、朝鮮に逃げ帰った捕虜、琉球国王などさまざまである。

6　中国人説

文禄慶長の役の勃発前後、中朝の文学作品に、秀吉の中国人説が続々登場する。

（1）杭州人

朝鮮『壬辰録《じんしんろく》』の冒頭に、

皇明嘉靖年間、倭賊自江南入杭州、州人朴世平死其乱。其妻陳氏、姿色冠天下、以故被構而入於殺馬島。為平伸妻、在世平時已有娠矣。及其解胎之日、陳氏夢黄龍捉胸、驚悟而視之、異香満室、黄気氤氳、乃生男子、骨格奇

> 俊、龍顔虎口、猿臂虎頷、真天下貴人之像也。名曰秀吉、実朴氏之裔。三年、不学而成、智謀兼備、自有四方之志、遊遍山川。見関伯、伯見気像、愛其子、遂携而帰、与語国事。倭六十六州威服、海中諸国、四方聞風、群雄如雲集、於是秀吉遂廃倭帝源氏、称以大皇帝、建号天定、并呑諸島。[*10]

とある。すなわち、秀吉の生地は日本だが、実家は中国の杭州《こうしゅう》である。父親の朴世平《パクセヘイ》は倭乱で遭難し、美人の母親は妊娠の身で、倭寇に薩摩まで連行された。ゆえに、秀吉は父親の死後に生まれた子供とする。

（2）全州人または慈溪人

談遷《だんせん》（一五九三～一六五八年）の『国権《こくかく》』万暦十九年（一五九一）五月壬辰《じんしん》条に、

> 平秀吉簒日本国。秀吉、本全州人奴、或云慈溪陸氏。嘉靖末、従粵盗曾一本而敗、亡命日本。国王任之、善用兵、自称関白、猶漢大将軍也、遂簒立。[*11]

とあり、秀吉は「全州」の奴隷か、寧波慈溪《ねいはじけい》の陸氏かのどちらかだとする。海賊の曾一本《そういっぽん》に従ったが失敗して、日本に亡命したという。

（3）華人（中国人）

明・張瀚《ちょうかん》（一五一〇～一五九三年）『松窓夢語《しょうそうむご》』の「東倭記《とうわき》」に、

> 近伝華人関白平秀吉者入其国、尚倭王寡宮主、陰窃其位、号令洲島、併国数十、今已下朝鮮、隳両京、揺八道、走其国王、逃竄於我遼陽辺境。[*12]

とあり、華人こと中国人である秀吉は日本に入り、寡婦生活をしていた日本の宮主（公主）を娶ったという。日本国王の娘婿となった秀吉は、ついに倭王の位を不正に簒奪し、朝鮮まで侵略したとする。

『神宗実録《しんそうじつろく》』巻二百七十四「万暦二十二年六月戊申朔《ぼしんさく》」の「辛未《しんび》」条に、以下の記事がある。

崇明県報、獲倭船一隻倭三十四名。兵部言、但令応天撫按、研審真偽、不必解。従之。*13

倭船一隻を捕獲したが、応天府《おうてんふ》が審査した結果、三十四名の「倭人」は実際には日本人ではなく、漂着した琉球人だということがわかった。審査にあたり、三十四名の人は全員言語が通じにくく、有用な情報を得ることができず、最後に「衣水《いすい》」という「夷人《いじん》」が筆談で尋問に答えた。関係の記録は、当時南京監察御史であった蕭如松《しょうじょしょう》の「議兵船獲《ぎへいせんかく》倭疏《わそ》」に記されている。

又令衣水一名、言写出万暦二十二年等字。審称関白原系中国人、故学写中国字等。*14

「衣水」という「夷人」が漢字を書ける理由は、日本の支配者である関白が、元来中国人であったためという。

そのほか、朝鮮人の鄭琢《ていたく》の「与胡相公書《よこしょうこうしょ》」には、秀吉が「以匹夫投入人国」つまり中国からの亡命者と伝える。柳《りゅう》成龍《せいりゅう》（一五四二～一六〇七年）の『懲毖録《ちょうひろく》』には「或云華人、流入倭国」と、申炅《しんけい》の『再造藩邦志《さいぞうはんぽうし》』には「或云秀吉中国福建人、少販傭為生、漂到日本」と、それぞれ中国人説を提唱している。

では、なぜ秀吉の中国人説が生まれたのか、それは位人臣を極めるに至った傑物が、あの狭い東海の島国から出るはずはない、おそらく中国人ではないかという中華思想の表れであろう。日本でも、かつては成吉思汗《チンギスハン》を源 義経《みなもとのよしつね》に比定していたが、同じような発想で、秀吉中国人説が出たのではないか。

もちろん、「秀吉の中国人説」に反対する人もいた。謝傑《しゃけつ》（一五三五～一六〇四年）『虔台倭纂《けんだいわさん》』下巻「今倭記《きんわき》」には、

関白者、倭官号、猶中国之称大将軍、即今所封日本王平秀吉也。原姓木下、名十吉次郎、一名木　下森吉、蓋夷種。或云中国人者、非是。好事者習見海濱悪少年亡之夷、不近輒指為関白。呉指為呉人、浙指為浙人、閩指為閩人、並無拠。以余所聞、秀吉、其初微乎微者、能登高樹、号假精、曾以　樵遇国王於途、酔不及避左右、欲兵之、秀吉以口弁得免、収入王部下、試以諸事、輒了。問之能兵、曰能。捕海上諸小寇、又輒効。王悦、妻以女、俾典兵事。秀吉桀黠、既握兵柄、漸以威慴其下、下人畏之、知有秀吉、不知有王。*15

とあり、中国で流布していた秀吉の中国人説について、謝傑は、どれも根拠が乏しいと明確に否定した。

7　異類妖孽

右に、儚い秀吉の死亡情報について述べたが、伝聞を確信している人は少なかった。その中で注目に値するのは袁《えん》黄《こう》という人物で、秀吉を主人公にした『斬蛟記《ざんこうき》』という小説まで創作した。これにより、中国人の秀吉像への影響は長引くこととなった。

袁黄（一五三三～一六〇六年）は、原籍が浙江嘉善《かぜん》、十五世紀初めの「靖難之役」に、先祖が江蘇呉江《こうそごこう》に避難してきた。袁黄の初名は表《ひょう》といい、字は慶遠《けいえん》、号は了凡《りょうぼん》である。万暦二十年八月、「賛画」（補佐）という身分で経略宋応昌《そうおうしょう》（一五三六～一六〇六年）に随行して朝鮮の戦場まで赴いた。後、秀吉の死亡のうわさを耳にした彼は、旧知の怪人である「曇陽大師《どんようだいし》」と称えられる王桂《おうけい》（王錫爵《おうしゃくしゃく》の次女）の神力を得て、『斬蛟記』を著したという。[*16]

『斬蛟記』には、秀吉の身分について次のように揶揄している。

関白平秀吉者、非日本人、非中国人、蓋異類妖孽也。昔旌陽許真君斬蛟時、有小蛟従腹而出、以未有罪不加誅、縱入江、帰大海、至日本之紅鹿江銀蛟山居焉。歴一千二百餘年、所害物類、不可勝記、今又化為人、即平秀吉也。[*17]

すなわち、秀吉は人類ではなく、妖怪の蛟《みずち》である。許真君《きょしんくん》は、中国神話において、斬蛟で有名な人物である。秀吉は、もともと罪のない小蛟で、日本に流入して、千二百余りの修業歳月を経て、今の平秀吉と化したという。

蛟と化けた秀吉は、捕まえることがなかなかできず、最後、蛟の大好物である鵞が万匹海に放出され、餌を取りに姿を現した秀吉がやっと斬殺された。

『斬蛟記』が世に問われると、すぐに広く読まれたようである。袁黄と同時代の文人である沈徳符《しんとくふ》（一五七八～一六四二年）は、自分の文集『万暦野獲記《ばんれきやかくき》』「兵部・斬蛟記」に、この小説の成立経過を紹介している。[*18]

8　好色之魔

『斬蛟記』の影響を受けたこともあってか、中国における秀吉のイメージはますます悪化しつつあった。最後には、日本人に対するもう一つの悪印象である「好色」と結びついて、秀吉はとうとう好色淫蕩な色魔となった。その代表作は、清代の『野叟曝言《やそうばくげん》』である。

天下第一奇書と言われる『野叟曝言』は、夏敬渠《かけいきょ》（一七〇五～一七八七年）の作で、二十巻一五四回。文武両道に通じた超人的な主人公文素臣《ぶんそしん》が、艱難を経たのち大功をとげる物語。荒唐無稽な筋立てで、猥雑な面を含み、文章はかなり衒学的であり、作者の博学を誇示するために書かれたような作品である。

本書の第一三二回「素父忽迷羅刹国麟児独上状元台」に、登場した関白木秀《もくしゅう》（秀吉）夫婦を「奇淫極悪、将倭王囚起、日夜練兵、欲雪敗降之恥」（奇淫極悪、倭王を囚起し、日夜練兵し、欲敗降の恥を雪《そそ》いで欲し）と紹介して、読者にインパクトを与えた。

奇淫極悪の関白木秀に対する描写は、来貢を促すために派遣された文素臣と奚勤《けいきん》の日本到来によって詳しく展開する。まず、到着したばかりの二人天使の容貌について、迎え入れた宋素卿《そうそけい》（?～一五二五年）は「天使美貌、如絶色婦人」（美貌の天使はまるで絶世の婦人）と褒め讃えた。この報告を受けた木秀は、興奮が極まり、自ら二人の天使を出迎えに行った。宴会で、下心のある木秀は痺れ薬を入れた酒を天使に飲ませた。泥酔した天使は浴室まで運ばれ、二人の体を洗おうとする倭女たちは、天使の玉のような皮膚と大きなペニスに騒ぎを起こし、国母寛吉《ひろよし》まで驚かすこととなった。結局、奚勤は寛吉に連れられ、文素臣は木秀のもとにとどまった。まだ昏睡している文素臣と関係を持とうとした木秀は、そのままでは面白くないと思い、解毒剤で文素臣を起こした。意識を回復した文素臣は、到底屈することができず、最後には潔く自害した。

そして第一三三回「奚天使死成歓喜仏木倭奴生作浄光王」では、明朝副使の奚勤が、意外な結末を迎えることとなる。淫蕩の寛吉は奚勤と何回も交合し、二人は期せずしてともに即死した。だが、二人の死んだ様子がまるで歓喜天《かんぎてん》の涅槃《ねはん》姿のようであったため、ラマはそれがめでたい兆しなので、寺で供養したほうがいいと、木秀に建言した。結局、寛吉と奚勤の肉体は、衆人の拝む対象となり、寺は参詣者で賑わうこととなった。

最後に木秀は、明将の文龍《ぶんりゅう》らによって捕まえられ、中国に連れ去られ、宋素卿とラマは文龍に斬殺され、倭国も正常な国に戻ることとなった。

秀吉の淫蕩について、『明史稿《みんしこう》』の作者万斯同《ばんしどう》も以下の記録を残している。

秀吉築城四座名聚、快楽院内蓋楼閣九層。粧黄金、下隔睡房百余間、将民間美女拘留淫恋。嘗東西遊臥、令人不知。

睡房《すいぼう》（寝所）が百箇所もあり、それぞれに民間の美女を拘留させ、秀吉の淫蕩な生活に備えており、まさに好色の極まりである。

9　おわりに

明代における豊臣秀吉の情報伝来ルートはさまざまで、間諜をはじめ、日本から逃げ帰った明人、戦争の経験者、東アジア範囲で活躍している商人および好事者などによって、玉石混交の情報がもたらされた。これらの情報の一部は、明朝の対日政策にも影響を与え、「日明和談」というどたばた劇までが上演された。清代になると、明人の秀吉象を受けたうえで、一部の文人は想像に任せて、ひどく演繹《えんえき》され、その結果『斬蛟記』や『野叟曝言』などのような荒唐無稽な小説まで誕生した。だが、明清時代の豊臣秀吉像の妖魔化した一番の元凶は、言うまでもなくあの文禄慶長の役に違いない。

だが、実際の戦争が済むと、敵愾心も一段収まり、冷静になることもできる。そうなれば、秀吉を評価するような言葉も、少しは聞けるようになったようである。一例を上げると、清初の文人である王士禎《おうしてい》（一六三四〜一七一一年）の『香祖筆記《こうそひっき》』のなかに、

華州郭宛委宗昌、嘗従遼左得倭帥豊臣書一紙、書問行草、古雅蒼勁、有晋唐風。是朝鮮破後、求其典籍之書也。鱗介之族、乃能好古如此。[*19]

という一文が有り、華州（現在の陝西《せんせい》省華県のあたり）の郭宗昌《かくしゅうしょう》（?〜一六五二年、字允伯《あざないんはく》、篆刻・書画金石の鑑賞で有名）が、

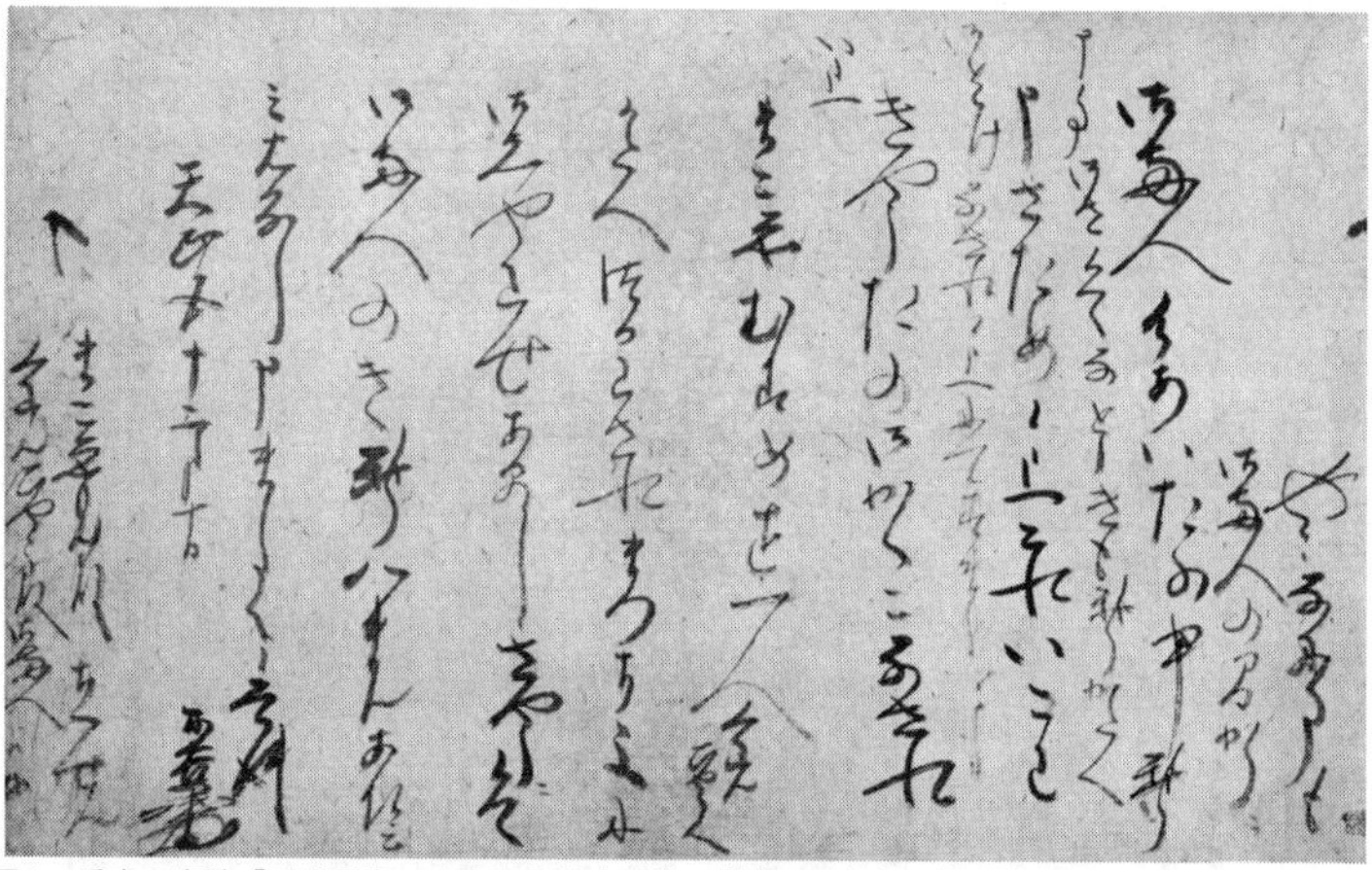

図1　秀吉の書跡「別所重宗・小寺官兵衛宛書状」（『書の日本史』第五巻、平凡社、1975年より）

遼左《りょうさ》（遼東）で豊臣秀吉の書を一枚得た【図1】。その書体は行草、古雅蒼勁で、晋唐の味わいがある。書の内容は、朝鮮を破った後、朝鮮の典籍をもとめさせたものだった。

秀吉が一体能書家であるかどうか、日本でも論議があった。一部の作品に、秀吉の名は署してあるが、おそらく五山の学僧が書いたものと思われる。しかしながら、秀吉の自筆書状は相当多く遺存しているが、それらには人間心理の機微に触れた内容のものが多い。そして筆跡には、初期と晩年とで多少の変化が認められる。『書の日本史』（平凡社、一九七五年）第五巻にも、カラー版で秀吉の初期の書が収録されている。

中国では、「書はその人柄如し」とよく言われているが、「鱗介《りんかい》の族にしてなお能《よ》く古を好むことかくの如し」、一介の東夷武将でありながら、書にそのような造詣があるのは、感心なことであるよ、と王士禎がこのような口ぶりである。

注

1　明侯継高『全浙兵制』（『四庫全書存目叢書』子部三十一、「台北」荘厳文化事業、一九九七年）第二巻附録「近報倭警」、一七二～一七三頁。
2　同上、一七三頁。
3　同上、一七五～一七六頁。
4　同上、一七六頁。
5　同上、一八二～一八三頁。
6　諸葛元声『三朝平攘録』、（台）偉文図書出版社、一九七六年、四八六～

四八七頁。

7 張燮著・謝方校点『東西洋考』中華書局、二〇〇〇年、一一六～一一七頁。

8 朱国楨『仿洪小品』北京燕山出版社、一九九五年、一〇二〇頁。

9 日本史料集成編纂会編『中国・朝鮮の史籍における日本史料集成』「明実録之部」(三)、国書刊行会、一九七五年、六三九頁。

10 『壬辰録』写本、韓国国立中央図書館蔵、請求番号：古 2154-17。

11 談遷著・張宗祥校点『国榷』中華書局、一九八八年、四六五一頁。

12 張瀚『松窓夢語』中華書局、一九九七年、六〇頁。

13 日本史料集成編纂会編『中国・朝鮮の史籍における日本史料集成』「明実録之部」(三)、国書刊行会、一九七五年、六九四頁。

14 朱吾弼、李雲鵠等輯『皇明留台奏議』、『続修四庫全書』第四百六十七冊、上海古籍出版社、二〇〇二年、六七三頁。

15 謝傑『虔台倭纂』、『北京図書館古籍珍本叢刊』十、書目文献出版社、一九九八年、三一〇頁。

16 万晴川「明代文言小説『斬蛟記』作者考」、『文献』二〇一六年第一号。

17 孟森『袁了凡斬蛟考』(『心史叢刊』三集)、文海出版社、一九八二年、一頁。

18 沈徳符『万暦野獲編』中華書局、一九九七年、四四一頁。

19 王士禎『香祖筆記』上海古籍出版社、一九八二年、四八頁。

参考文献

・夏敬渠『野叟曝言』四川大学出版社、二〇一五年。
・沈徳符『万暦野獲編』中華書局、一九九七年。
・侯継高『全浙兵制三巻附日本風土記五巻』、『四庫全書存目』天津図書館蔵本。
・張哲俊『中国古代文学中的日本形象研究』北京大学出版社、二〇〇四年。
・鄭傑西『明代万暦時期の中日関係史研究』関西大学「文化交渉学専攻」博士学位論文、二〇一〇年。
・陳小法『明代中日文化交流史研究』商務印書館、二〇一一年。
・陳舜臣『日本的　中国的—知ってるつもりの大誤解を説く』祥伝社、一九九八年。
・平凡社教育産業センター編集『書の日本史』第五巻、平凡社、一九七五年。
・鄭傑西『万暦朝鮮戦争期間的「豊臣秀吉中国人説」』、『外国問題研究』二〇一七年第一号。

03 壬辰倭乱とその文学

松本真輔

1 はじめに

「壬辰倭乱《じんしんわらん》」とは、日本で「文禄の役」と呼ばれている戦争を韓国で指し示す言葉で、[*1]「壬辰」は戦争が始まった一五九二年の干支である。そして、「文禄・慶長の役」に対応するのは、「壬辰・丁酉倭乱」となるが、二度の戦争をあわせて総称的に「壬辰倭乱」とすることもあり、本稿でも一五九二〜一五九八年に朝鮮半島で起きた戦争にこの呼称を用いることにする。

「壬辰倭乱」という語の初出は李睟光《イスガン》（一五六三〜一六二八年。朝鮮の文人。使臣として三度明に赴く）の『芝峯類説《チボンユソル》』とされるが、[*2]この戦争を指し示す呼称は一定したものではなく、たとえば朝鮮王朝の正史である『朝鮮王朝実録』では、「壬辰之変」（仁祖十三年［一六三五］二月五日）、「壬辰罔極之変」（粛宗九年［一六八三］六月十二日）、「壬辰倭難」（粛宗十年［一六八四］十月十日）などとともに「壬辰倭乱」（粛宗七年［一六八一］五月二十二日）も用いられており、[*3]呼び方にはかなりばらつきがある。

韓国においては現在でも「壬辰倭乱」が多く使われているが、二十一世紀に入って「壬辰戦争」が使われる事例も増えてきた。[*4]これは、「倭乱」としてしまうと、韓国側の視点が強調されてしまうと同時に、この戦争が多国間にまたがる大規模なものであったという点を矮小化してしまう可能性があるからだ。この戦争は、豊臣秀吉の命によって日本から大量の軍隊が朝鮮半島に送り込まれたものだが、対峙したのは朝鮮軍だけではなく、明からの救援軍も含まれていた。その意味で、三国が当事国となったわけだが、さらに援軍としては東南アジアなどの人々も動員されていたようで、『朝鮮王朝実録』には、兵曹判書（国防を司る官庁の長官）李恒福《イハンボク》が「暹羅、都蛮、小西天竺、六番、得楞国苗子、西番 三塞、緬国、播州、鎧鈀等投順人」を「閲視」したとあり（宣祖二十六年［一五九三］四月十日）、詳細は不明だが「扁架弩、擔弩、諸葛弩、皮甲、雷雪刀、關刀、月牙剷、丫搶、藤牌、活拿人棍、拿人撾、郎筅、打拳、天蓬剷、揚家搶」などのさまざまな「技芸」が披露されていた（同四月十二日）。さらには「鳥銃及諸武芸」に通じていた「朝鮮より距ること十五万余里」にある「波浪国（ポルトガル）」（宣祖三十一年［一五九八］五月二十六日）の兵士も参戦していたようだ。[*5] 壬辰倭乱は多国籍軍が衝突する大戦争だったということになる。こうした背景もあり、韓国では近年、「壬辰戦争」という用語も使用されるようになってきているわけである。

このように、壬辰倭乱は朝鮮国・日本、明国にまたがる大戦争だったわけだが、それに関する「文学」となると日本や中国も含め非常に幅広いものにならざるを得ない。ただ、本稿は韓国での呼称である「壬辰倭乱」を掲げているので、この戦争を韓国側の視点からとらえ、韓国で編纂された「文学」について概観していくことにする。

2　壬辰倭乱に関連する韓国の文献

壬辰倭乱に関する文献・記録は非常に多く、その性格もまちまちである。韓国では関連資料の整理・紹介も進んでおり、国立晋州《チンジュ》博物館編『壬辰倭乱史料叢書』（文学編十巻、歴史編十巻、対明外交編十一巻、二〇〇〇～二年）が刊行されている。壬辰倭乱の基礎資料を概観する上で有益な叢書であるが、各巻の史料名を列挙するだけで膨大な分量になるので、ここではこの叢書に基づき「文学」編の簡単な概要を示しておきたい。

なおこの叢書に関しては日本でも先行研究に改題的な紹介があり、[*6] 同書の分類のほか、その下位分類を示している。

とはいえ、第一巻が六作品、第二巻が十二作品、第三巻が八作品、第四巻が三作品、第五巻が五作品、第六巻が二作品、第七巻が二作品、第八巻が七作品（野談《やだん》の抜粋なので多数の話を収録）、第九巻が八十六作品（個人の短編伝記）、第十巻が三十六作品（詩歌）とその数は膨大なものである。説話の集積である野談や個人の伝記、詩歌を除いても三十八作品となっており、「壬辰倭乱とその文学」は一つのジャンルをなしているとも言えるだろう。

では、以下、先行研究に導かれつつその内容について簡単に紹介しておきたい。まず、第一〜三巻が「小説文学」となっており、比較的分量の多い作品群が収められている。細かく見ていくと、「壬辰録」系小説（壬辰倭乱の歴史的経緯を物語化した作品群）[7]、夢遊録系小説（現実世界の主人公が夢を通じてほかの世界に行きさまざまな経験をする）、愛情小説（戦乱時の男女の愛情物語）、「伝奇」小説（人間以外の妖怪が登場）、英雄小説（近代の大衆小説）となる。

巻四〜七は「実記文学」とされるが、これは自身の体験や見聞を基に記された記録文学で、日本でも注釈書が刊行されている姜沆《カンハン》『看羊録《カニャンノク》』[8]・李舜臣《イスンシン》『乱中日記《ナンジュンイルキ》』[9]・柳成龍《ユソンニョン》『懲毖録《チンビノク》』[10]などが含まれている。

巻八は「説話文学」とされ、漢文説話集である『於于野譚《オウヤダム》』『溪西野譚《ケソヤダム》』『青丘野談《チョングヤダム》』『東野彙輯《ドンヤヒジプ》』『記聞叢話《キムンチョンファ》』『東《トン》稗洛誦《ペナクソン》』『錦溪筆談《クムゲピルダム》』から壬辰倭乱に関連した説話を抜粋している。

巻九は「伝文学」で、『海東名将伝《ヘドンミョンジャンジョン》』などの文集から壬辰倭乱で活躍した人物の伝を抜き出した合計八十六作品が収められている。

巻十は「詩歌文学」で、これはさらに「漢詩」と「歌辞《カサ》」に分けられている。「漢詩」は言うまでもなく朝鮮時代の文人にとっての基礎的素養であり、壬辰倭乱を素材とした作品も数多い。「歌辞」は吏読文、ハングルおよびハングル漢字混用で表現される定型詩であるが、長さや内容はまちまちである。高麗時代末に生まれ、朝鮮王朝時代に士大夫や僧侶の間で流行したもので、漢詩より自由度が高くさまざまな内容が盛り込まれるが、その中の一つに紀行文があり、日本でも注釈書が刊行されている『日東壮遊歌《イルトンジャンユガ》』などが含まれる。[11]

このように、壬辰倭乱に関する「文学」は数多く存在するのだが、対外戦争という点から見ると、同時代にもう一つ大きな戦禍が朝鮮王朝には降りかかっている。それが、壬辰倭乱が収束した直後の一六三六〜三七年に清の侵略を受けた「丙子胡乱《へいしこらん》」である。朝鮮国王仁祖《インジョ》が清国皇帝ホンタイジに三跪九叩頭《さんききゅうこうとう》して降伏することになったこの戦争は、『朴氏伝《パクシジョン》』『林慶業伝《イムギョンオプジョン》』『山城日記《サンソンイルギ》』などの素材ともなっている。ただ、壬辰倭乱は、期間も長く規模も大きかったことに加え、すっきりしない形ではあるが朝鮮王朝側の勝利に終わったという点で物語的な意味での盛り上がりがあり（苦難の果てに日本軍を撃退）、「文学」としての一大ジャンルを形成するに至ったのであろう。

3　『壬辰録』の概要

壬辰倭乱を描く「文学」にさまざまな作品があることを見てきたが、その中で注目したいのは、戦争全体を物語化した『壬辰録』である。タイトルについては、ハングル表記などで若干の違いはあるが、ここでは『壬辰録』と一括して呼んでおくことにする。この作品の原作者・改編者・成立年代はすべて未詳で、異本も六十点ほどが確認できるとされるが、相互で内容の増補や記事の出入りが激しい。日本の攻撃を受けて苦境にたつ朝鮮王朝がついにそれを跳ね返す、という筋書きのみ共通する程度とも言えるほどである。日本でも、『平家物語』をはじめ、『薩琉軍記《さつりゅうぐんき》』[12]や『朝鮮征伐記《せいばつき》』（『壬辰録』と対比されるべき日本側の文禄慶長の役に関する物語群）など、戦争を主題とする作品には数多くの異本が生まれている。むろんそこには、虚実ないまぜの内容が盛り込まれているわけで、事実を追求するというよりは、戦争を素材に虚構の世界が描かれていくことになる。その意味で、『壬辰録』は「壬辰倭乱とその文学」を考える上で最もふさわしい作品群ということになろう。

さて、『壬辰録』の大きな特徴として、先にも触れたような異本の多さがあげられる。本格的な『壬辰録』諸本研究の端緒を開いたのが蘇在英《ソジェヨン》『壬辰両乱と文学意識（韓国語）』（韓国研究院、一九八〇年）で、ここでは二十種ほどの異本を紹介し比較検討している。そしてさらに詳細な書誌研究として、林哲鎬《イムチョルホ》『壬辰録研究（韓国語）』（正音社、一九八六年）と同『壬辰録異本研究Ⅰ〜Ⅳ（韓国語）』（全州大学校出版部、一九九六年）がある。このうち『壬辰録異本研究Ⅰ』は諸本のあらすじなどを分析したもので、『壬辰録異本研究Ⅱ～Ⅳ』は、同書で検討された六十種ほどある諸本のうちの代表的な資料を翻刻したものである。『壬辰倭乱史料叢書』が影印だったことを考えると、本文を知る上では利用しやすくなっている（ただし、古態のハングルを用い、句読点が付されていないものも多い）。諸本については各図書館に所蔵されているもののほか、個人蔵のものが多く閲覧も容易ではないため『壬辰録』の全体像を知る上で非常に重要な研究であると言えるだろう。

さて、『壬辰録異本研究』は『壬辰録』の諸本を七つの系列（［H］系列・［C］系列・［G］系列・［L］系列・［HL］系列・［M］系列）に分類整理している。記号であるためわかりにくいが、以下、同書に従ってその概要を紹介していきたい。

まず、［H］系列とは、国立中央書館所蔵の漢文本のことで、歴史（history）的事実を全般的に再構成し虚構を織り交ぜて作られていることからこの名前がつけられている。［C］系列は、架空の人物である崔《チェ》イルヨンが登場することからこの名が付けられており、『壬辰録』伝承の中心となる系列で、二十七種の異本が含まれている。［G］系列は、関雲長（関羽）が宣祖《ソンジョ》の夢に現れ、倭僧叔州《スクジュ》を捕らえ殺すよう指示する話で始まる異本群である。後述するが、関羽はこの系列以外にも登場する『壬辰録』の重要人物である。［L］系列は、前述の崔イルヨンが登場する［C］系列に李舜臣の話が組み込まれた内容をもつことからこの名が付けられている。［HL］系列は前述の［H］系列と［L］系列、文献記録などが混在する異本群である。最後の［M］系列は類型化の難しい異本群をまとめたものである。

そして、大まかな見取り図としては、［H］系列、［C］系列、［G］系列が先行して生まれ、［C］系列と李舜臣の歴史記録である『李忠武公全書《イチュンムゴンジョンソ》』から［L］系列が、［H］系列・文献記録・『李忠武公全書』・［L］系列の下巻から［HL］系列が、そしてこうしたものを取り込んだ形で［M］系列が生まれたとされている。

なお、日本語訳としては、宇野秀弥訳『壬辰録・日東壮遊歌』（文部省科学研究費補助金による私家版、一九七九年）、鴻《こう》農《の》映二訳編『韓国古典文学選』（第三文明社、一九九〇年）に翻訳があり、前者は内容から［HL］系列、後者は［G］

系列のものと思われる。読み比べると、『壬辰録』という同一のタイトルではあるものの、その内容はかなり異なっていることがわかる。

4 『壬辰録』の性格について

そもそも『壬辰録』とはどのような物語なのか。実はそれを簡単に整理するのが非常に難しい、という点が、逆にこの本の性格をよくあらわしているように思われる。

『壬辰録』は壬辰倭乱を歴史的にたどっていくわけだが、一人の主人公の視点から物語が展開するわけではなく、七年にわたる戦争のさまざまなエピソードが数多くの登場人物の立場で描かれていく。たとえば架空の人物崔《チェ》イルヨンが登場する［C］系列でも、最後は四溟堂《サミョンダン》（壬辰倭乱の際に僧兵を率いて戦った僧侶）が日本に派遣されて倭王を降伏させるという話であり、李舜臣をクローズアップした［L］系列においても、そもそも李舜臣が途中で死んでしまうため、やはり後半は四溟堂の活躍となっている。関雲長（関羽）が神格化されて登場する［G］系列でも、李舜臣や論介《ノンゲ》（倭将を抱いて身を投げる）の逸話なども盛り込まれているが、後半は明の武将である李如松を中心に話が展開する。エピソードごとに中心人物が移り変わっており、その意味で「壬辰録は壬辰説話の集大成体で説話文学的性格を帯びている」[*13]と考えていいだろう。ゆるやかな筋書き（日本軍の侵攻→朝鮮・明軍による反撃→日本軍の敗退）はあるにせよ、さまざまな人物がそれぞれの場面で活躍して物語が進行していくのである。

したがって『壬辰録』を読み解く視点はさまざまに設定できようが、本書の大きなテーマである「東アジア」から『壬辰録』を見るとき、無視できないのが物語中における明の存在である。第一節で壬辰倭乱は明を巻き込んだ多国間の戦争だったことを見てきたが、『壬辰録』においてもその存在は決して小さくない。とくに、明の皇帝に援軍をもとめる場面は、物語の展開上非常に重要である。

たとえば、［H］系列の漢文本では、朝鮮王朝の援軍要請に対して、明の皇帝が「無数の女人、頭に禾束を戴き朝鮮より来」る夢を見て、これを「倭の字は即ち人辺に禾の下女なり」と解し、「果たして倭竪ちて中原を図らんと欲し、而して先ず朝鮮を撃つなり」と悟り、平壌《ピョンヤン》から義州《ウィジュ》に逃れ風前の灯となった朝鮮国王宣祖を助けるべく、李如松を大元帥とする大軍を派遣し、さらに「白金二万両を賜」ったところ、宣祖が「受けて感涙」したという場面がある。[*14]また、崔日景《チェイルギョン》という架空の人物が登場するテキストでは、援軍の要請にためらう明皇帝の夢に関羽が現れ、「兄君、事の仔細を聴き給へ。その昔、三国の世の劉玄徳、再びこの世に生れ還りて、大明帝国の天子となり給ひ、わが弟張飛は生き還りて朝鮮王となりたり。臣は生れ代らずして、弟に頼みて風雨を避けをりしが、弟たまたま倭乱に遭ひて義州に蒙塵せり。援兵を急ぎ送りて、弟の患を救ひ給へ[*15]」と述べたことで、李如松らの派兵が実行されるという筋書きになっている。

むろん、『壬辰録』には、李舜臣をはじめ朝鮮国の武将が活躍する場面も数多く存在する。しかし、諸本どれを見ても、その活躍のみで日本の侵略を退けた、というような単純な筋書きはとられていない。しばしば批判的にとらえられがちな「事大主義思想」を殊更に強調するわけではないが、明の援軍が重要な要素となっていることも確かである。その意味で、『壬辰録』にも、壬辰倭乱が朝鮮・明と日本が対峙した多国間の戦争だったという東アジア的性格が反映していると言えるだろう。[*16]日本で編纂された『朝鮮征伐記』などと呼ばれる壬辰倭乱を日本側から描いた一連の軍記は、中国の『両朝平壌録』『武備志』や朝鮮の『懲毖録』等が参照されて内容が増幅されており、[*17]戦争だけでなく文献面でも「壬辰倭乱とその文学」は国境をまたぐ側面をもっていたと言えるかもしれない。

5　おわりに

本稿では『壬辰録』について簡単に紹介してきたが、「壬辰倭乱とその文学」という点から考えると、落とすことができないのが詩歌である。詳しく取り上げることはできなかったが、朝鮮時代の文人にとって漢詩が基礎的教養であったことは言うまでもなく、数多くの作品が作られ、また、歌辞による叙述の試みがあったことも、第二節で見てきた通りだ。

本稿を終えるにあたり、一七六三年から一七六四年にかけて朝鮮通信使として来日した金仁謙《キムインギョム》が、ハングルの歌辞で詠んだ長編の訪日紀行である『日東壮遊歌』の一節を見ておきたい。

悲しいかな壬辰の年　このように地の利を得たところ
忠武公李舜臣将軍が　防備していれば
倭兵がいかに強さを誇ろうと　上陸を許しはしなかったろう
三京が陥落　王は都落ち
国まさに滅ぶかに見えたそのとき　明皇帝の思し召しあり
天兵の来援を得て　ようやく難を免れたのである
にもかかわらず奸臣が国の前途を誤り　講和するとは何事か
恥辱と憤怒の倭への道を　十一回目に辿ることになろうとは
不倶戴天の恨みを　忘れ果ててよくも行けるものだ
丈夫の怒髪　冠を衝き抜く思いである*[18]

これは、ソウルから釜山《プサン》へおもむき、日本へ渡航する機会を待っている間の述懐である。李舜臣への思慕や、明の援軍に対する謝辞と、尽きせぬ日本への怨讐の念が入り交じった一節となっている。壬辰倭乱が、朝鮮と日本だけではなく明を交えた東アジアの戦争であったとの認識があったことが、この詩句からも読み取れるであろう。

注

1 本稿では、朝鮮半島の現在の国名を韓国と表記するが、歴史的な文脈においては朝鮮を使用する場合もある。
2 河宇鳳「東アジア国際戦争としての壬辰倭乱（韓国語）」、『韓日関係史研究』39、二〇一一年。
3 『朝鮮王朝実録』の閲覧は韓国史編纂委員会（http://sillok.history.go.kr/main/main.do）HPを利用した。

4　朝鮮民主主義人民共和国では「壬辰祖国戦争」とされているという（同前掲注2、鄭求福「壬辰倭乱の歴史的意味―壬辰倭乱に対する韓・日両国の歴史認識」、日韓文化交流基金『日韓歴史共同研究報告書（第1期）』二〇〇五年）

5　崔官「東アジアの地殻変動」、『文禄慶長の役―文学に描かれた戦争』講談社、一九九四年。

6　野崎充彦「倭乱文学の位相―「崔陟伝」はどこに位置するか」、『古代学研究所紀要』二〇一八年。

7　下位分類は前掲注6による。

8　朴鐘鳴訳注『看羊録：朝鮮儒者の日本抑留記』（平凡社、一九八四年）ほか。

9　北島万次訳注『乱中日記：壬辰倭乱の記録』平凡社、二〇〇〇年。

10　朴鐘鳴訳注『懲毖録』（平凡社、一九七九年）ほか。

11　高島淑郎訳注『日東壮遊歌―ハングルでつづる朝鮮通信使の記録』（平凡社、一九九九年）ほか。

12　目黒将史『薩琉軍記論―架空の琉球侵略物語はなぜ必要とされたのか』文学通信、二〇一九年。

13　蘇在英『壬辰両乱と文学意識（韓国語）』韓国研究院、一九八〇年、八七頁。

14　『壬辰録異本研究Ⅱ』（全州大学校出版部、一九九六年）二四〜五頁（私に訓読）。

15　宇野秀弥訳『朝鮮文学試訳 no.22（壬辰録・日東壮遊歌）』私家版、一九七九年、一六頁。

16　研究面でも、韋旭昇『抗倭抗倭演義（壬辰録）及其研究』（北岳文芸出版社、一九八九年）、孫衛国／張宇博訳「近世東アジアの戦争と文学」（『日本「文」学史第三冊「文」から「文学」へ―東アジアの文学を見直す』勉誠出版、二〇一九年）、韓国漢文小説集成編委会編『壬辰録：万暦朝鮮半島的抗日伝奇』（上海古籍出版社、二〇一六年）が出版されている。

17　金時徳「中国の文献がもたらした一回目の変化」「韓国の文献がもたらした二回目の変化」、『異国征伐戦記の世界―韓半島・琉球列島・蝦夷地』笠間書院、二〇一〇年。

18　同前掲注11、六二頁。

04 琉球侵略と文学
〈薩琉軍記〉の世界

目黒将史

1　はじめに――〈薩琉軍記〉について

慶長十四年（一六〇九）三月、島津氏が奄美《あまみ》諸島以南の島々を攻略、琉球へ侵入する。琉球侵略については、史学の立場からすでに多くの研究がなされている。薩摩藩の琉球侵攻は、琉球王国の基盤を揺るがす大事件であり、中国、明を主体とする冊封体制をも動揺させるものだった。琉球史は、琉球侵攻を境に古琉球以前と以後とに分断され、これは日本史の時代区分の中世から近世への転換にも呼応している。[*1]

この琉球侵略を描く軍記が〈薩琉軍記〉である。琉球侵攻を題材にしているが、実際には起きていない合戦を作りだし、さまざまな武将たちの活躍を創出している。しかしながら、〈薩琉軍記〉は架空の合戦を描いた物語として取り扱われず、文学の立場からも、仲原善忠が『琉球属和録《りゅうきゅうぞくわろく》』などを「でたらめな稗史《はいし》小説である」と紹介した程度で、研究の俎上にのせられることはほとんどなかった。[*2] 近世文学研究の立場からも、主に写本で流布した〈薩琉軍記〉には焦点が当てられず、横山邦治によって、『絵本琉球軍記』出版にかかわる文化元年（一八〇四）の出版統制をめぐる論考があるにとどまっている。[*3] 近年、実録の研究として江戸期の写本を取り扱う研究が活発化してきているが、〈薩琉軍記〉を取り上げる研究はなされてこなかった。

〈薩琉軍記〉は一つのテキストを指す言葉ではなく、琉球侵略を描く軍記テキスト群の総称であるが、侵略を描いたすべての資料を指すものではない。[*4]〈薩琉軍記〉の定義は、琉球侵略において新納武蔵守《にいろむさしのかみ》、佐野帯刀《さのたてわき》を登場させるかどうかである。具体的に次の物語を有するものを〈薩琉軍記〉と呼ぶ。

薩摩藩の大名島津氏は頼朝からつながる源氏であり、徳川家康の指示のもと、軍団を編制し琉球へ侵攻する。薩摩武士新納武蔵守一氏が軍師に任ぜられ、琉球侵攻の指揮をとる。新納は軍を調え、琉球へと出兵する。薩摩軍は、琉球「要渓灘」より侵入し、一進一退の攻防を繰り返す。五番手の大将として琉球へと侵入した薩摩武士佐野帯刀は琉球千里山の戦いにおいて、夜討ちにあい大敗を喫する。佐野は新納から叱責をうけ、「千里山」の戦いにおける敗北の責任を問われる。しかしそれを不服とした佐野は、千里山に居残り、城攻めを命じられるものの、汚名を返上するべく「日頭山」へと先駆けし奮戦する。忽ちに琉球国の「都」まで攻め上り、「都」に一番乗りを果たす。その勢いに乗り、「後詰城」へ進軍するが、琉球軍の計略にかかり、大軍に囲まれ戦死する。その後、新納が指揮をとり、琉球国の「都」が制圧され、王や官人らは捕虜となり、薩摩に降服する。

この物語を基に、少ない叙述の諸本から徐々に物語がふくらんでいき増広本が出現していく。新納武蔵守一氏は、戦国時代に活躍した新納武蔵守忠元をモデルにした架空の人物である。ここに登場する地名は架空のものであり、どのように呼んでよいのか正解がわからない。諸伝本で異同、ルビの違いもある。

人物、地名にとどまらず〈薩琉軍記〉世界の構成は、架空の異国「琉球」において、架空の人物たちが、架空の合戦を行う物語である。歴史叙述を描く作品としてはきわめて稀であり、同時代に流布した軍記テキストにおいても、ここまでの物語の創作は行われていない。どちらかと言えば読本に近いが、〈薩琉軍記〉は民間に浸透し、ある種の歴史的事実として信じられていたことがうかがえる。当然それについて批判的な歴史考証もなされている。江戸後期以降の琉球侵略の歴史叙述を考察する上で見逃せない作品なのである。

2　読み継がれた〈薩琉軍記〉

〈薩琉軍記〉は琉球侵略を物語る歴史叙述として読まれていたことは諸資料からうかがえる。頼山陽《らいさんよう》の『日本外史《にほんがいし》』にも〈薩琉軍記〉が使われる。『日本外史』巻二十一「徳川氏正記」には次のようにある。*5

> これより先、島津家久、教を奉じて琉球を招く。琉球至らず。請うてこれを討つ。この歳暮、その将新納一氏を遣し、八千人に将として南伐す。樺山久高《かばやまひさたか》、先鋒たり。東求島に抵り、琉球の戍兵三百を執ふ。夏、難巴津を攻む。虜、鉄鎖を以て船を聯ね、津口を扼守す。而して津傍に山あり。険にして蛇蝎多し。虜、恃んで兵を置かず。我が軍、火を放つて山を赭にして上り、進んで楊睽灘《ようけいなだ》を奪ひ、千里山に戦ふ。利あらず、転じて朝築城を攻めてこれを抜く。琉球王尚寧《しょうねい》、その弟具志をして来つて降を乞はしむ。許さず。五戦して国都に至り、尚寧及び王子、大臣数十人を擒へて、厳しく抄掠を禁じ、国民を安撫す。六十日を以て琉球を定む。秋、幕議、琉球を以て島津氏に賜ひ、その臣隷となす。

『日本外史』は、文政十年（一八二七）、松平定信に献ぜられる。幕末に広く流布した書籍であり、寺子屋や藩校で教授されたテキストであることは周知の事実である。その『日本外史』が琉球侵略の叙述について、〈薩琉軍記〉によっているのである。「新納一氏」を琉球に遣わしたとすることから、『日本外史』が〈薩琉軍記〉を引用していることは間違いない。始めに述べたとおり、「新納一氏」は〈薩琉軍記〉の創作した人物である。つまり、頼山陽クラスの歴史家のなかでも、〈薩琉軍記〉の描く琉球侵略を「歴史」として認識していたことがわかる。〈薩琉軍記〉は時代の中でしっかりと民衆に受け継がれ、歴史叙述として受けとめられてきたのである。

山崎美成《やまざきよししげ》の『琉球入貢紀略《りゆうきゆうじゆこうきりやく》』「薩琉軍談の弁」では、*6「まことにあとかたもなき妄誕《もうたん》」と、一刀両断にその叙述の真偽を切り捨てているが、「世に薩琉軍談という野史あり。その書の撰者詳ならずといへども、あまねく流布して、二国の戦争をいふものは、かならず口実とす」と、『薩琉軍談』が広く人口に膾炙《かいしや》していたことも述べている。「妄誕」として批判されることも〈薩琉軍記〉が流布していたことの裏返しととることができよう。あまりに広まった言説に無視できなかったというわけである。『琉球入貢紀略』は、鍋田晶山《なべたしょうざん》補筆による増訂版が嘉永三年（一八五〇）に出版されている。この嘉永三年増訂版では〈薩琉軍記〉は天保三年版出版後も読み続けられており、歴史的事実と〈薩琉軍記〉の内容が混同されていく様子が指摘でき、〈薩琉軍記〉が読み継がれている様子がはっきりとみてとれる。

ただし、山崎美成もそうだが、〈薩琉軍記〉が歴史的事実として広く認められていたかと言えば、そうではない。江戸幕府の命により大学頭林復斎《はやしふくさい》らが編纂した外交資料集である『通航一覧《つうこういちらん》』巻二一・琉球国部二「平均始末」には、[7]

此征伐の事を記して、世間に流布せるもの、琉球征伐記、薩琉軍鑑《(ママ)》、島津琉球合戦記、島津琉球軍精記等数部あり。皆輓近の書にして、其引証詳ならず。また月日事実ともに、家伝の書と齟齬し、殊に其文粉飾に過て、信を取るによしなし。されども其記載の内、家伝正史に類する説あるか、或ハ前後の事実に照応せるハ、今一二姑く採用せしもあり。

とあり、琉球侵略の事績を記す書物のなかで「世間に流布せるもの」として〈薩琉軍記〉を挙げている。また、〈薩琉軍記〉を「輓近の書」（最近の書物）として扱い、「家伝の書」と記述が異なっており、粉飾が多く、信用がおけないとするのである。ただし、この内容も先の『琉球入貢紀略』と同様に〈薩琉軍記〉が一般に享受され、その内容が受け入れられていたことを証明するものであろう。『平家物語』や『太平記』などの軍記類が歴史叙述として広く享受されていたように、〈薩琉軍記〉もまた同様に読まれていたわけである。

3　創造された世界と現実世界との融合

先にも述べたとおり、〈薩琉軍記〉に登場する地名は、「要渓灘」「千里山」「虎竹城」「乱蛇浦」「五里の松原・平城」「日頭山」など、いずれも特定しえない場所が舞台となっている。しかし、架空だからと言って、まったく琉球を知らない者により記されたというわけではなく、琉球というものを異国として描くために、わざと架空の地名を採用していると考えるのが妥当だろう。[8]

〈薩琉軍記〉にはその世界をあらわした絵図が描かれる伝本が数種ある。これらの絵図は、諸本の増広とともに増していく琉球知識の増幅に伴って付加されていく。これらの絵図は、〈薩琉軍記〉における「琉球」という世界観をうかがう上で恰好の資料である。まさに実際にある琉球という世界と、架空の〈薩琉軍記〉の世界観とが融合した独自の世界観を創りあげている。まさしく、架空の〈薩琉軍記〉世界を現実化する行為と言えるだろう。

この物語世界と現実世界とを融合させる早い例は『琉球静謐記《りゅうきゅうせいひつき》』にみえる。[*9]

斯て、琉球の軍勢、一死夫と成て、新納武蔵守が陣へ切入しかども、四武の衛陣、誠に厳守成しかば、一陣をも破事あたわず。況や、味方の頼切たる琉球一の剛兵ども、数をつくして討れければ、今は叶じとや思ひけん、日頭山を押廻し、理輪谷え向て陣を引て帰りける。大将、士卒ともに口ずさみ、「長白山《ちょうはくさん》は動すとも、新納が陣は動かすべからず」とて、甚おそれける。新納は、敵引とも追んともせず、軍令を堅ふして王城へぞ入られける。軍令に曰、

掟

一味方諸軍勢狼藉《ろうぜき》之事、附押賞乱妨《おうしようらんぼう》事

一婦女を奪取、或は雑具を掠《かすむ》る事、附猥《みだ》りに火を放事

一高名手柄は実検の役人、目利可為次第事、并直参《じきさん》、倍臣《ばいしん》、高下有間捕（敷）事

右の条々、堅可相守。若違乱背（輩）お有之は、厳科に処すべき事、斯の如く書記し、諸軍をいましめ於、又残党、山に隠れ、或は島々にひそかに隠れ、米倉島、小琉球抔え落集りたる勢、すくなからずと聞へしかば、早速に廻文《かいぶん》を作り、所々の城々え是を送りぬ。又村郷の門々に是を押て、軍民に示し、通詞《つうじ》をもつてふれわたし、呼わりまわらせける。

琉球王城を落とした新納武蔵守一氏は、触れを出し軍制を厳しくする。都に近い「日頭山」から帰還する新納に対して、「長白山は動すとも、新納が陣は動かすべからず」と評される。この評については、よく内容を理解しがたいが、

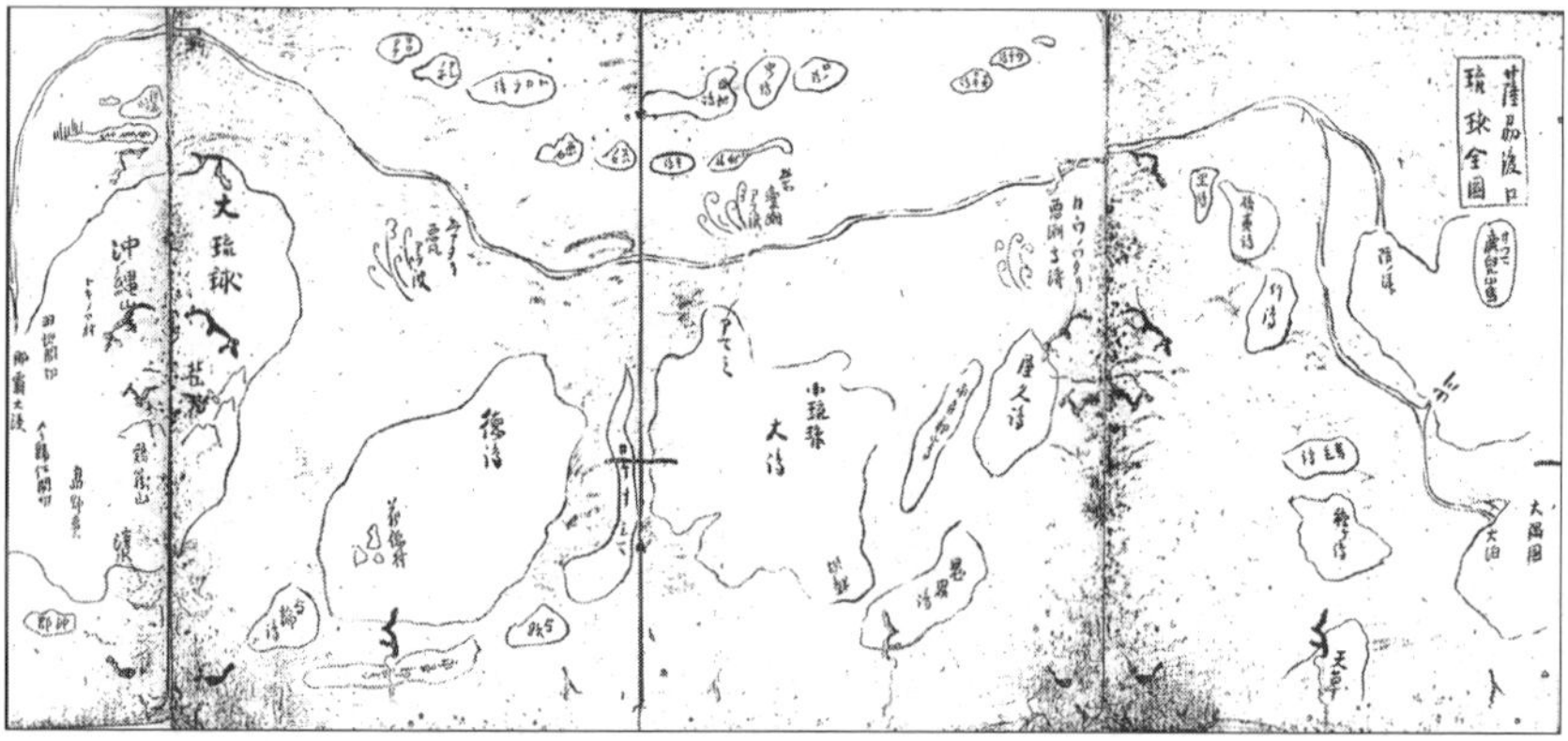

問題は「長白山」である。長白山は実在する山だが、これは白頭山（ペクトゥサン）のことで、中国と北朝鮮との国境に位置する山である。この部分は伝本間で移動があり、「日頭山」とする伝本もある。「白頭」と「日頭」とで混同してしまったのかも知れないが、架空の琉球世界と現実の朝鮮とが結びつけられる興味深い事例である。

さらに「小琉球」も登場する。「米倉島」は琉球の傍にある島という設定であり、虎竹城の合戦で敗れた張助幡が主である李将軍を助け落ち延びるという物語が語られる。『琉球静謐記』では、琉球本島で破れた琉球兵たちが、米倉島以外の琉球の廻りの島々へ逃げていく物語を追加している。そのなかで「小琉球」が出てくるのである。

一般に小琉球は台湾以西の島々を指す名称であるが、ここでは奄美大島のことであろう。この小琉球（奄美大島）は『琉球属和録』【図1】の絵図にも描かれている。[*10]『琉球属和録』の絵図は、薩摩から琉球までの渡航図となっている。現在の沖縄でみられる地名がかなり盛り込まれ、大まかな位置づけも現在の地図に近く、まさに創造された世界と現実世界の融合を物語るものである。さらに言えば、絵図には「天草」も描かれている。琉球が天草や朝鮮と結びつけられるのは、異国としての同列に位置づけされ、認識されていたからであろう。その背景には同時期における朝鮮侵略、島原天草の乱の物語享受が考えられる。「天草」や「朝鮮」など、近世期に流布した異国合戦軍記に描かれる世界観を統合した「異国」を創出しているの

図1　『琉球属和録』絵図（池宮正治・小峯和明編『古琉球をめぐる文学言説と資料学―東アジアからのまなざし―』三弥井書店、2010年より）

だ。[*11]

〈薩琉軍記〉に描かれた絵図は、〈薩琉軍記〉世界における琉球像を描き出している。それは舞台の具現化であり、海を越えた「異国」である琉球を視覚化したものである。〈薩琉軍記〉は日本（ヤマト）の人々が「異国」琉球をどのように認識していたかを率直に写し出しているわけであり、日本の異国観をうかがう恰好の媒体となりえるのである。

4　為朝渡琉譚をめぐって

『保元物語』を原拠とする源為朝《みなもとのためとも》の鬼ヶ島渡海譚は、その後、為朝が琉球へ渡り、琉球最初の人王、舜天《しゅんてん》の父となるという「為朝渡琉譚」へと成長していく。[*12] この為朝伝承もまた〈薩琉軍記〉に大きな影響を与え、薩摩藩の琉球侵略の正当化のイデオロギーとして強固に作用していく。

初期型の〈薩琉軍記〉には、為朝の名前すら記されない。具体例を挙げてみると、『薩琉軍談』では結末において、琉球が日本に帰順して、島津氏と琉球王家との婚姻を通して、日本と琉球とが一体化し、日本の威勢が他国におよぶことが言祝がれている。ここに語られているのは、島津の侵入による、琉球への源氏の流入なのである。島津氏の侵入による源氏の血統の流入は、島津氏以前に琉球へ入り、その子孫が琉球王となるという為朝渡琉譚と同じ構図である。島津氏が為朝の存在に成り代わる立場へと転換されている。まさに為朝言説が島津氏に読み替えられて、〈薩琉軍記〉に取り込まれたのだ。よって、為朝の名前は、意図的に消されてしまったと考えられる。〈薩琉軍記〉は琉球情報を取り込むことで生長していくが、その過程で為朝渡琉譚も〈薩琉軍記〉に組み込まれ、物語が転化していく。『薩琉軍談』にみられなかった為朝渡琉譚が、テキストが転化、増広していく過程の中で物語のなかに取り込まれていく。一例を挙げると、最も叙述が増え、さらに他の物語と組み合わされた『琉球属和録』では、為朝は琉球王統の始原であり、神格化される存在として描き出されている。まさに諸本の増広が進むにつれ、為朝渡琉譚が〈薩琉軍記〉を介して変容していったと言えるだろう。為朝渡琉譚は時代のなかで変容していき、読み替えられ、人口に膾炙してきた。平行して、〈薩琉軍記〉のような異国合戦軍記も同様に読み継がれ、その中で為朝渡琉譚が利用されているのだ。

5　おわりに

〈薩琉軍記〉を読み、それを歴史叙述として物語ること、それは大河ドラマを観てそれを歴史として語ることと同じことなのかもしれない。しかし、近世後期以降、爆発的に流行し、人々が読みふけった〈薩琉軍記〉は、琉球侵略を物語る参考書的な役割を担っていたはずである。つまり、〈薩琉軍記〉は近世の人々が琉球侵略について、どのように捉えていたのかを探る上で欠かせないテキストということなのだ。また、日本の異国合戦、対外戦争を、いかに考えるかを問い直すテキストともいえるだろう。簡単に「戦争」という言葉が飛び交う今だからこそ、読み解いていかなければならないテキストなのである。

注

1　荒野泰典・石井正敏・村井章介編『アジアと日本』(『アジアのなかの日本史』1、東京大学出版会、一九九二年)、喜舎場一隆『近世薩琉関係史の研究』(国書刊行会、一九九三年)、上原兼善『島津氏の琉球侵略―もう一つの慶長の役』(榕樹書林、二〇〇九年)、渡辺美季『近世琉球と中日関係』(吉川弘文館、二〇一二年)などを参考にした。

2 仲原善忠「琉球渡海日々記」(『沖縄文化』14、一九六四年一月)。

3 横山邦治「絵本ものの諸相」(『読本の研究—江戸と上方』風間書院、一九七四年)。

4 〈薩琉軍記〉については、目黒将史『薩琉軍記論　架空の琉球侵略物語はなぜ必要とされたのか』(文学通信、二〇一九年)を参照。

5 テキストは、岩波文庫によった。ルビはテキストによる。

6 天保三年(一八三二)刊行。テキストは、早稲田大学蔵本を用いた。

7 テキストは、林韑『通航一覧』(泰山社、一九四〇年)によった。

8 「千里山」「虎竹城」は、近松門左衛門『国性爺合戦』に「千里が竹」「獅子が城」とあることに由来すると思われる。注4書参照。

9 テキストは、架蔵本を用いた。『琉球静謐記』には、「琉球静謐記」と「琉球征伐記」と題する二系統の諸本がある。両者に物語の内容を変えるほどの異同はない(目移りかと思われる大きな欠落は散見する)。架蔵本は「琉球征伐記」と題する系統の諸本である。別に『琉球征伐記』という諸本が存在するため『琉球静謐記』と呼ぶことにする。増広本である『琉球属和録』の成立年が明和三年(一七六六)であり、『琉球属和録』は『琉球静謐記』を披見していることから、明和三年(一七六六)以前の成立であることは間違いない。

10 テキストは、加賀市立図書館聖藩文庫蔵本を用いた。

11 島嶼国家である日本は東アジアにおける位置づけ、境界を模索していく中で、物語を利用し、新たな物語を創り出している。現実にある世界に創作空間を重ね合わせることにより、新しい世界を創造していく文芸を〈異域〉文学と定義したい。目黒将史「異国合戦描写から見る〈異域〉—琉球、蝦夷、そして天草へ—」(『説話文学研究』55、二〇二〇年九月)。

12 渡辺匡一「為朝渡琉譚のゆくえ—齟齬する歴史認識と国家、地域、人」(『日本文学』50-1、二〇〇一年一月)、同「日本(ヤマト)からのアプローチ」(『中世文学』51、二〇〇六年六月)、小峯和明「〈侵略文学〉としての〈薩琉軍記〉と為朝神話」(島村幸一編『琉球　交叉する歴史と文化』勉誠出版、二〇一四年)などを参考にした。注4書参照。

05 蝦夷と北方の言説

徳竹由明

1 はじめに

現在の北海道を中心とした地域に独自の文化を育んできた民族アイヌ。彼らは主として北海道を中心として展開した擦文《さつもん》文化の担い手たちの後裔で、十一世紀後半に日本の郡郷制が本州の北端へと広がっていく中で、それまで日本側から一括して共に「蝦夷（エミシ）」と呼ばれていた東北地方の住人からはおよそ切り離され、「蝦夷（エゾ）」と呼称されるようになったようである。その後は日本の時代区分で言えば鎌倉時代・室町時代の「形成期アイヌ文化」の時代、江戸時代の「近世アイヌ文化」の時代を経て近代へと至った。この間江戸時代後期の十九世紀初頭くらいまでは、日本側からは「エゾ」と呼称され続けた。また彼らの居住地の中心である北海道は主として「蝦夷（が）島」と呼ばれた[*1]。本章では先行研究を参照しつつ、日本の中世と近世にかけての散文文芸におけるアイヌ民族（以下、日本側からの視点で「蝦夷」と呼称）の描写を考察し、日本の中世と近世の知識人が「蝦夷」に対してどのような認識を持っていたかを紹介することを試みたい。

2　中世文芸における蝦夷

それではまずは中世期の散文文芸を見ていこう。対象とするのは十二世紀前半の成立と考えられる説話集『今昔物語集』、一三五六年成立の縁起書『諏訪大明神絵詞《すわだいみようじんえことば》』、室町時代後期の成立とされるお伽草子《とぎぞうし》の『御曹子島渡《おんぞうししまわたり》』の三書である。[*2]

まず『今昔物語集』巻第三十一第十一話「陸奥国安倍頼時行胡国空返語《みちのおくのくにあべのよりときここくにゆきてむなしくかへること》」を見てみよう（『宇治拾遺物語』に同文的同話あり）。陸奥国の奥の夷との内通を疑われた陸奥国奥六郡の俘囚長安倍頼時《あべのよりとき》一行が、源頼義《みなもとのよりよし》の征討を避けて「此ノ奥ノ方ヨリ海ノ北ニ、幽《かすか》ニ被見渡《みわたさ》ル地」に船で渡った時に見た人々の描写である。頼時が渡ったのは陸奥国の奥から海を隔てて見える地であり、蝦夷島である可能性が指摘されている。[*3]

> 胡国《ここく》ノ人ヲ絵ニ書タル姿シタル者ノ様ニ、赤キ物ノ□テ頭ヲ結タル、一騎打出。（中略）其ノ胡ノ人打次キ、員《かず》モ不知《しら》ズ出来ニケリ。河ノ鉉《はた》ニ皆打立テ、聞モ不知ヌ言共ナレバ、何事ヲ云フトモ不聞《きこ》エズ。（中略）此ノ胡ノ人一時許囀合テ、河ニハラ〳〵ト打入テ渡ケルニ、千騎許ハ有ラムトゾ見エケル。

彼らの言語は頼時一行には理解不能で、つまりは陸奥国の奥の夷のものとも違うようである。また彼らが馬で渡った河はこの後の個所で「底ヰモ不知ズ」深いものとされ、彼らは乗馬に長けていたようである。巧みな乗馬は蝦夷の習俗とは考えられず、また表題に「胡国」とあること、文中に胡国の人に似た姿とされていること、さらに説話末の評語では頼時の子の宗任の口を借りて、「胡国ト云フ所ハ、唐ヨリモ遥ノ北ト聞ツルニ、陸奥ノ国ノ奥ニ有、夷ノ地ニ差合タルニヤ有ラム」という大陸が陸奥の北方まで迫り出しているとの地理認識が示されてもいる。[*4]『今昔物語集』の叙述は蝦夷を意識して描いたものではなく、そうした地理認識の下に「胡国」の人を描いたものと考えるべきであろう。

続いて、一三五六年成立の『諏訪大明神絵詞』「諏訪縁起下」第二段を見てみよう。鎌倉時代末期の蝦夷管領安藤氏の内紛にかかわる記述である。

> 蝦夷が千島といへるは、我国の東北に当て大海の中央にあり、日《ひ》の本《もと》唐子《からこ》渡党《わたりとう》此三類各三百三十三の島に群居せ

り、今二島は渡党に混ず、其内に宇曽利鶴子洲と、万当宇満伊丈と云ふ小島どもあり、此種類は多く奥州津軽外の浜に応来交易す、夷一把と云は六千人也、相聚る時は百千把に及べり、日の本唐子の二類は、其地外国に連て、形体夜叉《やしゃ》のごとく変化無窮《へんげむきゅう》なり、人倫禽獣《きんじゅう》魚肉等を食として、五穀の農耕を知ず、九訳を重ぬとも語話を通じ難し、渡党は和国の人に相類せり、但鬢髪《びんぱつ》多して遍身《へんしん》に毛を生ぜり、言語俚野《りや》なりと云ども大半は相通ず、此中に公超霧をなす術を伝へ、公遠隠形《おんぎょう》の道を得たる類もあり、戦場に望む時は、丈夫は甲冑弓矢を帯して前陣に進み、婦人は後塵に随て木を削り幣帛《へいはく》のごとくにして、天に向て誦呪《じゅじゅ》の体あり、男女共に山壑《さんがく》を経過すと云ども乗馬を用ず、其身の軽き事飛鳥走獣に同じ、彼等が用る所の箭《や》は魚骨を鏃《やじり》として毒薬をぬり、纔《わずか》に皮膚に触れば、其人斃ずと云事なし。根本は酋長もなかりしを、武家其濫吹《らんすい》を鎮護せんために、安藤太と云ふ者を蝦夷管領とす、

この著名な言説は、あるいは実際に安藤氏のもたらした情報によるところもあるのであろうか、一重傍線部「彼等が用る所の箭は魚骨を鏃として毒薬をぬり」等々一部後述の近世期の資料とも共通する蝦夷の習俗も垣間見える。[*5] しかし二重傍線部「形体夜叉のごとく変化無窮」・「遍身に毛を生ぜり」といった表現は辺境の異民族を描写する定型表現とでもいうべきものであった。[*6] また波線部「公超霧」「公遠隠形」は、前者が「胡沙吹《こざふき》」と呼ばれる霧を発生させる幻術、後者が自ら身を隠す幻術[*7]である。これらも辺境の異民族の表現に連なるものであろう。

最後に室町時代後期の成立とされる『御曹子島渡』を見てみよう。奥州平泉の藤原秀衡《ふじわらのひでひら》の許にいた源義経が、鬼の住む蝦夷が島の鬼王の許に兵法の虎の巻を取りに行くという物語である。義経は裸島《はだかしま》・馬人島《むまひとしま》等の異類の住む島々を通り過ぎて蝦夷が島に到着する。以下に掲げるのは、前者が到着した義経を迎える島の鬼の描写、後者が鬼王の描写である。

・御曹子は、蝦夷が島に上らせ給ふが、折節鬼どもは、岩を起し古木に上りて遊びしが、御曹子の花の姿を一目見て、古木《こぼく》より飛んで下り、なにがし餌食になさんとて、熱鉄《ねってつ》の棒を取り、火炎の息を吹き出《いだ》し、紅の舌ふりあげ、御曹子に目がけてかかりけり。

・大王聞こしめし、なんぢらは日本の者にたばかられけるぞや。なにがしは取って餌食になさんとて、揺《ゆる》ぎ出《い》でたるその姿、ものによくよく譬《たと》ふれば、葦原国《あしはらこく》の富士山が転びかかりしごとくなり。この大王が背の高さ十六丈、目鼻十六、口十六、頭は八つ、ささやく声は雷《いかづち》のごとく、怒れば百千万の霹靂神《はたたがみ》鳴りわたりたるごとくにて、山も崩れ大地も裂けるごとくなり。しかれども常はかかるかたちなく、よきの童子と同じなり。

両場面に描かれるのは、まさしく異形異能の鬼で、いずれも義経を餌食としようともする。物語の後段で虎の巻を得た義経が日本へ逃げ戻る時には、「霧の印」「風の印」「火の印」といった義経の繰り出す秘法がまったく通じない存在でもあった。

中世期の蝦夷島は、蝦夷管領安藤氏・日の本将軍安東氏による交易や十五世紀以降の道南地方の十二の和人館の設置、一四五七年（長禄元）のコシャマインの戦いを経て武田信広が家督を継いだ蠣崎《かきざき》氏の台頭といったこともあったが、内地の知識人たちが蝦夷に関して得られる情報は限られていたのであろう。散文文芸に現れる蝦夷は、辺境に対する蔑視と「近世以降のようにたやすく征伐・退治されるような存在ではなく、恐怖・畏怖すべき存在[*8]」として描かれる人々であった。

3　近世文芸の中の蝦夷

続いて近世期の散文文芸を見ていこう。近世期の蝦夷島は大雑把に言えば、蠣崎氏（松前氏）による松前藩の成立、一六六九年（寛文九）のシャクシャインの戦い（寛文蝦夷蜂起）、松前藩の商場知行制・場所請負制、近世後末期の二度の幕府による蝦夷地直轄化等々を経て、内国化が進んでいった時期といえるであろう。そうした中で実際に蝦夷地を訪れた人々によって蝦夷および蝦夷島の様子がもたらされ、一七一〇年（宝永七）に幕府の巡見使に随行した軍学者松《まつ》宮観山《みやかんざん》が蝦夷通詞の談話を筆記した『蝦夷談筆記《えぞだんひつき》』（以下、『筆記』）、大坂の医師寺島良安《てらじまりょうあん》編・一七一二年（正徳二）成立の『和漢三才図会《わかんさんさいずえ》』（巻十三「異国人物／蝦夷・蝦夷国語」。以下、『図会』）、松前藩の情報や海外の文献を基に新井白石《あらいはくせき》編・一七二〇年（享保五）成立の『蝦夷志《えぞし》』、一七三七・八年（元文二・三）に蝦夷地に渡った金座役人板倉源次郎《いたくらげんじろう》の手による『北海随筆《ほっかいずいひつ》』（以下、『随筆』）、蝦夷地の情報に関しては多くを『蝦夷志』や『随筆』に依拠する仙台の経世論家林子平《はやししへい》編・一七八五年（天明五）成立の『三国図説通覧』*9等が、その情報の正確さはさて置き、*10相次いで文章化された時期でもあった。

対象とするのは経歴不詳の滕英勝《とうえいしょう》著・一七六八年（明和五）刊の義経の蝦夷が島渡海と征服を描いた読本『通俗義経蝦夷軍談《つうぞくよしつねえぞぐんだん》』（以下、『蝦夷軍談』）、国学者の建部綾足《たけべあやたり》著・一七七三年（安永二）前編刊の水滸伝の翻案である読本『本朝水滸伝《ほんちょうすいこでん》』の二書である。*11

まず『蝦夷軍談』を見てみよう。津軽外ヶ浜《そとがはま》に落ち延びた義経に、藤原秀衡の旧臣秋田二郎尚勝が蝦夷と蝦夷島の様子を語る巻之二「尚勝語《ナヲカツカタル》㆓蝦夷風俗《エゾノフウゾクヲ》㆒」の一部を引用する。

扠風俗《さてふうぞく》ハ男女《なんによ》ミナ髪ヲ披《かふむ》リ、衣服《いふく》ハ単衣《ひとえ》ニシテ左衽《さじん》（左に「ヒタリマヘ」のルビあり）、貴賤《きせん》ノ別《べつ》アリ。鞋履《あいり》ナクシテ、皆裸跣《みなすあし》。耳《みゝ》ニ環《くわん》ヲ穿《うかち》テ飾《かさり》トス。貴人《きにん》ハ金銀《きんきん》、卑賤《ひせん》ハ銅鐵《とうてつ》ヲ用《もち》ユ。男《たん》ハ脊長《とちなか》クシテ、身体最《しんたいもつと》モ毛多《けをゝ》シ。故《ゆへ》ニ上古《しやうこ》ニ一名《めう》ヲ毛人国《もうしんこく》トモイヘリ。其性勇奸《そのせいゆうかん》ニシテ、闘《たゝかひ》ヲ好《この》ミ、死《し》ヲ恐《をそ》レズ。常《つね》ニ刀《かたな》ヲ頭《くし》ニカクル。女《しよ》ハミナ身《み》ヲ文《もとろ》ニス。其カタチ或《あるい》ハ花艸《くわさう》ヲ以ス。是倹小児《これみなせうに》ノ時《とき》、其母《そのはゝ》ノ刺所《さすところ》（左に「いれすみ」のルビあり）ナリ。凡《をよ》ソ十七八才ニナレバ、皆嫁《みなか》ス。嫁《か》スレバ唇《くちひる》ノ辺《へん》ヲ刺シテ、青草汁《せいそうしう》（左に「くさのしる」のルビあり）ヲスリコム。是夫《これをつと》アルノ印《しるし》ナリ。玉《たま》ヲツヾリテ銀鏡《きんきやう》ヲ胸《むね》ニ繋《か》ケ身ノマモリトス。是《これ》ヲシトキト云。某《それかし》ガ先祖《せんつ》度々《とゝ》彼島《かのしま》ニ渡《わた》リ、是《これ》ヲ得《え》タリ。幸此処《さいわいこのところ》ニ持《もち》来《きた》リシトテ、家頼《けらい》ニ云付《いゝつけ》、具足櫃《くそくひつ》ヨリ取出《とりいた》シ、義経《よしつね》ニ見《み》セ奉《たてまつ》リケル。偖又文字《さてまたもんし》ナケレバ、甲子紀年《かつしきねん》ヲ知《し》ル事《こと》ナク、寒暑《かんしよ》ヲ以、春秋《しゆんしう》ヲ分《わか》チ月《つき》ノ盈鈌《ゑいきよ》ヲ見テ、朔望《さくほう》ヲ知《し》ル。地ニ金山銀山《きんさんきんさん》多《をゝ》ケレトモ、金銀珠玉《きんきんしゆきよく》ヲ宝《たから》トセス。古器刀劔《こきたうけん》ヲ以テ宝《たから》トス。島中城廓《たうちうしやうくわく》ノ備《そな》ヘナク、家《いへ》ニ屋室《をくしつ》ノ分《わか》チナク、唯四壁有《たゝしへきあり》テ是《これ》ニ窓《まと》ヲ開《ひら》キ、蓋《をゝう》ニ茅《ち》（左に「かや」のルビあり）ヲ以シ、菅《くわん》（左に「すけ」のルビあり）ヲ編《あみ》テシキモノトス。夜ハ魚膏《きよかう》ヲモヤシ、父子兄弟同《ふしけいていをなし》ク寝《いね》テ、男女ノ別《へつ》ナシ。土地《とち》ニ五穀《ごこく》ヲ生《しやう》セス。牛馬《きうは》ナク、日本ト交易《かうえき》ストイヘドモ、米穀塩酒《へいこくゑんそ》ノ類《るい》、アマネク蝦夷《えぞ》ノ人民《にんみん》ヲ養《やしな》フニ足《た》ラザレバ、卑賤《ひせん》ハ熊《くま》ノ肉《にく》、魚《うを》ノ肉《にく》、或《あるい》ハ鳥獣《ちやうしう》ノ肉《にく》ヲ以テ食《しよく》トス。故《ゆへ》ニ多《おゝ》クハ山野《さんや》ニ狩《かり》ヲナス。其性《そのせい》酒ヲ嗜《たしなめ》トモ、土地《とち》ニ酒《さけ》ナシ。タマ〳〵日本《につほん》ノ酒ヲ得《ゑ》テ呑《のめ》ハ、男女《なんによ》トモニ、大《おゝひ》ニ悦《よろこ》ヒ踊躍《をとり》ヲナシ、楽《たのしみ》ヲ極《きは》ムルトソ。最前《さいせん》ニモ申《まうす》コトク、闘《たゝかい》ヲ好《この》ム故《ゆへ》ニ、アヤシキ兵器《ふく》ヲ用ユ。甲冑《かつちう》ハ海驢《かいろ》ノ皮《かは》、或《あるい》ハ海獺《かいらい》（左に「かはうそ」のルビあり）ノ皮《かは》ヲ以テ製《せい》ス。イカナル利器《りき》トイヘドモ、是《これ》ヲ穿ク事能ハス、シヨキネ棒《ほう》ト号シテ、凡径《をよそわたり》四寸計《はかり》、長サ六尺計ノ棒アリ。是《これ》ヲ以テ甲冑《かつちう》ヲ討破《うちわ》ル。是《これ》ニ当《あた》ル者《もの》、立所《たちところ》ニ死《し》ス。弓《ゆみ》ハ木《き》ニテ造《つく》リ、矢《や》ハ四羽《よつは》ニハギ、根《ね》ハ鹿《しか》ノ骨《ほね》ヲ用《もち》ヒ、烏頭蜘蛛《うすくも》ヲ合セテ之ヲ塗ル。此毒箭《このとくせん》ニ当《あた》ル者、即《そく》死セズトイヘドモ、助ル者稀《まれ》ナリ。但シ此毒《このとく》ヲ消《け》ス薬《くすり》アルヨシ。人煩《ひとわつら》フニ医薬《いやく》ナク、祈禱《きたう》ヲナシテ病《やまい》ヲ愈《いや》ス。枕元《まくらもと》ニクハサキト云モノヲ置《おき》、死《し》セル人ハ一旦此《たんこの》クハサキニテ、アヤシキ術《しゆつ》ヲナシ、蘇生《そせい》ヲナサシメ、暫《しはら》ク有《あり》テ又死《し》ス。又芝《しば》ガクレ胡沙吹《こざふき》トテアヤシキ術《しゆつ》アリ。先芝隠《まつしはかくれ》トハ、人《ひと》ニカクレヌト思フトキ忽《たちまち》ニ形《かたち》ヲ失《うしな》フ。胡沙吹《こさふき》ハ、身ニセマリタル難《なん》アルトキ、口《くち》ヨリ気ヲフキ、人ノ目ヲクラマス事《こと》アリ。……

さてまず波線部であるが、『蝦夷軍談』は中世以来の蝦夷のイメージである霧を発生させる幻術（「胡沙吹」）と自ら身を隠す幻術（『蝦夷軍談』は「芝隠」と名付けるが語源不明）を趣向として採用している。また二重傍線部の死者への幻術は管見の限り典拠が不明である。しかしそのほかの蝦夷の習俗に関しては、およそ『蝦夷志』が基となっているようである。[*12] 以下に男性の習俗と武器に関する『蝦夷志』の該当箇所の一部を引用する。

・男子被髪長鬚《ひはつちようしゆ》、耳穿二銀鐶一〈其髪縮而短。卑賤者耳鐶或用二鉛錫一〉。其服飾単衣。左衽。窄袖《さくしゆう》長身、腰束二細帯一。酋豪、則裁二用蟒緞綏緞雑絵《ぼうどんすいどんざつそう》等一。頸懸二大刀一装用二金塗銀鏤《きんとぎんる》一、帯用二紅緑組条一〈名曰二懸刀一〉。卑下則苧麻及樹糸織成レ布、文《かざ》ルレ之以二刺繍一。近《つく》ルレ身之衣、皆用二木綿獣皮一耳。

・夷性好レ闘故有二兵器一。其器則皮甲木盔《ひこうもつかい》弓矢刀稍《とうさく》之属。弓長三尺七寸草皮為レ弦。矢長尺有二寸、鹿骨為レ鏃《やじり》。沓《かさ》ヌル以下竹鏃有二逆鬚《ぎやくしゆ》一者上、淬《そ》ムル以二毒草一。蓋取二其脱而不一レ出也。稍《さく》乃銑鋧類、刃如二小鑿一。木幹長五尺五寸、而頭大如レ杵。蓋取二其飛下有一レ力也。有レ棍長二尺五寸、頭有二鉄刺一如二菱角一。又有下細管吹レ之以為二号令一者上

〈以二海驢《あしか》皮一為レ甲。連綴三重、上旅囲《かさね》三尺、下旅囲六尺。上下之長二尺三寸、名曰二ハヨクベ一。夷中有レ木如レ荊、取二用嫩条《どんじょう》一。編以二藤葛一為レ盔《かい》。乃藤盔類也。名曰二コンヂ一。弓名曰レク。所レ用之木松身柏葉、其名曰二ヲツコ一。纏《まと》ゥ以二樺皮一。矢名曰二アイ一、簳《やがら》用二松枝一。挿以二鷹及鸕鷀《ろじ》羽一。矟《さく》名曰二シヨチキネ一〉。

両者を比較するに、一部『蝦夷志』だけでは説明がつかないこともあるが、『蝦夷軍談』中の蝦夷の習俗はおよそ『蝦夷志』を基としていることは明らかであろう（『蝦夷軍談』のこの個所の挿絵も『蝦夷志』のそれに似る。矢を四羽に矧《は》ぐ事、矢毒の原料にトリカブトと蜘蛛を用いること、解毒薬のことは『蝦夷志』は挿絵の解説に載せる）【図1・2】。

続いて『本朝水滸伝』を見てみよう。以下に蝦夷の通辞の描写と、恵美押勝《えみのおしかつ》が蝦夷の大将カムイボンデントビカラ*13と戦う場面の二箇所を引用する。

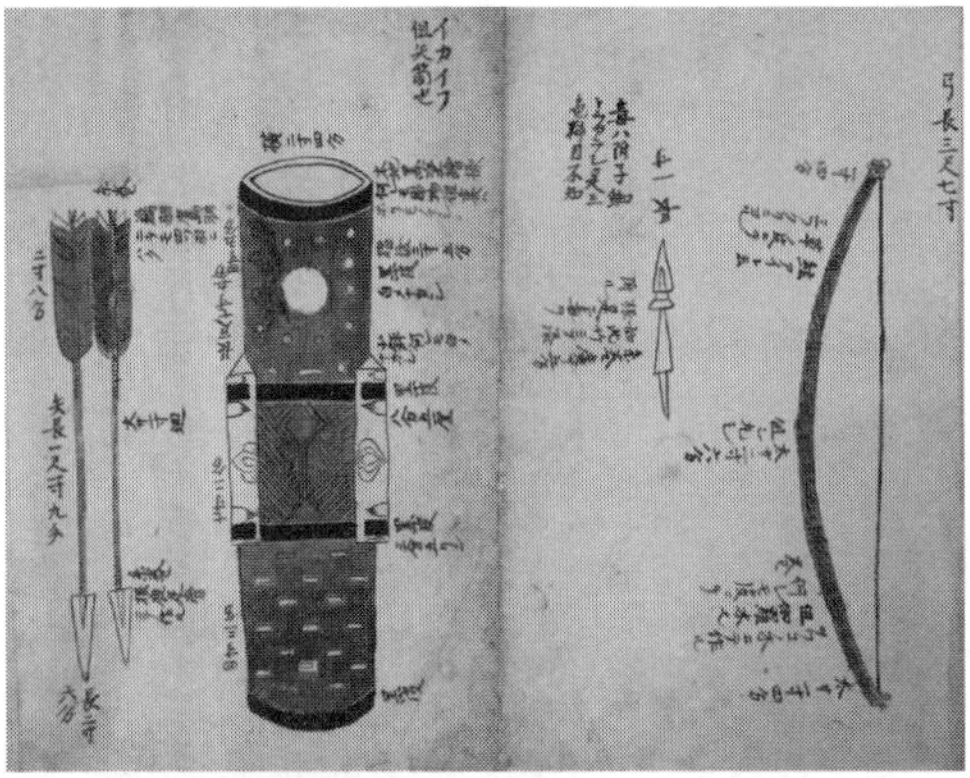

図1　近世末期写『蝦夷志』（個人蔵）

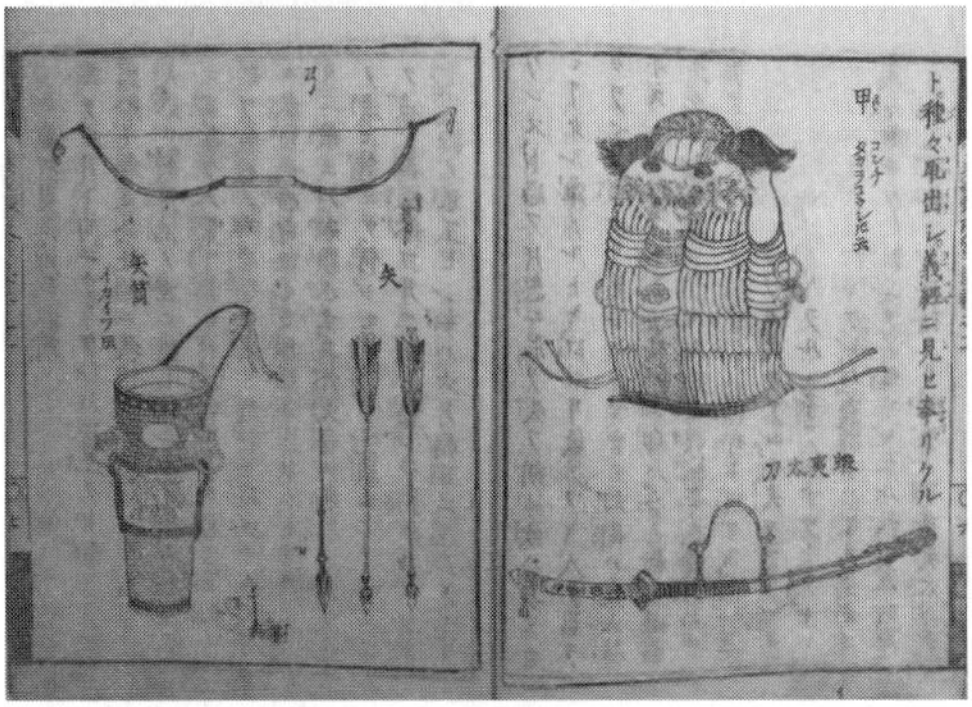

図2　『通俗義経蝦夷軍談』巻二（個人蔵）

・舟子どもいきて通辞《ことどき》をつれて来たるに、其姿は、頂《いただき》の前は少しばかり剃落して、髪は糸をもて高く結、眉は生ひうもれ、髭は八束《やつか》に押たれ、眼はあかく面黒く、耳には輪金をさしはめたり。衣は梼《たく》の皮を織たるに、袖はいと細して着たり。さて太刀は鞘には小波《さざれなみ》をほり付、束には唐草をほりつけたるに、紐つけざまの所には、みつあひに組たる緒をさし通して、右のかたにかけ、太刀は左りの腰にたりはけり。（後編第三十一条）

・えみしの大将とおぼしきは、定めて竜を織出したる錦を着て侍らんに、さるものどもはよけさせたまへ。いやしき姿に侍るをば、いとひなく討ころさせたまへ。ゑみしまた毒矢を射かくるとも、是はいと近くして射るものなれば、なか〳〵此方の矢比には及ばじ。もとより毒矢は篠《しの》の細篦《ほその》に木切加へて、其とがりに毒をぬり、檜の木のたり枝を弓につくりて射れば、弓の力矢わざは、はつかに毛ものゝ皮をやぶるに過ず。扨その毒はしるしあれど、弓は鎧をとをすべきちからなし。（後編第三十三条）

まず前半引用部の髪型に関してだが、蝦夷が和人同様に月代を剃ることについては『随筆』下巻に、東北北部に居住する蝦夷が以下のごとくこの習俗を有したことが記されている。

一、津軽・南部にも蝦夷有り。言語通ぜずといへ共頭は月代《さかやき》を少剃、此方のはんかうにして髭あり。

あるいは通辞ということで和人の近くに住み和人に近い習俗をした人々が念頭に置かれているのではないだろうか。また目が赤いという身体的特徴は管見の限り文献中に見出せないが（髪に関しては『筆記』上巻に「髪は赤く」とある）、長髭、耳輪、掛刀といった習俗は、先に引用した『蝦夷志』にも見え、さらに『蝦夷志』以前の『筆記』上巻にすでに、

尤《もっとも》惣髪にて、髭は二尺斗《ばかり》も有レ之、（中略）尤男女共耳かねをはめ申候。男所持の道具、半弓並矢、矢筒、スヅ、エグシ、シリタンネ等也。（中略）エグシは日本人は掛刀と云。日本の刀を求候て用るよし。

とある。後半引用部の「竜を織り出したる錦」はいわゆる蝦夷錦で、これも『筆記』上巻に、

一、蝦夷人の上服此方の羽織のごとく袖細なる物也。金にて龍を織附《おりつけ》勝れて見事成織物也。

とあるのを始め諸書に見えるところである。弓矢に関しては、蝦夷が対象物に近づいて矢を射ることは、『図絵』に

猟二食鳥獣一ヲ其射不二敢《あへ》テ致一レサ遠ヲ、惟《ただ》二三丈之中正諍分厘一ヲ。而必不レ差ヘ、

と記され、また弓が木製であること、矢の威力が弱いことは『筆記』上巻に、

毒にて肉爛《ただれ》候故、えぐり取候に少も痛不レ申候。一寸斗より深くは入不レ申候ものゝ由也。半弓はおんこの木〈蝦夷詞テシマニと云〉にて候。

とあり（この後に弓勢に関して「中《あた》りは極て強し」との表現もあるので、この場合は威力が弱いというよりは、毒矢ゆえに対象物の体内深くまで鏃を射込まないということであろう）、また同書下巻「シャムシャキン一揆の事」の中に、以下のごとくに記されている。

彼等も鑓を持、又は半弓にて毒矢を頻《しきり》に射掛候得《いかけそうらえ》ども、侍は具足を着、金堀共は大方着込《きこみ》を着候《きそうろう》故一本も通らず。

近世期の文芸には、こうした既存の文献や文献中に見られるような情報に基づき、蝦夷をある種等身大に描こうとする表現が現れてくる。前提としては、まずそうした文献の少なくとも読本作者等知識人層へのある程度の流布があるのは間違いない。さらにその上で『蝦夷軍談』中の蝦夷が「蝦夷《えぞ》ハ人《ひと》ノ性《せい》、強暴《きやうほう》ニシテ、仁《しん》モナク義《き》モナク、サナガラ禽獣《きんちう》ノ如《こと》シ」（巻之一「尚勝《ナヲカツ》始《ハジメテ》遭《アウ》二義経《ヨシツネ》ニ一」）と語られた上に義経によって征服・一統されており、『本朝水滸伝』中の蝦夷が和人の戦術と戦さ振りに「神《カムイ》〈エミシノ語〉の御軍《みいくさ》也」と述べていとも簡単に降服している事を鑑みるに、蝦夷への支配の度合いが進み、もはや蝦夷が「たやすく征伐・退治されるような」蔑視され見下された存在へと変わっていったのであろう。

4　おわりに

以上、主として先行研究を基に中世期と近世期の散文文芸における蝦夷の描写を概観してきた。もちろん時代も大きく二つに分けただけである上に対象とした作品も少ないので、今後さらなる考察を行っていきたいが、*14 大雑把にまとめるならば、未知の辺境ゆえに蔑視と畏怖が絡み合った鬼神の中世から既知の（もちろん情報の正確さには疑問の残るところではあるが）蔑視され見下された等身大の近世ということになろうか。

なお畏怖の念に関して言えば、近世中期以降は知識人たちの関心事はもはやもっぱら蝦夷のさらに外側の赤蝦夷、すなわちロシアへと向かいつつあったのであろう。*15『蝦夷軍談』は蝦夷島一統後、ロシアを暗示したと思しき蒙古《もうこ》との戦いを予告して擱筆しているのである。

注

1 菊池勇夫「蝦夷島と北方世界」（同氏編『蝦夷島と北方世界（日本の時代史・十九）』吉川弘文館、二〇〇三年）による。なおアイヌ民族と文化の形成・成立については、その叙述内容について若干の差異はあるが、海保嶺夫『エゾの歴史─北の人びとと「日本」』（講談社、一九九六年）、浪川健治『アイヌ民族の歴史』（山川出版社、二〇〇四年）、児島恭子『エミシ・エゾからアイヌへ』（吉川弘文館、二〇〇九年）等。なお以下、当注を含め先行研究は、紙幅の都合上主要なもののみを掲げる。

2 引用は、『今昔物語集』（新編日本古典文学全集、小学館）、『諏訪大明神絵詞』（信濃史料叢書・中、歴史図書社）、『御曹子島渡』（新編日本古典文学全集、小学館）。

3 新日本古典文学大系（岩波書店）の注は「現在の北海道に当たるであろう」、新編日本古典文学全集（小学館）の注は「今の北海道の地を指すか」「これが北海道だとすると、本集におけるわが国最北の地に関する話であり、当時の北海道の状況を伝える唯一の資料として興味がある」とする。

4 こうした地理認識を豊臣秀吉も有していたことは、たとえば菊池勇夫『アイヌ民族と日本人─東アジアの中の蝦夷地』（朝日新聞社、一九九四年）第二章第一節等が指摘している。

5 アイヌ民族の毒矢の歴史・実態等に関しては、門崎允昭『アイヌの矢毒トリカブト』（北海道出版企画センター、二〇〇二年）に詳しい。ただしこの毒矢の記述については児島恭子注1前掲書が、異民族に対する類型表現の可能性を示唆している。

6 大石直正「外が浜・夷島考」（『〈関晃先生還暦記念〉日本古代史研究』吉川弘文館、一九八〇年）の指摘による。

7 「公超霧」（「胡沙吹」）に関しては中山太郎『日本巫女史』（大岡山書店、一九三〇年）第一篇第八章第一節、佐藤晃「蝦夷幻想─義経渡海伝承の変容から」（『国文学』46-10、二〇〇一年十月）等、「公遠隠形」に関しては佐藤晃前掲論文等が触れている。

8 菊池勇夫注4前掲書第一章第二節による。

9 引用・確認は、『筆記』『随筆』（日本庶民生活史料集成・四、三一書房）、『図会』（東京美術刊）、『蝦夷志』（東洋文庫、平凡社）、『三国図説通覧』（個人蔵近世後期写本）。

10 たとえば、菊池勇夫注4前掲書第五章第一節は、『蝦夷志』の言説に関して、儒者的立場・華夷意識に当てはめたものと評する。

11 引用は、『蝦夷軍談』（個人蔵明和五年刊本）、『本朝水滸伝』（新日本古典文学大系）。

12 金時徳『異国征伐戦記の世界─韓半島・琉球列島・蝦夷地』（笠間書院、二〇一〇年）第二部第四章は、『蝦夷軍談』の叙述

について、『蝦夷志』『筆記』『随筆』等の文献を基としたとするが、当該箇所に関しては『蝦夷志』を基としている。

13 井上泰至「読本の時代設定を生み出したもの—軍書と考証」(『江戸文学』40、二〇〇九年五月)は、この蝦夷の大将にシャクシャインの面影を見て取る。

14 そのほか、蝦夷を描いた文芸として、中世から近世期にまたがる形で作られ続けた聖徳太子伝類、シャクシャインの戦いを描いた近世期の蝦夷軍記類がある。太子伝類中の蝦夷に関しては、前田雅之「「鬼神」と「心正直」—中世太子伝の蝦夷形象をめぐって」(『文学』6-2・3、二〇〇五年)、児島恭子注1前掲書等に詳しい。蝦夷軍記類については、目黒将史『薩琉軍記論—架空の琉球侵略物語はなぜ必要とされたのか—』(文学通信、二〇一九年)第二部第一章第五節等が触れる。

15 ロシアへの脅威の問題に関しては、たとえば菊池勇夫注4前掲書第六章第一節等に詳しい。

06 亡命・拉致の文学

樋口大祐

1 はじめに

本章の目的は、「亡命」「拉致《らち》」にかかわる文学テクストについての素描を行うことである。『日本国語大辞典』第二版によれば、「亡命」は①「戸籍を抜けて逃亡すること。逐電。また、その人」または②「宗教、思想、政治的意見の相違により、自国で迫害を受けた場合、または受ける危険がある場合それを避けて他国へのがれること」を意味する[*1]。①が近代以前における本来の意味だが、現在は近代以降派生した②の意味で使用されることが多い。「拉致」は「無理に連れて行くこと。捕えて連れて行くこと」[*2]を意味する。「亡命」が人の主体的な行為であり、「拉致」が他者の自由を奪う犯罪的な行為である点で正反対の要素を持っている。しかし、「亡命」においても、主体にとって不本意な環境が存在している点を考慮すれば、両者は共に「強いられた越境」という点で共通している。

二十世紀の世界文学には、「亡命」「拉致」を描いたテクストは枚挙にいとまがない。パレスチナにルーツを持ち、エジプトで幼少年期を過ごした『オリエンタリズム』の著者、エドワード・サイードはアラブ革命で合衆国に「亡命」した経験を持つ[*3]。彼は「冬の精神[*4]」で、「亡命」が自らの意思の結果であるにもかかわらず、深い喪失感を伴っている点を分析している。

また、フランツ・カフカ『審判』[*5]、ジョージ・オーウェル『一九八四年』[*6]等は、いずれも主人公が不可視の権力によって「拉致」される事件を主題化したテクストである。その背景には、主人公の自由を奪い、自らの意思に従わせようとする全体主義的な権力（とそれを支える官僚組織）の伸長がある。「北朝鮮による日本人拉致被害者」問題[*7]も、戦時下の帝国日本による植民地出身者の「強制連行」問題[*8]も、この点で共通するであろう。

とはいえ、「強いられた越境」は前近代の国家内においても、複数の政治・社会権力が並立する状況下においては生じる可能性を持っているだろう。たとえば十五世紀末の明応の政変で十代将軍職を追われた足利義材《あしかがよしき》が山口の大内義興《おおうちよしおき》を頼って一度は将軍に返り咲いたものの、最晩年に細川高国との政治闘争に敗れて堺に出奔したケース[*9]は上述の①の「亡命」に近い。また、謡曲『隅田川』[*10]や説経節《せっきょうぶし》『山椒《さんしょう》大夫《だゆう》』[*11]における人身売買は「拉致」と言い換えることも可能であろう（主人公たちの親密圏と、人身売買を許容する市場社会との間のコンフリクトが隠れた主題となっている）。また、戦国時代しばしば見られた「乱取《らんどり》」[*12]も、人身を対象とする場合は「拉致」に相当するが、これも戦争という例外状態[*13]が前提となる。これら前近代の国家内における「亡命」「拉致」は、その（国民国家とまったく異なる）法や権力の多元性・複数性と、そのはざまで生きる人々のありさまを示している。前述の『山椒大夫』の厨子王《ずしおう》は、最後に「拉致」された環境を脱して丹後国分寺に「亡命」する。ここで丹後国分寺は支配的な法・権力からの独立性を示すアジール的な空間として位置づけられており[*14]、興味深い事例であるといえよう。

2　境界線の内外で

しかしながら本章では、前近代国家「日本」の境界線上で生じた「亡命」「拉致」に関する問題系に注目してみたい。前近代の日本列島では、言語文化を異にする集団（「蝦夷」「朝鮮」「琉球」「キリシタン」等）との戦争が多く生じており、それらを扱った歴史叙述も少なくない。従来の国文学史では、それらは十分な関心を払われてこなかった。近代日本の学問としての国文学が、国民文化の涵養に資することを目指して制度化された経緯を考えると、これは必ずしも不思議なことではない。軍事占領下の「文化国家」を目指す地点から再出発した戦後の国文学においても、平和で情感豊かな日本の想像に貢献しうるテクストが重視される傾向があったことは確かであろう。[15]その意味で小峯和明氏の「侵略文学」[16]論、佐伯真一氏等による「異国合戦」[17]の問題系に関する研究は大きな示唆を与える。本章の課題に引きつければ、「亡命」「拉致」の研究は一国文学史を含む「境界線の思考」の臨界点を際立たせる潜在的な可能性を孕んでいるのである。

3　対「蝦夷」戦争における「亡命」

十一世紀半ば、東北で安倍頼時《あべのよりとき》の「反乱」が起きる。『陸奥話記《むつわき》』[18]によれば、当初は鎮守府将軍・源頼義《みなもとのよりよし》に従う様子を見せていた、頼時の女婿・藤原経清《ふじわらのつねきよ》は、同じ立場の平永衡が頼義に謀殺されたことを知り、「流言」を放って頼義のもとを去り、頼時の側に戻る。『陸奥話記』はその経緯を以下のように記している。

> 是《ここ》に於て経清等《ら》、怖れて自ら安んぜず。窃《ひそ》かに其の客に語りて曰く、「前車の覆《くつがへ》るは後車の鑑《かがみ》なり。韓彭誅《かんぽうちゆう》せられて黥布《げいふ》寒心す。今十郎已《すで》に没す、(中略)吾又知らず、何《いづ》れの日にか死せんことを。之を為《な》すこと如何《いかん》。」と。客曰く、「公《きみ》赤心を露《あらは》して、将軍に事《つか》へんと欲すとも、将軍は必ず公を意《うたが》はん。若《し》かじ、讒口《ざんこう》未《いま》だ開かざるの前に、叛《そむ》き走りて安大夫《あんたいふ》に従《したが》はんには。独り忠功を為すの時、臍《ほぞ》を噬《く》ふも何ぞ逮《およ》ばん」と。経清曰く、「善し」と。則《すなは》ち流言を構《かま》へて、軍中を驚かして曰く、「頼時、軽騎を遣《つか》はし、間道《かんどう》より出でて、将《まさ》に国府を攻めて将軍の妻子を取らんとす云々」と。将軍の麾下・内客は皆、妻子は国府に在《あ》り。多く将軍に勧めて国府に帰らしめんとす。(中略)
> 是《ここ》に於《おい》て、経清等、大軍の擾乱《ぜうらん》するの間に属して、私兵八百余人を将《ひき》ゐて頼時に走る。

藤原経清は、鎮守府将軍・藤原秀郷《ひでさと》の流れを汲む家系の出身であった。[19]その彼が朝廷を見限って安倍氏についたことは「亡命」の概念にふさわしい事件といえよう。然しながら安倍氏は頼義・義家《よしいえ》親子に敗れ、捕らえられた経清は裏切り者として処刑されることになる。

是に於て、経清を生け虜《ど》る。将軍召して見て、責めて曰《いは》く、「汝《なんぢ》が先祖は、相伝《あひつた》へて予が家僕為《た》り。而《しか》るに年来、朝威《てうゐ》を忽緒《こつしよ》し、旧主を蔑如《べつじよ》す。大逆《たいぎやく》にして無道なり。今日、白符《はくふ》を用ゐるを得るや否や」と。経清、首を伏して言ふこと能《あた》はず。将軍深く之を悪《にく》む。故に鈍刀《どんたう》を以《もつ》て漸《やうや》くに其の首を斬る。是れ経清の痛苦を久しからしめんと欲してなり。

『陸奥話記』は朝廷側の視点で記述されているが、この経清の処刑場面は頼義の言葉に反し、その残酷さを際立たせる効果を持っている。[*20]その後、藤原経清の実子・清衡《きよひら》は義家の執拗な東北占領計画を斥《しりぞ》け、平泉藤原氏政権を樹立するにいたる。[*21]しかし、一世紀後、東北は「頼義故実」を強く意識する頼朝に再征服され、以後、武家政権は「征夷大将軍」の称号を十九世紀まで継続して使用することになるのである。[*22]

4 『平家物語』と「亡命」「拉致」の記述

他方、武門・清和源氏も、「亡命」する「貴種」を数多く輩出している。義家の長男・対馬守義親《よしちか》は「反乱」を起こして平正盛に討伐されるが、彼の生存情報はその後も何度も都にもたらされている。[*23]対馬は日本と高麗国の境界領域に近い。義親の「反乱」は九世紀の張宝高と同じく、高麗・日本間の〈国境をまたぐ地域〉に別の権力体を打ち立てる可能性を孕《はら》んでいたのかもしれない。[*24]

義親に替わって義家の後を継いだのは為義《ためよし》であり、為朝《ためとも》はその息子である。『保元物語《ほうげんものがたり》』で為朝は伊豆七島に流され、数年後朝廷の討伐を受けて死んだとされるが、[*25]その息子が最初の琉球国王であったとする言説が後世の琉球で公認の言説となる。[*26]為朝の甥にあたる義経は平家追討後、兄と対立して奥州平泉に「亡命」する。平泉で死んだはずの義経にも生存伝説が豊富に残される点は為朝と相似形をなしている。[*27]

しかし「亡命」に向かうのは源氏だけではない。『平家物語』巻七「福原落」[*28]には、京を都落ちした平家の家人たちが、福原でその結束を再確認する場面がある。

福原の旧都について、大臣殿、しかるべき侍共、老少数百人召して仰られけるは「(中略) いかならむ野のすゑ、山の奥までも、行幸《ぎやうがう》の御供仕《おんともつかまつ》らんとは思はずや」と仰られければ、老少みな涙を流いて申けるは、「あやしの鳥けだものも恩を報じ、徳をむくふ心は候《さうらふ》なり。申候はんや、人倫の身として、いかんがそのことはりを存知《ぞんぢ》仕《つかまつ》らでは候べき。廿余年の間、妻子をはぐくみ、所従をかへりみる事、しかしながら君の御恩ならずといふ事なし。就中《なかんづく》に弓箭《きゆうせん》馬上に携《たづさは》るならひ、ふた心あるをもって恥とす。然ば則日本の外、新羅《しんら》・百済《はくさい》・高麗《かうらい》・荊旦《けいたん》、雲の果て、海の果てまでも行幸の御供仕て、いかにもなり候はん」と異口同音に申ければ、人々皆たのもしげにぞ見えられける。

「日本の外、新羅・百済・高麗・荊旦、雲の果て、海の果てまでも」という文言は半ばレトリックであろう。しかし、たとえば『吾妻鏡《あづまかがみ》』文治元年（一一八五）六月十四日条*29には、平家の軍事動員を避けて朝鮮に「亡命」していた「対馬守親光」が、源氏方の慰撫《いぶ》を受けて対馬に戻ったとする記事がある。

参河守範頼ならびに河内五郎義長等、二品の命を受け、使者を高麗國に渡せしむるの間、対馬守親光、彼の嶋に帰着すと云々。これ去々年、当嶋より上洛せんと欲するの折節、平家鎮西に零落の間、路次《ろし》不通なるによって解纜する能はず。なほ以て在国の処、中納言知盛卿ならびに少弐種直等を奉行として、屋嶋に参ぜしむべきの由其催《もよほし》に及ぶ。九州二嶋中国等は皆平家の方に従ふと雖《いへど》も、親光はなほ志を源家に廻《めぐ》らすの間、行き向はず。すなわち三ヶ度、追討使を遣はさる。いはゆる高二郎大夫経直（種直之子）両度、拒押使《きよあふし》宗房、種益が郎等、一ヶ度也。此輩頻《しき》りに下國し、或いは国務を知行し、或いは合戦に及ぶ。存命しがたきの間、風波を凌ぎ、去る三月四日に高麗国に越え渡らしむるの時。妊婦を相伴ふ。すなはち仮屋を曠野の辺に構へて産生す。時に猛虎窺《うかが》ひ来る。親光の郎従之を取り訖《をは》んぬ。高麗国主此事を感じ、三ヶ国を親光に賜ふ。已に彼國臣たるの処、此の迎有て帰朝す。件の国主、殊に其の余波《なごり》を惜しみ、重宝等を与へ、三艘の貢船に納めて之を副送すと云々。

親光は郎従による猛虎退治の功績を高麗国王に認められて「三ヶ国」を下賜され、源氏が迎えに来た時にはすでにその臣下の身分を得ていたとある。にわかに信じがたい内容を含んでいるが、このような説話の存在を考えると、平家の一部が高麗に「亡命」することを考えたとしても不思議ではない。二十世紀の作家・木下順二の『子午線の祀《まつ》り』（一九七八年）は、平知盛《とももり》の前でその潜在的可能性を阿波民部重能《あわのみんぶしげよし》に語らせる、優れた対話的場面を創造している。[*30]

重能：新中納言さま、お心を鎮めてお聞き下されませ。もしもそのように早鞆の瀬戸へ追いこまれました時、これ幸いと潮に乗って引島にも寄らず、豊前の磯にも上がらず長門の国と九州のあいだをするりと抜け切りますとそこは響灘、続いて広々と玄界灘がひろがっております。その海のかなたに何があると思し召す？

知盛：なに？

重能：ひととせ一の谷の合戦のあと、後白河院の御無体な院宣へ新中納言さま、新羅、高麗、百済、渤海、雲の果てまでも帝と三種の神器を奉じて赴く決意とお答えになったこと、よもお忘れではございますまい。

知盛：なに？

重能：高麗国が近過ぎるとあれば宋の国、一気に東海を横切って揚州、明州へ赴くことも難しくはございません。今この三月、続く四月の季節の風は、一年のうち最も都合よく彼の国へ船を吹き送ってくれます。博多の海を出て五島奈留の浦に風待ちのあと、一気に東海を渡ればひと月で船は目差す港に入ります。

知盛：民部——

重能：この壇の浦からひと跨ぎの大宰府博多の浦に、彼の国へ渡りますための唐船を用意、船長、船子の手配も、民部、実はひそかに、本人たちにそれと知らせず整えおいてございます。

他方、巻十一「先帝身投」には、壇の浦合戦の終盤、敗戦を覚悟した知盛と女房たちの対話が記されている。

女房達、「中納言殿、いくさはいかにや、いかに」と口々にとひ給へば、「めづらしきあづま男をこそ御らんぜられ候はんずらめ」とて、からからとわらひ給へば、「なんでうのただいまのたはぶれぞや」とて、声々におめきさけび給ひけり。

知盛の言葉は女房たちに、源氏方の武士に「拉致」され暴行される将来を予感させ、集団パニックを引き起こす。[31]女房たちは、野蛮人として軽蔑の対象に過ぎなかった「あづま男」を「御らん」ずる立場から逆に見られる立場に滑り落ちてしまうのである。この「暴力の予感」[32]がこの章段の叙述に大きなリアリティを与えているといえよう。

5　琉球戦争と「亡命」「拉致」

豊臣秀吉が起こした「壬辰戦争」においては周知のように多くの朝鮮人が日本に「拉致」された[33]が、他方多くの日本人兵が「降倭」となった。[34]彼等の一部は主体的に帰国しない道を選び、そのまま朝鮮に「亡命」した者もいたと考えられる。

また、謡曲『唐船《とうせん》』は、日本に「拉致」された明人を主人公にした謡曲である。[35]九州箱崎《はこざき》で日本人に使役される明人には故郷に妻子がいるが、日本で新たに妻を娶り、生まれた子供二人と暮らしている。そこに身代金を携えて故郷の息子たちが彼を引き取りにやって来る。喜んだ彼は帰国の船に乗りかけるが、日本の息子たちと別れなければならないことに懊悩する。『唐船』は「拉致」という過酷な運命が逆説的に新しい人生を創り出し、「拉致」以前の人生との間に二律背反の状況を生み出すさまを描いている。この明人のような多重所属者の表象も、「亡命」「拉致」の問題系に不可欠のテーマであろう。[36]

最後に、一六〇九年、薩摩藩が琉球王国に侵攻した「島津入り」に関する記録を取り上げたい。十八世紀中葉、琉球王府で編集された歴史書『球陽《きゅうよう》』の付巻一・五段、尚寧王《しょうねいおう》二十一年の条に、「日本山崎二休、克く忠義を操り、以て重罪を累ぬ」[37]という記述がある。

山崎二休は、名乗は守三と称し、日本越前の人なり。其の人と為《な》りや、生資純粋にして、学は精密に徹す。而して少幼の時より医術に志して、他方に遊ぶ。茲《ここ》に球邦は中華に往来すること歴年已《すで》に久しと聞き、意想《おも》へらく、扁《へん》鵲《じゃく》の妙法、球国に遺在する有らんと。乃《すなは》ち故里を辞去し、本国に来到して那覇に住居し力を国に効《いた》す。王即ち御典薬に擢《ぬき》んでて、姓は葉の字を賜ふ。己酉の年、薩州の軍兵、我が国を来《きた》り伐《う》つの時、王城の島添阿佐那を守護す。副将法元氏の軍兵、石垣を攀《よ》じ上る。守三乃《すなは》ち身命を投じ、勇を励まして防戦す。彼の軍已に敗れて退去す。守三倍々《ますます》威力を奮ひ、固く護守を為す。時に我が聖君、深く万民の戦死を恤《あは》れみ、降を請《こ》ひ投誠す。即ち守三、城中より退き私宅に回らんとす。歩行の途中、副将、守三を召来するに、兵卒大いに喜び、即ち捕へて之を搦《から》む。副将之れに問ひて曰く、汝は日本の人なり。何《なん》すれぞ本《もと》を忘れて我が軍を防戦するやと。已に議、重罪に定まり、将に死刑を加へんとす。時に守三曰く、予、仁政を慕ひ、淳風に化し、来りて王臣と成る。厚く恩沢に沐《よく》すること、頂踵するも報じ難し。今や不幸にして、兵の為に虜《とりこ》にせられ、罪に坐し死に就《つ》く、予が心に於て、何ぞ之れを恨むること有らんと。翌日、王聴に上達し、即ち金銀珍宝を以て軍兵に給送し、以て守三の罪を贖《あがな》ふ。我が聖君の薩州に到らんとするの時に当り、守三扈従《こじゆう》するを請乞して、将《まさ》に以て薩州に赴かんとす。聖王留めて之を中山に居《お》きて、王城を護守せしむ。

この山崎二休は「日本の人」でありながら琉球国王の「仁政」を慕ってその臣下となり、薩摩軍と戦った結果彼等に「拉致」され、処刑されかけたのであった。「島津入り」を描いた最古のテクストとされる『喜安日記《きあんにっき》』の作者喜安も堺出身の日本人であり、琉球王国の側から島津入りを経験している[*38]。前述の『陸奥話記』の藤原経清も、そのような多重所属者と考えてよいであろう。平和な時代に多重所属的に生きてきた人々にとって、戦争は自身の精神・肉体を無理やり分割させられる経験にほかならない。「亡命」「拉致」を経験した人々のそのような視点から、ナショナルに編成された東アジアの各国文学史を照射しなおすことは、二十一世紀の平和を考える上で有意義なことではないかと思う。

注

1　『日本国語大辞典』第二版、第十二巻（小学館、二〇〇一年）による。

2 同書、第十三巻（小学館、二〇〇二年）による。
3 サイード『遠い場所の記憶―自伝』、中野真紀子訳、みすず書房、二〇〇一年、原著一九九九年。
4 サイード「冬の精神」、今福龍太編『世界文学のフロンティア01 旅のはざま』岩波書店、一九九六年。
5 カフカ『審判』（『カフカ全集』第五巻所収、中野孝次訳、新潮社、一九八一年、原著一九二五年）参照。
6 オーウェル『一九八四年』（高橋和久訳、早川書房、二〇〇九年、原著一九四九年）参照。
7 蓮池薫『拉致と決断』（新潮社、二〇一二年）等参照。
8 外村大『朝鮮人強制連行』（岩波新書、二〇一二年）参照。
9 山田康弘『戦国時代の足利将軍』（吉川弘文館、二〇一一年）等参照。
10 岩波新古典文学大系『謡曲百番』（岩波書店、一九九八年）所収「角田川」参照。
11 新潮日本古典集成『説経節』（新潮社、一九七七年）所収「さんせう大夫」等参照。
12 藤木久志『新編 雑兵たちの戦場』（朝日新聞社、二〇〇五年）参照。
13 ジョルジョ・アガンベン『例外状態』（上村忠男ほか訳、未来社、二〇〇七年）等参照。
14 網野善彦『無縁・公界・楽』（『網野善彦全集』第十二巻、岩波書店、二〇〇七年、初出一九七八年）、阿部謹也『物語ドイツの歴史』（中公新書、一九九八年）等参照。後者は現代のドイツ基本法で承認されている「庇護権」の理念の起源を古代以来のアジールにもとめている。
15 日下力『『平家物語』という世界文学』（笠間書院、二〇〇七年）がこの傾向を代表する。
16 小峯和明「〈侵略文学〉の文学史・試論」（『福岡大学研究部論集』「人文科学」331、二〇一三年）等参照。
17 佐伯真一ほか『日本と「異国」の合戦と文学』（笠間書院、二〇一二年）等。
18 小学館日本古典文学全集『将門記・陸奥話記・保元物語・平治物語』（小学館、二〇〇二年）所収『陸奥話記』。
19 野口実『伝説の将軍 藤原秀郷』吉川弘文館、二〇〇一年。
20 『陸奥話記』「解説」等。
21 注19および樋口知志編『前九年・後三年合戦と兵』（吉川弘文館、二〇一六年）等参照。
22 川合康『源平合戦の虚構を剥ぐ』（講談社メチエ、一九九六年）参照。
23 高橋昌明『清盛以前』（平凡社選書、一九八四年）等参照。
24 村井章介『中世倭人伝』岩波新書、一九八八年。
25 岩波新古典文学大系『保元物語・平治物語・承久記』（岩波書店、一九九二年）所収『保元物語』。

26 横山重編『琉球史料叢書』第五巻（鳳文書館、一九四〇年）所収『中山世鑑』等。
27 原田信男『義経伝説と為朝伝説』（岩波新書、二〇一七年）等。
28 岩波新古典文学大系『平家物語』下巻（岩波書店、一九九三年）による。
29 新訂増補国史大系『吾妻鏡』（吉川弘文館、一九三六年）による。
30 『木下順二集8 『子午線の祀り』とその世界』岩波書店、一九八九年。
31 高木信『死の「美学化」に抗する』青弓社、二〇〇九年。
32 富山一郎『暴力の予感』岩波書店、二〇〇二年。
33 北島万次『朝鮮日日記・高麗日記』（そしえて、一九八二年）等参照。
34 中村栄孝『日鮮関係史の研究』中（吉川弘文館、一九六九年）「六 朝鮮役の投降倭将金忠善—その文集と伝記の成立」等参照。
35 岩波新日本文学大系『謡曲百番』（岩波書店、一九九八年）所収。
36 中国・韓国文学には、日本以上に「亡命」「拉致」の経験者が登場する。『史記』の荊軻、『漢書』の李陵、『三国演義』の劉備、『水滸後伝』の李俊、『洪吉童伝』の洪吉童、『於于野談』「人倫篇」の南原鄭氏の娘等はほんの一例である。
37 球陽研究会編『球陽』漢文篇・読み下し篇（角川書店、一九七四年）による。
38 樋口大祐『乱世のエクリチュール』（森話社、二〇〇九年）第Ⅱ部第6章「多重所属者と『平家物語』」。

07 東アジアの鄭成功

韓 京子

1　はじめに

十七世紀、中国では明清交替が起こる。朝鮮と日本に華《か》夷《い》意識の変化をもたらすことになるこの事態に、両国とも鋭意注視し、激動期の情勢を知るための情報を収集した。日本においては、その情報の中でも復明運動を展開した人物で日本人の母を持つ鄭成功《ていせいこう》（一六二四～一六六二年）に注目が集まり早くから英雄視された。一方、十七世紀の朝鮮の公的な記録には、鄭成功に関してほとんど断片的な情報が記載されるのみであった。十七、十八世紀の朝鮮と日本では、鄭成功に関していかなる情報が伝わりどう認識されたのか見てみよう。

2　唐船により日本に伝わった「鄭成功」

江戸時代、日本において東アジアをめぐる情報の多くは、長崎に入港した唐船やオランダ船によりもたらされた。唐船風説書『華夷変態《へんたい》』は、長崎に来航した商船から入手し、江戸幕府へ上達された情報を林鵞峰《はやしがほう》（一六一八～一六八〇年）と林鳳岡《ほうこう》（一六四四～一七三二年）が編集したものである。その中には、鄭成功について次のような記述が見られる。

鄭芝龍《ていしりゆう》若年の時日本へ渡り、肥前の平戸にて履《くつ》を売て、数年逗留す。平戸一官と称す、妻を娶《めと》て、子を生む。其後妻子をば、平戸に留置て、其身は本国へ帰る。崇禎《すうてい》の初年の比なるべし。此時南海福州の辺に海賊起る。芝龍も海賊に接り乱妨す。（中略）福州に都を立て韃靼《だつたん》を平げて明朝を再興せんとす。（中略）是より前芝龍福建道の大将として、毎年長崎に商船を遣すに依て、日本へのちなみありと思ひ、平戸に留置所の妻子を福州へ呼び迎んことを請望む。長崎奉行より井上筑後掾《ちくごのじよう》を以て言上しければ、御許容有て、妻子を福州へ遣さる。其子は即ち鄭彩《ていさい》なり、字成功、長崎にては森官と称す。

（『華夷変態』巻一、正保三年［一六四六］）

伝説云、朱成功度々韃靼人ト戦テ利ヲ得タリ。既ニ南京ニ攻入ントスル折節敗軍シ、福州ニ居ル事アタハズ、敗軍ノ余兵ヲ以テ雞籠国《タカサゴ》ヘ攻入リ、阿蘭陀人ヲ追出シ、雞籠国ヲ押領ス。改テ東寧府《とうねいふ》ト号ス。毎年長崎往来ノ商舶タユルコトナシ。数年ノ後、朱成功三十八歳ニテ病死ス。其子ヲ鄭経《ていけい》ト云フ、錦舎《きんしゃ》是ナリ。相続シ東寧ニ居ル、

（『華夷変態』巻一、万治元年［一六五八］）

鄭成功は、鄭芝龍《しりゅう》と平戸の田川マツの間に生まれ、厦門《アモイ》を拠点として抗清復明運動を展開し、その後台湾からオランダ人を追放し台湾独自の政権を建てたことから中国・台湾・日本において英雄視された人物である。隆武帝《りゅうぶてい》から「朱」の国姓を下賜され、国姓爺《こくせんや》（国性爺）と称された。右の記事には、鄭芝龍の渡日と子成功の出生をはじめ、父子が復明運動に加担する経緯や、鄭成功の台湾における活躍、そしてその死まで伝えている。簡略ながらもおおむね史実に沿った内容を持つ情報がほぼ同時期に日本に伝わっていたことがわかる。

日本において鄭成功を有名にしたのは、近松門左衛門《ちかまつもんざえもん》の浄瑠璃『国性爺合戦《かっせん》』（正徳五年［一七一五］初演）である。十七カ月に渡り長期公演が行われるほど大好評を得たため、鄭成功は「国性爺」あるいは作中に用いられた別称である「和藤内《わとうない》」の名をもって広く知れ渡った。近松の『国性爺合戦』における鄭成功関連の情報は、大部分が鵜飼信之《うかいのぶゆき》の小説『明清闘記《みんしんとうき》』（寛文元年［一六六一］序）を原拠としていると見られており、浄瑠璃の先行作には、錦文流《にしきぶんりゅう》の『国仙野手柄日記《こくせんやてがらにっき》』（元禄十四年［一七〇一］）があった。これらの作品とは違い、『国性爺合戦』において鄭成功は、日本の神威と武威をもって韃靼《だったん》を征伐する、日本の英雄として描かれる。日本人を母に持ち、日本生まれの鄭成功には、当時成立した「日本型華夷意識」から、日本の武力や文化の優越意識が反映されるようになるのである。

3　地理書から見る鄭成功

鄭成功の活躍が記されたのは、唐船風説書や小説・戯曲のみではなかった。日本では『国性爺合戦』が初演された時期には、相次いで世界地理を扱った書物が成立する。日本初の世界地理書である『華夷通商考《かいつうしょうこう》』（元禄

八年［一六九五］）と増補版『増補華夷通商考』（宝永五年［一七〇八］）は、天文暦学者である西川如見《にしかわじょけん》（一六四八〜一七二四年）が長崎で得た情報をもとに地理や貿易に関する海外事情について記述した書物である。『華夷通商考』上巻の中華十五省のうち福建省《ふっけん》に、そして下巻外国の大寃の項に、鄭成功に関する記事が見られる。

厦門　又思明州ト号ス。海上日本ヨリ六百里島也。泉州ヨリ海上廿余里六五天ヨリ八里所ニヨリ殊ノ外近キ所モ有レ之。（中略）国姓爺此処ヲ開ク。

大寃　又三名有テ台湾東寧或ハタカサコトモ云フ島国也。此所古ハ主ナキ島ナリシニ、何ノ時ヨリカ阿蘭陀人日本へ渡海ノ便リニ此島ヲ押シ領シテ、城郭ヲ構ヘ住シテ、日本其外国々へ此所ヨリ渡海セシヲ、日本寛文元年ノ比、国姓爺厦門ヨリ此島ヲ責落シ、ヲランタ人ヲ追払、国中ヲ治メ、城廓ヲ改メ築キ居住セリ。其子ノ錦舎モ父ノ遺跡ヲ続キ、一国ヲ治テ、明朝ノ代再興センコトヲ謀テ、終ニ清朝ニ随サリシニ。（中略）国姓爺居住已後ハ、国号ヲ東寧ト改ム。此島中華之京都ヨリ南ニ当レルニ東寧ト号スル事、国姓爺生国日本ナル故ニ生国ヲ慕ノ心ニヤト云。

福建省厦門の項には厦門を鄭成功が開拓したこと、大寃の項には鄭成功が台湾からオランダ人を追い払い占拠したこと、抗清復明を企てたこと、国名を台湾から東寧と改めたことなどが記される。実際、「台湾」という名称は、鄭成功が「東都」と改めたのを、のちに鄭経が「東寧」と改めたものであるが、先に引用した『華夷変態』においても、鄭成功が「東寧」と改めたものと認識されていた。一方、『増補華夷通商考』巻二福建省厦門《カモン》の項には次のような加筆が見られる。

泉《セン》州ノ内島《シマ》ナリ、国性爺《コクセンヤ》又此ノ島《シマ》ヲ開《ヒラキ》テ居城《キヨジヨウ》トス。泉州ノ枝城《エダシロ》ナリ、国性爺ハ明朝《ミンテウ》ノ忠臣《チウシン》ニテ一度《ト》大明《タイミン》ノ代《ヨ》ヲ再興《サイコウ》セント思《オモフ》ノ意有《コヽロアツ》テ、厦門《カモン》ノ名《ナ》ヲ改《アラタ》メテ思明《シミン》州《シウ》ト号ス。其ノ後此ノ所ヨリ台湾《タイワン》ヲ攻取《セメトリ》テ阿蘭陀《ヲランダ》ヲ追落《オヒヲト》シタリ。国性爺《コクセンヤ》ノ子錦舎《コキンシヤ》ノ時、此ノ所ヨリ長崎へ来レル船多《オヽカ》リシ。国性爺父《チヽ》ハ一官老《イツクワンラウ》ト云久シク日本ニ往来《ワウライ》シテ平戸《ヒラト》ニ居住《キヨシウ》ス。日本ノ女《ヲンナ》ヲ妻《ツマ》トシテ子《コ》ヲ生《ウメ》リ。是国性爺《コクセンヤ》ナリ。一官老泉州《イツクワンラウセンシウ》ヲ領《レウ》セシ時《トキ》、平《ヒラ》戸《ド》ノ妻子《サイシ》ヲ迎《ムカ》フ。則チ平戸ヨリ長崎ニ来リテ福州舟《ホクチウフネ》ヨリ泉州ニ到《イタ》レリ。国性爺時《センヤトキ》ニ十七歳ナリ。武略《ブリヤク》ノ名将《メイシヤウ》ト成《ナツ》テ一生大清《セウタイセイ》ニ不《ス》レ順《シタカハ》。長崎ニモ別腹《ヘツフク》ノ弟在《ヲトヽアリ》シ、錦舎《キンシヤ》ノ子奏舎《コソウシヤ》ニ至《イタリ》テ清朝《セイテウ》ニ降参《カウサン》シテ海内《カイナイ》一統《トウ》ス。

増補された部分は、日本出生の経緯についても加筆されるなど、鄭成功に関する記述が詳細になる。思明州という地名の由来を書き加えることで、鄭成功が明の忠臣であることが強調され、さらに「武略の名将」として抗清復明運動の功績が好意的に記述される。西川如見の『長《なが》崎夜話草《さきやわそう》』（享保五年［一七二〇］）巻三「塔伽沙谷《たかさご》之事并国姓爺《こくせいや》物語」と題する文の中には、「国姓爺智謀《ちぼう》無双の軍将たりし事、長崎人の明清闘記《みんせいとう》に委し」とあり、西川如見は名将としての鄭成功像を『明清闘記』などの小説により得て加筆したものと見られる。『華夷変態』で見られた父鄭芝龍に関する記述は省かれ、鄭成功の功績が浮き彫りとなっていることがわかる。

一方、時代は下るが、戯作者兼蘭学者である森島《もりしま》中良《ちゆうりよう》（一七五六～一八一〇年）が記した『紅毛雑話《こうもうざつわ》』（天明七年［一七八七］）巻三には「日本の寛文二年清の康熙元年に当つて、其島を支那の海賊に襲取られたりといふ。是国姓爺成功の事なり夫より後、紅毛より長を置事なし」とあ

る。オランダ人から聞いた話や書物に記されたことをもとに編集されたためか、鄭成功を海賊と記しており、『増補華夷通商考』の中で明の忠臣で名将として好意的に捉えられた認識とは違いが見られる。

4　脅威的な海上勢力として朝鮮に伝わった鄭成功

一方の朝鮮も明清交替に伴い激動の時代を経ていた。朝鮮第十六代王の仁祖《インジョ》（在位一六二三～一六四九年）は、前代の中立政策から親明排金政策へと変更したが、二度も後金（清）に侵略され（丁卯《ていぼう》の乱・丙子《へいし》の乱）、結果、屈辱的な形で降伏した（一六三七年）。仁祖の次男で第十七代王の孝宗《ヒョジョン》（在位一六四九～一六五九年）は、丙子の乱後、兄の昭《ソ》顕《ヒョン》世子、弟の麟坪《インピョン》大君と人質として清に連行された経験から、清への雪辱の機会を狙っていたため北伐計画を強く推し進めた。従って、この時期朝廷においても、東アジア海域における情勢について鋭意注視しており、清に派遣した燕行使や通信使、あるいは対馬や漂流民を通じて情報を収集していた。

『朝鮮王朝実録』には、鄭成功の名より鄭芝龍の方が頻出する。朝鮮が最初に鄭芝龍に関する情報を得たのは

巨済《コジェ》県の海岸に漂流した福建の商人によるものであった（『仁祖実録』四十八巻、仁祖二十五年［一六四七］七月十八日丁巳条）[*1]。

仁祖に次いで王位についた孝宗は、斥和《せきわ》派の文臣である宋浚吉《ソンジュンギル》（一六〇六～一六七二年）を重用した。宋浚吉の記した『経筵《キョンヨン》日記』は刑曹佐郎（司法・刑罰関連の部分を管轄した行政機関である刑曹の役人）であった一六三九年から経筵（王に儒教の経典や歴史を講義をする機関）で講義・討論したことを史官が記した公式日記である。戊戌年（一六五八）九月二十日条には、次のような宋浚吉と孝宗との会話が見られる。

上曰元之込未久而又如此。未知此後復如何也。朱皇帝一在広東。一在福建。鄭芝龍子孫甚強大。羈縻於福建皇帝云。又有張揔兵者。軍律厳明。清人取難之矣。浚吉曰。所謂張揔兵。乃朱氏臣耶。上曰。然。浚吉曰。臣頃聞任義伯言。則倭僧之説亦甚可慮。我国既如此。天下事又如是。講武治兵。不可少緩。

孝宗は宋浚吉に今後の中国情勢の不安を語っている。さらに現在二人の朱皇帝がいて、そのうち福建の皇帝を擁する鄭芝龍の子孫が非常に強大な勢力を形成していることを話す。鄭成功の名こそ登場しないが、その存在は孝宗にも認識されていたのである。任義伯《イムウィベク》は東莱《トンレ》府使を経た文臣で、海岸防備を強化することを提議していた人物である。宋浚吉は交遊のあった彼から得た情報や、抗清の動乱が続く現在の中国および朝鮮の状況から見て、早期に兵士を訓練させる必要性があると孝宗に上奏していた。

実際、朝鮮は孝宗の代にたびたび軍備を拡充しており、その都度清に問題視されて燕行使を派遣した。とくに一六五六年の燕行は、軍備拡張が反清運動を企てるためであると清に疑われ、それを釈明することが目的であった。その際の燕行録《えんこうろく》には、「進功」と名に誤りはあるものの、次のような鄭成功に関する興味深い記事が載っている。

右眞王子。親王率精甲万余出師。与福建鄭芝龍子進功対塁未還。進功自明朝拠九江口海島作孽。是海賊也。擁甲百万。割拠福建一半。欽戴永暦。不順清朝。識者憂之。（中略）清師討鄭進功未平。廷議援錦州例。将徴火手万人於吾東。以舟師進逼福建。帝亦然之矣。閣老巴迄以爲堂堂清朝。借師外国。恐虧雄声。一用鮮師。勦清未易。適足移禍。深非護恤属国之意。力沮是事。

（『燕途紀行』［下］／孝宗七年［一六五六］十月十日甲申条）

『燕途《ヨンド》紀行』は、進奏使として清を訪れた麟坪大君による紀行文で、下巻は任務を終え、燕京《えんけい》からの帰途に記されたものである。そこには、鄭成功は海賊であるとされている。清の軍がなかなか鄭成功を平定できずにいたことから、朝鮮に援軍を要請する意見が清の朝廷内でおこっていたことが記されている。結局は閣老の巴迄《バフル》が反対したことで朝鮮からの派兵は行われずに済んだとある。その反対の理由からも、当時の鄭成功の勢力が朝鮮の援軍があっても平定しがたいほど強力であったということがわかる。十七世紀半ばの緊迫した状況下で、朝鮮が鄭成功勢力の討伐に加担する可能性があったのであるが、清から援軍を要請されるような状況下の朝鮮では、日本のように鄭成功を英雄と見なし支持するには無理があったといえよう。その後、鄭成功の死が伝わり南明が滅亡すると、朝鮮の文献に見られる鄭成功に関する記述はさらに断片的なものになっていく。

5　南明の重要人物として認識された鄭成功

朝鮮において鄭成功に関する詳しくまとまった記述が見られるようになるのは、十八世紀末頃である。十八世紀に入り、朝鮮では「復讐雪恥」の意識をもとにした「北伐論」が現実性を喪失し、次第に対明義理論が強調される。知識人の間で朝鮮こそ中華文明の継承者であると自任する意識が強まる中、清朝が編纂中の『明史《みんし》』が伝わる。彼らはその中で南明の三皇（弘光・隆武・永暦帝）が正統な地位を与えられていない扱いに不満を持ち、中華の系譜に対する整理作業の一環として自ら明の歴史を編纂するようになる。*2 とくに正祖の時代には、復明運動に尽力した人物や明の遺民などの事跡をまとめた書籍が相次いで成立した。

朝鮮後期の学者である成海應《ソンヘウン》（一七六〇〜一八三九年）の文集『研経齋全集《ヨンギョンジェ》』巻之三十六に収録される『明季書藁《ミョンゲソゴ》』もその一種で、南明の主要人物五十三名の伝記となっている。鄭成功については次のような記述が見られる。

李定国鄭成功皆盜賊之傑耳。（中略）鄭成功福建漳州人。父芝龍姣媚善音律。年十八。隨海舶入倭。日就島主歌舞。島主女悦而從之。生成功。芝龍旋入海盜。劫洋中商貨。抄掠沿海州郡。会両広総督熊文燦勦海寇。芝龍賂其左右而得就撫。且擒斬海寇劉香。以功陸漳潮副捴兵。及弘光皇帝立。封靖海侯。南都陷。芝龍擁立隆武皇帝。遂秉国政。以成功見於帝。成功初名森。帝奇之賜姓朱氏。名成功封忠孝伯。福州破。成功母死於兵。芝龍約降清。成功泣諌不聴（後略）

鄭成功について、「盗賊」に過ぎなかったとしながら、鄭芝龍の渡日や鄭成功の日本における出生、帝に朱姓を下賜されたこと、鄭芝龍をはじめとする鄭氏一族の復明運動や海上貿易における活動、死まで詳しく綴られる。引用はしなかったが、さらに鄭克塽《ていこくそう》が清に降伏したことまで、鄭成功に関する事項が詳細に記述される。

成海應は序に、張廷玉《ちょうていぎょく》らにより編纂された『明史』には、故意に弘光、隆武、永暦の三皇帝だけでなく李定国《りていこく》、鄭成功が記されなかったため、諸文献から情報を収集して、魯《ろ》監国《かんこく》（朱以海）から鄭成功まで五十三人に関する行跡を掲載したと、この書の執筆目的を明らかにしている。考証学者であり奎章閣《けいしょうかく》の検書官であった成海應は、この書のほかにも『皇明遺民伝』『台湾群雄記』など、膨大な資料をもとに南明の主要人物の事蹟についてまとめていた。

それまで鄭成功は、朝鮮の文献においては「鄭芝龍子」あるいは、「進功」「聖功」「郭信」「国信」などと[*3]、名前ではなかったり異なる表記がされたりしていたが、『明季書藁』において名前で立項され関連内容が記載されるようになる。この時期にいたって鄭成功は抗清復明に尽くした重要人物として改めて評価されたのである。

成海應と交友のあった学者に北学派実学者の朴斉家《パクジェガ》（一七五〇～一八〇五年）がいる。韓国国立中央博物館蔵の『延平髫齢依母図』[*4]【図1】は、朴斉家が西洋画法を用いて描いた絵であると伝わる。洋風の建物の二階に刀を帯びて富士山を遠望する鄭成功と、その前方に母が描かれている。画内には朴齊家による画跋が、画の上段には清の学者焦循《しょうじゅん》（一七六三～一八二〇年）による題跋が別紙で付されている。ただ、画内の題跋に見られる筆致や、絵

図1『延平髫齢依母図』（eミュージアム［韓国］・http://emuseum.go.kr/detail?relicId=PS0100100101101437300000より）

に駆使された西洋画法が朴齊家によるものなのかが疑問視され、さらに焦循の題跋の内容にも無理があるとみなされ、この絵の正体は明らかになっていない。

その真偽は別として、二つの画跋には鄭成功に関する記述が見られる。朴齊家による題跋には、「明季鄭芝龍爲日本贅聟生子成功、芝龍帰里成功依母留居日本、吾国崔氏以芸術游扶桑、曽爲之写真留稿帰。今崔氏無人藁存吾師家仿臨之、其緋衣端坐者芝龍妻日本宗女也、被髪幼童珮刀游戯者成功也。朴齊家修其写誌」と、鄭成功の出生と成長、この絵が描かれた経緯について記されている。この絵は、朝鮮の崔氏が日本で母子を描いた草稿が師のもとにあったのでそれを模写したものという。一方の焦循の画跋には、絵の入手をめぐる話のほか、「考鄭成功乗明末鼎革雄佔台湾、幾加蚪髯公為扶余国王、雖伝僅二世而滅亦人傑哉、我国家大度包容卒命崇祀」とあり、鄭成功の台湾収復を称え、清朝が寛大に彼を祀っていることを評価している。さらに「其図中幼童被髪珮刀其倔強気度可見」と鄭成功の幼い姿から気概を感じ取っていた。

作者だけでなく、「富嶽遠望」の構図で中国の衣服をまとった鄭成功母子が描かれた意図も不明であるが、朴斉家が描き手とされていることに注目される。十八世紀末から十九世紀初頭に朝鮮の知識人に、鄭成功への関心が寄せられたことを示す一例といえよう。その他、李《イ》瀷《イク》（一六八一〜一七六三年）、朴趾源《パクチウォン》（一七三七〜一八〇五年）、李《イ》徳懋《トクム》（一七四一〜一七九三年）、丁若鏞《チョンヤギョン》（一七六二〜一八三六年）など後期の学者が残した書物にも鄭成功に関する記述が見られる。

以上見てきたように日本では、十七世紀中頃に鄭成功に関しての情報が伝わると、地理書に反映され、小説『明清闘記』で英雄化された。その後、『国性爺合戦』において、日本生まれの鄭成功に日本優越意識が反映されて、日本の神威や武威をもって復明のため力を尽くす人物として造型されて、以降の小説や戯曲にも影響を与えた。朝鮮においては、十七世紀半ばに成立した文献には鄭成功に関して、主に不正確で断片的な情報が多く見られる。この時期、朝鮮は鄭成功一人に注目したのではなく、強力な海上勢力としてその動向に注意を払っていたためと見られる。十八世紀後半になると、中華継承者を自任する知識人により南明関連人物の事跡がまとめられる動きの中で、鄭成功は改めて抗清復明運動に尽力した人物として評価された。実学者たちが鄭成功をどう見ていたのかについては稿を改めたい。

注

1　禹仁秀「一七世紀後半台湾鄭氏海上勢力に関する情報収集とその意味」、『大邱史学』100、二〇一〇年。

2　禹景燮「朝鮮後期知識人の南明王朝認識」、『韓国文化』61、二〇一三年。鄭玉子「正祖代對明義理論の整理作業：〈尊周彙編〉を中心に」『韓国学報』18–4、一九九二年。

3　『顯宗改修実録』顯宗七年（一六六六年）七月十七日、「当海寇鄭聖功部下人之入送清国也」、李元禎『燕行後錄』顯宗十一年（一六七〇）七月十三日「芝龍之子聖功嘗大挙兵進囲南京二十七日為梁姓摠兵所敗走還海上気憤而死」、『顯宗改修実録』顯宗即位年（一六五九年）、十月二十日、「臣等入去時北京洶洶問其由則鄭芝龍之子率舟師三十萬剽掠江淮而來。及其勝捷廷臣以統一請賀不許云矣。（中略）永曆皇帝則不知所在。而通報有日國姓死於亂軍中。國姓云者疑是朱氏之爲王者。芝龍之子以其父見擒於清國故改姓名爲郭信及其全師陷沒脫身而走不知生死云矣。」

　日本では『明清闘記』や『華夷通商考』においても、「国姓爺」の呼称が用いられているが、朝鮮の資料には「郭信」や「国信」などと記されているいるように、朝鮮では「国姓爺」の呼称については正確に把握していなかったと見られる。

4　横三三・五、縦一四六・七センチメートル、（京城帝国大学教授藤塚鄰旧蔵、在米韓国大使館一等書記官、UN顧問韓豹項の寄贈）、藤塚鄰『日鮮清の文化交流』（中文館書店、一九四七年）、鄭珉「『延平髫齡依母図』の偽作弁証」（『文献と解釈』66、二〇一四年）、鄭珉『18世紀韓中知識人の文芸共和国』（文学トンネ、二〇一四年）。

参考文献

・『華夷通商考』筑波大学図書館蔵（ヒ–620–1）。
・『増補華夷通商考』滝本誠一編『日本経済叢書』巻五、日本経済叢書行会、一九一四年。
・『華夷変態』林春勝ほか編、東洋文庫、一九五九年。
・『長崎夜話草』西川忠亮編『西川如見遺書』第六編、求林堂、一八九八年。
・『紅毛雑話』国書刊行会編『文明源流叢書』第一、国書刊行会、一九一三〜一九一四年。
・『経筵日記』『燕途紀行』『明李書藁』は韓国古典綜合DB（http://db.itkc.or.kr、二〇二〇年八月十日閲覧）から引用。
・孫惠莉「一八世紀後半から一九世紀前半の朝鮮知識人の明遺民に関する記録と編纂意識」、『韓国実学研究』28、二〇一四年。
・井上厚史「『国性爺合戦』から『漢国無体此奴和日本』へ—江戸時代における華夷観の変容」、『同志社国文学』58、二〇〇三年。
・久堀裕朗「享保期の近松と国家」、『江戸文学』「近松」30、ぺりかん社、二〇〇四年。
・田中梓都美「台湾情報から台湾認識へ」、『東アジア文化交渉研究』4、二〇一一年。

08 ベトナムの英雄像

高津 茂

二〇一三年六月二十一日、ベトナム社会主義共和国の文化・スポーツ・旅行部は「歴史上の代表的民族英雄十四人」の名を発表した。[*1] 加えて、翌二〇一四年には、民族英雄の名前と国祖雄王《フン・ヴゥオン》の像の台座を計画する提案が決定を見ている。[*2] ベトナム戦争が終わって四十年以上が過ぎ、戦争を知らない子供たちが多くなってきて、今やベトナムの英雄はサッカーで活躍する選手であったりする。太平の時代というべきか。つい二、三十年前まではベトナム南北統一戦争を成し遂げたヴォ・グゥエン・ザップ将軍やホー・チ・ミンが民族の父として英雄視されていた。それ以前のベトナム戦争やインドシナ戦争の最中には、人民武装勢力英雄や労働英雄といった耳慣れない英雄が喧伝された。王朝期にあっても、中国からの侵略からベトナムの独立を守り、外国の侵略を撃退し民族の発展に寄与した人物が英雄として祀られ、独立王朝ができる前は、中国の苛烈な支配に抵抗し、悪逆非道な支配者などを駆逐した人物が英雄であった。これらの多くの英雄たちの名前は、現在でもベトナムの多くの都市の通りの名前にあふれ、子供向けの神話や伝説の中に生きている。

それにも拘らず、あえて政府が従来の英雄よりも一層高貴な英雄として「民族英雄」なるものを創設し、その栄光をあがめるために代表的な十四名を指定する必要があったのか。確かに子供向けの絵本はドラエモンやアニメに取って代わられ、テレビ番組も時代物が少なくなっている観は否めない。そこで、現代ベトナム政府肝煎りの文化政策の一つとしての通時的な英雄像を十四人の事跡に見ることとする。[*3]

一、雄王：ベトナム最初の国家とされる文郎国《ヴァンラン》の祖。貉《ラク》龍君《ロンクゥアン》の子、国を十五部に分け十八世が皆雄王を号した。都を峰州《フォン・チャウ》（現在のフートォー省ヴィエット・チ付近）に建てた。神話時代に当たる。（前二八七九～前二五八

年）

二、徴姉妹《ハイ・バ・チュン》（？～四三年）：姉妹は雒将《ラクトゥオン》の娘で、姉の側《チャック》は夫詩索《ティ・サク》が交趾《ザオチ》郡の刺史蘇定《トディン》に殺されたことから、妹貳《ニ》と兵を起し、五十余城を攻略した。姉の側は自ら徴王となり、麊泠《メリン》に都した。反中国の元祖。

三、李南帝《リィ・ナム・デ》（五〇三～五四八年）：氏名は李賁《リィビ》、龍興《ロンフン》府太平《タイビン》の人。梁の暴政に抗って五四二年兵を起し、五四四年中国からの独立を果たし、ベトナム史上最初の皇帝李南帝《リィナムデ》となり、国号を萬春《ヴァン・スゥアン》とした。

四、呉権《ゴ・クゥエン》（八九九～九四四年）：ハノイ郊外唐林《ドゥオン・ラム》生まれの将軍。義父楊廷藝《ズゥオン・ディン・ゲ》が北部豪族矯公羨《キィエウ・コン・ティエン》に殺されたため愛州《チャウアイ》から兵を起すと、矯は南漢に救いを求めた。九三九年海路侵攻した南漢を白藤江《バック・ダン・ザン》の戦いで粉砕し、自立して王位に就き、古螺《コー・ロア》に都した。

五、丁先皇《ディン・ティエン・ホオアン》（九二五～九七九年）：氏名は丁部領《ディン・ボ・リン》、寧平《ニン・ビン》の華閭《ホア・ルー》に生まれ、呉権死後の混乱期十二使君時代《ロアン・タップニスクゥアン》を平定・統一し、丁朝を創設した。険阻な華閭に都を遷し、国号を大瞿越《ダイ・コー・ヴィエット》として、ベトナムで初めて太平《タイ・ビン》という元号を使用した。

六、黎大行《レエ・ダイ・ハン》（九四一～一〇〇五年）：氏名は黎桓《レエ・ホアン》、愛州（現在のハ・ナム省）の人。丁朝の十道将軍となり、丁王に代わり九八一年白藤江の戦いで北宋軍に敗れたが、嘘の降伏文書を送って油断させ、敵将侯仁宝《ハウニャンバオ》を襲い殺し、撤退に追いやった。前黎朝を建てた。

七、李太祖《リィ・タイ・ト》（九七四～一〇二八年）：氏名は李公蘊《リィ・コン・ウアン》、北江（現在のバク・ニン省）古法《コオ・ファップ》村に生まれ、少年期に万行《ヴァン・ハン》禅師に師事し仏教に帰依した。長じて黎臥朝《レエゴア》の左親衛殿前指揮使（近衛軍司令官に相当）となり、次いでベトナム初の長期王朝李朝の初代皇帝となった。都を山中の華閭から紅河デルタの中心地である昇龍《タンロン》（現在のハノイ）に遷した。国号は大越。

八、李常傑《リィ・トゥオン・キィエト》（一〇一九？～一一〇五年）：氏名は呉俊《ゴォ・トゥアン》、呉権の後裔に当たる。宦官となって李朝の太宗・聖宗・仁宗に仕え、一〇五四年にヌン族の反乱鎮圧、一〇六九年のチャンパとの戦争で軍功を立て、一〇七五～七七年の北宋との戦でも活躍した。中でも一〇七六年の如月江《ニュグゥエットザン》・富良江《フウルウオンザン》の戦いで北宋軍を阻み、和議へと進んだ。彼の檄文「伐宋露布文」（宋を伐《う》ち、ベトナムの境域はベトナムが守ることを宣明した文）は、ベトナム民族史上最初の独立宣言であった。

九、陳仁宗《チャン・ニャン・トン》（一二五八～一三〇八年）：氏名は陳吟《チャン・カム》。陳朝第三代皇帝（在位一二七九～一二九三年）。太宗上皇と共に元の侵攻への抵抗を指揮し、三度にわたって撃退させた。一二九三年に帝位を英宗《アイントン》に譲り、出家して臨済禅《ティエン・ラムテェ》に没入し、竹林《チュクラム》大士を称して、竹林禅宗《チュクラムティエントン》の開祖となった。

十、陳興道《チャン・フン・ダオ》（一二三一？～一三〇〇年）：陳の太宗の兄柳《リエウ》の子息で、氏名は陳国峻《チャン・クォック・トゥアン》。三度にわたるモンゴル・元の侵略に際し、抵抗戦争を指揮し、一二八八年、白藤江の戦いで元の艦船に壊滅的打撃を与えて撃退し、その戦功から興道大王の称号を得た。

十一、黎太祖《レ・タイ・ト》（一三八五～一四三三年）：氏名は黎利《レェ・ロイ》。清化《タン・ホア》の藍山《ラム・ソン》の豪族の出身。一四〇六年の明の侵攻に抵抗し、一四一六年に藍山蜂起《コイギアラムソン》を起し挙兵。明を撤退させて、後黎朝大越国の初代皇帝（在位一四二八～一四三三年）となり、均田制や科挙制などの導入を図った。

十二、阮廌《グゥエン・チャイ》（一三八〇～一四四二年）：抑斎《ウク・チャイ》と号し、一四〇〇年に胡朝の官吏となったが、胡朝《ホー》が陳を簒奪したとの理由から明が侵入して胡朝が滅んだ。阮廌は藍山蜂起に参加し、参謀格として活躍した。後黎朝成立後は丞相となり、太祖を支え、諸制度の整備に努めた。中でも明からの独立を宣言した『平呉《ビンゴ》大誥《ダイカオ》』はベトナムの民族的な気概を述べたものとして名高い。

十三、光中《クゥアン・チュン》（一七五三～一七九二年）：西山《タイソン》三兄弟の三男阮文恵《グゥエン・ヴァン・フエ》は、西山蜂起《コイギアタイソン》の首領であり、黎《レ》王—鄭《チン》氏—阮《グゥエン》氏を平定し、ベトナムの統一を助け、同時に一七八四年シャム・広南阮氏《クゥアンナムグゥエン》連合軍をラックガム・ソアイムットの決戦に破り一七八八年清の侵略軍をドンダーの戦いに滅し、西山朝を建てた。

十四、ホー・チ・ミン（一八九〇？～一九六九年）：一八九〇年ゲアン省に生まれ幼名はグゥエン・シン・クン、成年後はグゥエン・タット・タンと言った。ホー・チ・ミンは革命家としての仮名の一つであった。祖国ベトナムの独立のために尽力し、フランス植民地主義や日本の軍国主義と戦い、ベトナム民主共和国の初代主席となり、インドシナ戦争からベトナム戦争に至るベトナム革命を指導した。一九六九年九月に革命の成就を見ることなく心臓発作で死去した。

その生涯はベトナムの民族自決とベトナム国家の独立に捧げられ、建国の父として今も慕われている。

以上の事跡をまとめると、雄王は国祖。徴姉妹は前漢の支配に抵抗し、李南帝は梁に抵抗して独立し、呉権は南漢の支配から独立し、丁先皇は丁朝を創設し、黎大行は北宋を撃退して前黎朝を建てた。李太祖は李朝を開き長期独立王朝を建てた。李常傑は北宋と戦い民族史上初の独立宣言を記した。陳仁宗は陳興道を遣ってモンゴル・元軍の侵攻を挫いた。黎太祖は阮廌と共に藍山蜂起を起して明を駆逐して後黎朝を建てた。光中はタイ軍や清軍を破り西山朝を建てた。ホーチミンはフランス・日本を駆逐してベトナム民主共和国を建て、アメリカを打ち負かせて、南北統一の基盤を作った。以上の十四人に共通するのは、雄王・徴姉妹・光中を例外として北部ベトナムの人だけである。また、中国の各王朝の侵略に抵抗・撃退した武人・軍人と独立王朝の創始者が民族英雄とされている点にある。このような民族英雄を改めて持ち出してきた背景には、千年に及ぶ中国から侵略・支配されてきた歴史があることは言うまでもない。ベトナム人にとって英雄説話とは、民族の自尊心を鼓舞し、ナショナリズムを呼び起こす文化装置であり、民族の記憶を太平の世に残し、自由と独立のために戦った人の事跡を栄光の中に再生し学習するためのものであろう。陳興道の白藤江での戦術は、呉権の戦法に習ったものである。南沙諸島の問題等、現実の問題が起きている中で、中国の侵入に対する警戒心の育成がこの目的と思われる。治に居て乱を忘れず。民族の独立と自決権は、生まれた時から当たり前に有るものではなく、戦いの中で自由と独立を守り、勝ち取っていくことの必要性を教えようとしているのが、「民族英雄」創出の目的であり、戦争を忘れかけた太平のベトナムの英雄像であろう。

注

1　Quy hoạch tượng đài Quốc tổ Hùng Vương, anh hùng dân tộc, BÁO ĐIỆN TỬ CỦA CHÍNH PHỦ NƯỚC CỘNG HÒA XÃ HỘI CHỦ NGHĨA VIỆT NAM

2　Quyết định 1097/QĐ-BVHTTDL năm 2014 tổ chức soạn thảo Đề án Quy hoạch tượng đài Quốc tổ Hùng vương và danh nhân anh hùng dân tộc

3　事跡の概要は、『南越神祇會籙』禮部正本、良安村奉抄、ベトナム社会科学院漢喃研究所書院 A761 と Vũ Ngọc Khánh(Chủ biên); Nhân Vật Chí Việt Nam, Nhà Xuất Bản Văn Hóa Thông Tin, Hà Nội, 2009 を主に参照した。

09 韓国から見た日本の耳塚

魯 成煥

1 日本における朝鮮人の耳、鼻塚

朝鮮人の鼻や耳の塚は京都、岡山の備前市と津山市、島根の温泉津《ゆのつ》、長崎の対馬《つしま》、福島の小高《おだか》町、熊本の人吉《ひとよし》にもあった。これらはすべて秀吉の朝鮮侵略と関連があるものであった。耳塚の造成と供養の文化的な背景には武威誇示のための戦利品、伝統的な武士の葬儀習俗、怨親平等という仏教思想、怨霊を鎮める儀礼など多様な要素が含まれていた。

とくに京都の耳塚は比較的早期からの観光名所でもあった。江戸時代から明治初期まで、京都の名所を案内する書籍には必ずと言ってもいいくらい登場し、一九二〇年ころには絵葉書も販売されていた。このように耳塚は広く知られていたが、それに伴う批判の声もあった。たとえば林羅山《はやしらざん》(一五八三～一六五七年)は『豊内記《ほうないき》』で朝鮮は仁義を行う国だと述べる一方、秀吉を無道な人であり、耳塚は極悪無道な行為の象徴だと批判した。また松《まつ》浦静山《うらせいざん》(一七六〇～一八四一年)も『甲子夜話《かっしやわ》』で相手の耳を切り取り塚を造る行為は残忍なことだと率直な感想を書いている。このように日本側にも否定的な視線を向ける人々がいたのである。耳塚は日本人が見ても痛ましい歴史の遺物であった。まして当事者である韓国人たちが見たら、果たしていかなる衝撃を受けることであろうか。

2 京都の耳塚を見た近世の朝鮮人

実は、かつて耳塚を見た韓国人たちがいた。文禄慶長の当時、日本軍の捕虜になった大勢の朝鮮人たちが日本に住んでいた。彼らの中には耳塚を見た人々も多かった。その時の感情は複雑だったに違いない。その状況が姜沆《きょうこう》(一六五七～一六一八年)の『看羊録《かんようろく》』によく現れている。これによると京都に強制的に連行された朝鮮人たちが耳塚の存在を知り、米を集めて共同で祭祀を行ったようである。その際の祭文作成を頼まれた姜沆は「鼻と耳は西に埋められ丘になり／長蛇は東に隠れている。／帝羓は塩に漬かり／鮑魚は香わしくない。（鼻耳西峙、脩蛇東蔵、帝羓蔵鹽、鮑魚不香）」という漢詩を作り読み上げた。姜沆は、朝鮮人の鼻と耳は西の丘に埋められたが、それを造った秀吉は蛇になり東山に埋められたと述べ、さらに、秀吉の屍体は朝鮮人の屍体同様、因果応報によって塩漬けにされ埋められ、腐った臭いを放っている、と痛烈に批判したのであった。

こうした気持ちを抱いたのは姜沆一人だけではなかった。朝鮮通信使一行もまた同じであった。耳塚を見た彼らは共通して「染み透る痛憤を禁じることができなかった」と感情を表現している。たとえば李景稷（一五七七～一六四〇年）は『扶桑録』で「骨に徹する痛憤」と表現し、また姜弘重（一五七七～一六四二年）も一六二五年一月十七日に耳塚を見て「痛い心に耐えられなかった」と記した。これらの悲憤について、林羅山は『豊臣秀吉譜《とよとみひでよしふ》』に「其後、朝鮮人来貢之時、到塚下、誦祭文而弔之、哭涙曰、是輪死報国者也」と書いており、日本側の別の記録『洛陽名所集《らくようめいしょしゅう》』（四巻）にも、耳塚を見る高麗人は涙を流さない人は一人もいなかったと書かれている。ここでの「高麗人」とは言うまでもなく朝鮮人を指す。

その後、一七一九年洪致中（一六六七～一七三二年）を正使とする朝鮮通信使一行がここに寄った時には、以前とは違って耳塚は垂れ幕で覆われており、道から見えなかったという。垂れ幕の幅は三十余間（五四メートル）に達し、それを作るのに掛かった費用は、都合銀三貫にもなったと、徳川幕府の外交文書『通航一覧《つうこういちらん》』には記述されている。このように、朝鮮通信使が耳塚を見られないようにしたのは、「秀吉の蛮行を批判する根拠を隠そうとする配慮」から出たことであった。つまり、当時の日本の知識人には、耳塚は決して外国人に自慢するものではないという自覚があったのである。

ところがその後も通信使の中には耳塚を見た人がいた。一七四八年にこれを見た趙命采（一七〇〇～一七六四年）は『奉使日本時聞見録』では「人をして憤りで裂かれる」といい、また一六四三年に見た南玉（一七二二～一七七〇年）は『日観記』で「耳塚は屈辱を抱きしめて通らざるを得ない所」と言った。このように、その後も通信使の一部の人は耳塚を見た模様である。これは日本側の記録からも確かめられる。その例が黒川道祐《くろかわどうゆう》（一六二三〜一六九一年）の『石山行程』である。これによると「今も韓人入《にゅう》貢《こう》の時、三使以下の使此処を見、従者の中斯役に戦死の子孫あるときは、馬より下り此塚を拝して過ぐ云々」という。すなわち通信使一行の中、高官に当たる三使は見ないが、それ以下の人々は耳塚を見ていた。とくに一行のなかで家族に戦死者がいた人は、必ず寄って拝して通り過ぎたというのである。長らく朝鮮通信使一行は耳塚を見たし、それに対して礼も捧げたというのである。このように耳塚は日本側の記録においても朝鮮人の痛憤の史跡として描写されている。

3　京都の耳塚を見た朝鮮のお上りさん

この心境は時代が変わっても同じであった。たとえば植民地時代には耳塚を見た朝鮮人が心を痛め、文章を京都日出新聞に寄稿した。一九三九年三月十六日、李隨堂は「朝鮮のお上りさん」という匿名で「豊国神社前にある朝鮮人の耳を埋めたといふ耳塚が、京都の名所の一つとして挙げられている。いま朝鮮では総督以下内鮮融和のために必死の努力が続けられている。もうソロソロ忘れられてよい名所ではあるまいか」と言い、耳塚は内鮮一体にまったく役に立たず、それが未だに存在するのは可笑しいと不満を吐露した。

一方で、田中緑紅《りょっこう》（一八九一〜一九六九年）は『京都のおもかげ』で、「太閤は敵ではあるが、又彼の国の勇士である。大仏前に周囲百二十間堀を廻らした大丘陵を築き五輪石塔を建てて厚く御霊を弔ふた。尚慶長二年九月二十八日五山の僧四百人をして供養をせられたと云ふ。流石日本人丈あって敵たりともかく厚く弔ふたのであるが恐らく朝鮮では此戦歿者の霊を弔ふ何物も残ってはいるまいと思ふ」と述べている。

耳塚のように敵を弔《とむら》うのは日本しかない素晴らしい文化だと強調し、反面、韓国にはこのような史跡は何も残っていないだろう、と人種差別的な思想を憚らずに表現している。だが、それは事実ではない。珍島に倭徳山というところがある。名前の由来は、一五九七年の海戦で朝鮮軍によって水没した日本軍の屍体百余体が海岸に漂着した時、村人たちが屍体を集めて埋め、墓を造った場所だったからであった。すなわち、日本軍に徳を施した山だという意味である。つまり、自分の領土に侵略して来た敵軍の屍身を収めて墓を造り、葬儀を行った事例が韓国にもあったのである。

このような事実を知らない田中緑紅は、京都の耳塚を日本独自の人道主義情神から発生したものであると強調している。当時の日本では、このような解釈が耳塚に対する一般的な認識であった可能性が高い。「朝鮮のお上りさん」という匿名で寄稿した朝鮮人李隨堂はこのような雰囲気に鬱憤をぶつけたのである。

その後、李隨堂の文章を読んだ小西雪永という日本人が反論を展開し、「耳塚は美しい日本の武士道精神の表現であり、内鮮融和ばかりではなく、国民総親和に於いても重要な歴史的遺物だ」という論を主張した。これに激憤した李隨堂は、同年三月三十日、同じ新聞に「御先祖の屍から鼻を削いで持帰ったといふ行為は首級をあげることをもってその勲功とした大和武士の古い習慣を知り得ぬ人々にとっていかなる印象を与へることであろうか」と言い、「比類なき武士道精神と讃へられるところなるにも拘らず、持ち帰られた鼻の数々が鼻塚となり、耳塚となるのはまだよいとして、今日のごとく京都の名所の一つとして衆人の好奇の対象物となるにおよんで私達にはたへられぬ気持がするのである。私はこの問題を決して形式上の問題とは考へていない。むしろ私は諸君の感情に訴へたいと思ってみるのである」と自分の感情を述べている。このように耳塚は、近世と近代の韓国人は不快さを与える歴史的な負の遺産であることは間違いない。これは今でも同じではないだろうか。

毎年八月と九月になると、京都の耳塚の前では、韓国人と在日韓国人・朝鮮人による慰霊祭が行われているのである。これは耳塚には朝鮮人だけが収められているという誤った認識の結果である。耳塚には中国人も収められているという、あまりにも当然の歴史的事実を見逃した結果でもあった。耳塚を通じて過去を反省し、真実の和解と友好の機会にするためには、慰霊祭が韓国人のみのものになってはいけない。韓国と中国そして日本の三カ国が参加する祭場にすべきである。さらに将来には、もう一歩進んで耳塚をなくし、その場所に耳塚の歴史的教訓を活かした韓中日の和解と友好平和の記念碑が建てられたならば、それは間違いなく東アジアの平和を目指す新しいシンボルになるだろう。

第4部　東アジアの歴史と文学

01

琉球の歴史叙述と説話

木村淳也

1　はじめに

日本の最南端に位置する沖縄県域は、現在、鹿児島県下にある奄美《あまみ》諸島までを含めて、かつては琉球《りゅうきゅう》王国という名の自主性をもった国家として存在しており、独自の歴史・社会・文化を形成していた。しかし一方で、琉球のさまざまな事物は、日本や中国、そのほか東アジア諸国から強い影響を受けて成り立っていることが知られる。これは、琉球という国家の複雑な立ち位置を示すと同時に、この国が東アジア世界の交差する「あわい」に立っていたことを証するものといえる。そういった場に成立した「琉球文学」を考える際、日本文学と一対一対応のみからその位置づけに拘ることは、もはや意味をなさない。東アジアという視座から琉球を見つめることが重要なのであり、それは、日本文学や中国文学をはじめとする東アジア文学を、相対的に捉え返すことにつながる。

2　琉球の歴史と琉球文学

琉球史書の記述によると、琉球国は悠久の昔、天神（天帝）の血をひく天孫《てんそん》氏が支配していた。天孫氏は二十五代にわたって王位を継承したというが、最後の王の時に逆臣・利勇《りゆう》により王位が簒奪され途絶する。利勇は、保元の乱で琉球に落ち延びた源為朝《みなもとのためとも》の落胤・舜天《しゆんてん》（尊敦《そんとん》）に討たれ、舜天王統が建てられる。以降、英祖《えいそ》、察度《さつと》、第一尚氏《しようし》、第二尚氏の各王統がこれに続き、舜天から最後の王・尚泰《しようたい》まで計三十六代にわたる王国の歴史を刻む。

琉球王国は、察度王が明へ朝貢《ちようこう》を開始した一三七二年あたりから国際社会に認知されはじめる。この時代は北山（山北）・中山・南山（山南）の三国に分かれ覇権を争っていたが、十五世紀初頭、尚巴志《しようはし》によって統一される。これが琉球史の第一の画期といえる。以降、中継貿易を主体とした海洋国家として黄金期を迎えるが、一六〇九年、薩摩の侵略によってその従属国として取り扱われ、日本の幕藩体制下に組み込まれた存在となり、日・中両国に二重朝貢することとなる。これが第二の画期であり、薩摩による侵略以前をとくに「古琉球」といい、以降近代に至るまでを「近世琉球」という。一八七九年、明治政府が強行した「琉球処分」が第三の画期となり、日本の行政区画の一部として「沖縄県」が誕生することで、琉球王国は事実上消滅した。

琉球王国（王府）時代に成立した文学を「琉球文学」としてよいが、そのほかにも、一般的に琉球語（あるいは琉球方言）によって形成されること、作成・享受・伝承されてきた地域が琉球文化圏（奄美・沖縄・先島諸島）であること、などの諸条件がある。[*1] この条件に照らすと、琉球文学とは押し並べて「無文字」文学の印象が強く、そのため、主として祭祀の場における歌謡や、民間に残る口碑伝承などが注目されてきた。一方、文字の文芸に目を転じれば、十六世紀前半から編纂された宮廷歌謡の集成『おもろさうし』、あるいは琉歌のような韻文が琉球文学研究の主体となっていたといえる。

しかし、この四半世紀ほどで琉球文学に対する認識が少しずつ変化してきている。まず、史書や地誌、外交文書といった史料群や、漢詩を含む漢文テキスト群が注目されるようになったことは大きい。また、琉球人が記した和文や和歌、琉球を対象とした近世期の和書、琉球王の爵号《しやくごう》授与のために派遣された冊封使《さくほうし》による「冊封使録」など、かつて「琉球文学」の枠組みから疎外されていたテキストにも考察の目が向けられるようになったことは、重大な変化といえよう。本章では、とくに歴史叙述と説話伝承との関係について述べてゆくこととする。

3 『中山世鑑』の歴史叙述

琉球王国における歴史叙述の編纂は、薩摩から侵略を受けてのちの、十七世紀半ばに開始される。琉球における史書の嚆矢は、羽地《はねじ》按司《あじ》朝秀《ちょうしゅう》（向象賢《しょうじょうけん》、一六一七～一六七六年）の『中山世鑑《ちゅうざんせいかん》』（一六五〇年）である。本書は和文、全六巻からなり、流布本『保元物語《ほうげんものがたり》』等、軍記物の記述を多数引用している。編纂当時の王統である第二尚氏の系譜だけでなく、開闢《かいびゃく》伝説から天孫氏、英祖など歴代の各王統の世系および功徳を明らかにする目的で編纂され、強い儒教的倫理観が貫かれている。*2

その『中山世鑑』は、琉球の開闢について「曩昔、天城ニ、阿摩美久ト云神、御座シケリ。天帝是ヲ召シ、宣ケルハ、此下ニ、神ノ可住霊處有リ。去レドモ、未ダ島ト不成事コソ、クヤシケレ。爾降リテ、島ヲ可作トゾ、下知シ給ケル。……」と記している。天帝の命を受けて天降ったアマミクは、草木を植えて島の形を整え、沖縄島の北から南へと聖地を造ってゆく。最後に天帝に人種を乞うと、天帝は自らの御子である男女二人を島に降らせた。この二人の間に生まれた三男二女が、それぞれ国王、貴族、庶民、君《きみ》（高級神女）、祝《のろ》（一般神女）の祖となったという。

この伝承の下地と考えられるのが、一六〇三年から三年間、琉球に滞在した浄土宗の学僧・弁蓮社袋中《たいちゅう》（一五五二～一六三九年）の記した『琉球神道記《しんとうき》』（以下、『神道記』）である。本書は薩摩侵略以前の古琉球の様相を伝え、また、琉球の寺社縁起や為朝の渡来譚などの伝承を記すものとして貴重である。この書が琉球にも伝わり、『中山世鑑』等、史書作成の資料となったと思われる。

右に記した開闢神話も『神道記』に類同する記述が見られるが、両者には大きな偏差も存在している。『神道記』においては、天から降った神はシネリキユ・アマミキユの男女二神であったとする点、さらに、この二神の婚姻によって生まれた子は三子で、長子は按司（豪族・貴族）の祖、次子は「祝」らの祖、三子が庶民の祖となった、とする点などに違いがある。また『神道記』の記述には、天帝という存在もみられない。これはおそらく、汎東アジア的な「天」

の概念により加上されたもので、『中山世鑑』では、天の子としての王が琉球を支配していたという論理が組み立てられたのだろう。つまり『中山世鑑』の開闢神話は、『神道記』が採集した古伝承から飛躍した、「創作」された神話であった可能性があるといえるが、それよりもここで重視すべきは、琉球史書の嚆矢《こうし》が、『保元物語』も含め、琉球の外部の人間の手による伝承的記述を基に作成されている、という点であろう。

4　蔡温本『中山世譜』の歴史叙述

次に作成された史書は『中山世譜《ちゅうざんせいふ》』である。この書には二種の本文が存在しており、内容の異なる部分が多々存在するため、蔡鐸《さいたく》（志多伯親方天将《したはくウェーカタてんしょう》、一六四四～一七二四年）が主任編著を務めた『中山世譜』を、蔡鐸本『中山世譜』（以下、「蔡鐸本」）と呼び、蔡鐸の子・蔡温《さいおん》（具志頭親方文若《ぐしちゃんウェーカタぶんじゃく》、一六八二～一七六一年）によって改訂された『中山世譜』を、蔡温本『中山世譜』と呼んでいる（以下、「蔡温本」）。

蔡鐸本（正巻五、附巻一）は一七〇一年に成立した紀伝体の漢文史書で、簡潔に言えば『中山世鑑』の漢訳版といえる。しかしながら、王府の外交文書集である『歴代宝案《れきだいほうあん》』を参照して、『中山世鑑』にない新たな記事の追加をおこなったり、軍記物の引用で生じた『中山世鑑』の冗文を省いたりと手を加え、また日本関連記事を一括して別巻とするなど、記述を整理している。

蔡鐸の次子・蔡温によって著された蔡温本（正巻十三、附巻七）の成立は一七二四年であるが、以降琉球処分期（一八七九年）まで書き継ぎがなされている。父・蔡鐸が編纂した『中山世譜』の記事をより合理的に解釈し、改訂したものといえる。[*3] また、冊封副使・徐葆光《じょほこう》から得た汪楫《おうしゅう》の『中山沿革志《ちゅうざんえんかくし》』（一六八四年）により、新たな記事の追加も行っている。

『中山世鑑』から二種の『中山世譜』への展開を考える場合、漢文への改修や記事の増加についての考察にはもちろん慎重を期すべきだが、とくに蔡温本においては、中国側からの視点で記された琉球史である『中山沿革志』との関係に注意を払う必要があるだろう。[*4]

尚巴志王の叙述を例に採ると、『中山世鑑』や蔡鐸本では、尚巴志は最初、南山国を落として王となり、次いで中山国の武寧王を打ち倒してこれを支配する。さらに最後には北山攻略を行って、中国に初めて入貢する前年の一四二二年に三山統一を成し遂げたことになっている。これに対して蔡温本は、まず琉球の東南・佐敷間切から立ち上がった巴志が、その周辺の四間切を落としたのち、中山、北山と攻め上がってこれを支配し、一四二九年に南山を滅ぼすことによって三山統一を成し遂げたとするのである。両書における尚巴志の琉球統一には、実に七年の開きがあるのだ。

田名真之によれば、蔡温本の変化は、南山国が一四二九年まで中国へ朝貢していたという記事が『中山沿革志』にあることによるものだという。[*5] これは一四二二年に三山統一を果たしたとする『中山世鑑』や蔡鐸本の記述とは矛盾する。このように、蔡温本には『中山沿革志』によって記事を改修した箇所が相当数存在する。蔡温本は、前代の琉球史書と『中山沿革志』とで記述の齟齬が認められる場合、『中山沿革志』の記述を積極的に採用するのである。このような態度は、外部資料による客観性を重視したものといえるが、ある意味では、『中山世鑑』以来の自国の主観的な歴史認識を放棄した行為ともいえよう。

また、蔡温本による歴史叙述の新たな展開として、「遺老伝《いろう》」（古老伝承）の増加が見逃せない。蔡温本の凡例には、民衆の語り事である「遺老伝」は「空言・巧言」で、さまざまに変化して真実を弁別し難く、秩序にかかわるものがこれを軽んじ誤れば王統を冒涜することとなり、その罪は軽くないとある。確かに蔡温本の尚思紹《ししょう》伝や尚泰久《たいきゅう》伝には「遺老伝」が採り上げられてはいるが、「然るに籍の湮して世遠く、虚實辨じ難し。故に世譜凡例の定規に遵ひて、敢へて強記せず」（原漢文）と注記され、史資料が煙滅してすでに久しく、遺老伝の虚実は判断し難いため、強《あなが》ちにこれを記すことはしない、として慎重な態度を崩していない。しかし、歴代の史書において、わざわざ「遺老伝」と名付けられた叙述が初めて登場するのが、この蔡温本である点は注意が必要である。島村幸一によれば、蔡温本は「歴史」と「伝承」（＝遺老伝）との別を意識してはいるが、「遺老伝」を根絶しようとしたのではなく、むしろ歴史叙述と

で最も「遺老伝」、つまり古老伝承・説話を重視した書物となっているのだ。

積極的に組み合わせることで、王統の伝承を延伸させているという。[*6] 凡例とは裏腹に、蔡温本は、歴代の史書のなか

5　琉球の地誌と家譜

ところで、この「遺老伝」発生の背景には、地誌と家譜の編纂があったとしてよい。史書編纂の動きと同時期に、地誌的な記述として『琉球国由来記《ゆらいき》』（以下、『由来記』）、『琉球国旧記《きゆうき》』（以下、『旧記』）などが成立している。国家の創建から現在に至る時間的な流れを述べるものが縦軸としての「史書」であるならば、その支配領域とそこに住まう人・モノを総合的に把握する横軸が「地誌」であるといえよう。

王府・旧記座《きゆうきざ》で編纂された『由来記』全二十一巻は、一七一三年に成立している。琉球王国に関する最古の体系的な地誌資料であり、その序文を見てみると、王府には典籍が備わらないため、諸々の公事や儀式の由来が不明確となっているが、これらの公事・儀式が治世にとって軽くはないため、臣下をしてその調査に当らしめた、とある。『由来記』は、薩摩との関係が安定期を迎えた時代、自国家の文化事象の来由を問うため、琉球国内に存在する官制・官職、事物、聖所、祭祀などの来歴を明らかにする、という目的のもとに編まれたものであった。[*7] 薩摩の従属国として取り扱われた琉球にとって、それは国家の自立性を確認する作業であったといえよう。とくに巻三・四に集中する「事始」記事などは、和・漢の用例（『大和事始《やまとことはじめ》』『中華事始《ちゆうかことはじめ》』等）を多数引用し、日本・中国との比較をもって、自らの文化を相対的に捉え直そうとしたものとしてよい。[*8]

鄭秉哲《ていへいてつ》（古波蔵親方祐実《こはぐらウェーカタゆうじつ》、一六九五～一七六〇年）の編纂にかかる『旧記』（本巻九、附巻十一、計全二十巻）の成立は、一七三一年である。基本的には『由来記』を引き継ぎつつも、その記述分類を細分化し、漢文体に再編成したものといえる。序文には、和漢の用例を多用し、漢字仮名混り文を用いて作成された『由来記』の冗漫な部分を削り、漢文の地誌へと改修した、と編纂主旨が述べられている。これは漢文体の史書である『中山世譜』の誕生と連動しており、

この時代の琉球が漢字文化圏へと近接していった動きが見える。しかし本書の特徴としては、『由来記』のなかから祭祀や聖所、事物・出来事などの「由来譚」（説話的記述）を意識的に選択・析出して正巻を編んでいる点をより重視すべきである。『旧記』が析出した「由来譚」とは、琉球の特定のモノ・コトに付随する固有の物語であり、一般化・合理化できるものではなく、日本や中国と自国家を差別化するものとして機能する。そして、その「由来譚」を支える枠組みが、故老の語りごとであった「遺老伝」なのである。ゆえに『旧記』は「遺老伝」の集積とも言い換えることができよう。

また近年、もう一つの漢文体地誌である『古事集《こじしゅう》』が発見され、その研究の成果が徐々に積みあがっている。[*9]『古事集』の成立年代が『由来記』と『旧記』との間の一七二八年頃と推測されること、それゆえ『由来記』の記述の漢文化が本書によって初めてなされた可能性が高いこと、王府による地方伝承収集の枠組みがこの書によって拡大されたと考えられることなどから、今後の研究の進展が期待される。

これらの地誌に数多くの「遺老伝」を提供したのが、本島周辺離島や先島などの各地域から提出された「地方旧記」類であった。地方旧記は、『由来記』を作成するために収集された康熙年間のもの、『古事集』や『琉球国旧記』編纂の下地となったと目される雍正年間のもの、さらにその後に提出された乾隆年間のものと、時代別に三分類される。近世琉球期における各地域の社会や文化における微妙な偏差を明らかにする好資料といえるが、王府編纂の地誌類に引用される際に、記述の改変がなされることも少なくない。それゆえに綿密な本文調査と、王府テキストとの比較が必要である。

さらに、この時期の琉球において「家譜」の編纂が開始されたことは見逃せない。「家譜」とは、琉球の支配者層である士族らが、自らの家系および家系内各人の履歴を集成したものであり、個人の出生や両親、妻や子、任官や知行など、年代毎の事績が直系男子一人ずつに対して記されている。その作成は「王府による国家体制の刷新・強化の取り組みのなかで制度化された」[*10]もので、一六八九年頃から運用がはじまり、以降五年毎に書き継がれた。家譜は、王府での添削を受けたのち清書され、正副二冊を作成して、一冊が王府・系図座《けいずざ》に提出された「公文書」であった。

家譜は『由来記』や『中山世譜』の作成に強い影響を与えている。たとえば『由来記』の記事を分析すると、中央の官制や、国家全体の濫觴にかかわるものに関して、家譜の記事を参照し、その記述の根拠としている部分が多々見られるのである。しかし、その家譜の記事は、資料が乏しい祖先の来歴・事績を記す場合など、もともとは口碑《こうひ》であったと思われる伝説や、説話的な記述が多く含まれている点には留意すべきである。

6 『球陽』と『遺老説伝』

ここまで挙げてきた史書、地誌、家譜を総合化し、王代を基準にした編年体で編まれた史書が『球陽《きゅうよう》』である。『球陽』は『旧記』の編者でもあった鄭秉哲を中心に編纂された。成立は一七四三年頃とされているが、蔡温本と同様、琉球処分期まで書き継ぎがなされる。最終的には正巻二十二巻、日本関係記事をまとめた附巻四巻に、外巻『遺老説伝《いろうせつでん》』四巻が附属する形で現在に残る。収載記事の範囲は、王侯貴族から民百姓におよぶ。地域的にも、首里《しゅり》を中心とし都市部から周縁部の田舎間切《まぎり》両先島まで、人文・自然を含む王国の森羅万象を広く集める。

また『球陽』の外巻である『遺老説伝』は、『球陽』の編者らによって一七四三年から一七四五年にかけて編集せられたとみられる。本巻三、外附巻一、漢文体で記される説話・伝説百四十一項目百四十二話を収めた説話集である。編年体の『球陽』に組み込みが不可能な、年代不明の記事の集積とされ、奄美地域を除く琉球王府全土から、王城儀礼、村落祭祀・御嶽《ウタキ》名・民間習俗などの各種由来、事始め、異聞奇譚など、さまざまな説話を収集する。

『球陽』と同時並行的に蔡温本『中山世譜』が書き継がれているが、『中山世譜』はあくまでも「世」の「譜」、つまり為政者の統治にかかわる事柄を書き記すものであった。対して『球陽』は、『中山世譜』の記す王の世系や統治に関する記述を前提としつつ、その支配する領域内で起こった種々の出来事、人々の生活を記録した、いわゆる「国民史」なのである。本書は「史書」という枠組みで捉えられてはいるが、実は『旧記』の記事四百八十一項目の八割以上に依拠して作成されている。つまり『球陽』とは、各地域の人・モノ・コトを採集した地誌『旧記』を解体・再編したものであり、それゆえに説話伝承を多分に内包した史書とも言えるのだ。

もちろん、『球陽』には『旧記』等の王府資料からの単純な引用だけでなく、地方旧記類や家譜の記事を直接的に引用した箇所も少なからず存在している。[*11]『球陽』という史書がどのような基準で記事を選び、何を目指して作成されたものなのかを明らかにするうえで、これらの記事の検討は十分になされるべきであろう。

また、年代不明の説話的記述の集積とされる外巻の『遺老説伝』についても、そのような枠を作ってまで「遺老伝」を残さざるを得なかった、という琉球の歴史叙述の特性の一つとして考えるべきであるが、『球陽』正巻との間に微妙な書き分けが存在する場合もある。たとえば、『球陽』巻八・尚貞《しょうてい》王十七年条には、中城間切《なかぐすくまぎり》の糸蒲寺《いとかまでら》の失火の際、そこで祀られていた不動明王像が王城の漏刻門《ろうこくもん》へ飛来し、後に護国寺へ奉安された記事がみえる。かたや中城間切を舞台とする『遺老説伝』第五十七話には、補陀落《ふだらく》僧と親交を結んでいた与喜屋ノロが、娘の讒言により夫から不義を疑われ、潔白を訴えて自死したという話がある。補陀落僧も汚名を恥じて寺中の櫃《ひつ》に籠もったが、程なくして火事がおき、弟子たちが櫃を担ぎ出して中を見ると僧はかき消えていた、という。

両書の記述は、依拠本文の『旧記』においては、一連の物語として記述されたものであった。糸蒲寺の失火と、その寺にあった仏像が現に護国寺に祀られている、という確認可能な「事実」の来由を語ることと、仏像の飛来の原因となった神女と僧の私通疑惑の「説話」を語ることとの、叙述の方向性の違いが、この記事を『球陽』と『遺老説伝』とに分節したと言える。[*12]これはあくまで一例にすぎないが、『旧記』が解体・再編されるとき、『球陽』と『遺老説伝』と、各々にもとめられた記述内容の差を細密に見てゆくことが要求される。

7 おわりに

琉球における歴史叙述は、説話伝承と交差し影響される部分が多く、慎重に「歴史の中に伝承を見、また伝承のなかに真実を探らなければならない」[13]ものである。しかし、歴史と伝承とのあわいで作成された記述だからこそ、当時の文化や社会背景、その作成に携わったひとびとの意図・思惑を読むことも可能であろう。

ところで、琉球の劇文学である組踊《くみおどり》は、琉球独自の歴史叙述や伝承を核とした作品も含まれており、それらの分析も重要であるが、琉球語で演じられたこれらの芸能が冊封使に伝わるよう漢訳された、尚家文書の『演劇故事《えんげきこじ》』や『戊《ぼ》戌冊封諸宴演戯故事《じゅつさくほうしょえんえんぎこじ》』巻之六などがあり[14]、これらはその翻刻も含めて、未だ研究が進展していない。琉球における芸能・劇文学の漢文化と、冊封使録を通じた東アジアへの伝播という部分では重視されるべきだろう。また、志怪《しかい》・伝奇類といった中国の通俗文学の、琉球における受容実態や歴史叙述・説話への影響なども、向後考えなくてはならない重要課題といえる。

注

1　池宮正治「琉球文学総論」、岩波講座『日本文学史』第十五巻「琉球文学、沖縄の文学」岩波書店　一九九六年。

2　東恩納寛惇「中山世鑑・中山世譜及び球陽」（横山重編『琉球史料叢書』巻五、東京美術　一九七二年）、田名真之「史書を編む―中山世鑑・中山世譜」（田名真之『沖縄近世史の諸相』ひるぎ社、一九九二年）、小此木敏明「『中山世鑑』における『保元物語』の再構成―舜天紀を中心として」（『立正大学国語国文』46、二〇〇七年）など参照。

3　糸数兼治「蔡温の思想とその時代」、『新琉球史』―近世編（下）―、琉球新報社、一九九〇年。

4　詳細は、木村淳也「琉球史書の特質と問題―東アジア国際関係を軸として」（増尾伸一郎編『交響する東方の知』知のユーラシア5、明治書院　二〇一四年）を参照されたい。

5　前掲注2、田名真之（一九九二年）論文による。

6　島村幸一「琉球の説話世界―正史にみる第一尚氏をめぐる伝承的叙述の成長」、小峯和明編『漢文文化圏の説話世界』中世文学と隣接諸学I、竹林舎、二〇一〇年。

7　田里修「琉球国由来記」、古代文学講座11『霊異記・氏文・縁起』勉誠社、一九九五年。

8　島村幸一「『琉球国由来記』巻三・四『事始　乾坤』について―特に、『中華事始』『大和事始』の引用に関連して」（山本弘文先生還暦記念論集刊行委員会編『琉球の歴史と文化』本邦書籍株式会社、一九八五年）による。

9　『古事集』の翻刻は、沖縄県立芸術大学附属研究所編『鎌倉芳太郎資料集』ノート篇2　民俗・宗教（沖縄県立芸術大学附属

研究所、二〇〇六年）を参照されたい。近年の研究成果としては、波照間永吉「『古事集』―『琉球国由来記』と『琉球国旧記』の間にあるもの」（『沖縄文化』116、沖縄文化協会　二〇一四年）、島村幸一「『古事集』（鎌倉芳太郎資料）の叙述―『琉球国由来記』と『琉球国旧記』にふれながら」（『立正大学大学院文学研究科紀要』33、二〇一七年）、木村淳也「『古事集』試論―本文の特徴と成立背景を考える」、島村幸一「『球陽』の叙述―「順治康熙王命書文」（『古事集』）から」（小峯和明監修・金英順編著『日本文学の展望を拓く1　東アジアの文学圏』笠間書院、二〇一七年）などがある。

10　渡辺美季「近世琉球の社会と身分―「家譜」という特権」、加藤雄三・大西秀之・佐々木史郎編『東アジア内海世界の交流史』人文書院、二〇〇八年。

11　木村淳也「『遺老説伝』における先行史料の引用態度―宮古島関連記事の引用とその意義」（『古代学研究所紀要』6、明治大学古代学研究所、二〇〇七年）、木村淳也「「遺老伝」の行方―『遺老説伝』所載の「銘苅子」、「無漏渓」伝承を考える」（『説話文学研究』47、説話文学会、二〇一二年）等を参照。

12　木村淳也「王府の歴史記述―『球陽』と『遺老説伝』」、島村幸一編『琉球　交叉する歴史と文化』勉誠出版、二〇一四年。

13　池宮正治「琉球の歴史叙述―『中山世鑑』から『球陽』へ」、季刊『文学』9-3、岩波書店、一九九八年。

14　那覇市歴史博物館編『国宝「琉球国王尚家関係資料」のすべて―尚家資料目録・解説』沖縄タイムス社、二〇〇六年。

本文引用

・論中で掲出した『中山世鑑』、蔡温本『中山世譜』の本文は、横山重ほか編『琉球史料叢書』（東京美術、一九七二年）所収の翻刻本文による。

参考文献

・池宮正治「歴史と説話の間―語られる歴史」、琉球王国評定所文書編集委員会編『琉球王国評定所文書』第十三巻、浦添市教育委員会・ひるぎ社　一九九七年。

・池宮正治「琉球の歴史叙述―『中山世鑑』から『球陽』へ」、季刊『文学』9-3、岩波書店、一九九八年。

・小峯和明「〈遺老伝〉から『遺老説伝』へ―琉球の説話と歴史記述」、季刊『文学』9-3、岩波書店、一九九八年。

・小峯和明編『日本文学史』吉川弘文館、二〇一四年。

・島村幸一編『琉球　交叉する歴史と文化』勉誠出版、二〇一四年。

・木村淳也「琉球史書の特質と問題―東アジア国際関係を軸として」、増尾伸一郎編『交響する東方の知』知のユーラシア5、明治書院、二〇一四年。

・島村幸一『琉球文学の歴史叙述』勉誠出版、二〇一五年。

02

朝鮮の野談と歴史書

戦乱ものを中心に

野崎充彦

1 野談・野史・歴史

野談とは朝鮮王朝時代に漢文で書かれた人物説話集をさす。柳夢寅《りゅうぼういん》（一五五九～一六二三年）の『於于野談《おうやだん》』を嚆矢《こうし》とし、任埅《じんぼう》（一六四〇～一七二四年）の『天倪録《てんげいろく》』などを経て、朝鮮後期の三大野談と目される『渓西野談《けいせいやだん》』『東野彙集《とうやいしゅう》』『青邱野談《せいきゅうやだん》』がその代表的なものである。[*1] ただし、人物説話集といっても野談の場合、高麗詩話や朝鮮前期の稗官《はいかん》文学（雑筆類）、および野史などを母体とするので、初期は比較的単純な逸話程度にとどまっていたものの、やがて叙事的な成熟を重ね、小説的な変容を見せることに注意すべきだろう。[*2]

一方、朝鮮時代の歴史書は官撰史書と私撰史書に大別される。前者には『高麗史』（一四五一年刊）や『朝鮮王朝実録』（以下、『実録』と略称）のような正史のほかに、『東国史略』（一四〇三年刊）や『東国通鑑』（一四八五年刊）などがある。後者には紀伝体で書かれた呉澐《ごうん》（一五〇四～一六一七年）の『東史纂要』や許穆《きょぼく》（一五九五～一六八二年）の『東事』と、綱目体で書かれた兪棨《ゆけい》（一六〇七～六四年）の『歴史提綱』や洪万宗《こうまんそう》（一六四三～一七二五年）の『東国歴代総目』それに安鼎福《あんていふく》（一七一二～九一年）の『東史綱目』などが主なものである。それらの多くは春秋の大義にのっとって各王朝の正統論を論じたり、[*3]また国祖檀君の位置づけに独特の論理を展開した。[*4] そのさまはあたかも北畠親房《きたばたけちかふさ》の『神皇正《じんのうしょう》統記《とうき》』を思わせるが、朝鮮後期の場合、それらの背景に小中華主義に基づく民族主義の台頭があったことが特異である。

正史に対峙するものとしては野史があげられよう。これは特定の戦乱や政争などに関する直接的かつ個人的な体験や間接的な伝聞・伝承の記録で、しばしば多彩な逸話に富み、異伝もしくは外伝といった趣があり、叙述スタイルも随筆体や日記体など多彩である。それらの多くは『大東野乗』や『稗林』といった叢書に収録されているが、なかでも特筆すべきは李肯翊《りこうよく》（一七三六〜一八〇六年）の『燃藜室記述《ねんれいしつきじゅつ》』（以下、『燃藜室』と略称）であろう。初代太祖から粛《しゅく》宗《そう》（在位一六七四〜一七二〇年）までを、各王の治世の故事本末をさまざまな野史や文集からの引用で再構成した、原集三十三冊、続集七冊、別集十九冊、計五十九冊の膨大なものである。[5]

さて、筆者に与えられた課題は「野談と歴史書」であるが、右に述べたようにもとより野談も歴史書も許多《あまた》であり、また野談と関連する歴史書は正史よりも野史である場合が圧倒的に多い。また、野談は後期になればなるほど日常生活に即した作品が増加し、歴史的な、言い換えれば非日常的な題材は限定的なものとなる。そこで、本章では朝鮮社会を揺るがせた戦乱を背景にしたいつくかの作品に焦点をあて、野談と歴史書のかかわりや相違点を見ることにしたい。[6]

2 戦乱のはざまで——趙胖の悲恋譚

朝鮮後期の博物学者李圭景《りけいけい》（一七八八〜？年）は『五洲衍文長箋散稿《ごしゅうえんぶんちょうせんさんこう》』巻五の「大東書厄弁証小説」で朝鮮の書物が被った十の災厄をあげているが、その中の八つまでは戦乱によるものであり、うち五つは外寇であった。[7] それは今も昔も変わりない、朝鮮の置かれた地政学的な与件によるものであり、たとえ「熱い戦争」ではなくとも多くの悲劇をもたらしたことはいうまでもない。その一つに趙胖の悲恋譚がある。

趙胖《ちょうはん》（一三四一〜一四〇一年）は十二歳のとき父に従って元に赴き、そこで漢文やモンゴル語にも熟達し、丞相の脱脱[*8]に引き立てられるようになった。元から帰国後は高麗に仕えて外交で活躍し、朝鮮王朝建国後も高官としてつとめ上げた人物だが、この趙胖には次のような物語が李陸《りりく》（一四三八〜九八年）の『青坡劇談《せいはげきだん》』に伝わる。[*9]

高麗の王家では元の公主（皇帝の娘）を王妃として迎えていたので、元でも高麗の女性を求めて後宮に入れたり、大臣に与えたりしていた。あるとき趙胖の従姉《いとこ》が脱脱の臣下の夫人として迎えられることになり、趙胖もそれに同行して元に行くことになった。元で暮らすうちに、やがて趙胖はそば近くに侍る美しい女僮《めしつかい》と恋に陥り、比翼連理も及ばぬ仲睦まじさで幸せな日々を送る。ところが、元の都が兵火に見まわれたため、趙胖らは高麗めざして落ちのびることにした。

その途中、女と一緒では足手まといだと宦官が言い出し、女も同意したので趙胖は泣く泣く別れる。しかし、女の身を案じて歩みの進まない趙胖のために、宦官が様子を見るために戻ることにした。すると、女は高楼に登り、そこから身を投げて自害してしまったのである。宦官は女の亡骸から腕輪を外して持ち帰ると、「私が行ってみますと、女はもうどこかの役人と酒を酌み交わして大声で歌い、私を見ても全く恥じる気配もありませんでした」と偽りを述べた。それを訊いた趙胖は怒ってつばを吐き、帰途を急いだのである。

ようやく鴨緑江《おうりょくこう》にたどり着くと、はじめて宦官はことの真相を打ち明け、形見の腕輪を趙胖に見せた。趙胖は自分のために命を絶った女の真心を思って慟哭する。国に戻ったのち、高官となった趙胖は老いてもなお女のことを忘れず、その命日には必ず涙を流して悲しむのだった。

『高麗史』や『高麗史節要』などの記録によれば趙胖が十二歳のときに父に従って元に行き、丞相の脱脱に認められて中書省訳史に任じられたことは事実である。しかし、一三六八年彼が二十七歳で元から戻ったのは「以親老東帰」、つまり親が年老いたことを理由とするものだったという。趙胖はその後もことあるごとに高麗と元や明のあいだを往来しており、国際的な活躍をしたことは確かで、そのような「史実」をもとにこの趙胖の悲恋譚が生み出されたということだろう。

ことの虚実はともあれ、もしこれが小説として描かれていたなら、激動する中朝を舞台に展開される才子佳人《さいしかじん》の一大悲劇として朝鮮文学史上記念碑的な作品になったに違いないが、残念ながら当時の朝鮮文学はこの素材を生かすまでの成熟さに欠けており、その代替となったのが野談であった。憲宗朝に礼曹判書をつとめた李羲準《りぎじゅん》の手になる『渓西野談』巻六[*10]や、『我東奇聞《がとうきぶん》』[*11]には『青坡劇談』とほぼ同様の物語が収録されており、両者の関係の親しさを見せている。

趙胖の悲恋譚は李陸と親しかった成俔《せいけん》（一四三九〜一五〇四年）の『慵斎叢話《ようさいそうわ》』巻三にもほぼ同様のものが見えるが、こちらでは一人残されることになった女が趙胖の目の前で投身することになっており、やや筋立てが異なる。細部の相違はともあれ、趙胖の生存年代に近かった彼らが『高麗史』のような正史とは異なる伝承を取り上げたのはなぜだろうか？　それはおそらく十五世紀の朝鮮社会に趙胖をめぐるさまざまな異伝・外伝の類が流布しており、それらのあるものは正史へ、またあるものは野史や稗官文学へと受容されて定着したからだと思われる。このような現象は朝鮮時代最大の戦乱である壬辰倭乱（秀吉の朝鮮出兵）ではさらに複雑な様相を見せることになる。

3　壬辰倭乱の諸事例——宋象賢・李舜臣・惟政

(1) 東莱城陥落と宋象賢

一五九二年四月、海を越えて釜山に上陸した小西行長《こにしゆきなが》・宗義智《そうよしとし》ら率いる日本軍はたちまち釜山《プサン》を陥落させ、ついで東莱城に襲いかかる。東莱府使宋象賢の奮戦むなしく、半日で城は陥落。宋の最後を『朝鮮王朝実録』は次のように記す。[*12]

象賢、城の南門に登り、督戦すること半日にして城陥《お》つ。象賢、甲上《よろい》に朝服を被《かさ》ね、椅《いす》に坐して動かず、島倭《とうわ》平成寛、曾《かつ》て東莱に往来し、象賢、之を侍すること厚し。（成寛）是に至りて先入し、挙手して衣を牽《ひ》き、隙地を指して避匿《ひとく》せしめんとするも象賢従わず。賊兵遂に集まり、生きながら之を執《とら》えんとす。象賢、靴尖《かせん》を以て之に拒踢《あらが》い、遂に害に遇う。

（またこれより先）城、之れ将《まさ》に陥ちんとす。象賢、免れざるを知り、手ずから扇面に題して云えり、「孤城　月暈《かげ》り、大鎮は救われず。君臣の義は重く、父子の恩は軽し」と家奴《かど》に付し、帰りて其の父に復興を報ぜしむ。（象賢既に死す。平調信《たいらの》（細川調信）、之を見て嘆悼《たんとう》し、棺斂《かんれん》を為し、城外に埋め、標を立て以て之を識す。象賢に賤妾有り。賊、之を汚さんと欲するも、屈せずして死す。倭人之を義とし、象賢に並べて之を埋表す。

壬辰倭乱の初め、不意をつかれ為すすべもなく総崩れとなった朝鮮軍のなかで孤軍奮闘、最後まで義を貫き節に死して倭軍も敬意をはらったという宋象賢の死は、後期野談の『記聞叢話』[*13]にも描かれた（以下、『記聞』と略称）そこでは、落城に際して「孤城　月暈り……」の詩を扇に記し、それを家奴に命じて親庭《おやもと》に届けさせると、朝服を着て（都のある）北に向かって四拝するや従容と死についた、とする。

ここまでは『実録』とほぼ同じだが、それ以降が異なる。まず一点目は宋の殉節を義とした倭人が宋を刺した味方の兵を斬り捨て、宋の柩に「朝鮮忠臣宋某之柩」と記した旂《はた》を立てたうえ、軍をして柩を護送させたが、その旂を見た倭人はあえて進路を犯そうとはしなかったというものである。これは宋の殉節に感じ入って丁重に埋葬させた細川調信の行為をさらに拡大強調したものといえよう。『燃藜室記述』巻十五には、細川調信ではなく宗義智や僧の玄蘇《げんそ》らが宋の死を悼み、宋を害したものを殺した。その後、倭人らは捕らえた朝鮮人に向かい、「爾《なんじ》の国の忠臣は惟《た》だ東萊府使一人のみ」といったとする記述がみえる。出典が明示されておらず、何に基づくものか不明なのは残念だが、野談と野史の親近性を示すものには違いない。

二点目は宋象賢の賤妾についてである。『実録』では貞節を守ろうとして殺され、倭兵もその義を尊んで宋とともに葬ったとするだけだが、『記聞』では宋が朝服を着て交椅《いす》の上に立ったとき、倭人が槍で刺そうとした。その時、宋の従者の申汝櫓と妓妾の金蟾《きんせん》が左右から交椅を支えようとして二人とも殺されたとする。さらに『燃藜室』では妾の名を金蟾とするのは『記聞』と同じだが、金蟾は朝鮮北部の咸興の出身であり、東萊城での戦いでは女奴の今春とともに役所の垣根を越えての宋のもとに赴いたところ、捕らわれの身となった。しかし、三日のあいだ倭兵を罵ってやまなかったために殺されたが、倭兵はそれを奇として宋とともに葬ったとする。[*14]

三点目は宋の側室である李良女《りりょうじょ》の存在である。もとより『実録』では影も形もなかったのが、『記聞』では金蟾の話に続け、

側室の李良女は城陥落のとき、死を賭して辱めを拒んだので倭人はその義に感じ入った。倭にも源氏という節婦がおり、義烈において二人はよく似ていると倭人らはいった。やがて（日本に連れて行かれた李は源氏とともに住むようになったが―引用者補塡）或る日、雷が源氏の邸の垣根に落ちたものの、すぐそばの李のところには何の被害もなかったので、倭人らは天も李を知るものとして朝鮮に送り返したのだった。李は東萊で懸けていた錦貝[*15]を懐にしていたが、帰国するとそれを夫人に献じ、人々はその節を賛えたのだった。宋の子孫は清州に多くおり、その家門ではこのように伝えている。

という逸話を記している。一方、『燃藜室』では、

李氏の女もまた象賢の妾であった。賊将が迫ってきたとき象賢は李女を都に送ったが、その途中、釜山が陥落したことを知った李女は東萊に引き返し、奴婢の万今や今春らとともに捕らえられ、海を渡った。秀吉は己のものとしようとしたが、李女は死も辞さずして拒んだので、秀吉もそれを義として許し、先の関白の娘である源氏とともに別院に住まわせた。やがて節を全うして帰国した李女は象賢の彩纓《さいえい》[*16]を夫人に献じるとともに号哭したのだった。

とあって、『名臣録』や『尤庵集』を出典とする。[*17]『記聞』の行文には飛躍があり、また語彙の一部にも意味不明のものがあるので、『燃藜室』を参考にリライトしたと考えるべきだろう。もし、典拠とされた『名臣録』が金堉《きんいく》（一五八〇～一六五八年）の『海東名臣録』だとするならほぼ同時代の伝承を記録したことになり、その信憑性は増すものの、虚

実の如何そのものより、ここでも「史実」と「伝承」の絶妙な溶けぐあいが興味深い。

（2）英雄たち——李舜臣と惟政

悲劇の主人公とはいえ、宋象賢の知名度はさほど高くはない。倭乱最大のヒーローは李舜臣であることはいうまでもなかろう。むろん、『実録』でも数え切れないほど登場するが、にもかかわらず、野談の世界では意外なほど少ないのである。まず、李舜臣の悲劇の生涯は李源命《りげんめい》（一八〇七～八七年）の『東野彙集』「水軍都督揚武功」[18]にコンパクトにまとめられてはいる。ただし、これは洪良浩《こうりょうこう》（一七二四～一八〇二年）の『海東名将伝』所収の「李舜臣伝」[19]とほぼ同文であり、後者をそのまま野談が取り込んだに過ぎない。

初期の野談集である『於于野談』には、①「万暦壬辰癸巳間」と②「壬辰之乱統制使李舜臣」二つの話を載せる。[20]①は倭軍に殺された舜臣の息子が夢枕に立ちち、その復讐をもとめる話で、これは『海東名将伝』にも受け継がれているが、実際、李舜臣の『乱中日記』にも舜臣がある夜、乗る馬が足を取られて川の中に落ちたものの、倒れることなく、末の息子に抱き起こされる夢をみた翌日、息子が戦死したとの報せを受けたことが記されており、[21]この記事をもとに創作されたものだろう。

②は李舜臣が閑山島で戦艦建造のために山林を伐採しようとしたところ、倭乱で死んだ男の亡霊が現れ、樹木には死者の霊魂が宿っているので伐らないよう哀願したとので、舜臣はほかの場所に移ることにしたという鬼神譚である。話のなかで、鬼神が「自分はもと全羅道の儒者だったが、一家全員が兵乱で死んでしまったため、今ここに身を寄せているのだ」と訴えるシーンが哀切を極める。そこには勇敢な軍人としてだけでなく、仁にも篤い李舜臣の人柄を強調する狙いがあるだろう。

『渓西野談』所収の「忠武公李[22]」は李舜臣が娶《めと》った妻が醜女だったため失望するものの、実は大変な賢夫人であり、その知恵を借りて天使の横暴を巧みにさばくというもの。古典小説『朴氏夫人伝』のような古典小説によく見られるモチーフとの折衷型で、説話より小説に傾斜したものといえるが、この作品は『青邱野談』「練光亭錦南応変」[*23]に見えるものとほぼ同一であり、後者の人物名をすり替えたものに過ぎず、野談生成の安易な一面を反映している。

後世、救国の英雄と称えられる李舜臣ではあるものの、野談の世界ではそれが十分に反映されているとは言いがたい。それはおそらく舜臣を陥れた元均との確執など、政治と兵事のあまりにも複雑な現実《リアル》を野談化するのは困難だったからだろう。

泗溟大師惟政《しめいだいしいせい》（一五四四〜一六一〇年）は休静《きゅうせい》の弟子として僧軍を率いて戦い、数々の戦果をあげたのみならず、乱後は日本に赴いて戦後処理に当たるなど、獅子奮迅の活躍をしたことで知られる。古典小説『壬辰録』（国立中央図書館本）では、そのとき数々の難題を押し付けられた惟政が見事に切り抜け、日本側を屈服させた姿が描かれている。野談の世界では『於于野談』における、加藤清正《かとうきよまさ》との談判中、清正の「朝鮮の宝は何か？」という問いに、すかさず惟政が「それは貴公の首だ」と応えて圧倒した逸話が印象的である。

『実録』によれば清正と惟政の会談は四度行われており、[*24]当初は秀吉と清正を離間させるべく「上官（清正）、豪傑の人を以て甘んじて関白の人となる。天子に奏じて上官を封じて日本関白と為し、兵を以て之を助けんと欲するのみ」などと歯の浮くような美辞麗句を連ねていたものの、[*25]交渉が難航して和議は困難であることが明白になった四回目のときには「（松雲）答えて曰く、你《なんじ》（清正のこと）、是れ海外の讐人なり」と初めて罵倒しており、[*26]『於于』のエピソードはこれを敷衍したものと思われる。なお、『海東名将伝』所収の「休静・惟政伝」[*27]は休静に関する記述が主で、それに付随して惟政の事跡が述べられているが、『於于』の清正との逸話はここでは秀吉との対話で、しかも「倭人之頭」を宝とみなすというように改変が加えられている。

4　歴史と「非」歴史のあいだ

李舜臣や惟政とは逆のアンチヒーローとして、祖先が朝鮮出身でありながら、中国からの援軍の将として横暴な振る舞いの絶えなかった李如松や、同じく欺瞞に満ちた和平交渉によって中朝中三国を混乱させた沈維敬にまつわる特異な逸話など、[*28] 取り上げるべきものはいくらでもあるが、すでに紙幅も尽きたので、最後に本章で論じたことを図式化するなら次のようになるだろう。

「史実」　　　　　　伝承（異伝）

正史　←　野史・稗官文学　←　野談

正史：『高麗史』『朝鮮王朝実録』など

野史・稗官文学：『青坡劇談』『慵斎叢話』『燃藜室記述』など

野談：『渓西野談』『青邱野談』など

現代人が考えるように、史実と伝承のあいだに明確な区別があったわけではなく（それゆえ括弧つきの「史実」となる）、常に流動的であったことに留意すべきだし、また、その流動性こそが新たな「歴史」を不断に生み出す原動力となったのである。野談と歴史書の関係はそのことを如実に物語っていよう。

注

1　野談集は膨大であり、現在のところ　鄭明基編『韓國野談資料集成』（啓明文化社、一九八七年、ソウル）が最もまとまっているが、それ以外にも新たな資料が続々と学界に紹介されている。

2　日本では野談＝説話というように狭く理解されがちだが、韓国ではそれのみならず、後期野談の「漢文短編」（説話以上、小説未満）としての文学史的重要性が強調されることが多い。これについては、拙訳『青邱野談』（東洋文庫、平凡社、二〇〇〇年）の解説を参照。

3　たとえば新羅は唐のような外国勢力の援軍によって三国を統一したため、後世の民族主義者からはしばしば批判の対象となっている。

4　統一新羅では赫居世が、高麗では朱蒙が国家祭祀の対象であり、檀君信仰が本格化するのは朝鮮王朝に入ってからだが、そこにはさまざまな紆余曲折があった。それについては、野崎充彦「檀君の位相―固有と外来の相克」（『朝鮮史研究会論文集』35、一九九七年十月）参照。

5　同書は後世の人によって書き継がれたため、異本により巻数も構成も異なる写本が多い。ここで述べたのは最もよく利用される『朝鮮群書大系』本（朝鮮古書刊行会、一九一三年）に基づいたものである。

6　壬辰倭乱を題材とした野史、および古典小説や野談などの概略については野崎充彦「倭乱文学の諸相」（『古代学研究所紀要』26、明治大学古代学研究所、二〇一八年）参照。

7　古くは唐の高句麗侵攻や近くは壬辰倭乱および丙子胡乱などの外寇、また李适の乱（一六二四年）などの内乱がそれである。

8　政治改革に功をあげ、賢相として知られた。『元史』巻百三十八に伝がある。

9　『青坡劇談』は『大東野乗』巻六。

10　『韓国文献説話全集』巻一（東国大学韓国文学研究所編太学社、一九八一年）。ただし、そこでは出典として『青坡劇談』があげられているものの、叙述の細部には野談的な変容がみえる。

11　編纂者および成立年代未詳。『韓国野談資料集成』第六輯。

12　『宣祖修正実録』宣祖二十五年四月十四日の条。なお訳文は、北島万次編『豊臣秀吉朝鮮侵略関係資料集成』1（平凡社、二〇一七年）二〇九・二一〇頁をもとに適宜、改めた。

13　『記聞叢話』は著者未詳の野談集。十九世紀に成立したと推測される。『韓國野談資料集成』（前出）では巻六に延世大本が、また前出『韓国文献説話全集』（前出）には国立図書館本が所収されているが、ここでは前者を参照した。

14　『燃藜室』はこの逸話の出典を『名臣録』とするが、『名臣録』と略称されるものには『海東名臣録』や『国朝名臣録』などいくつか存在するが、該当箇所を確認できなかった。

15　錦貝に何の意味があるのか不明だが、次に引用した『燃藜室』の彩纓なら意味が通じるので、その訛伝だろうと思われる。

16　纓とは冠がずれないように顎で結ぶ紐。彩纓とは彩りのある纓のこと。柳成龍の『懲毖録』にも見える（朴鐘鳴訳注『懲毖録』一〇三頁、東洋文庫、平凡社、一九七九年）。

17　『尤庵集』は宋時烈（一六〇七～八九年）の文集だが、『燃藜室』の引用部分を確認できなかった。

18　『壬辰倭乱史料叢書』文学篇巻8（国立晋州博物館、二〇〇〇年）。

19　同前、文学篇　巻9。

20　二作品とも『壬辰倭乱史料叢書』文学篇　巻8（前出）。

21 李舜臣『乱中日記』3（北島万次訳注、東洋文庫、平凡社、二〇〇一年、六五頁）。
22 『壬辰倭乱史料叢書』文学篇巻8（前出）。
23 同前。
24 北島万次編『豊臣秀吉朝鮮侵略関係資料集成』（前出）による。具体的には以下のとおり。①『宣祖実録』宣祖二十七年五月癸未の条。②同前 宣祖二十七年九月庚寅の条。③『奮忠紓難録』（甲午十二月、復入清正正宮中探索記）④『宣祖実録』宣祖三十年三月庚申の条。
25 注24②。
26 注24④。ただし、この時は書簡による応酬であって、面罵したものではない。
27 前出『壬辰倭乱史料叢書』文学篇巻9、五六六頁。
28 『燃藜室記述』巻十七「秀吉薬斃」では大阪城中で秀吉に謁見した沈維敬が言葉巧みに欺いて毒を飲ませ、それがもとで秀吉が絶命したとする話を記している。なお、同様の話は任相元（一六八三～九七九年）の『恬軒集』「東莱梁敷河伝」にも見えるので（『恬軒集』は韓国文集叢刊148）。後者が先行するものだろう。

03

歴史と説話との交差

ベトナムの「剣湖伝説」を事例にして

Pham Le Huy

1　はじめに

二〇一六年一月、あるベトナムの野生動物の死はアメリカのニューヨーク・タイムズ[*1]、イギリスのガーディアン[*2]、日本経済新聞[*3]をはじめとした大手の報道機関によって世界中に報道された。その特別な動物とは、首都ハノイの観光名所、還剣湖《ホアンキエム》に生息し、従来「キュー・ルア」（亀ひいじいちゃん）という愛称で市民に親しまれてきた巨大ガメのことである。

キュー・ルアは生物学的に確かに希少なものであった。ナショナルジオグラフィックの記事によると、キュー・ルアは淡水に生息するカメの中で世界最大とされるRafetus swinhoei種に属し、世界で生存が確認されたわずか四匹のうちの一匹であった。残りの三匹のうち、一匹はベトナムの別の湖（ドンモー湖）に、二匹は中国・蘇州《そしゅう》動物園に生息しているという[*4]。キュー・ルアが死亡するとともに、近絶滅種とされたRafetus swinhoei種は、絶滅の運命にもう一歩近づくこととなった。

ところが、キュー・ルアの死は別の側面からも関心を集めていた。ニューヨーク・タイムズの「sacred turtle」や日本経済新聞の「伝説の巨大ガメ」という言葉遣いに見られるように、キュー・ルアは、ベトナムの伝説のなかで世界的に最も知名度が高い伝説に深くかかわった動物としても注目されていた。ハノイを初めて訪問した外国人は、必ず現地の人に還剣湖（俗称は「剣湖《ホグオム》」）へ案内され、カメの神様に関する湖の由緒（以下、「剣湖伝説」）について物語られる。もちろん語り手によって内容が微妙に異なるものの、不思議なことにベトナムの戦後世代といえる五十年代以下の人々の話は統一性が高い。それは、ベトナム戦争が終結した一九七五年以降、剣湖伝説が統一ベトナムの教科書に収録されたからだと思われる。

　統一ベトナム（ベトナム社会主義共和国）では教育訓練省が編集発行した教科書しか公定教科書として認められない。一九七五年以来、公定教科書は四回にわたって改革されてきたが、筆者が入手できた第一期（一九七六～一九七九年）の『小学5年生の読本（*Tập đọc lớp 5*）』、第二期（一九八〇～一九八九年）の『中学2年生の文（*Văn lớp 7*）』、第三期（一九九〇～二〇〇三年）および第四期（二〇〇三～二〇一八年現在）の『中学1年生の文学（*Văn học lớp 6*）』にはいずれも剣湖伝説がみられる。第一期の教科書で「剣湖の由緒」の題目で収められた当伝説は、第二期に入ると「剣湖の歴史」へと題目が変更され、説話よりむしろ歴史の性格を強調しようとした編集の意図がうかがえる。ところが、第三・第四期になると、「剣湖の伝説」や「剣湖の由緒（伝説）」という題目にみられるように、今度は歴史より説話の性格が再び主張されたような印象がある。こうして改革されるたびに題目がしばしば変更されたものの、内容自体はまったく同じ模様であった。その大略は以下のようにまとめられる。

　南国（ベトナム。以下、括弧中は筆者注）が明賊《ミンぞく》（中国の明朝）に支配された頃、明人は、南の人々を草芥《そうもう》のようにみて、さまざまな暴虐な仕打ちを行った。彼らの暴政に対する天下の人々の恨みは骨髄に徹した。当時、（清化《タインホア》の）藍山《ラムソン》という地域で義軍は蜂起し抵抗したが、当初勢いはなかなかつかず、しばしば明軍に敗北した。それをみた「龍君《りゅうくん》」は賊を殺すために義軍に神剣を授けることを決めた。

　当時、清化に漁業を生計とする黎慎《レータン》という者がいた。ある日、黎慎はいつものように人通りの少ない津で網を落としたが、三回とも同じ鉄片が網に入っていた。不思議に思った黎慎は、その鉄片を灯火に近づけてよくみると、剣舌《けんぜつ》（剣の刃）だとわかった。

その後、黎慎は藍山義軍に参加した。ある日、主将黎利《レーロイ》は黎慎の家を訪れたところ、突然奥に置かれていた剣舌が閃《ひらめ》きだした。不思議に思った黎利がそれを手にしてみると、剣舌に「順天」という文字が深く刻まれていることがわかった。

後日、明軍の攻撃をうけた黎利と義軍は撤退せざるをえなかった。道中、黎利は榕樹《ようじゅ》の上に不思議な光があるのに気づき、そこに登ってみると、玉嵌の柄を発見した。黎利はふと黎慎の家にある剣舌のことを思い出した。

三日後、黎利は黎慎に再会し、発見した柄を剣舌に組み合わせてみると、ぴったりとあった。黎慎は黎利にその剣を献上し、次のように言った。「この剣は、まさに偉業を成し遂げる「明公」に天が授けたものである。願わくは、祖国のために「明公」に従い、我々の身を玉砕することを」。

神剣の扶助で黎利の義軍は明賊を撃退することに成功した。皇帝に即位した黎利（黎太祖）はある日、龍舟に乗って左望《さぼう》という湖を遊覧した。これを機に龍君は「金亀」に神剣を取り戻すように命じた。舟が湖の中央に進むと、水中から亀は浮き上がり、「陛下、龍君に剣を還《かえ》して賜え」と伝えた。黎利が剣を亀に渡すと、亀はすぐさま剣を口に銜《くわ》えて、水中に姿を消した。黎利は群臣に「龍君は賊を殺すために神剣を授けたが、平時になった今はそれを取り戻すように金亀に遣わした」と言った。それ以降、左望湖は「剣湖」または「還剣湖」と名付けられるようになった。


公定教科書に載せられるとともに、黎朝を創立した黎利（黎太祖、在位一四二八～一四三三年）が龍君と金亀に「還剣」をしたという剣湖伝説は、ベトナム北・中・南部に居住している五十四の民族が共有する国民的な伝説となっている。キュー・ルアも、死亡時点に約八十～百歳だとされたにもかかわらず、伝説の信憑性を裏付ける生きた根拠として国民の間で黙認されていた。

この剣湖伝説は、現在のベトナム国民の心に深く根を下ろし、一般常識となっている。その一端を示したのは、二〇一四年にＳＨＢという民間銀行が発行したカレンダーをめぐる事件である。カレンダーは、西暦元日のページに剣湖の優雅な風景を映す写真を載せながら、次のように湖の由緒を解説した。

帝は湖でオオガメに遭遇した。オオガメは浮き上がり、帝に向かって泳いできた。帝は剣を引き抜いて、カメを追い払ったが、カメは突然剣を銜えて、水中に潜り去った。

帝と、金亀ではない「オオガメ」との敵対関係を描いたＳＨＢ銀行のカレンダーは発行された後、国内で大きな話題となった。内容は賛否両論がある中で「あまりにも幼稚で、正確性が欠けている」との批判がとくに際立った。その渦中でベトナム通信報道省・出版局は二〇一四年一月二十日付でオフィシャル・レターを発布し、ＳＨＢ銀行に対してカレンダーを回収するように要請した。記者会見で当時の出版局長は「伝説である限り歴史の史実に反するとは言えない。伝説たるものは、そもそもさまざまな異本がある」と認める一方、「研究書ならばとくに問題にならないだろうが、一般流通するカレンダーの場合は、共同体の普遍的かつ親近的な価値観を優先すべきだ」と発言した。[*5] 当事件を通じて、教科書に載せられた伝説のほうが、共同体（国民国家）にとって普遍的なものである、というベトナムの文化管理当局の認識をよくうかがうことができる。

2　さまざまな教科書、さまざまな「常識」

ＳＨＢ銀行のカレンダーが二十一世紀初頭の世論で批判にさらされたのは、国民が公定教科書で習った伝説と相違した説話を物語ったからであろう。ところで教科書の読み物は、文末の注記によると、革命家で民間伝承の研究者として知られたNguyễn Đổng Chi氏（一九一五〜一九八四年）の著書によるものである。氏は一九五七年から一九八二年まで二十五年間をかけて各地で約二百の民間伝承を収集し、『ベトナム説話宝庫（*Kho tàng truyện cổ tích Việt Nam*）』の四部作として集大成した。氏は研究者として当然説話を歴史そのものではないと見ながら、剣湖伝説を「歴史的説話」として分類した。実在した歴史の人物や出来事を題材に、本来の人物や出来事から独立した物語に発展した説話を「歴史的説話」として定義したのである。公定教科書が改革されるたびに剣湖伝説の題目が変更されたことは、編集責任者が氏が提示したこの「歴史的説話」の概念における歴史性の比重をどう判断したのかを、まさに反映した現象だといえよう。

ところが、二十世紀を生きた多くのベトナム人は、戦後世代と違う教科書を勉強して、違う剣湖伝説を読んだ事実もある。たとえば、一九七五年以前の南ベトナムで流布した一九五一年発行『第四級の越文読本（*Việt văn độc bản dành cho lớp tư*）』にも剣湖伝説はみられるが、次のように話が展開された**【図1】**。

俗伝いわく、黎利はある日、左望湖で網打ちして、立派な剣を手にした。その剣を得た黎利は蜂起を起こし、中国軍を打ち払い、即位した。ある日、黎利は舟に乗って湖を遊覧したが、オオガメは現れてきて、黎利に近づいたため、剣をもって追い払った。すると、ふっと、オオガメは剣を銜えてその姿を消した。

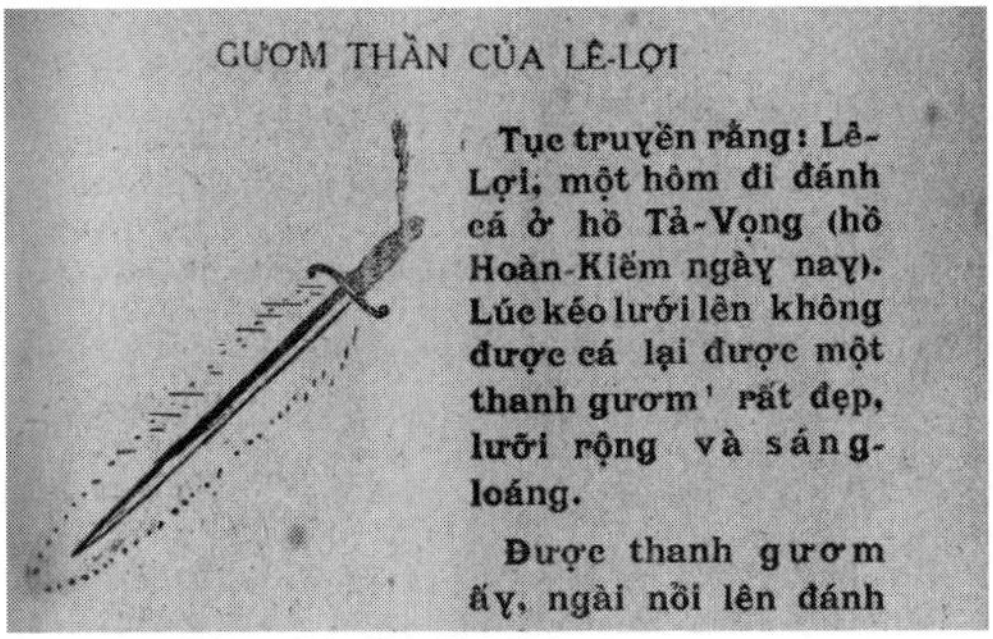

図1　1951年発行『第四級の越文読本』

上記の読み物は、統一ベトナムの公定教科書と大分異なる一方、SHB銀行のカレンダーに通じる二点が指摘できる。それは第一に「龍君」と「金亀」に関する記載が一切ないこと、第二に皇帝が剣をカメに還すのではなく、剣を使ってカメを追い払ったということである。

『越文読本』の注記をみると、その読み物は『国文教科書（*Quốc văn giáo khoa thư*）』という書物をよりどころにしたという。『国文教科書』はラテン文字によるベトナム語表記、いわゆる「国語《クオック・グー》」で編集された最初の教科書の一つである。一九〇六年、フランス領インドシナ（仏印）政府は大南国の阮朝《げんちょう》と協議した上で、同年五月三十一日付法令を発布し、漢字による従来の儒学に代わる新学制を北部と中部で導入することを決定した。それを実施するために東仏学制衙は、一部の教材をフランス語から翻訳すると同時に一流学者数名を集め、『国文教科書』をはじめ国語による教科書の編集を命じた。*6 その編者の一人は、一九四五年に日本軍が仏印政府を武力で解体した、いわゆる「仏印処理」後に成立したベトナム帝国の首相となった陳仲金《チャンチョンキム》（一八八三～一九五三年）である。

筆者が入手できた初等コース（現在の小学三年に相当）の『国文教科書』の初版一九二六年刷には、次のように剣湖伝説が書いてあった。

ハノイ市には還剣という湖がある。俗伝にいわく、ある日、黎太祖は湖に御幸し、現在（フランス植民地時代当時）の監理役所のあたりで魚を釣っていた。突然一匹の亀が水上に浮き上がってきた。帝は亀を狙って宝剣を投げつけると、その亀は潜って、帝に剣を還した。それにちなんで「還剣湖」という名前が付けられた。

黎利が宝剣を使ってカメを追い払ったという『越文読本』の内容は明らかに『国文教科書』から継承したものだと考えられる。ところが、注目すべきことに、一九二〇年代の段階で「還剣」した主体は黎利ではなく、カメのほうであり、黎利はカメに出会った後も宝剣を保持したという点である。

一九三〇年代に入ると、国語による教科書は改訂されたが、剣湖伝説は今度「黎利の神剣」と題して予備コース（現在の小学二年に相当）の『国文教科書』に収められた。後半部分ではカメによる還剣の話がカットされ、代わりに「帝はようやくそのカメが中国軍の撃退を助けてくれた湖の神様だとわかってきた」という文章が挿入された。こうして一九二〇年代版に比べて、一九三〇年代版は「宝剣」を「神剣」にし、「還剣」の行為をした主体をカメから黎利へと変更したのである。

一九七五年以前の南ベトナムで広く流布したもう一冊の書物『ことわざ・典籍辞典』においても剣湖伝説がみられる。編者延香《ズエンフォン》（一八八九～一九六三年）は「還剣湖」を立項し、次のように解説した。

（前略）黎利は後に湖へ遊びに行くと、ある「妖怪」が舟の前に現れた。黎利帝は剣をもってその妖怪に突きつけた。その妖怪は口を開いて剣を呑み込んだ。黎利帝が衰えたのはそれ以降である。

編集目的について初版一九四九年刷で延香は序文に「賤女《せんじょ》」（本人の娘）に「ベトナム風俗を完全に教化する」とともに「ベトナム語を勉強している子供たちに役に立つことができれば」と述べた。辞典はその後一九五三年の芳来社《フォンライ》や一九六九年の開智社《カイチー》によって再版されたように、一九七五年以前の南ベトナム社会で高く評価された参考書の一つであった。まとめるならば、延香の娘も含めた一九七五年以前の多くの子供たちは、黎利がカメに還剣をしたのではなく、妖怪としてのカメが黎利から宝剣を奪い取り、黎朝を衰退させたとした剣湖伝説を学んだのである。

このようにみると、二十一世紀初頭のベトナム世論および通信報道省が国民の普遍的な伝説と見なした剣湖伝説は、事実上一九七五年以前の南ベトナムの人々にとっては必ずしも「常識」ではなかった。また時間をさかのぼってみると、陳仲金や延香を代表とした二十世紀前半の一流学者が認識した剣湖伝説とも大いに異にしたものである。さらに、同じ『国文教科書』についても、一九二〇年代から一九三〇年代にかけては、黎利の宝剣や「還剣」の主体に関する認識や言説もさまざまな変化を見せたのである。

3　「神剣」の説話と『藍山実録』

『ベトナム説話宝庫』の中でNguyễn Đổng Chi氏は剣湖伝説をいかに収集し、それを書き上げたのか、説明をしなかった。ところが、内容から見ると、黎利が神剣を入手したという前半部分（以下、便宜のために「神剣伝説」）は、すでに黎朝期から成立した『藍山実録《らんざんじつろく》』という書物を参考にしたと考えられる。

『藍山実録』は、黎太祖（黎利）が抗明戦争終結の三年後、順天四年（一四三一）六月十二日に編纂を命じた書物である。各種伝本に伝わった序文によると「帝業を陳《の》べ、その難業を子孫に示し、万世の家伝宝物と」するのは当初の編纂目的であった。順天年間成立の『藍山実録』（以下、「順天本」）は完成後、宮中の「金函《きんかん》」に保管された。景統三年（一五〇〇）に入ると、礼部尚書《れいぶしょうしょ》・譚文礼《だんぶんれい》は黎憲宗《れいけんそう》（在位一四六一～一五〇四年）の勅を奉じて「金函」のものを書写し、新写本を作成し、また開国功臣のリストを編集して、臣下の各家に頒布した。書写の背景には従来戦争の功労者に不明の点があり、それによって彼らの子孫は蔭位《おんい》を受けられず不満が高まっていたということがある。新写本（以下、「譚文礼本」）は順天本の内容をそのまま踏襲したと考えられている。[*7]

Nguyễn Đổng Chi 氏が一九七七～八二年のあいだ所長代表を務めた漢喃《かんのむ》研究所は、一九八〇年代まで五種類の『藍山実録』の伝本（収蔵番号：A.26、A.1369、A.2795、VHv.1695、VHv.1471）を収集することができた。これらの伝本はすべて手写本である。一方、一九七九年、元ベトナム帝国政府の教育美術省大臣 Hoàng Xuân Hãn 氏（一九〇八～二〇〇六年）は、自ら収集した『藍山実録』の刊本を漢喃研究所に寄贈した。[*8] こうした古伝本をもとに従来さまざまな国語による翻訳が作成されてきた。最も早いのはおそらく一九四四年の Mạc Bảo Thần 氏による翻訳で、一九六九年 に南ベトナムで出版されたものである。北ベトナムで一九六九年、史学研究所の Văn Tân 氏は『藍山実録』の翻訳を試みるとともに、その撰者が黎利の側近・阮廌《グエン・チャイ》（一三八〇～一四四二年）だと判断した上で、『阮廌全集』にその翻訳を収録した。一九八四年、Trần Văn Giáp 氏は名著『漢喃蔵書考』で『藍山実録』の各種伝本を紹介した。Nguyễn Đổng Chi 氏はこれらの翻訳や伝本研究を参考にしながら、剣湖伝説を書き上げたと考えられる。

上記の伝本が順天本や譚文礼本ならば、神剣伝説はすでに黎朝初期の言説によったものだと言えるが、そう簡単にはいかない。というのは、一九五〇～七〇年代にかけての翻訳事業や伝本研究を通じて、Hoàng Xuân Hãn 氏が寄贈した刊本も含めて現存の諸伝本はすべて順天本（＝譚文礼本）ではなく、十七世紀に成立した『重刊藍山実録』であることが明らかにされた。

『重刊藍山実録』（以下、「重刊本」）は、儒学者胡士揚《こしよう》（一六二二～一六八一年）が勅を奉じて編修し、永治元年（一六七六）に黎煕宗《れいきそう》（在位一六七五～一七〇五年）に献上した書物である。その序文で胡士揚は次のように編修過程を述べた。「旧本は抄録されたものの、聞くところになお錯簡《さつかん》が残っている。（中略）よって皇帝陛下は臣に命じて旧録や家編を参考にして修正をさせた。間違いがあれば修正して、漏れがあれば補足した。（中略）『重刊藍山実録』の名を賜り、永遠に残すために刊本を作らせた」という。こうした編修を経た重刊本は、結果的に順天本の本来の内容を失うこととなった。この問題について黎貴惇《レーキドン》（一七二六〜一七八四年）は十八世紀に『大越通史』を撰する際に「旧書はなお残っている。ただし、各家は抄録を行い、多くの誤字がみられる。今の印本（重刊本）はすなわち永治年間に儒臣が命を奉じて訂正をしたものだが、所見によると、儒臣たちが勝手に意をもって改修を行い、その増補によって本来の姿が失われた」と指摘し、重刊本を批判した。[*9]

　そのため、神剣伝説の真相を明らかにするために、重刊本より早い伝本を探すことがもとめられていた。一九七一年、清化《タインホア》省文化司による資料調査の一環としてNguyễn Diên Niên氏は、黎朝の開国功臣の一人である黎察《れいさつ》（?〜一四三七年）の子孫の家から、ある『藍山実録』の伝本を発見した。ただ当該の伝本も順天本ではなく、黎英宗《れいえいそう》（在位一五五六〜一五七三年）の治世に再編されたものである（以下、「英宗本」）。英宗本の編集目的について、Nguyễn Diên Niên氏が指摘したように、黎威穆《れいいぼく》（在位一五〇四〜一五〇九年）の治世に入ると、黎朝は混乱状況に陥った。宮中の順天本は陳《ちん》暠《こう》の乱（一五一五〜一五一六年）や莫朝《ばくちょう》の簒奪を経て散佚《さんいつ》した。莫朝に対抗するために黎朝の旧臣らは、黎氏の後裔を帝位に擁立し、いわゆる黎莫《れいばく》戦争（一五三三〜一六七七年）が勃発した。ところが、黎中宗《れいちゅうそう》（在位一五四八〜一五五六年）が崩御した後、黎利の後裔が絶えたため、鄭検《ていけん》（一五〇三〜一五七〇年）を代表とした黎朝の臣下たちは、黎利の兄・黎除《れいじょ》の後裔・黎維邦《れいいほう》を英宗として擁立せざるをえなかった。嫡流ではない自分自身の正当性を主張するために、英宗は『藍山実録』を書写し、一部の内容を修正した。[*10] このNguyễn Diên Niên氏が発見した伝本は、一七一五年に英宗本を手写したものだと考えられている。[*11]

　要するに一九七一年発見の『藍山実録』も順天本ではなく、十六世紀後半の英宗期（一五五六〜一五七三年）に再編されたものである。ただ詳細は後述にするが、英宗本が発見されたことにより、黎慎が宝剣を獲得した話は黎利の生前からすでに出現したこと、またそれをめぐる十六世紀の言説を明らかにすることができる。

　英宗本を検討したNguyễn Diên Niên氏は重刊本より古い伝本を発見できた喜びとともに、向後順天本を見つける希望が遠ざかったと述べた。[*12] ところが、筆者が漢喃研究所で資料を調査していくうちに、順天本のわずかな逸文を書き残し、黎利の「神剣」に関する言説を明らかにしてくれる史料群の存在に気づいた。

その資料群とは、黎顕宗（在位一七四〇〜一七八六年）の治世に整理された『皇黎玉譜』系統に属する黎氏の各家の家譜である。家譜とは系譜の一種で，家ごとにその世系を子孫に表示もしくは略述した記録のことである。

『皇黎玉譜』の序文によると、黎顕宗の治世以前に黎氏の各家は「家編」と呼ばれた自分の家譜を持っていたが、一七八〇年、それらの内容を統一するために黎顕宗は家臣に『皇黎玉譜』という皇室家譜の編修を命じた。詳細は別稿に譲りたいが、筆者の文献調査で現在漢喃研究所所蔵『黎皇玉譜』（A.678）が、巻末に黎朝の最後皇帝・紹統帝のことが十九世紀に追加されたものの、基本的に一七八〇年の『皇黎玉譜』を忠実に書写した写本であることが判明した。『皇黎玉譜』は完成後『藍山実録』と同様、顕宗によって各家に頒布された。それを元にして黎氏の各家は自分の家の系譜を綴って家譜を編集して後世に伝えたが、現存する漢喃研究所所蔵『皇黎玉譜集記』（AH.a1/2）、黎寿域祀堂所蔵『黎朝玉譜』や Phan Đại Doãn 教授蔵書『皇黎玉譜』（Phan Đại Doãn 本）などの伝本は、まさにそれに当たる。そのうち、漢喃研究所所蔵『御製玉譜記』（VNv.241）のような、家の内部で音声で読み上げるために喃字で書かれた特殊なものも入っている。

『黎皇玉譜』の本注にみられる『旧藍山実録』は、重刊・英宗両本とも相違を示しており、従来我々が探してきた順天本の逸文である可能性が高い。その逸文を検討することにより、黎朝成立当初の神剣の物語を復原することが可能である。また『皇黎玉譜』の各種伝本をもとに、抗明戦争後の神剣の利用やその失跡に関する皇室および黎氏全体の認識も明らかにすることができる。なお、当資料群には文字のみならず神剣と天印の画像が描かれていることも注目すべきである。もちろんこれらの画像は、実物を忠実に描いたものとしてみるのはできないのだが、黎朝から阮朝にかけての人々の説話の世界を考える上で貴重な資料となる。

4　剣湖伝説の成立とその展開

（1）黎慎による剣舌の発見と黎利への譲渡

『藍山実録』の英宗本を検討する際に Nguyễn Diên Niên 氏は、黎慎が網で剣舌を獲得したことはおそらく黎朝初期に成立したと指摘した。その根拠は、黎利自身によって著され、英宗本に添付された開国功臣一覧「御名三十五名」に、黎慎は「宝剣の舌を得、国事に資することに由《よ》り、文強侯《ぶんきょうこう》可藍路《からんろ》を封《ほう》」じられたということが書かれているからである[*13]【図2】。

『黎皇玉譜《れいこうぎょくほう》』（A.678）に引用された『旧藍山実録』（順天本）は次のようにそれを物語った。

黎慎は、（網を）抛《な》げて魚をとるのを業とした。その夜、藍江に魚を捕獲した。そのところへ行ったのは、家が窮境に追い込まれたからである。網を江の中央に抛《な》げて、月明かりが絵画のようであった。終夜、得られるものなく、たった一枚の鉄片しか得られなかった。長さ三尺、広さ二寸、厚さ三分半のものであった。それを細かく確認すると、剣に似たようで剣ではなく、刀に似たようで刀でもなかった。鐘簴《しょうきょ》（鐘の掛け台）のように、江に横たわっていた。黎慎は持ち帰って、室内に置くと、大きな灯火のように光っていた。黎慎は再三疑惑（？）をもったのだが、まだ神物だと知らなかった。後に帝（黎利）にそれを譲って、帝はそれを保管した。

黎慎封文強侯可藍路由得
寶劍舌資國事

図2 「御名三十五名」における黎慎関係の記載

上舌有霊符有神呪將间置于暗處光芒亮天
藍山寔録記黎慎以抛魚爲業是夜于藍江捕魚
爲業到處是家窮源竟夜抛網于江心月明如畫
終是夜無所得只得一片鐵長三尺闊二寸厚三
分半及細認之劍又不是劍刀不是刀橫卧于江
分形如鐘簴慎始將回置于房中光芒如巨燭云
慎再三疑惑亦未知爲神物也及後許帝帝藏之

図3 『黎皇玉譜』における「旧藍山実録」

順天本の記述はここで終わっている【図3】。

十六世紀の英宗本では、順天本に比べて内容が大分改編された。順天本で鉄片は剣らしい長さ三尺（約九〇センチ）と伝えられたが、英宗本になると、たった一尺余り（三〇センチ強）の長さとなった。黎利の手に入った経緯に関して英宗本は、ある日、黎利は黎慎の家を訪れると、黎慎は外出中で、その妻しかいなかった。黎利はなにか光るのに気づき、鉄片を発見した。黎利は黎慎の妻に何物だと聞いた。黎慎の妻は主人は網をあげても魚が取れず鉄片しか得られなかったため、家に持ち帰って保管したと答えた。黎利はその鉄片を耕作に使いたいから自分の刀と交換してほしいと申し入れた。黎慎の妻は「惜しまずに」それを許した。黎利は鉄片を持ち帰ると、それは磨かれずにして光を放っていた。黎利が確認したところ、篆字《てんじ》があり、「天剣」だとわかったという。このように鉄片が光を放ち、存在をアピールしようとした対象は黎慎であるという順天本に対して、英宗本になると「黎利」へと変更され、神剣を発見する上で黎利の役割が一層強調されるようになった。

十七世紀の重刊本になると、伝説は次のように改編された。まず、黎慎が鉄片を発見した場所は「域麻院《いくまいん》」とあるように、より具体的に特定された。鉄片の長さに関して、重刊本は順天本の「三尺」ではなく、英宗本の「一尺余」を継承した。神剣が黎利の手に入った流れについて、黎慎の先人の忌日をきっかけに黎利はその家を訪れて、黎慎本人に直接許すようにもとめたという。また鉄片にある文字に関して「篆字」としかなかった英宗本に対して、重刊本は後に黎太祖の年号となる「順天」の二字、および黎利自身を指名する「利」の字がみられると物語った。このようにみると、鉄片に「順天」字があるとした Nguyễn Đổng Chi 氏の物語は、十七世紀成立の重刊本までさかのぼれるといえよう。

鉄片の発見場所が「麻院」であったこと、鉄片の「一尺余り」の長さ、黎利が忌日に黎慎の家を訪問したことなど重刊本の特徴は後に『皇黎玉譜』（A.678）、『皇黎玉譜集記』（AH.a1/2）、『御製玉譜記』（VNv.241）を代表とした『黎朝玉譜』の各種伝本にみられるため、十八世紀成立の『皇黎玉譜』は基本的に重刊本の内容を継承したと考えられる。ただ玉譜で黎慎が鉄片を獲得した時点は「乙未《いつび》年十二月初十日」（A.678、AH.a1/2）や「𢆥乙未」（「𢆥《ナム》」は喃字、年の意。「乙未の年」の意味）（VNv.241）、「陳天慶《ちんてんけい》九年丙申《へいしん》」（『黎朝玉譜』）とあるようにより具体化され、物語の信憑性を高めるために潤色されたことがうかがえる。

Nguyễn Đổng Chi 氏の伝説では、黎慎は黎利を大業を成し遂げる「明公」とみて剣を献上したとあるが、黎朝期の物語をみると、黎利は黎慎本人、またはその妻に譲るように申し入れなければならなかったという。英宗本では、黎利は自分の刀をもって黎慎の妻に鉄片と交換するようにお願いすらした。またそれに対して黎慎の妻は、「意亦不可惜」とあるように、神剣のことをただ主人が家の奥に置いた鉄くずとみて惜しむことなく黎利に譲り、かえって刀をもらったという。

なお十九世紀の黎氏後裔が著作した『藍山記録』をみると、伝説が改編されたことがわかる。神剣を得た人物は黎慎ではなく、黎文安《れいぶんあん》という別の功臣である。またその語りで黎文安の妻は上記の黎慎の妻と正反対の役割を果たした。黎文安は鉄片を手にした後、捨てようとしたが、それを止めたのは妻である。止めた理由は、それを持ち帰って器用（調理）の刀にすることができるからであった。

（2）黎利が剣柄を獲得したことについて

Nguyễn Đổng Chi 氏の物語では、黎利は榕《あこ》の上に登って剣の柄を獲得したという。

この部分に関する順天本の逸文は現存しない。英宗本は、「榕樹の処」で黎利が柄を得て、それを持ち帰って洗っところ、「虎綵《こさい》・龍形《りゅうけい》の青翠二字」があるのがわかったと物語った。Nguyễn Đổng Chi 氏が述べた「榕」はこうして遅くとも十六世紀までさかのぼれるが、榕に登るという流れの出典は不明である。

十七世紀に入ると、重刊本で榕の話が消え、代わりに黎利が柄を獲得した場所は「門を出るところ」となった。具体的に「ある日、帝は門の外を出て、一つの剣柄を見た。その剣柄はすでに成形されていた。帝は天を拝してこれが果たして天剣ならば、柄と舌が相連なるようにと祈った。遂に入れて一体となった」という。

次に『皇黎玉譜』が撰された十八世紀になると、剣舌と同様、剣柄が見つかった時点は『黎皇玉譜』に「丙申年、帝三十有二歳、正月十二日寅辰《いんしん》」とあるように具体化された。『黎朝玉譜』は『黎皇玉譜』よりいつも干支を一年遅れで「丁酉年《ていゆう》」としたが、同じく黎利が「三十二歳」の時とした。また剣舌の話と同様、玉譜の各種伝本は基本的に剣柄の発見場所が「門外」という重刊本の内容を踏襲したが、「黒銅で長さ五寸、闊《ひろ》さ一寸五分、厚さ四分」(A.678)、また「厚さ四分」(AH.a1/2, VNv.241) とあるように形状をさらに具体化した。

(3) 黎利による天印獲得

天印《てんいん》は Nguyễn Đổng Chi 氏の剣湖伝説で一切触れられないのだが、黎朝期の説話ではいつも神剣とともに登場した。

現在天印に関する順天本の記録は現存しない。十六世紀成立の英宗本は天印の発見について次のように物語った。ある夜、風雨があったが、その翌日に黎利は園に出て、「菜芥《なからし》の葉《は》」に残った神人の後を発見した。黎利は、それは国宝だと知り、筆をもってその「体式・字様」を書き残した。後日に黎利の妻は園で野菜を取る際に、先日の痕跡があったところで印を発見した。当印の模様や篆字は先日の痕跡と同様のものであった。印の背面に「黎利」という文字があったという。

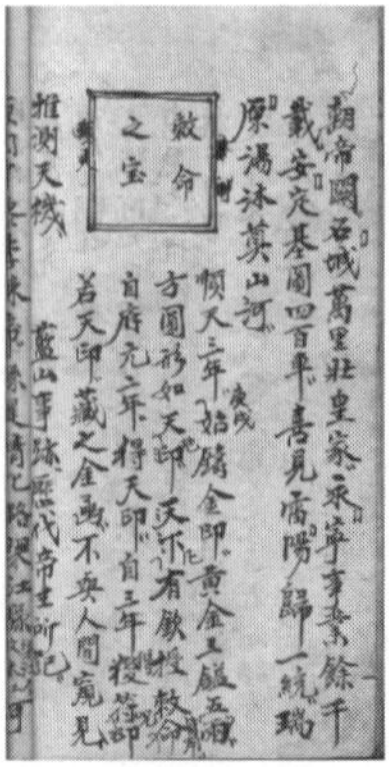

図 4-1 『藍山記録』

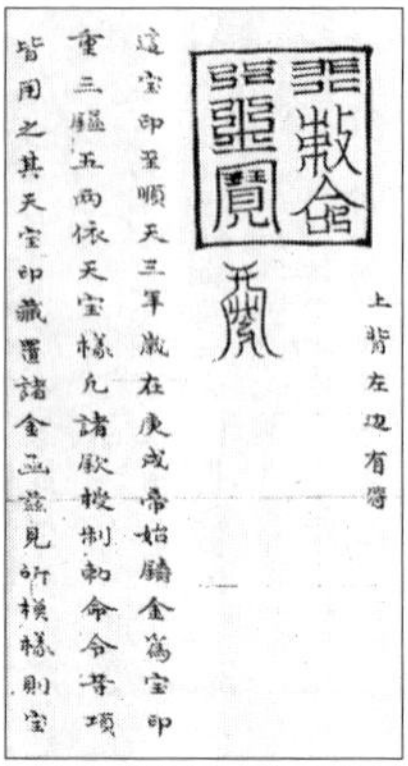

図 4-2 『黎皇玉譜』における天印の記載

十七世紀の重刊本になると、天印本体を発見したのは黎利に変更され、黎利の妻の役割が低下させられた。

顕宗《けんそう》期の玉譜に上記の天印発見は次のように具体化された。まず天印が見つかったのは黎利が「三十歳」の甲午年の「正月初六日」の早朝 (A.678)、または「陳天慶八年乙未 (帝三十歳) 正月初十日」(『黎朝玉譜』) だとされた。[*14] 玉譜によると、黎利の妻は園で「長さ三尺四寸、闊さ二尺一寸」の神人の痕跡および「柱《はしら》」(印の突起部の意) がある赤銅の塊を発見した。驚いた黎利の妻は大きな声を出して黎利を呼んだ。黎利は園に出てそれが「宝印」だと確認した。玉譜に天印の形状も具体的に描写された。本体は赤銅で「長さ七寸八分、闊さ六寸八分、厚さ一寸」の形状で、上の柱が「五寸三分、巨《おおき》さ一寸四分」、また上背の左辺に「順天黎利」四字があるというものである。なお、「上帝勅命宝印、天庭降之南越、赫赫威霊、指山山崩、欽受命行、急急如律令」という呪文も記載された。このようにみると、神剣と同様、玉譜は伝説の信憑性を高めるために天印の発見時点およびその形状を具体化して潤色の作業を行ったことがわかる。また玉譜は英宗本と違い、神人の痕跡とモノとしての天印を発見した人物を両方とも黎利の妻にしながら、「赤銅の塊」が天印であると認定した最も重要な人物を黎利にしたのである。

（4）抗明戦争終結後の神剣・天印の利用

明軍を撃退した後の神剣・天印の利用について、重刊本も含め『藍山実録』の各種伝本は言及しなかった。

それに対して、『黎皇玉譜』（A.678）『皇黎玉譜集記』（AH.a1/2）『御製玉譜記』（VNv.241）などの『皇黎玉譜』系統に属する玉譜は次のように記述した。順天三年（一四三〇、庚戌）に黎利は「天印」の様式にならって金で「重さ三鎰《いつ》五両」の宝印（璽《じ》）を鋳造し、「欽授制勅命令」に利用することにした。一方、天印そのものは「金函」に保管されるようになったという【図4】（『皇黎玉譜記集』には同じ記録がみられる）。

『皇黎玉譜』は一七八〇年に完成したものの、「旧玉譜」「今上本」「諸別本」などそれ以前の玉譜をもとに編修されたものである。さらに本来、順天本『藍山実録』も家宝として「金函」に納められたことから考えると、天印を「金函」に保管したという玉譜の内容は、黎朝初期の史実を反映した可能性が高い。

（5）神剣と天印の失跡

『皇黎玉譜』系統の玉譜を検討する際に最も注目すべきことは、カメのことが一切言及されないことである。その代わりに『黎皇玉譜』（A.678）、『皇黎玉譜』（Phan Đại Doãn 本）、『黎朝玉譜』『御製玉譜記』諸伝本は、神剣と天印の失跡について次のように記録した。端慶五年（一五〇九、己巳《きし》）、威穆帝は城外に宮を建造し、朱砂《すさ》を服装とした裸の宮女を配置した。帝は舟に乗ると、突然風雨が興り、大きな波で舟が沈没した。そこで神剣と天印が水に落ちて行方不明となった。威穆は兵士に「密籬《みつり》」（目の細かい垣根だろう）をもってその場所を囲んで探させたのだが、見つからなかったという。

四種伝本がまったく同様のことを記したのは、上記の内容が本来顕宗期の『皇黎玉譜』にあったことを示している。このように顕宗および彼の側近の認識では、神剣を湖に落とした人物は黎利ではなく、黎朝当時「鬼王」とも称された暴君の威穆のほうであった。また、威穆が神剣をなくした場所は剣湖ではなく、『御製玉譜記』と『黎朝玉譜』によると、ハノイにある別の名湖「西湖《ホータイ》」であったという。

さらに上記の四種伝本には「史云《いわ》く、時に聖宗が崩じた後、天日は晦冥《かいめい》となって、その神剣・宝印は共に失せた」という本注も付されたことが注目すべきである。「史」とは黎朝期に編纂された『全書』のことであろう。一六九七年の正和刊本に「三十日壬子、帝は宝光殿にて崩じた。この日に神剣・神璽《しんじ》は皆な失なわれた」とあるように、聖宗が「宝光殿」で崩御した洪徳二十八年（一四九七）正月三十日（壬子《じんし》）に神剣・神璽はともに消えたのである。

要するに玉譜と正史のどちらが正しいかは別として、顕宗期まで黎朝皇室および当時の一流の学者は黎利の治世に神剣・天印が失せ、カメが神剣を口で含んだということをまったく認識しなかったのである。両種神器の失跡時点について『全書』では聖宗期の末年・一四九七年、十八世紀成立の『皇黎玉譜』では威穆期の一五〇九年とされていた。

（6）剣湖伝説のカメの登場

それでは剣湖のカメはいつから伝説に登場したのだろうか。筆者の史料調査では、この話に最も早く触れた文献史料は、顕宗の次代・黎紹統の治世（一七八六～一七八九年）までしかさかのぼれない。その文献は『山居雑術《さんきょざつじゅつ》』と『羅《ら》城古跡詠《じょうこせきえい》』といった書物である。Trần Văn Giáp 氏の書誌的研究によると、『山居雑術』は一七八六～一七八九年ごろ丹山《たんざん》という人物によって撰された書物である。同書に次の「剣湖伝」がみられる。

剣湖は京城の東にある。世伝いわく、高皇《こうこう》（黎利）の初め頃、天蓋のように大きな亀がおり、水面に浮上した。厭《えん》勝《しょう》・祈禱を行っても退治できなかった。高皇が剣をもってそれを指したら、亀は何か望むことがあるかのように首を伸ばした。高皇は怒って湖に剣をなげうった。亀は遂に隠れた。帝は水をすくって湖を涸《か》らしたが、亀は見つからなかった。剣もどこにいったのか不明であった。

『山居雑術』の撰者「丹山」をめぐって従来さまざまな説が出されたなかで、范廷琥《はんていこ》という仮説が最も支持されている。范廷琥（一七六八〜一八三九年）は阮朝の明命期（一八二〇〜一八四一年）に詔勅の起草にあたる「翰林承旨」および最高教育機関である国子監の長官・祭酒《さいしゅ》に任命された黎末・阮初の一流の学者である。范廷琥は幼い頃、父親の范廷余《はんていよ》とともに剣湖の近くにある河口坊に居住し、晩年期も北城（ハノイ）で致仕したため、ハノイの事情に詳しい人物である。『山居雑術』以外に范廷琥が友人の阮案《げんあん》（一七七〇〜一八一五年）と十九世紀初頭に共著した『滄桑偶録《そうそうぐうろく》』にもほぼ同じ説話が記載されている。『滄桑偶録』の「還剣湖」伝は敬甫（阮案）によって執筆されたが、次のように物語った。

黎太祖が蜂起を興した初め頃、古剣を一本得られた。国を得た後、よく身につけていた。ある日、帝は湖で舟を乗ると、オオガメは水面に浮上した。（矢を）射てもあたらなかった。剣をもってオオガメを指したが、水に墜《お》として没した。オオガメは剣に従って去った。帝は怒って、湖口を塞いで堤防を築いて、水を渴かしたが、見つからなかった。後世はその跡にちなんで左望・右望湖として分けた。

同じ紹統期に撰された詩集『羅城古跡詠』（A.1941）に、その作者陳伯覧《ちんはくらん》（一七五七〜一八一五年）は左望湖を詠む際に「小引」でカメについて「皇朝太祖高皇帝（黎利）は嘗《かつ》てここに剣を遺した。それにちなんで還剣湖と命名された」と物語った。詩の部分にもカメは次のように言及された。

三尺の神鋒は藍（山）より起こり、湖を望んで一たび指して「宝亀」は含んだ。

剣光はすでに「金光」とともに逝《ゆ》き、時に金魚が碧い潭《ふち》に戯れるのを見た。

このように、紹統の治世に当たる十九世紀末から黎利の宝剣は剣湖のカメとともに姿を消した、といううわさは世間に現れてきたのである。それとともに、従来「左望湖」と呼ばれた湖は「剣湖」または「還剣湖」と呼ばれるようになった。ところが、范廷琥、阮案、陳伯覧の作品をみると、当時の学者の間で話が必ずしも統一されていなかった。范廷琥や阮案は、黎利は宝剣を使ってカメを追い払おうとしたと物語った。その一方、陳伯覧の作品でカメは「宝亀」と表現され、「金光」とともに現れた瑞祥に近い存在として描かれた。後世の「金亀」は後者から萌芽した可能性がある。

十九世紀半ばに入ると、楊伯恭《ようはくきょう》（一七九四～一八六八年）は嗣徳《しとく》四年（一八五一）、『河内地輿《かないちよ》』という地誌を撰する際に剣湖伝説を収録した。楊伯恭は「世伝いわく、黎太祖がここに遊ぶと、忽《たちま》ちオオガメが浮出したのを見て、宝剣をもってこれを指した。カメは剣を銜えて去った。その故に名づけた。あるいは、襄翼帝《しょうよくてい》の治世のこととする」と述べた。楊伯恭の説話は范廷琥や阮案の物語とほぼ同じだが、襄翼帝の治世に発生したという異説を紹介しているのが特徴である。その異説は、『全書』の次の記事から影響をうけたと思われる。『全書』によると、威穆の次代の襄翼（一五〇九～一五一六年）は一五一六年、戦艦を製造し、画工にそれを画かせるとともに、「女史」（女官）を裸身にして、西湖で棹を持たせたという。女性を裸にして湖で遊んだという点では『全書』と『玉譜』の記録が似ているため、威穆が印剣をなくしたという玉譜の話は、襄翼期の出来事に混同されただろう。

紹統期に成立した「世伝」は十九世紀後半に入ると、『大南一統志《だいなんいっとうし》』という阮朝の勅撰地誌に登場するようになった。一八八二年に完成し、嗣徳帝に献上された『大南一統志』では、剣湖伝説は次のように物語られた。

還剣湖は省城（ハノイ城）の東南門の外にある。相伝するに、黎太祖は舟でこの湖を遊ぶ際にオオガメは浮出した。帝は宝剣をもってカメを指したが、カメは剣を銜えて没した。ある人いわく、黎太祖は初めに神剣・神璽を得て、乃《すなわ》ち兵を起こした。よって印剣を伝えて、世宝とした。黎淳皇が崩じた夜、神剣・神璽は皆失せた。後世の人はその剣が湖中に浮上し、しばらくしてまた没したのを見て湖の名前をつけた。

カメに関する「世伝」は『大南一統志』に記録されるとともに、『河内地輿』のような個人による地方誌の域を超え、地方的な説話から王朝のエリートの間で読まれる説話へと昇格された。ただこの段階でカメの伝説は統一ベトナム時代のように普遍的かつ優先すべき地位に就いておらず、印剣が黎淳皇（聖宗）の期に失せたという『全書』の説と共存せざるを得なかった。[*15]

その一方、威穆期に印剣が沈没したという玉譜の説話は『大南一統志』に収録されず、すでに終焉した黎朝の後裔の家譜、あるいは『河内地輿』を代表とした私撰地誌にしか留められず、結果的に現在ほとんど知られていない存在となっている。

范廷琥、阮案、楊伯恭の作品で描かれた黎利とオオガメとの敵対関係は、『国文教科書』や『ことわざ・典籍辞典』『越文読本』など植民地時代および一九七五年以前の南ベトナムの書物に継承され、現在に至ってもＳＨＢ発行カレンダーに見られるように一部の出版物にその跡が確認されている。

5　剣湖伝説に潜めた象徴世界

ベトナム戦争のさなかに『ベトナム説話宝庫』を編集したNguyễn Đổng Chi氏は「剣湖伝説において神剣が黎利の手に入り、また金亀に還されたという話筋は、外国による侵略に対抗するためのベトナム国民の団結、および平和への愛着心を表している」と伝説を評価した。現代のヒューマニズムから上記の評価を納得することができるだろうが、それだけに束縛されると、本来伝説に潜められた象徴世界を看過する危険性がある。

（1）帝権の象徴としての印剣

剣湖伝説では、なぜ黎利は「天」から他のものではなく、神剣と天印を授かったという場面が設定されたのであろうか。結論からいうと、日本の三種神器と同様、ベトナムの陳朝期から黎朝期にかけての印剣は、帝権の正当性を示すシンボルであったからである。

宝剣は遅くとも陳朝期に入ってから、帝位継承者にしか授けない「伝国宝物」として見なされるようになり、『全書』に記述された次のエピソードからその一端がうかがえる。まず、一二四一年、陳朝の初代皇帝・太宗の順天皇后は陳光啓《ちんこうけい》という皇子を出産したが、陳光啓（一二四一～一二九四年）はやがて病気で危篤状態に陥った。その際に太宗は「上皇の服、および伝国宝剣」を陳光啓のそばに置いて、「もし蘇生するならば、これらの物を賜う」と伝えた。その後、陳光啓は九死に一生を得て、回復を果たしたが、太宗は今度は「伝国宝剣はみだりに授けることができない」と約束を撤回した。一方、後に太宗の帝位を継いだのは陳光啓と同母兄である陳晃《ちんこう》（聖宗）だが、彼の帝位継承資格は、太宗が「上帝」から「宝剣」を授かった夢をみた後、李氏皇后は陳晃を妊娠したと『全書』の記事で主張された。

伝国宝剣以外に印としての宝璽も帝権の正当性を象徴するものであった。李陳朝期を通じて、大越の国主は、中国の冊封体制の一員として中国皇帝から「安南国王」という王印を引き受けながらも、国内で帝と称して、皇帝の宝璽を利用して支配を行っていた。たとえば、『元史』によると、一二八五年の蒙古襲来で昇龍京《タンロンきょう》（現在のハノイ）を占領した元軍は、陳朝の行政文書を数多く入手した。そこに陳聖宗が次代・仁宗に譲位した文書および順天皇太后への表に「昊天成命之宝《こうてんせいめいしほう》」という宝璽が利用されていたという。「昊天」とは『詩経』『書経』などの儒教経典に見える宇宙の最高神「昊天上帝」である。「上帝」が陳太宗に宝剣を授けたことと同様、「昊天成命之宝」は「上帝」に認められる皇帝の印である。

陳朝期における宝剣・宝璽の存在は、『全書』の別の記事で再確認することができる。大治九年（一三六六）六月、陳《ちん》裕宗《ゆうそう》（一三四一～一三六九年）は舟で米所郷にある少尉の陳吾郎《ちんごろう》の家に御幸し、三更《さんこう》（午後十一時～午前一時）に宮へ戻ろうとした。ところが、褚家江《ちょかこう》というところで、「宝璽・宝剣」を盗まれて失ったという。この記事で宝剣・宝璽の存在が確認できるとともに、一三六六年まで百年以上伝来した陳朝の両種神器は行方不明となり、当然ながら新しいものが製作されたことも推定できる。

十五世紀初頭になると、陳・胡の王朝交代を経て、裕宗期に新たに製作された印剣は、胡朝の手に入り、また胡朝が中国の明に滅ぼされると、明に奪われた可能性がある。陳朝の貴族が明軍に抵抗するために再興した後陳王朝（一四〇七～一四一四年）にとっても、印剣が引き続き帝権の正当性を主張する象徴として位置づけられた。具体的に陳氏の後裔である陳頠《ちんがい》と陳季擴《ちんきこう》は簡定帝《かんていてい》や重光帝《じゅうこうてい》と自称し、蜂起する際に国内の諸勢力を集めるために宝璽を新たに造ったのである。それは、一四〇九年、簡定帝が「宝璽」とともに明将張輔《ちょうほ》に捕獲されたという『全書』の記事から確認できるのである。

このようにみると、十三世紀の半ばから十五世紀初頭にかけてのベトナムで、印剣は帝権の正当性を示す象徴として見なされていた。黎利は地方出身の豪族でありながら、明軍に抵抗するために国内の人々を彼の指揮下に集めるために何らかの象徴を必要とした。それに最も適するのが、「上帝」から授かる宝剣・宝璽である。黎利が黎太祖として即位した以降、印剣は伝国の宝物として位置づけられた。順天五年（一四三三）十月に不予《ふよ》になった黎利は皇太子に譲位する詔に「皇太子はいまだに年齢がわかいものの、孝仁の人間としてよく知られて、信頼されている人間である。朕《ちん》のかわりに治国するために、印剣を授けるべし」と述べた。

「上帝」が黎利に印剣を授けたという言説は、戦争中に国内の人心を収攬《しゅうらん》するだけではなく、戦争終結後、黎利が陳氏のかわりに皇帝に即位することを正当化するために利用された。明朝との戦争が終幕を迎える際に、戦局が不利になった明側は、陳朝の子孫を王位に立てることを講和条件として提案し、黎利の内部を分裂させることを計った。その一方、戦争を早めに終結させ、また旧王朝たる陳朝へまだ思いを寄せた人々を固結するために、黎利は陳朝の後裔とみられた胡翁《こおう》という人物（陳暠・陳頔《ちんてき》とも）を王位に擁立し、年号を陳の天慶とした。黎利自身は衛国公《えいこっこう》と自称し、あくまでも陳朝の臣下として演じた。終戦直後の一四二七年、明朝に「安南国王」として冊封されたのは、黎利ではなく、胡翁のほうであった。その後、周知のように黎利は胡翁を毒殺し、明朝に胡翁が病死したこと、ならびに陳朝の後裔が絶えたことを伝えた。それに対して明宣宗《みんせんそう》は、仕方なく黎利を「署安南国事」に冊封せざるをえなかった。

名目上で陳朝の血統をひいた胡翁はこうして明朝の外交のみならず、旧王朝に忠誠した勢力が残る国内においても事実上、黎利の競争相手となったのである。その状況のなかで、黎利とその側近は『藍山実録』に胡翁を殺害した事実を弁明するためにわざわざ一部の内容を割いた。

胡翁は乞食の子でありながら、琴貴《きんき》*16という首領のもとにその身を寄せ、陳朝の後裔と仮称したのである。当時、国内の人々は明朝の過酷な政令に苦しみ、自分の王を得ることを望んでいた。帝は急いで賊を滅ぼし、民を救うために人を使わして彼を迎えさせ、王に立てた。初めは賢愚・真假《しんか》を問わず、一時的な対策とした。戦争が終結した後、群臣は胡翁は功績がなかったにもかかわらず、上位になったことを論じて、胡翁を殺すことを建言したのだが、黎利は引き続き彼を厚遇したと『藍山実録』は説明した。ところが、胡翁は自ら国人が不服であるのを知り、敵人文瘠《ぶんせき》と謀反を図ろうとしたが、それが発覚した。このように黎利は胡翁の死を「孽己《わざわいおのれ》の作《さく》に由《よ》るに非ざれば、何を以て是に至らんや」と、胡翁が自分で起こしたことだとした。

陳朝の後裔を殺害することが道理にかなったこと、また自分自身がまさに「上帝」に皇帝として選ばれたことを主張する上で、「上帝」から印剣を授けられたという言説もより一層必要となった。ところが「上帝」が授かった天印を広く利用すれば、その真偽を疑う人がいるだろうという状況のなかで順天三年（一四三〇）、黎利は上記に触れたように天印の様式に倣って宝印を鋳造させた。天印は宮中の「金箱」に保存されることになり、結果的に皇帝以外にだれも見ることができないものとなった。*17

こうして、印剣が帝権の正当性を示す象徴であるということを認識できたら、その失跡に関する諸言説の意義もようやく理解することができよう。『全書』によると、一三六六年宝剣・宝璽を盗まれた陳裕宗は、「自知業短、益縱為逸楽」とあるように自ら統治期限が短いと知り、さらに享楽にふけったという。つまり、印剣がなくなったことは、これ以上「上帝」からの裏付けがないという予兆であった。また「鬼王」の黎威穆、「猪王」の黎襄翼など暴君とされた皇帝たちの治世のさなか、あるいは聖君とされた聖宗の崩御した後に印剣が失せたという言説は、いずれも黎朝の衰退を意味する予兆だと解することができる。

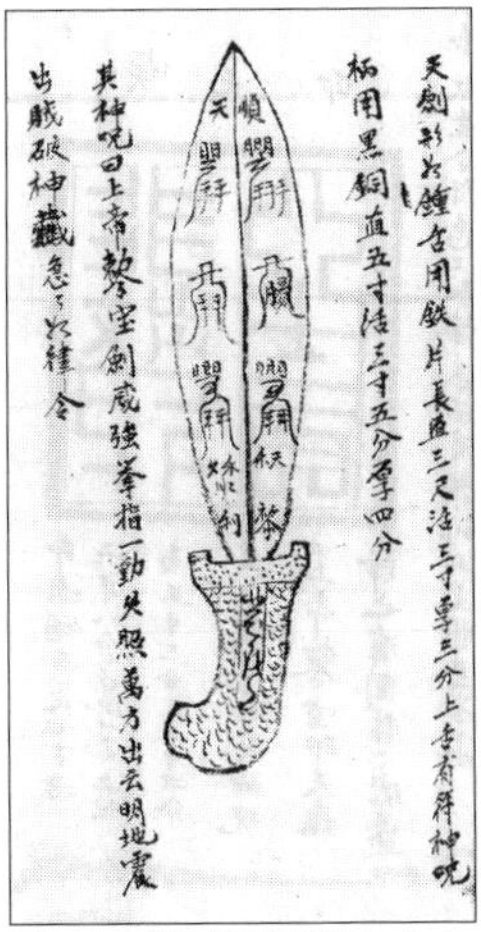

図 5-4a 『藍山実録続編』における神剣図

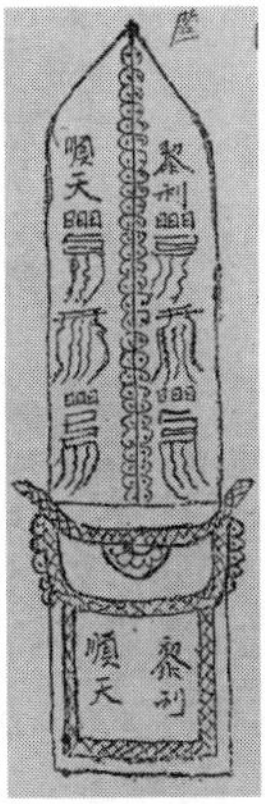

図 5-3 『黎朝玉譜』における神剣図

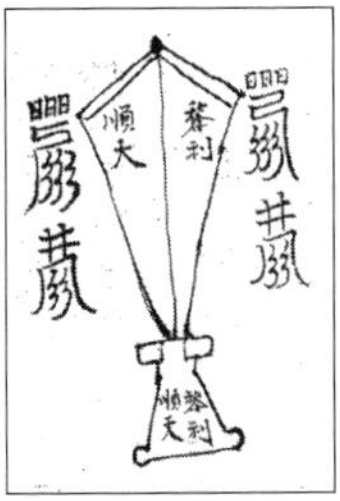

図 5-2a 『皇黎玉譜集記』（AH.a1/2）における神剣図

図 5-2b 『皇黎玉譜集記』（AH.a1/2）における天印図

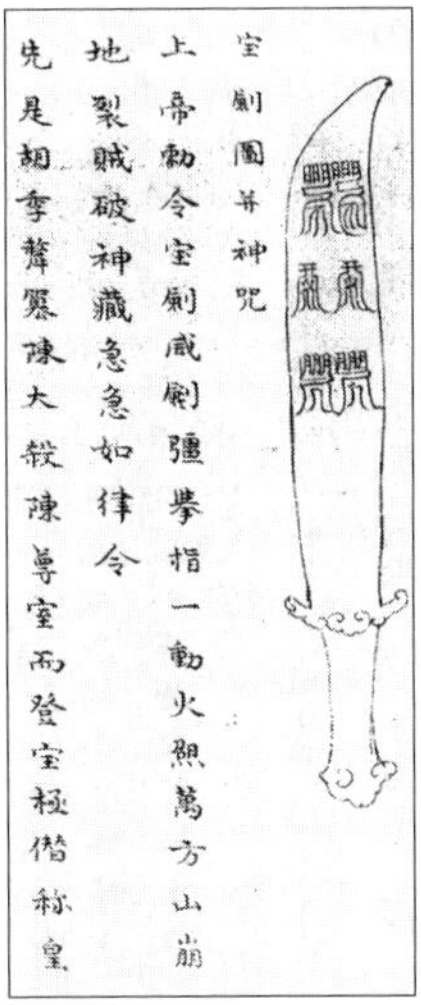

図 5-1 『黎皇玉譜』（A.678）における神剣図

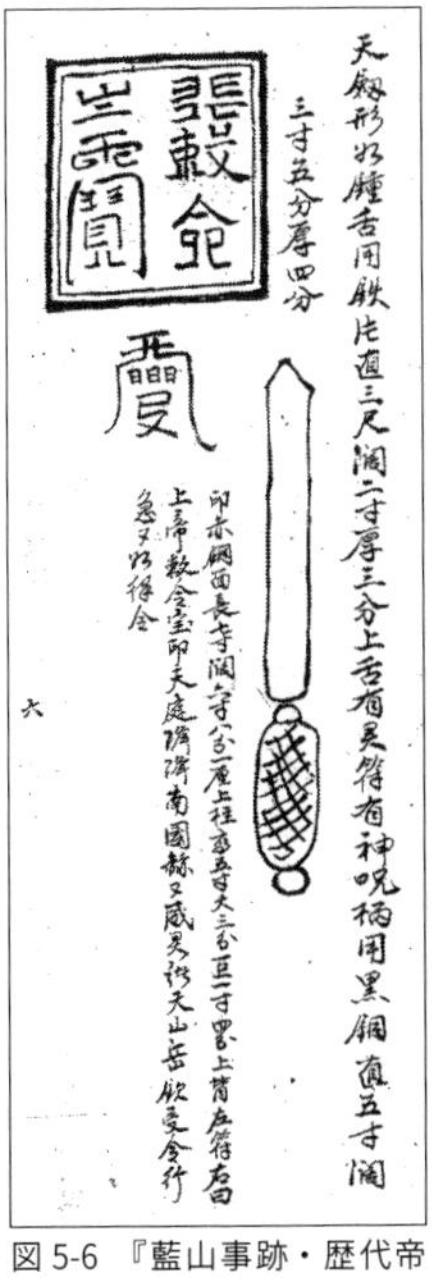

図 5-6 『藍山事跡・歴代帝王所記』（VHv 1305）における神権と天印

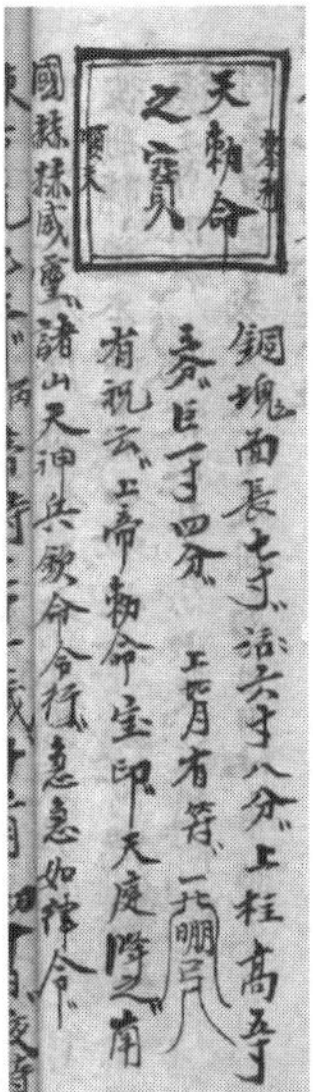

図 5-5b 『藍山記録』における天印図

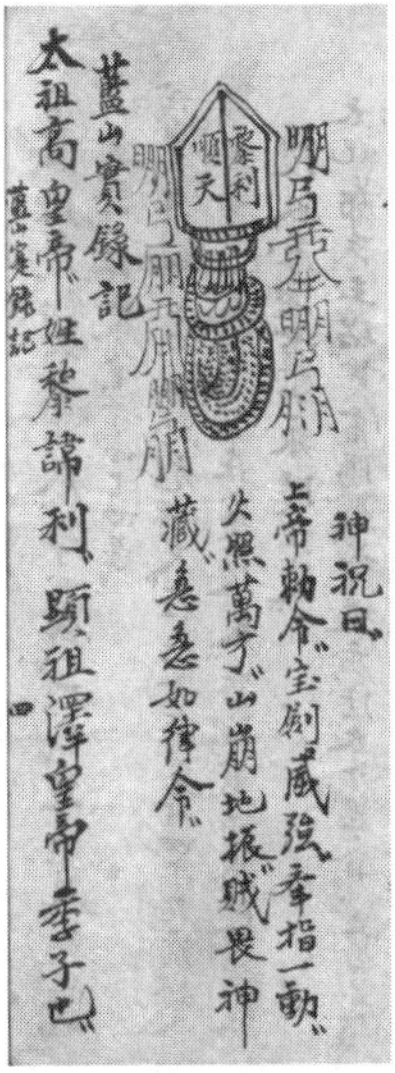

図 5-5a 『藍山記録』における神剣図

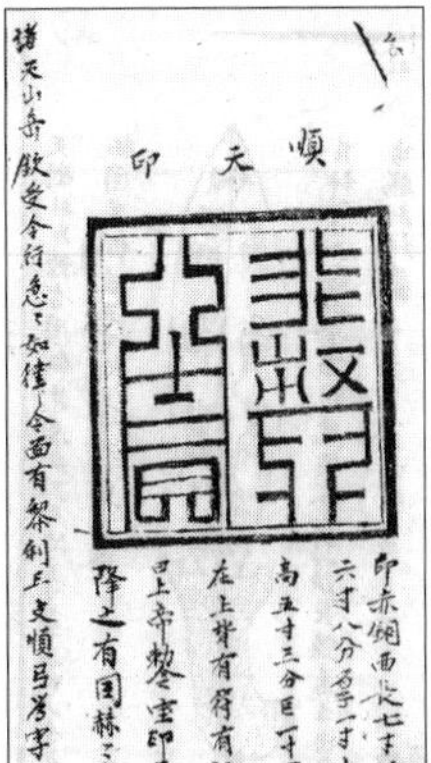

図 5-4b 『藍山実録続編』における天印図

（2）神々の世界

剣湖伝説には、印剣とともに別の象徴世界、神々の世界が潜《ひそ》んでいる。Nguyễn Đổng Chi 氏は、『ベトナム説話宝庫』のなかで黎利に神剣を授けた神様を「龍君」として、物語の末に再びその存在を次のように強調した。金亀に神剣を引き渡した後、黎利は群臣に「龍君は賊を殺すために神剣を授けたが、平時になった今はそれを取り戻すように金亀に遣わした」と説明したという。このように氏の物語＝教科書の伝説では、龍君は神剣の本来の所有主で、金亀はかの使者という人物設定があったのである。

ところが、上記に指摘したように、黎阮朝期の伝説には「龍君」と「金亀」に関する記載が一切見られないことに注目すべきである。『藍山実録』の英宗本では、剣の舌と柄を合体できた黎利は、それが「天」から授かったものであることがわかった。それを裏付けるように、剣舌に「順天」つまり「天に順う」という文字が確認されたという。『皇黎玉譜』系統の各種伝本で神剣と天印は図像化され、呪文も一緒に記録されているが【図5】、その呪文に「上帝勅命宝剣威強」（A.678 や AH.a1/2）や「上帝勅差青鎌剣寶威【声霊】」（VNv.241）とあるように、「天」は「上帝」としてより具体化された。呪文の最後にある「急々如律令」の文言も注目に値する。周知のように「急々如律令」とは、本来、中国漢代の行政文書の文末に記され、その強制威力から後に道教の呪文の結びに転用され、現在でも沖縄、韓半島、台湾、中国、ベトナムなどの呪符によく見られる文言である。*18 このように黎阮朝期の認識では、黎利に神剣を授けた超自然勢力は、「龍君」ではなく儒教・道教とも最高神とされる「上帝」である。また前節で触れたように、陳太宗が「上帝」から宝剣を授けられたことや、陳朝期の宝璽銘文が「昊天成命之宝」であったことから考えると、『藍山実録』の神々の世界は、陳朝期の神々世界を引き継いだと考えられる。

同様のことは「金亀」にもみられる。すでに分析したように、カメに関する話が登場したのは十八世紀末であった。この段階で基本的に二通りの語り方が存在した。第一に范廷琥や阮案の作品を代表としたようにカメは神でもなく、神の使者でもなく、ただ厭勝すべき存在であった。一方、「宝亀」という言葉でカメをめでたい存在と描いた陳伯覧にしても「金亀」と命名することなく、ただ「金光」とともに出没したカメとしてしか記録しなかった。

阮朝期に入ると、神剣が「上帝」のものであるという従来の言説とは別に、湖の神様のものという新しい言説が出現した。それは一八八三〜一八八四年にかけてハノイでフランスの公使として勤めたR.Bonnalの回顧録にみられる。

フランス人に「プチー湖」と呼ばれた15ヘクタールの湖は、あるまずしい漁民が自分の網で見つけた神剣を思い起こすために、現地の人に「還剣湖」と呼ばれた。その伝説によると、その北部出身で黎利という者は、突然自分の英雄の役割を意識し、民族の独立を勝ち取るために戦争を起こした。中国人に勝利し、黎朝を創立した新しい皇帝は、感謝の気持ちを伝えるために湖の神様に対して盛大な式典を開催した。その式典で剣は碧玉と化して、

水下にその姿を消した。[*19]

Bonnalの記録によると、彼に接した現地の人々は黎利の神剣は湖の神様のものであると認識したという。この認識が、「黎利はようやくそのカメを中国軍に戦うために助けた湖の神様であるとわかってきた」とする一九三〇年代の『国文教科書』に通じていることはいうまでもない。

それでは、Nguyễn Đổng Chi氏が物語った「龍君」や「金亀」はどんな神様であろうか。ベトナムの古説話で探ってみると、その名前を冠した神様は確かに存在したのである。

「龍君」は龍の子、または龍王そのものとして古説話によく登場した人物名であるが、必ずしも同一人物ではなかった。たとえば、陳朝期成立の説話集『越甸幽霊集《えつでんゆうれいしゅう》』(利済霊通恵信王伝《りざいれいつうえいしんおうでん》)をみると、龍君は南海龍王の王妃が浮気で火龍と交合した結果として生まれ、木の形に化したモノで、真珠の採集を生業とした海人たちに信仰されていたという。その一方、陳朝末期に成立し、黎朝期に潤色された説話集『嶺南摭怪《れいなんせきかい》』の鴻龐《こうろう》氏伝には、まったく異なった龍君像が描かれている。当説話において龍女の子として生まれた貉龍君《らくりゅうくん》は、時には「龍君」とも呼ばれ、神農の子「嫗姫《おうき》」と嫁いで百人の男を誕生させた。龍君は、その五十人を連れて海に戻ったが、残りの五十人は母親の嫗姫のもとに残り、伝説国家「文郎国《ぶんろうこく》」に君臨した「雄王」となった。説話末に「蓋《けだ》し百男《ひゃくだん》、乃ち百越《ひゃくえつ》の始祀なり」とあるように、「百人

の男」は百越の祖先として位置づけられた。その父親の貉龍君は、従って百越の元祖として見なされた。同一人物である「龍君」は、ほかに『嶺南摭怪』の魚精《ぎょせい》・狐精《こせい》・木精《もくせい》・扶董王《ふとうおう》・越井《えつじょう》の各伝にもみられる。前三者では、龍君は人々を害する魚精・狐精・木精などの妖精を殺し、人間の安全を守った存在である。後二者によると、雄王は外国に侵略されるたびに龍君を祈祷し、その扶助を得たという。このようにみると、『嶺南摭怪』における「龍君」は『越甸幽霊集』の「龍君」と異なり、百越の元祖でありながら、初期国家の守護神でもあった。なお、『ベトナム説話宝庫』には「剣湖伝説」以外に別の龍君像を描いた「五行山伝説」も看過することができない。当伝説では龍君は交龍の姿で海辺に登り、吠《ほ》えながら卵を産んだ。その光景を目撃した老人のところを「金亀神」は黄色いカメの形で訪れて、「龍君の血統（卵）を守れ」と告げたという流れが展開された。

「金亀」に関しても、さまざまな金亀像が確認できる。Nguyễn Đổng Chi 氏の「剣湖伝説」および「五行山伝説」で「金亀」は「龍君」の使者として登場したのだが、上記に触れたように両説話の「龍君」が別々のもののため、その使者「金亀」も異なる人物と理解することができるだろう。さらにベトナムの古説話をみると、「金亀」は必ずしも龍君の使者として特定されなかったこともわかる。たとえば『嶺南摭怪』金亀伝（「安陽王伝《あんようおうでん》」とも）によると、雄王の「文郎国」を滅ぼし、「甌貉国《おうらくこく》」を建国した安陽王は、城壁を建設する際に白雞《はっけい》という妖精に阻《はば》まれていた。安陽王が「百神」に祈禱すると、ある「老人」は現れて「清江使」たる者が助けに来ると告げた。数日後、「金亀」は「清江使」として東方からやってきて、安陽王に白雞精を殺すことを協力したという流れになった。当説話には、「龍君」に関する記載が一切なく、安陽王が祈祷したのは「百神」であったことにまず注目すべきであろう。さらに「清江使」という表現に着目すると、これは『荘子《そうじ》』（外物）から借用した可能性がある。『荘子』によると、宋元君《そうげんくん》は夢で「清江使」を自称した人に出会い、目が覚めて占ったら「神亀」であることがわかったという。「清江」が長江の支流であるため、『荘子』の「清江使」は本来、「清江」という水神の使者を指したと考えられるが、後世に「亀」を指す慣用句としてよく利用された。こうしてみると、『嶺南摭怪』金亀伝の「金亀」は、単なる「神亀」なのか、それとも「清江」という水神の使者なのか、どちらにも解釈することが可能だが、「金亀」を「龍君使者」ではなく、「清江使」と表現した以上、『嶺南摭怪』の撰者は、本来「金亀」を「龍君」の使者として特定する意図がなかったことがうかがえる。『嶺南摭怪』全体をみると、これは至極当然の論理である。すなわち雄王の父親「龍君」は、金亀を派遣して雄王の国を滅ぼした安陽王を助けるはずがないという論理である。

以上、前近代の説話全体を見渡すと、多種多様な龍君像や金亀像が存在したことがわかる。ところが、一九七五年以降、公定教科書が編纂されるうちに、龍君と金亀は単一化されるようになった。まず龍君に関して一九七七年の『小学5年の読本』を編集する際に、統一ベトナムの教科書編集責任者は『ベトナム説話宝庫』からNguyễn Đổng Chi氏による剣湖伝説を転載するとともに、きわめて注目すべき作業を行った。それは、読み物の文末に『ベトナム説話宝庫』になかった「龍君とは貉龍君」という注記を加えたことである。無作為かどうかはともかくして、当注記を加えることにより、黎利に神剣を授けた「龍君」は、『嶺南摭怪』各伝に登場した百越の祖「貉龍君」に同一化されるようになった。

同様のことは、金亀像の解説にもみられる。一九七七年の『小学5年の読本』とともに、『小学3年の物語（*Kể chuyện lớp 3*）』という公定参考書も一緒に出版された。その際に『ベトナム説話宝庫』の「五行山伝説」は『小学3年の物語』に収録されたが、同書に「(「五行山伝説」の) 龍君、金亀、卵から生まれた女性は、剣湖伝説や安陽王伝説などほかの説話にもよく登場した人物である」という教員向けの「教え方の手引き」が見られる。すなわち、各説話の「龍君」「金亀」が本来異なる次元の人物であったにもかかわらず、教員は小学生に「五行山伝説」を教える際に、当伝説の「龍君」と「金亀」は、剣湖伝説や安陽王伝説のと同一人物であると説明してもよいということが奨励されたのである。一九八〇〜一九八九年の『小学４年生の物語（*Kể chuyện lớp 4*）』に『嶺南摭怪』金亀伝も「安陽王伝」として収録されたが、上記とほぼ同じ注釈が施された。このように本来さまざまな人物像として描かれた「金亀」も「龍君」も同一化され、結果的に同じ神々の世界が誕生したのである。

6 おわりに

上記のように、神々の世界の変遷をたどってみると、ベトナムの国民国家の形成における剣湖伝説の役割がうかがえる。現在国民的伝説とされている剣湖伝説は本来、別々の二つの説話から合体されたものである。その前半部分（神剣伝説）は、十五世紀に明朝に抵抗し、国内の人心を収攬するために黎利と側近たちによって創出された説話である。戦時中におそらくうわさとして口頭の形で流布した当伝説は、黎朝が成立するとともに王朝史として『藍山実録』（順天本）に記録されるようになった。ただ、序文に「子孫に帝業を示す」とあるように、順天本は当初あくまでも皇室の御覧に供するものとして編集され、宮中の「金函」に保管されていたため、そこに収録された神剣伝説もごく限られた人々の間でしか読まれないものであった。ところが、冒頭で説明したように、一五〇〇年に入ると、王朝の求心力を高めるために、順天本は譚文礼によって金函から取り出され、書写されてから功臣の家々に頒布された。それにより、神剣伝説は皇室と功臣の各氏族の間で共有される伝説となった。各氏族はまたその伝説を自分の家譜に盛り込んで子孫に伝えようとしたが、その過程で誤写などの相違が徐々に生じてきた。英宗本、重刊本、並びに玉譜はまさにその内容の相違、言い換えれば認識の相違を統一するために編集されたものである。十七世紀後半に重刊本が刊行されたことを通じて、神剣伝説はより一層黎朝社会で知られるものとなった。また十五世紀から十八世紀後半にかけて神剣伝説は、陳朝期の伝統を引きながら「上帝」を最高神とする儒教や道教の神々の世界を後ろ盾に語られていた。

黎朝期には、神剣伝説と別に左望湖の伝説も地方的な説話として創出された。当初「世伝」として成立した後者は、十八世紀末に范廷琥、阮案、陳伯覧など一流の学者によってようやく文章化された。その過程で范廷琥と阮案との関係にみられるように友人同士の間で共有され、記録として定形化された。その一方、権威がある学者の范廷琥を通じて、左望湖伝説は地方的な説話の域を超えて『大南一統志』という王朝の官撰地誌に収録されるようになり、より広い読者層を獲得することができた。ただ十九世紀から二十世紀前半にかけてBonnal公使の回顧録や一九三〇年代の『国文教科書』にみられるように、左望湖伝説は文書と「俗伝」という二種類の形で語られており、その神もあくまでも一個の湖の神様、言い換えれば地方的な神に過ぎなかった。

二十世紀後半に入ると、神剣伝説と左望湖伝説はようやく剣湖伝説として合体され、Nguyễn Đổng Chi 氏の『ベトナム説話宝庫』に記録された。それと同時に、統一性を確保するために神剣伝説の「上帝」と左望湖伝説の「湖の神様」は同じ神様の世界に盛り込まれ、そこで「上帝」のかわりに神剣の所有主として「龍君」が登場し、湖の神様であるカメが龍君の使者の金亀神へと変身した。また統一ベトナムの教科書で本来さまざまな人物像を有した龍君が「貉龍君」に限定されたことにより、剣湖伝説は「貉龍君」を越人の父親とした国の誕生伝説(『嶺南摭怪』鴻龐氏、魚精、狐精、木精、扶董王、越井、安陽王各伝)に初めてリンクされ、国民国家の伝説世界の一部として位置づけられるようになったのである。

注

1 「Vietnam's Sacred Turtle Dies at an Awkward, Some Say Ominous, Time」(*The New York Times*)。https://www.nytimes.com/2016/01/23/world/asia/vietnam-turtle-hoan-kiem-lake.html(ウェブサイトはいずれも二〇一八年九月二十日閲覧)。

2 「Vietnam mourns death of sacred turtle – and fears for ruling party's future」(*The Guardian*). https://www.theguardian.com/world/2016/jan/20/vietnam-mourns-death-of-sacred-giant-turtle

3 「伝説の巨大ガメ死ぬ　ベトナム・ハノイの湖」(『日本経済新聞』), https://www.nikkei.com/article/DGXLASDG21H2M_R20C16A1000000/

4 「絶滅寸前の巨大スッポン死ぬ、残るは3匹のみ」(『National Geographic』), https://natgeo.nikkeibp.co.jp/atcl/news/16/020400044/

5 二〇一四年一月二十一日付の『スポーツ文化史』, https://thethaovanhoa.vn/van-hoa-giai-tri/cuc-xuat-ban-se-xu-phat-bo-lich-cua-ngan-hang-shb-n20140121133223929.htm

6 植民地時代および南ベトナムの教科書に関して Trần Văn Chánh 氏の研究(「植民地時代の小学校教科書(Sách giáo khoa tiểu học thời Pháp thuộc)」『昔と今(*Xưa & Nay*)』452、二〇一四年十月期、「共和ベトナムの教育カリキュラムと教科書(Chương trình giáo dục và sách giáo khoa thời Việt Nam Cộng hòa)」『研究と発展(*Tạp chí Nghiên cứu và Phát triển*)』7−8、二〇一四年)を参考にした。

7 Nguyễn Diên Niên 氏の考証による(Nguyễn Diên Niên 考証・Lê Văn Uông 訳注『藍山実録(*Lam Sơn thực lục*)』社会科学出版社[Nxb. Khoa học Xã hội]、第二版、二〇〇六年、一四〜一七頁)。

8　Hoàng Xuân Hãn 氏が寄贈した刊本に関して、Vũ Thanh Hằng 氏の研究を参照されたい（「Hoàng Xuân Hãn 氏が寄贈した『藍山実録』について（Về bản Lam Sơn thực lục do cụ Hoàng Xuân Hãn gửi tặng）」、『漢喃雑誌（*Tạp chí Hán Nôm*）』一九八五年第二期）。

9　重刊本の編纂目的について Nguyễn Diên Niên 氏は英宗期の改訂を隠そうとしたと説明した（Nguyễn Diên Niên 考証・Lê Văn Uông 訳注『藍山実録（*Lam Sơn thực lục*）』社会科学出版社［Nxb. Khoa học Xã hội］、初版、一九七六年）。一方、広島大学教授八尾隆生氏は英宗本の編集は鄭氏政権の指導のもと行われたことに着目し、文臣に役割を発揮させる一方で、タインホアの凝集性を鄭氏に振り向けるためだと的確な指摘をした（「藍山蜂起と『藍山実録』編纂の系譜：早咲きのヴェトナム「民族主義」」、『歴史学研究』789、二〇〇四年）。

10　注7、七二〜七四頁。

11　注7、一二頁

12　注7、一七九頁。

13　「黎慎（封文強侯可藍路、由得宝剣舌、資国事）」（黎察本、御名）。注7（五三頁）を参照されたい。

14　『皇黎玉譜記集』には天印の獲得に関する記載がみられない。『御製玉譜記』には天印獲得の年数しか見られない。

15　両方の説を同時に列記するという『大南一統志』の語り方は、『河城今昔攷』をはじめとした二十世紀初頭に編纂された書物に継承された。

16　琴貴とは抗明戦争中に黎利に服属した玉麻州の首領である。

17　玉譜以外に、黎利が「順天宝」という宝璽を鋳造させたという記録は『全書』や『大越通史』にもみられる。従来『全書』の社会科学出版の国語訳は「順天宝」を「順天通宝」という銅銭に誤解して訳した。「鑄順天寶」（『全書』本紀巻十、黎太祖、戊申順天元年［一四二八］条）。

18　「急々如律令」の文言について瀧川政次郎氏の研究（『律令の研究』刀江書院、一九三一年）をはじめとした多数の研究がある。沖縄の呪符に関して山里純一氏の研究（「〈急々如律令〉考」『日本東洋文化論集』五巻、一九九九年）を参照されたい。

19　R. Bonnal『*Au Tonkin - notes et souvernirs*』（一九二五年）。当回顧録はハノイ出版社の『西洋資料選集』（*Tuyển tập tư liệu phương Tây*、二〇〇六年）に収録されている。

参考文献

・Trần Văn Giáp『漢喃書庫考（*Tìm hiểu kho sách Hán Nôm*）』社会科学出版社（Nxb. Khoa học Xã hội）、一九八四年。

・Lê Xuân Kỳ・Lê Trung Tiến 編『黎朝玉譜（Lê triều ngọc phả）』清化出版社（Nxb. Thanh Hóa）、二〇〇八年。

・Trương Đức Quả「貴重な喃字の家譜（Một cuốn phả viết bằng chữ Nôm có giá trị）」、『二〇〇六年の漢喃学通報（*Thông báo Hán Nôm học 2006*）』、二〇〇六年。

04 正史と稗史の間隙

洪 晟準

1 正史・稗史（野史）とその記述形式

東アジア諸国では、かつてより国家または王朝の歴史を記した歴史書の編纂が盛んに行われていた。ここでいう歴史とは「正史《せいし》」、いわゆる公認された正当な歴史のことである。これに対して、「稗史《はいし》」は公認されていない歴史や民間の歴史書のことを表し、「野史《やし》」は在野の人の編纂した民間の歴史書のことを意味する。ただし、ここでは稗史と野史の意味の区別はさておき、正史の対語として稗史（野史）をとらえることにする。勅命による公認された歴史である「正史」に対して、公認されていない民間（または、私撰）の歴史という意味で「稗史（野史）」を主に考えるためである。従って、以後に登場する稗史は野史をも含んでいるということを、まず断っておく。

一般に正史を勅命による公認された歴史と捉え、稗史を個人による民間の歴史と考えることができるが、両者を単に国家編纂と個人編纂で区別するのは正しくない。『史記《しき》』や『漢書《かんじょ》』の場合、両者とも個人編纂であるにもかかわらず、正史として認められている。つまり、個人による編纂であっても、その正当性を認められたか否かが正史と稗史の区別の基準なのである。たとえば、新しい王朝の時代になると前の王朝の歴史を編纂するという国家事業が始まるのであるが、これによって正史が誕生しているところに正当性をうかがうことができる。

こうした歴史を叙述するにあたって、その記述形式として、紀伝体、編年体、紀事本末体を挙げることができる。紀伝体は、本紀・列伝をはじめ、世家《せいか》・志《し》（書・典・略・考）・表などの項目から構成される歴史記述形式で、中国において司馬遷《しばせん》の『史記』以降の正史記述の基本書式として用いられた。編年体は、年代順に叙述する歴史記述形式であり、最も古い例は『春秋《しゅんじゅう》』である。日本における例としては、『古事記』や『日本書紀』を挙げることができる。また、紀事本末体は、歴史的事件を類型ごとに叙述する歴史記述形式である。紀伝体や編年体とは別に、事件の発端・展開・結末をいっぺんに記述することができる。こうした記述形式に従い、東アジア各国では正史を編纂してきた。

2　日本・琉球国・中国・韓国の主な正史

日本の主な正史といえば、六国史《りっこくし》（『日本書紀』『続日本紀』『日本後紀』『続日本後紀』『日本文徳《もんとく》天皇実録』『日本三代実録』）がある。六国史は天皇の命による政府の修史事業の一環で完成した六つの歴史書のことである。すべて編年体で記述されているのが特徴である。六国史の後に続いた歴史編纂事業の成果として『新国史』があるが、未完に終わっている。このほか、六世紀頃に成立したとされている『旧辞《きゅうじ》』や七世紀後半に勅命によって編纂されたとされている『帝紀《ていき》』も正史と言えるが、残念ながら現存していない。

琉球国の正史としては、『中山世鑑《ちゅうざんせいかん》』『中山世譜《せいふ》』『球陽《きゅうよう》』を挙げることができる。琉球国は、一八七九年に沖縄県が設置されるまで独自の文化を形成した国である。そのため、琉球の歴史は日本本土の歴史とは別の形で展開されていったのであり、独自の正史が編纂された。

中国の主な正史は、二十四史とも言われる歴史書が代表的である。二十四史には、『史記』『漢書』『後漢書』『三《さん》国志《ごくし》』『晋書《しんじょ》』『宋書《そうしょ》』『南斉書《なんせいしょ》』『梁書《りょうしょ》』『陳書《ちんしょ》』『魏書《ぎしょ》』『北斉書《ほくせいしょ》』『周書《しゅうしょ》』『隋書《ずいしょ》』『南史《なんし》』『北史《ほくし》』『旧唐書《くとうじょ》』『新《しん》唐書』『旧五代史《きゅうごだいし》』『新《しん》五代史』『宋史《そうし》』『遼史《りょうし》』『金史《きんし》』『元《げん》史《し》』『明史《みんし》』がある。中国の正史は、新王朝の成立に伴い、前王朝の歴史を編纂する形で行われた。そのため、正史としての正確性というよりは政治的正当性という面が強調されがちであった。

韓国の主な正史には、『三国史記』『高麗史《こうらいし》』『朝鮮王《ちょうせんおう》朝実録《ちょうじつろく》』『高麗史節要《せつよう》』『東国通鑑《とうごくつがん》』などがある。朝鮮王朝では、中国の正史編纂手法に倣い、前王朝である高麗王朝の歴史や前の国王の事業を主に編纂した。

3　歴史の信頼性

以上、東アジア各国の正史を簡略に並べてみた。正史に収録されている歴史だからといって、それが真実とは限らない。正史の「正」は、真実を意味するのではなく、編纂者の身分や地位、人間関係、主観的な立場などを問わずに正しい基準のもとで歴史を叙述することを意味するからである。ただ、正史は勅命によって記録された歴史であるため、それなりに公信力《こうしんりょく》のある歴史と言うことは可能である。

正史を権力を握っている側から見た歴史と捉えることもある。たとえば、新王朝から見た前王朝の歴史を「正史」と称する場合もあるが、それはいわゆる権力者側から見た歴史が「正史」であるということにほかならない。正史は国家事業として編纂された歴史であるため、一国の正確な歴史として認めるべきではあるが、この場合、正史は前王朝についての記述でもあることから、前王朝の否定的な面が強調されることもしばしばあった。そうしたことから、国家事業として編纂された正史より、個人の歴史記述である稗史の方がより信頼的であるともいえなくはない。

4 琉球国の正史と稗史、そして曲亭馬琴

琉球国の初の正史である『中山世鑑』（一六五〇年成立）には、源為朝《みなもとのためとも》の琉球渡航のこと、そしてその子が舜天王《しゅんてんおう》になったことが記されている。為朝の子が本当に琉球の初代国王になったか、その真偽はともかく、舜天王が為朝の子であるという内容が琉球の正史に載せられていることは事実であり、これが曲亭馬琴《きょくていばきん》（一七六七〜一八四八年）の『椿説弓張月《ちんせつゆみはりづき》』の構想につながった。『弓張月』は、一八〇七年から一八一一年にかけて刊行された読本作品で、「鎮西《ちんぜい》八郎為朝外伝」という角書からわかるように、「正史以外の別な伝記、歴史に載せていない伝記」[*1]を描いた伝奇物語である。この作品は、強弓の源為朝が伊豆の大島で生き残って琉球へ渡り、その子が琉球国の初代国王舜天王となるという構想をもとに書かれたのであるが、琉球国の正史である『中山世鑑』にその荒唐無稽に思われる内容が記されているため、もっぱら作者の創意のみで構想されたわけではない[*2]。つまり、『弓張月』の琉球に関する虚構には文献的根拠が認められるのである。また『中山世譜』（一七〇一年成立）は、琉球の歴代国王の伝記をまとめた歴史書で、『球陽』（一七四五年成立）は、琉球の政治や経済、社会風俗などを記した歴史書である。

ただ、馬琴は琉球国の正史を直接引用してはおらず、『中山伝信録』をはじめとするほかの書物に載せられている内容を孫引きしている点が特徴的である。

5　韓国の正史と稗史――歴史を読むということ

『三国史記』（一一四五年成立）は、金富軾《キムブシク》（一〇七五～一一五一年）が中心となって編纂した正史である。この歴史書は、高麗王の仁宗（一一〇九～一一四六年）が三国時代の歴史を整理するように勅命を下し、金富軾をはじめとする編史官らが、『古記』『三韓古記』などの国内の文献や『三国志』『後漢書』などの中国の文献を参考に紀伝体の歴史書として書き上げたものである。高麗王朝が始まって二百年ほど過ぎた時期において、こうした歴史書を編纂するに至ったところには、王権を強化しようとする目的があったのであるが、当時の王権が弱かったわけではなく、安定している王権をより固めるために国家の歴史をまとめる必要性を感じていたと考えられる。こうして朝鮮半島において最古の正史が誕生した。

正史である『三国史記』に並ぶ史書として『三国遺事』（一二八一年成立）を挙げることができる。本書は、一然《イリョン》（一二〇六～一二八九年）という僧侶によって編纂された稗史で、彼の個人的な興味によって資料を収集し分類した私撰集といえる。従って、紀伝体で書かれた『三国史記』とは歴史の記述形式が異なっている。仏教史書的な特徴を持ち、また説話を多数収録している。『三国遺事』は、当時の史書には詳細に書かれることのなかった歴史的事実を収録することを目的に編纂された歴史書である。歴史書としての位相をまとめると次のとおりである。

① 朝鮮半島の初の建国神話である檀君《ダンクン》神話が歴史的事実として収録されている。
② 韓国上古史において、初めて体系的な認識のもとで叙述されている。
③ 『三国史記』を補遺したことから、儒教的道徳史観ないし合理主義が受容されている。
④ 三国時代の仏教伝来以降の歴史は、ほとんどが『三国遺事』を参考にしている。[*3]

正史である『三国史記』には語られていない史実が『三国遺事』には載せられているほか、仏教の伝来と定着の過程や仏教思想などが詳細に記されている。このように『三国遺事』は僧侶一然によって書かれたため仏教的観点をうかがうことができる。一方、『三国史記』は門下侍中という官職に就いていた著者金富軾の政治的観点がうかがえる歴史書である。すなわち、著者個人の主観が歴史書の内容に影響を与えていると言える。

『三国史記』は国家事業として編纂された歴史書であるため、荒唐無稽で神異な内容は取り除く必要があった。『三国史記』が完成する前に『三国史』という歴史書が編纂され、朱蒙《チュモン》神話をはじめとする三国時代の歴史を紀伝体形式で綴ったと考えられている。この史書は現存していないため、詳しい内容を知ることは難しいが、後に編纂された『三国史記』や『三国遺事』に見える記述から、その内容を推測している。

高句麗を建てた朱蒙の建国神話は、神話であるということもあり、道術の戦いのような神異な内容も含まれている。だが、『三国史記』では、この内容は省略されている。高麗の文臣・李奎報《イギュボ》の文集『東国李相国集《とうごくりそうこくしゅう》』第三巻所収の「東明王篇」の序文には、次のような記述がある。

金富軾は『三国史記』を新たに編纂しながら、東明王の史跡を簡略に扱った。おそらく公は、国史とは世間を正しく治める書であるため、神異な出来事を後世に見せるのはよろしくないと考えたのであろう。

なるほど、『三国史記』には『三国遺事』に見える神話的内容がかなり省略されている。そのほかにも、歴史叙述の方針にふさわしくない場合、完成している史書に登場する内容であっても省略するなりの修正を加えている。たとえば、朱蒙の逃走用の駿馬選びの内容を省略した箇所を挙げることができる。李奎報の『東国李相国集』によると、朱蒙の駿馬を選んだのは母の柳花《ユファ》夫人である。しかし、金富軾は朱蒙を称えるため、柳花夫人の業績を縮小したのである。当時、駿馬を選ぶ眼目はリーダーとしての能力を表すものであったため、朱蒙自ら駿馬を選んだと記述することで、彼の能力を際立てたのである。

正史であっても編纂者の主観的な見解が反映されないわけでもなく、正しい歴史とも言い難いのである。場合によっては、稗史と比較して読むことで、多岐に渡る解釈が可能になるのが、歴史を読むということである。

注

1 後藤丹治校注『椿説弓張月』上、日本古典文学大系60、岩波書店、一九五八年。

2 初例は月舟寿桂《げっしゅうじゅけい》（一四七〇～一五三三年）の『幻雲文集』（一五七二年刊）である。これに関しては小峯和明氏よりご教示を賜った。

3 朴鎮泰ほか『三国遺事の総合的研究』Pagijong Press、二〇〇二年。

05 『三国史記』と『三国遺事』

袴田光康

1　はじめに

朱蒙《チュモン》・淵蓋蘇文《ヨンゲソムン》・大祚榮《テジョヨン》・金首露《キムスロ》・薯童《ソドン》（武王）・武寧王《ムリョンワン》・金庾信《キムユシン》・善徳女王《ソンドクニョワン》・金春秋《キムチュンチュ》（武烈王）・張保皐《チャンボゴ》……等々、思いつくままに名を挙げたが、彼らはみな韓流時代劇でお馴染みの古代朝鮮のヒーローやヒロインたちである。彼らを描いた韓流ドラマは、もちろん虚構の世界だが、そのネタ元や源泉となっているのは、『三国史記《サングクサギ》』と『三国遺事《サングクユサ》』という高麗《コウライ》時代（九一八～一三九二年）に編まれた二冊の史書である。両書は、現存する文献史料としては最も古いもので、高句麗《コクリョ》・百済《ペクチェ》・新羅《シルラ》の三国の建国から統一新羅の滅亡に至るまでの古代朝鮮半島の歴史と文化を知る上では必読の基本史料である。

2　『三国史記』と金富軾

『三国史記』は朝鮮最古の国史である。高麗の第十七代仁宗《インジョン》（在位一一二二～一一四六年）の勅命を受け、一一四五年十二月に金富軾《キムブシク》（一〇七五～一一五一年）によって撰上された（『高麗史』仁宗世家二十三年条および同書「金富軾伝」を参照）。金富軾の「三国史記を進ずるの表」に「勧戒を垂るるを以て宜しく三長の才を得るべし」（『東文粋』巻一および『東文選』巻四十四所載）とあるように、過去の善政を学び悪政を戒めとする儒教的立場から編まれていることがわかる。

金富軾は、新羅の王族金《キム》氏の血を引く門閥貴族として慶州に生まれた。科挙に合格した後、礼部侍郎・戸部尚書・翰林学士・平章事などを歴任、この間、仁宗の外戚である李資謙《イジャギョム》（?～一一二六年）の専横にも毅然と反対したことから仁宗の信任を得るようになった。

一一三五年のこと、当時、高麗は女真族の金に朝貢を強いられていたが、西京（平壌）に遷都して金《キン》を討つことを主張した僧侶の妙清《ミョチョン》が反乱を起こすと、金富軾はその討伐軍の司令官に任ぜられ、反乱を平定した。この乱の背景には、金への服従を潔《いさぎよ》しとしない国粋主義的な武臣らと、金に対して「小を以て大に事《つか》ふ」（『孟子』）という外交方針を堅持した事大主義的な文臣らとの対立があったと言われるが、金富軾の行動は、徒《いたずら》な戦禍を避けて小中華としての高麗の平和を維持しようとした現実的な対応であった。妙清の乱を平定した功により門下侍中（宰相）に任ぜられるが、一一四二年には政界を引退し、一一五〇年に七十七歳で没した。彼は優れた政治家であると同時に、儒学者であり文章家でもあった。宋《ソウ》の使臣であった徐兢《ジョキョウ》はその著『高麗図経《こうらいずきょう》』の中で金富軾を「博学強識にして属文を善くし古今を知る」（第八巻人物条）と紹介し、その学識を高く評価している。

『三国史記』は、中国の司馬遷《シバセン》『史記《しき》』の紀伝体に倣い、本紀・年表・志・列伝という構成で編纂されている。すなわち、新羅本紀（第一〜第十二巻）・高句麗本紀（第十三〜第二十二巻）・百済本紀（第二十三〜第二十八巻）・年表（第二十九〜第三十一巻）・志〈祭祀・楽・車服・屋舎・地理・職官〉（第三十二巻〜第四十巻）・列伝（第四十一巻〜第五十巻）という構成で、全五十巻になる。これほどの大著をわずか二年たらずで完成させたことは驚きだが、その編纂作業はまったくゼロの状態から始められたわけではなかったようである。

李奎報《イギュボ》（一一六八〜一二四一年）の「東明王篇」序（『東国李相国集』第三巻「古律詩」所収）によると、「旧三国史」なる書物を手に入れて、同書の「東明王本紀」を読んだ李奎報は、その怪異な記述に驚いて『三国史記』と比較しているが、その中で「金公富軾は国史を重撰するに頗《すこぶ》る其の事を略す」と記している。つまり、『三国史記』は、「旧三国史」から奇怪な記述を取り除いた改訂版（重撰）だということである。それならば、驚異的な編纂の早さも納得できよう。ただし、『三国史記』には多くの書物からの引用があることから、『古記』・『高僧伝』・『花郎世紀』などの現在は佚書となっている史書なども含む内外のさまざまな史料を参照して編纂をしたものと見られる。

しかしながら、『三国史記』にはいくつかの問題点も指摘されている。古い時代の記述に関する歴史的信憑性、北《きた》扶余《ふよ》・東扶余《ひがしふよ》・渤海《ぼっかい》などの北方地域の欠落、新羅を偏重した編纂姿勢などがそれである。たとえば、陳寿《チンジュ》の『三国志』「魏書」東夷伝によれば、三世紀中頃の韓半島には高句麗のほかに部族連合的な馬韓《ばかん》・辰韓《しんかん》・弁韓《べんかん》などがあったとされるが、『三国史記』では新羅の赫居世《ヒョッコセ》や百済の温祚《オンジョ》は紀元前にすでに建国したことになっており、しかも新羅は高句麗よりも早い紀元前五七年の建国とされているのである。

新羅や百済の国名が実際に中国側の史料に現れるのは四世紀後半のことである。そして、それ以降は『三国史記』の記事と中国側の史料が一致するようになる。つまり、四世紀前半以前の『三国史記』の記述については、歴史的信憑性が薄いということになる。ただ、それは、日本の『古事記』や『日本書紀』においても六世紀以前の記述を歴史として鵜呑みにはできないのと同様である。『三国史記』の編纂に金富軾の価値観が反映されていることは否定できないが、『三国史記』に限らず、あらゆる歴史叙述が記述者の主観性から自由ではないということも忘れてはならない。

3 『三国遺事』と一然

『三国史記』が官撰の史書であるのに対して私撰として編まれたのが、一然《イルヨン》（一二〇六～一二八九年）の『三国遺事』である。『三国遺事』の正確な成立年はわからないが、一然の晩年期の撰述であり、その一部は一然の没後に弟子の無極《ムギョク》（混丘）によって補入されたものも含まれる。なお、書名の「遺事」は、『三国史記』から漏れた歴史を記すという意味であると言われている。

一然は、金彦弼《キムオンジョン》の子として獐山郡《しょうざんぐん》（現在の慶尚北道慶山市）に生まれた。九歳にして仏道修行に入り、十四歳で出家、二十二歳の時に科挙の僧科に合格し、その後は寶幢《ほうとう》庵に住んで座禅の修行に励んだ。元《ゲン》朝が攻めて来た時には戦火を逃れ、文殊菩薩の導きで無住庵に移り、そこで「生界不滅、仏界不増」の偈《げ》によって、衆生はすべて如来蔵を備えているという意味において仏界と一体であると悟ったと言う。一二七六年から八一年までの間、忠烈王の勅命により雲大寺の住職を務めたが、おそらく、この頃から『三国遺事』の執筆が始まったものと考えられる。一一八三年に「国尊」の称号が贈られるが、老母の世話のために故郷に帰り、母の死後は朝廷が用意した麟角寺に住した。一二八九年六月八日の明け方、弟子たちと禅問答を交わした後に静かに入寂したと伝えられる。

『三国遺事』は、巻一「王暦」「紀異」第一、巻二「紀異」（第二）、巻三「興法」第三「塔像」第四、巻四「義

解」第五、巻五「神呪」第六「感通」第七「避隠」第八「孝善」第九という編成になっている。「王暦」は、三国の歴史を中国の王朝と対照させた年表である。「紀異」は、古朝鮮の檀君《ダングン》神話をはじめ三国の建国神話や始祖伝承、あるいは王権にまつわる説話やエピソードが収められている。その中には『三国史記』では取り上げられなかった馬韓・辰韓・弁韓の三韓、北扶余、東扶余、渤海、伽《か》耶《や》などの記事も見える。巻三以降は仏教に関する説話的な記事が中心になっている。仏教関係の記事は『唐高僧伝』の編目に倣ったとも言われているが、実は『三国遺事』よりも七十年ほど前にすでに『海東高僧伝』が撰述されているのである。一然は、『三国史記』と同様に『海東高僧伝』にも飽き足りないものを感じて、自らの手で三国の仏教史を編もうとしたのかもしれない。

4 『三国史記』と『三国遺事』の特徴

それでは、その「飽き足りないもの」とは何だったのであろうか。一つには博学の一然が多くの異伝や別伝を知り及んでいたということがある。『三国史記』や『海東高僧伝』を引用しながら、隅々に割注を付して地名を修正したり、矛盾点や疑問点を提示したりする一然の姿勢には、歴史家や学者のような厳密さと客観性がうかがわれる。

二つ目には世界観の違いが挙げられよう。『三国遺事』の叙文には漢《カン》の劉邦《リュウホウ》の例などを引きながら、「三国の始祖、皆、神異を発するも、何ぞ怪しむに足らんや」と記されている。怪異をも肯定するこの姿勢は、『三国史記』が怪しげな記事を排除したのとはまさに対照的である。金富軾は、「怪力乱神を語らず」(『論語』「述而」)という儒教的立場から、非現実的な怪異を国史『三国史記』に載せることを極力避けた。中国的文化価値を体現するような小中華の歴史として『三国史記』を編むことこそ、金富軾の儒教的世界観に根ざした彼の志であったと言えよう。

一方、仏教者であった一然にとって、衆生と菩薩は一体であり、周囲の民衆たちが生きる高麗の地こそ、仏国土にほかならなかった。それゆえ、太古から民衆が伝えてきた怪異や不思議な出来事は、まさにこの地が仏国土である証であり、護国の霊験であったのである。一然の生きた時代は元朝の侵攻により国家の危機に直面していたから、殊に奇跡や霊験を記すことで人々の愛国心を鼓舞することを期したかもしれない。『三国遺事』が、『三国史記』には採られなかった十四首の郷歌《ヒャンガ》（新羅の民衆歌謡）を収録していることにも、民衆のアイデンティーに訴えようとする一然の熱い思いが託されていたのかもしれない。一然は、『三国遺事』の撰述を通して民衆や兵士たちと共に闘っていたとも言えるであろう。

儒教と仏教は前近代の東アジアの二代思潮とも言うべきものであるが、『三国史記』は儒教的価値観に根差し、『三国遺事』は仏教的価値観に基づき、それぞれの朝鮮古代史を伝えていることは極めて興味深いものがある。『三国史記』や『三国遺事』の具体的な記事の中身については触れることができなかったが、現在は両書ともわかりやすい現代語訳があるので、是非、自分の手で古代朝鮮の歴史のページを開いてみてほしい。

参考文献

・井上秀雄訳注『三国史記』一〜四、東洋文庫、平凡社、一九八〇〜一九八八年。
・金思燁訳『完訳　三国史記』明石書店、一九九七年。
・三品彰英・村上四男撰『三國遺事考証』塙書房、一九七五〜一九九五年。
・袴田光康・許敬震編『『三国遺事』の新たな地平─韓国古代文学の現在─』勉誠出版、二〇一三年。

06

東アジアの地図を読む

十九世紀大坂商人の東アジア

小林ふみ子

1　はじめに

近世日本では異なる情報源に由来するさまざまな世界についての知識が交錯し、多様な世界図が作られたことが、おもに歴史地理学の分野で明らかにされてきた。中国古代から引き継がれた世界像、および仏教的な世界像に加えて、近世初期に「南蛮人」がもたらした情報、そして同時代にオランダから直接に、また中国を経由して流入した西洋の「科学的」な地理知識と、経路を異にする情報が混淆《こんこう》していろいろなかたちの世界が想像されていた。とはいえ、こと東アジアの国々については、長い相互交渉の歴史を考えれば、比較的正確な知識が多くの人に共有されていたであろうと、おのずと想像される。

2　もっともらしくも珍妙な東アジア図

ところがそんな甘い（?）考えをあっさり覆すのが、本章でとりあげる『朝《ちよう》異《い》一覧《いちらん》』**【図1】**（天保六年［一八三五］刊）である。左下に「浪華《なにわ》　青苔園《せいたいえん》誌／長崎　仙胤校」、上部の中国の地名解説の末尾に「以呉門陳松亭図写之」とあり、つまり青苔園なる大坂の人物が唐土の陳松亭による図を写したと称して刊行した地図とわかる。原図の存在は知られず、左端に描かれた天竺の描写に日本特有の理解が見られることから、原図があったとしても中央の「清朝一統之図」と冠した部分のみ、しかも大きく手を加えていると推測されている。[*1]

「朝異一覧」と題する初版のほかに、「大清輿地全図」の題簽をもつ版もある。[*2] 青苔園は後述のように大坂の魚商らしいが、校合にあたったという長崎の仙胤についてはわかっていない。「蒹《けん》葭《か》堂《どう》録」と付記する「大清前帝御製」と称する詩を右上に載せて、いかにも木村蒹葭堂（一七三六～一八〇二年）蔵書を模刻したかのように装うが、三十三年前に没したその人とは無関係であろう。漢籍『国朝宮史』巻十一などにみえるこの乾隆帝《けんりゆうてい》の詩は、岡田玉山《おかだぎょくざん》『唐土名勝図会《もろこしめいしょうずえ》』（文化三年［一八〇六］刊）に木村蒹葭堂の篆刻によって掲げられたものを転載したと思しく、いわば異国情報を示す記号としてここにおかれたのであろう。

当時有数の情報通であった蒹葭堂の関与が考えられないのは、周縁部にちりばめられた、古代中国の地理観念に由来する荒唐無稽な国名からしても自明といってよ

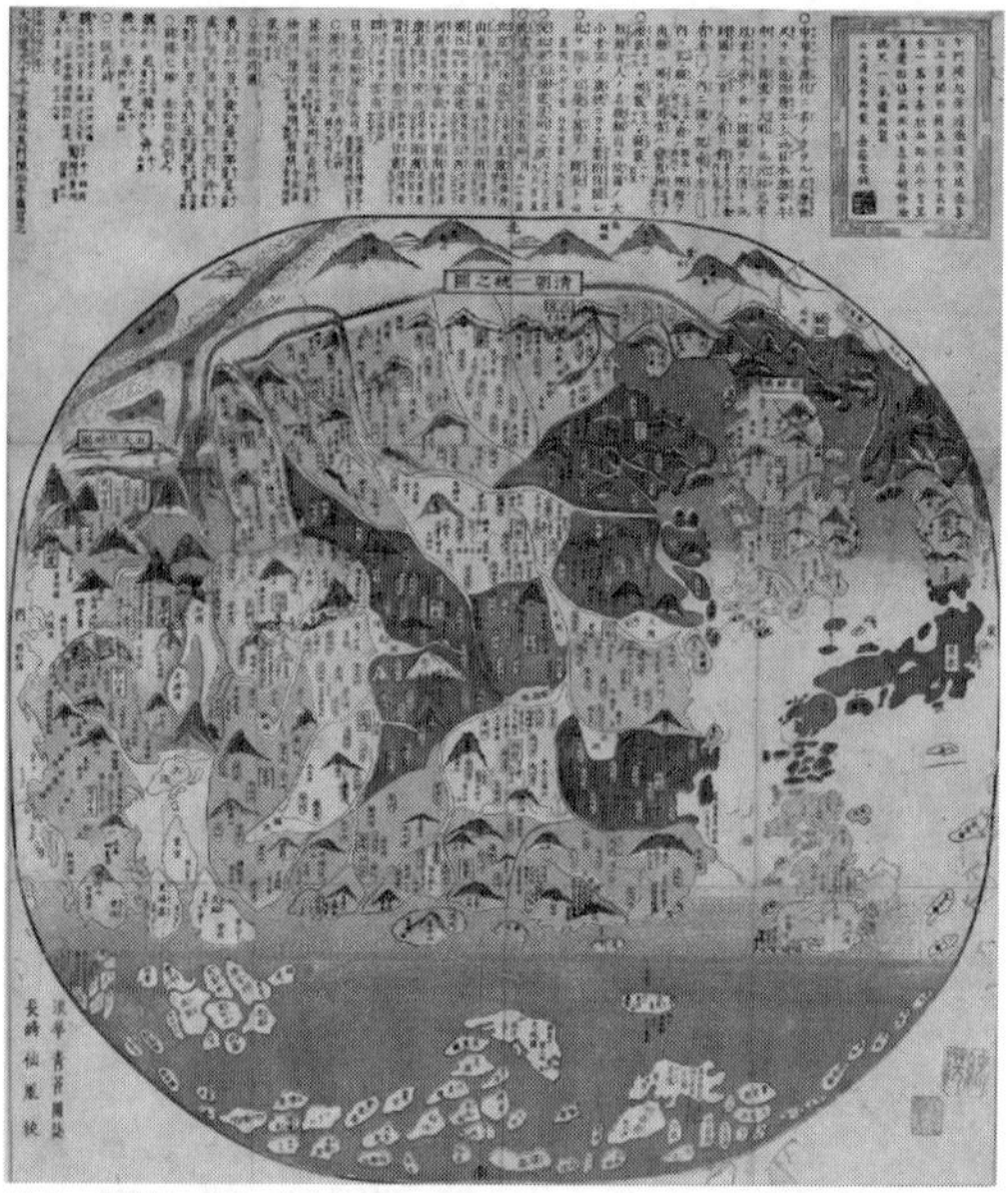

図１『朝異一覧』（ブリティッシュ・コロンビア大学図書館蔵）

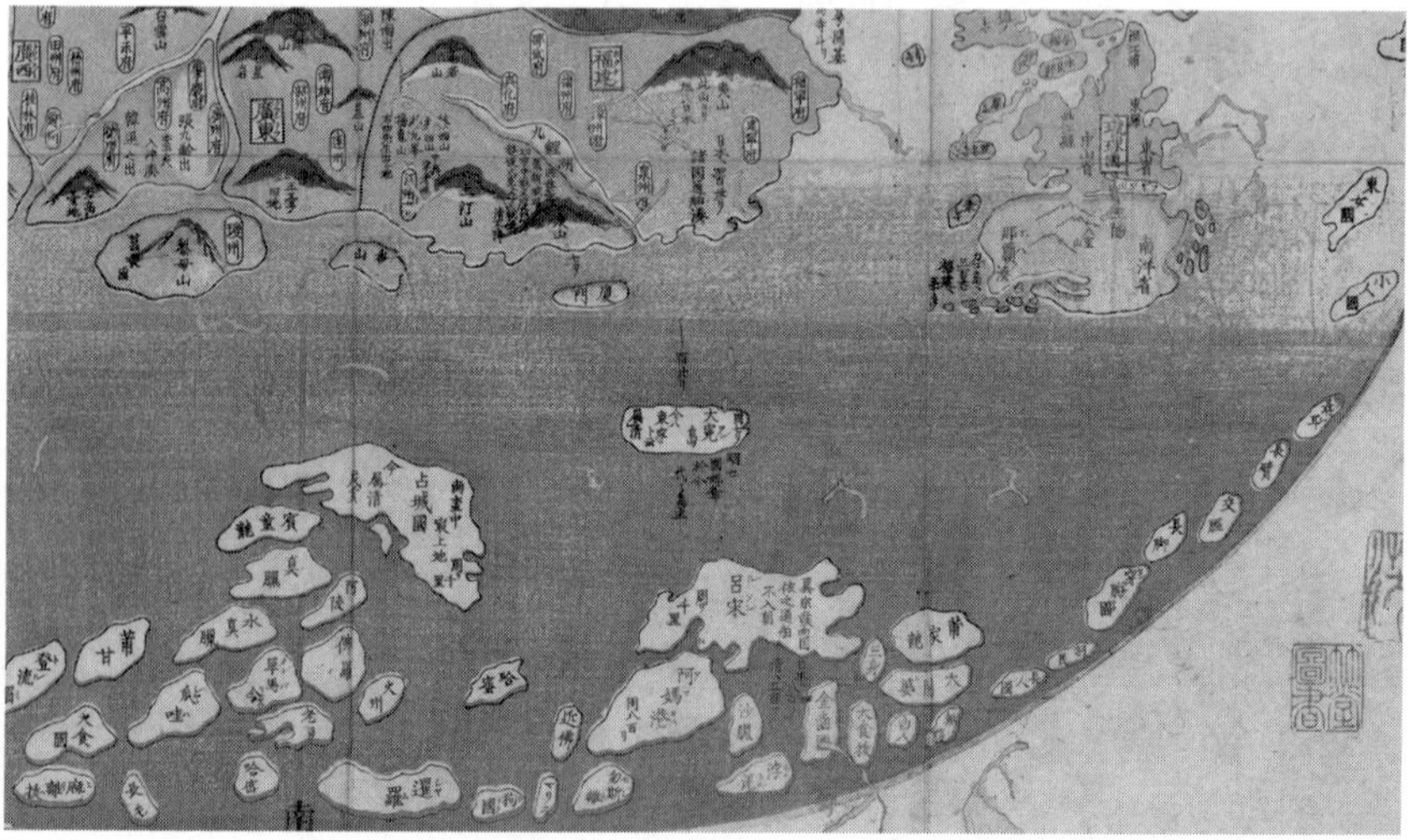

図１部分

い。たとえば、小人国、長臂《ちょうひ》、長脚、穿胸国《せんきょう》、羽民など、数え方にもよるが十五、六。古代の地理書『山海経《せんがいきょう》』以来の漢籍の影響のもと、仮名草子『異国《いこく》物語』（万治二年［一六五九］刊）、中村惕斎《なかむらてきさい》『訓蒙図彙《きんもうずい》』（寛文六年［一六六六］刊）、寺島良庵《てらじまりょうあん》『和漢三才図会《わかんさんさいずえ》』（正徳五年［一七一五］跋刊）と受けつがれたこのような世界観は、まもなく幕末に至ろうとする天保年間まで生き延びていた。ちなみに康熙二年（一六六三）原刊で元禄末年（一七〇四）頃の和刻と推測されている『大明九辺万国人跡路程全図』も周辺の島に奇妙な名称のものを交えるが、[*3]地図全体にびっしりと書き込まれた圧倒的な数の国名のなかで女人国、小人国など六島ほどにすぎず、この手の情報の比率は『朝異一覧』においてぬきんでて高い。

本図では、それら奇妙な国々も、また占城《チャンパ》、暹羅《シャム》、交趾《こうし》といった実在の国に比定できる地も、すべて大陸から切り離して、島として描かれている。島国日本の人々が国＝島と素朴に考えていたことがよくうかがえる。ちなみに雲南と南印度の間に挟まった東京《トンキン》、柬埔寨《カンホンチャ》などの島々の下に、波斯《ハルシャ》やら榜葛剌《ベンガラ》などの諸島が描かれるが、その左に阿蘭陀《オランダ》、フリイステン《（ママ）》ト、セイランなどと書かれた七つの島が小さくおかれ、「惣名阿蘭陀」「此七ヶ国ハ西天竺西北ニアタル」とあえて位置を変えてまで載せたこと注記している。おかしなようだが、それぞれオランダのフリースラント、ゼーラント地方を指していると考えられるから、そこは侮れない。

3　中国・朝鮮・琉球の理解

さて、肝心の中国の領域はどうであろうか。全体に丸く描くことでゆがみはあるが、長城で区切った北限を西から陝西《センスイ》、山西《サンスイ》、直隷《チョクレイ》（現河北《かほく》省に相当）、北京、盛京とし、西端を北から甘粛《カンスウ》、四川《スウチョン》、その下に雲南《イユンナン》としており、清朝の版図をほぼ正確に捉えているといえる。

興味深いのは、それぞれの地名に歴史上の著名人の出身や事跡を記す点である。湖南《フウナン》の九江府の脇に「陶淵明《（ママ）タツエンメイ》出」、南江府の右に「朱熹《しゅき》出講地」、福建《ホクケン》の泉山（泉州のこと）は「国姓爺、築㆓新城㆒、明ノ幼帝守戦、又厦門ヘ移ル後大寃（引用者注、台湾のこと）ヘ逃。又城構、清不降」などと妙に詳しく解説する。この形式は、たとえば桂川甫三《かつらがわほさん》が、寛延三年（一七五〇）に和刻した清版『歴代分野之図古今人物事跡』（康熙十八年［一六七九］刊）などにもみられるものであるが[*4]、内容は異なる。さきの泉山についての変体漢文による説明からもわかるように、日本人がその所在を知りたい人物や事跡を選び、記述しているのである。つまり、当時の人々は、このような図を通して、唐土の各地を歴代の人物の逸話と重ねて想像したのであろう。

同じことは朝鮮にもいえる。都市名、また百済、新羅などかつての国名がちりばめられた半島の中央に「日本武烈欽明五帝ノ間通好多シ。此地斉〈ママ〉明王代日本へ始而仏経、善光寺如来等ヲ渡ス」とする。比較的新しい歴史としての豊臣秀吉の侵攻やその後の通信使の往来ではなく、古代の「通好」、そして仏教の伝達、とりわけ天竺から百済を経由してもたらされたと縁起に語られる秘仏善光寺如来を日本に渡した国として記憶されているのである。また朝鮮八道の位置関係が一部おかしいことにも注意したい。半島東南にあるべき慶尚道《きょんさんど》が北にあり、都に対してそれぞれ南北にあるはずの忠清道《ちゅんちょんど》、平安道《ぴょんあんど》が揃って東に置かれている。中国と比較して朝鮮については作者の周辺に情報が乏しかったか、そうでなければあまり位置関係に注意が払われなかったか、ということになる。

近隣諸国のなかでは最も奇妙なのが琉球《りゅうきゅう》である。日本に比してもむだに大きく、中山がなぜか「省」とされる。北山・南山ではなく東山省、南陽省とされ、由来のよくわからない名称の県も置かれている。さらに八重山《やえやま》は別の島ではなく本島内に山として描かれる。琉球については中国や朝鮮以上に情報が乏しかったということであろう。

4　本図の刊行をめぐって

この地図は、版元名の記載もないことから作者青苔園の私家版とみられるものだが、初印時には作者・校合の連名のあとに「顕千紙梓尽」と摺られ、千部が発行されたとみられることが指摘されている[*5]。その後、それを削った版、そして前述の改題された版と、二度にわたって再印されるという。現在も十点を超える所蔵が把握でき、こんなあやふやな地図ながらもそれなりに普及したらしい。蒹葭堂の名を掲げ、清版の地図の写しと称し、長崎の人の校訂を経たとする本図であるだけに、たしかに信憑性の高いものと受けとめられるのもやむを得ない。

本図の作者青苔園は、この二年後に『海川諸魚《かいせんしょぎょ》掌中《しょうちゅう》市鑒《しかん》』（天保八年［一八三七］刊）を出している。のちに『魚《ぎょ》貝能毒品物図考《かいのうどくひんぶつずこう》』（嘉永二年［一八四九］刊）と改題して三都の書肆によって出されるこの書は、[*6]食用にする魚介についての外形、味や効能などの実用的な情報をまとめたものである。巻頭には大坂雑喉場《ざこば》の魚商たちの慣例や制度、符帳《ふちょう》などが記述され、作者がその界隈の人物であったことをうかがわせる。本編の内容は実用的な魚貝の知識だが、蜃気楼など多くの俗説を交えている。そのなかで、なんと人魚を図示して、こう記す。

人面魚身、手あり乳房あり。惣身鱗鰭尾、皆魚の如し……漁人《りょうし》海中ニ見共《みれども》とらず……骨は毒を解するニ功あり。此物の生肉を食《くふ》人千年の寿命をたもつといへり。

明らかにその実在を信じている。十九世紀なかばの大坂を生きた魚河岸の旦那衆が著し、のちに三都で流通した「実用書」には、こんな「情報」までも大まじめに書かれていた。

『朝異一覧』の世界観も、これとまったく同様であろう。ほぼ事実といえる情報から、すでにほかの資料では否定ないし疑問視されていることまで、確度のさまざまな知識が混在する。しかし、それも、この時代の特別な素養をもたない人々の「東アジア」だったのである。

注

1 室賀信夫・海野一隆「江戸時代後期における仏教系世界図」（『地理学史研究』2、一九六二年）、『日本古地図大成 世界図編』（講談社、一九七五年）図18海野解説。

2 室賀・海野「江戸時代後期における仏教系世界図」（注1）。

3 『日本古地図大成 世界図編』（注1）図23。横浜市立大学（http://www-user.yokohama-cu.ac.jp/~ycu-rare/）およびブリティッシュ・コロンビア大学（https://open.library.ubc.ca/collections/tokugawa）の古地図データベースでもそれぞれ図版を公開している。

4 『同右』（注1）図24。横浜市立大学の古地図データベースでも図版公開。

5 室賀・海野「江戸時代後期における仏教系世界図」（注1）。

6 『食物本草本大成』（臨川書店、一九八〇年）十二巻上野益三解説。

第5部　東アジアの文芸世界

01
才子佳人の世界

鄭 炳説（金 英順訳）

1 東アジアの同時性

文学や芸術の歴史の中で、人間の愛情がテーマにならなかった時は一度たりとてなかった。しかし、それを表現する方式や比重などは時代と社会によって異なった。肉体的な関係に絶対的な比重を置く場合もあったが、反対に精神的な愛が一層高貴なものと見なされることもあった。また、同性間の愛情に対して極めて批判的な社会があった一方で、それに寛大な社会も存在した。そして、愛情をテーマとした文学の主体となる人物といえば、一般的に社会的地位が高く、肉体的にも優れている人が選好されたが、社会から疎外された体の弱い人がそうした文学の主人公になることもあった。

本章では十七世紀の東アジアにおいて主に愛情を描いた小説、特に才子佳人《さいしかじん》をテーマにした小説を中心に取り上げる。そして、そこに登場する主人公の比較を通して、才子佳人というテーマが、どうして同時期に起こり、かつどのように展開したのか、また、その現象が具体的には東アジアの各地域でどう相違しているのかについて考えてみようと思う。

才子佳人は才知のある美しい風貌の男女を表す語で、主に中国で説かれた概念である。そして、このような人物を主人公に設定して創作された小説を才子佳人小説という。才子佳人小説は中国では古典小説の一類型として魯迅《ろじん》によって初めて認定された。魯迅は『中国小説史略』第二十編・明人情小説の解説に、『金瓶梅《きんぺいばい》』や『玉嬌李《ぎょくきょうり》』などを真似た作品として、『玉嬌梨《ぎょくきょうり》』『平山冷燕《へいざんれいえん》』の二作品を取り上げ、これらが才子佳人のことを叙述したと述べている。また、魯迅によると才子佳人小説は明末清初にみる白話の章回体の中編小説の形式で書かれ、才知のある美しい風貌の男女が恋に落ちる物語で、妨害者によって危機にさらされるも科挙に及第した後に二人が結ばれる結末をみせるとされる。ここで才知とは文学的な才能のことを表しており、財力があるのでもなく、身体的に優れた能力を持っているのでもない、文才を一つの重要な特徴、また、欠かせない性質として設定した点において才子佳人小説の独自性が認められる。

このような才子佳人小説が中国で人気を博した十七世紀に、韓国と日本でも中国の小説と肩を並べる作品が創作され、広く読まれた事実があって関心を引く。本稿では三国の代表作として中国の『玉嬌梨』、韓国の『九雲夢《きゅううんむ》』、日本の『好色一代男《こうしょくいちだいおとこ》』などを取り上げ、作品の比較を通して具体的にどのような点が類似、あるいは相違しているのかについて考察する。*1 『玉嬌梨』は作者未詳で十七世紀中盤に刊行されており、『九雲夢』は一六八七年に金萬重《きんまんじゅう》（一六三七〜一六九二年）が五十一歳で配流された宣川《せんせん》で叙述した作品で、『好色一代男』は一六八二年に井原西鶴《いはらさいかく》（一六四二〜一六九三年）が四十一歳の時に大阪で刊行された。これらの作品は男女の愛情を中心に描いているが、主人公の性格や作品の展開方式などは大きく異なっており、本章のテーマとする才子佳人の捉え方においても中国で説く才子佳人の概念では一括りに論じることの出来ない大きな差異を見せる。

2　主人公の性格

『玉嬌梨』は主人公である秀才の蘇友白《そゆうはく》が自分の佳人を探し求めて結ばれる話である。蘇友白は儒学者の家系を記録した戸籍に載る儒者ではあるが、幼い頃に孤児となったために極めて貧しく孤独な人物であった。しかし、優れた人柄で非凡な才知を持っており、志が高く詩作に秀でた。また、彼は自分の極貧な境遇を全く気にすることなく、家柄の立派な良家の娘との結婚も断る人物で、女主人公である白紅玉《はくこうぎょく》の家から持ち掛けられた、結婚の縁談も見事に断っている。ところが、それは蘇友白が白紅玉の侍婢を見て、彼女を白紅玉だと勘違いしたからである。その時、蘇友白は白紅玉の叔父に彼女との結婚を断る理由について、「有才無色であれば佳人といえず、有色無才も佳人といえない。また、有才有色であるけれども蘇友白とよく情を通じなければ蘇友白の佳人といえない」と述べた後、さらに、「絶色の佳人に遇えないならば死ぬまで結婚しない」と誓ったのである。そして、蘇友白は恋敵である張軌如《ちょうきじょ》に、「色中餓鬼」といわれるほど女性に執着する一面もあったが、それだからといって自ら多数の女性との関係を求めたのではない。蘇友白は絶色の佳人と結ばれることを最高の目標としているが、恋敵による妨害や本人の錯誤などによって次第に話の筋はもつれ、読者にとっては興味深い展開になって行くのである。一方、蘇友白の相手の女性も彼と同じく才知と美貌の備わった人物として描かれ、蘇友白は太常《たいじょう》正卿の白玄《はくげん》の娘である白紅玉と彼女の従妹の盧夢梨《ろむり》の二人を妻に迎えている。

『九雲夢』は、仏弟子である性真が、夢の中で楊少游《ようしょうゆう》という人間に生まれて富貴栄華の一生を極めた果てに夢が覚めるという話である。ここでも主人公の楊少游は才子の人物として描かれ、父の楊處士は楊少游が十歳の時に諸道人とともに白鹿・青鶴などに乗って山奥に入ったとされる。その後、楊少游は科挙のために家を出て都に上り、科挙に及第して官吏を務める間に二人の妻と六人の妾など合わせて八人の女性と結ばれる。結果的に楊少游は八人の妻妾を持ったことになるが、彼が望んだのは一人の女性だけであって、八人の女性達との関係は成り行きによるものであった。

楊少游は最初に科挙のために都に上る途中で出会った秦《しん》御使の娘の彩鳳《さいほう》と結婚を約束する。しかし、内乱のために彼女の家が離散する悲劇に見舞われ、秦彩鳳とは詮方なく離別する。ここで秦彩鳳を行方不明に描くことによって、次に展開される楊少游の行動が自由になる。楊少游は科挙に向かう途中の洛陽《らくよう》で妓生の桂蟾月《けいせんげつ》と結ばれる。「路柳墻《ろりゅうしょう》花《か》」といわれる妓生との関係は、正式な結婚をするにあたって、束縛される関係ではなかったので、楊少游は都に来て鄭司徒の娘の鄭瓊貝《ていけいげつ》と結婚を約束する。ところが、鄭瓊貝の奴婢《ぬひ》で幼い時から彼女と同じ部屋で過ごした閨中朋友の賈春雲《かしゆんうん》も楊少游との結婚を願い、楊少游は一度に二人の女性と結ばれるのである。また、ちょうどその頃、内乱のために北の地域が混乱に陥り、楊少游は平定のための使臣となって赴き、そこで狄驚鴻《てききようこう》という女性と結ばれる。しかし、ここで楊少游は予期せぬ問題に突き当たって頭を抱えることになる。それは皇帝より自分の妹の蘭陽《らんよう》公主との結婚を強要されたことである。楊少游はすでに鄭瓊貝と婚約したことを理由に蘭陽公主との結婚を断るも、結局は皇帝の命令に逆らうことができなかった。また、この他に楊少游は吐蕃《とばん》征伐に出陣して出会った刺客の沈裊煙《ちんじようえん》と洞庭龍の娘である白凌波《はくりようは》などとも結ばれる。

このように楊少游は秦彩鳳と鄭瓊貝の二人の場合を除いて、彼の方から女性を求めたのではなく、女性達が自ら寄って来るという人気の高い男性であった。さらに、彼は権力や財力などで女性を誘惑することもなく、武力や強権で女性を屈服させることもなかった。詩と音楽、そして、優しい態度で女性の心を虜にしたのである。楊少游の相手の女性達は、夢の外の現実世界では仙女とされる人物達であったが、夢の中では龍女、王女、士女、刺客、妓生、侍婢などさまざまな身分と地位に設定され、容貌が美しいだけではなく、文芸の才能の優れた女性として描かれている。

『好色一代男』では、富豪の町人で女色男色の境なく耽溺していた父が、遊女との間で設けた息子が世之介《よのすけ》であり本物語の主人公である。主人公の名前が「浮世之介」という語から名づけられたように、世之介は俗世の欲望を代表する好色男で、作品には彼の女性遍歴の一生が描かれる。世之介は七歳の時に性に目覚め、六十歳に至るまで三千七百四十二名の女性および七百二十五名の少年等と性的な関係を結ぶほど驚異的な好色漢であった。『好色一代男』は末尾に、「妻子のない一代男」と記しているように、妻子を持たずに自分の欲望を満たすために生きた好色漢の物語である。世之介と関係を結んだ女性の殆どは遊女で、莫大な遺産を相続した世之介はその財力で遊女を相手に一生を楽しんだのである。日本全国の遊女を渉猟した世之介は、六十歳になって志を同じくする七人の友人とともに、女人だけが住む伝説の女護島を尋ね探す旅に出る。
『玉嬌梨』『九雲夢』『好色一代男』などにみる男の主人公は、関係を持った女性の人数に差はあれ、浮気者の気質のある好色漢であることが共通する特徴である。求愛の面において消極的と言っても良かった『九雲夢』の楊少游さえ、女装をしてまで鄭瓊貝に逢いに行く姿から見ても、好色の気質があったことがわかる。また、彼らは美しい顔立ちのうえ、経済力や詩の才能など世間から認められる能力を持った男達であった。さらに、父という存在、つまり父権から自由であったことも重要な共通点として注目される。蘇友白は孤児として登場し、楊少游の父は俗事を捨て山に隠遁しており、世之介は父が死んでから本格的に活動をするなど、みな父権に縛られることがなかった。そして、『玉嬌梨』の女性達は高貴な身分で官吏の娘が多く、『九雲夢』では人間の女性から龍女まで登場し、公主や妓女などさまざまな身分の女性が描かれ、『好色一代男』では主に遊女が相手の女性となっている。このように主人公と相手の女性の設定や描写などから作品をみると、『玉嬌梨』は現実的であるとともに高雅な印象が強く、『九雲夢』は超現実的でありながら浪漫的な要素が多く、『好色一代男』は極めて現実的な物語となる。

才子佳人という語をはじめ、それが小説の一類型となった中国の『玉嬌梨』にみる男女の主人公達は性格的な面において才子佳人の範疇に最も相応しい。『九雲夢』の楊少游は典型的な才子佳人のようにみえるが、相手の女性をみると多様な性格と身分で描かれ、『玉嬌梨』の主人公がみせる才子佳人の貴族的な性格とは異なっている。一方、『好色一代男』の世之介は財力をもって女性を手に入れようとする極めて現実的な男性の一面を見せている。このような主人公達の性格から三作品を読み直すと、『好色一代男』が才子佳人の理想から最も遠ざかっているようにみえる。しかし、『好色一代男』の世之介に教養と呼べるようなものがなかったのではない。世之介は当代の最高の遊女とされた吉野《よしの》が賤しい刀鍛冶《かたなかじ》職人の弟子に見初められて結ばれたことを高く評価して、彼女を自分の本妻に迎えている。これをみると、世之介を単に色欲の塊として捉えることはできない。[*2] 才子佳人としての一面が確かにあったのである。このように三国の小説は、男女の愛情を作品の重心に置く叙事的な枠を持っているが、その具体的な描写や、主人公の性格の描き方においては大きく異なっている。

3　都市と小説

十七世紀の東アジアの小説の分野に好色ブームの風が巻き起こった。しかし、それは単なる性的な欲望の追求ではなく、既存の権威と体制に対する反発であり、抵抗を意味するものでもあった。先述した三作品には主人公が孤児、またはそれに相当する境遇で描かれ、父の不在が前提とされている。それが父に代表される既成の権威と体制からの自由であると考えると、孤児はつまり自由を意味する。自由を得た主人公達は堂々と自分の道を歩んでいる。それが真の愛の追求であれ、肉体的な欲求の道であれ、子としての彼らに与えられた抑圧された責務とはまったく違う好色の道を歩んだのである。これは彼らを抑えつけてきた権威に逆らうことを暗示する。このように同じ時期に東アジアの三作品が共通して自由のブームに乗っていたことは、それが相互間にある程度の影響関係があったとしても、最も重要なことは共通的する環境が作用していたからではないだろうか。

東アジアは十七世紀中盤から後半にかけて、日本の朝鮮侵略により始まった国際秩序の再編が収拾され、再び経済活動が活発になった。中国は明が滅亡して清の統治が基礎を固めて成長した。中国は言うまでもなく大国であったので唐・宋代以降にすでに大都市が出現していたが、清代に北京に都を定めてからは世界帝国としての面貌を誇示した。この時期に日本や満州族などの侵略による大戦争を経験した朝鮮でも急速な経済成長があった。ソウルは二度におよぶ戦乱の惨状の中でも、戦前の十余万の人口から戦後の十七世紀後半には三十万に及ぶほど都市が成長していった。都市人口の成長は日本の場合も同じで、『好色一代男』が刊行された直後の十八世紀初の大阪は人口が三十八万で、江戸は百万に至るなど巨大都市となっていた。このように経済成長が都市と商業の発達を促進させたが、十七世紀後半の愛情小説にみる自由の風も、経済成長による都市化、商業化という環境的な要因によって始まったのである。

経済成長に触発された都市の成長は、新しい都市文化を創り出し、そこから商業文化に基づく遊興文化が勃興した。

都市化が進んだ中国では、宋代に早くも遊興文化が発達し、朝鮮では十七世紀中盤以降に、妓房が都市の遊興場として本格的に登場した。[*3] 日本では十六世紀末から大阪、京都、江戸等に遊郭が造られ、十七世紀後半の藤本《ふじもと》箕山《きざん》の『色《しき》道大鏡《どうおおかがみ》』によると日本全域の二十五ヶ所に遊郭が設置されたという。[*4]

　都市、商業、遊興文化などの発展は、小説において近代のジャンル、都市のジャンルなどといえる小説を成長させたが、このような小説の成長には「愛情」というテーマが最も大きな役割を果たした。特に愛情小説のブームを一層後押ししたのが出版であった。出版はすでに宗教の布教や支配理念の宣伝などのためにいち早く活用されてきたが、小説はそのような分野とは大きく異なった様相を呈していた。当時、単純に大衆の興味本位の対象でしかなく、かつ娯楽物である小説を、政府や宗教団体が資金を投入して出版するはずがなかった。ところが大衆の欲求と需要が商業出版の発展を推進させたのである。

　出版は中国では十六世紀以降に再び急激に成長したが、これについて大木康氏は、宋・元代から明代中盤頃までの出版は、一部の限られた人によって限定された範囲の中での書物の刊行に過ぎなかったが、明代末期の嘉靖・万暦年間以降には出版の大ブームが起きたと述べている。[*5] また、朝鮮の商業出版の規模は日本や中国などにおよぶほどではなかったが、十八世紀初には「貰冊」という新しい流通形態が登場して、徐々に商業的な出版が増えた。[*6] そして、日本において『好色一代男』は江戸時代最初のベストセラーとされるが、当時のベストセラーの中には数千から数万冊も印刷された作品もあった。西鶴の浮世草子を始め一群のベストセラーが登場すると、西鶴の作品が最初に刊行された大阪では新規出版物を重点的に扱う書店が二十か所で創業されるほどであった。[*7] さらに、当時の出版目録をみると、一六七〇年に約三千九百点であった書籍数が、一六九六年には約七千八百点に及ぶほど増えており、商業出版が本格的な軌道に乗ったことがわかる。

　十七世紀中・後期にみる商業文化の発展や小説の流通・出版の急増は遊興文化との関係からも注目される。もちろん、それ以前にも小説や遊興文化などは確かに存在したが、とりわけ十七世紀後期の小説は商業文化と関わる点において新しい局面を迎えていた。文学作品である小説が一つの商品となったように、遊興の場合も重要な商品として根を張るようになったのである。お金さえあれば誰でも買える小説と遊興は対となって、十七世紀の東アジア文化の重要な一部となったといえる。

4　愛情表現の異質性

十七世紀の東アジアにおいて三国の代表的な小説が愛情を主なテーマとする共通点を持っていることについて見てきたが、愛情の表現方式や指向は大いに異なる様相を呈している。その中でも日本の『好色一代男』は最も現実的な側面で描かれており、性欲を基にした肉体的な関係に焦点がおかれている。その肉体的な関係は主に遊女の売春によるものであった。本能に基づく性欲の解消に繋がる売春は、肉体を金銭的な交換価値の体制の中に組み込ませたものとなる。ところが、韓国の『九雲夢』は日本の『好色一代男』とは正反対のロマン主義的な様相を見せている。『九雲夢』の楊少游も日本の世之介のように美しい女性と結ばれることを望んではいるが、それは妓女達と金銭的な取引の関係ではなく、尊敬と礼遇による心の通う対等な結合であった。妓女の桂蟾月と狄驚鴻は楊少游の財力ではなく人柄を慕って彼に従っており、楊少游も彼女たちを賤しい身分の妓女としてではなく、優れた女性とみて待遇したのである。妓女が男を金銭ではない人柄で判断して従うことは現実ではほとんど起こり得ないことである。一方、中国の『玉嬌梨』は絶色の佳人を求めるという理想主義を掲げてはいるが、実際は愛する女性を手に入れようとする極めて現実的な過程の中で展開された物語である。このように各作品がみせる愛情に対する認識は相違しているが、それは、それぞれの社会がなす文化の差異が大いに反映されたからではないだろうか。

十七世紀に日本は飛躍的な経済成長とともに都市と商業における甚だしい発達を遂げた。それによって小説の現実性が強化される傾向となり、小説は複雑になった現実を描出する役割を果たしたのである。一方、朝鮮では小説が世に広まるほどの経済成長はあったとしても、まだ現実において目にする風景は農耕社会の姿から大きく隔たってはおらず、そのために目指したのが現実の向こうにある空間であった。作品の舞台を自国の朝鮮ではなく中国に設定しており、息苦しい現実より開けた見通しの良い異世界を描き出す浪漫性を呈している。また、中国は都市化のスピードは日本ほど拍車のかかったものではなかったが、都市のもつ伝統は引けを取っておらず、作品においても一定の現実性が反映されている。

十七世紀の東アジアの三国は類似した政治・経済の背景によって、小説の成長においても似たような状況が見られ、一種の同時性があった。しかし、三国は環境的な水準の差異と、異なる歴史的な発展段階などによって具体的な部分においては異なる点が少なくなかった。東アジアの三国の同質性と異質性がどのように変化したのかについては、今後さらに多くの文学作品の比較を通して共時的・通時的な分析と考察を行う必要がある。

注

1　十七世紀の東アジアの愛情小説をめぐる比較研究は、趙東一『小説の社会史比較論』（知識産業社、二〇〇一年）によって初めて試みられ、『金瓶梅』『九雲夢』『好色一代男』などを対象とした比較が行われた。その後、宋眞英「古代東アジアの通俗小説研究」（『中国語文学誌』12、二〇〇二年）の論文では『金瓶梅』『好色一代男』『卞強金歌《ビョンカンセ》』などが比較の対象とされた。筆者は「十七世紀、東アジアの小説と愛情」（『青丘学術論集』第二四集、韓国文化研究振興財団、二〇〇四年）において本章の基盤となる論旨を述べており、染谷智幸『西鶴小説論―対照的構造と〈東アジア〉への視界』（翰林書房、二〇〇五年）の研究では、趙東一氏が対象としたのと同じ三作品を中心にした比較研究が行われた。この他に、鄭吉洙「十七世紀の東アジア小説の遍歴構造の比較」（『古小説研究』21、韓国古小説学会、二〇〇六年）の論文では『九雲夢』『肉蒲團』『好色一代男』などが比較考察された。

2　井原西鶴著・鄭瀅訳『好色一代男』（知識を作る知識刊、二〇一七年）に収められている染谷智幸氏の特別寄稿論文「韓国文化の目で読む『好色一代男』―『九雲夢』との対比を通して」において染谷氏は『好色一代男』には猥褻的な場面がほとんど描かれていないことを強調し、この作品が単なる好色小説ではないことを力説している。世之介は猟色ではあったが、思慮なく無分別に肉欲の饗宴を行ったのではない。

3　姜明官『朝鮮時代文学芸術の生成空間』ソミョン出版、二〇〇一年、一六九頁。

4　染谷智幸『冒険・淫風・怪異―東アジア古典小説の世界』（笠間書院、二〇一二年）の著書では、第三部「淫風」において中国、韓国、日本の遊興文化を比較された。

5　大木康「中国―明末の出版事情」、『江戸文学』18、ぺりかん社、一九九七年。

6　鄭炳説『朝鮮時代小説の生産と流通』ソウル大学校出版文化院、二〇一六年。

7　竹内誠監修・大石学他編『江戸時代館』小学館、二〇〇二年、四六六頁。

02 かなとハングル、王朝と女性文学

金鍾徳

1　はじめに

仮名とハングルが日韓両国における最大の発明であることは論を俟たないであろう。日韓両国とも上代は漢字を利用した表記法を工夫したが、それには限界があって、それぞれ仮名とハングルを発明することになる。両国は東アジアの漢字文化圏の中で大陸の文化を積極的に取り入れながらも、それぞれ固有の文字を発明して民族固有の文化をありのまま記録することができた。

古代朝鮮の新羅時代は漢字の音と訓を利用した吏読《りとう》式表記法を考案し、固有語の郷歌《ヒャンガ》（歌謡）などを記している。それから韓国・朝鮮語を自由自在に表記できるハングルが創制されるのは朝鮮時代の世宗二十五年（一四四三）のことであった。ハングルをもって初めて詩歌や随筆、小説などを創作したのは宮女をはじめとする女流作家であった。上代の日本でも漢字の音訓を利用して固有語を表記する万葉仮名を発明し、古代歌謡や『万葉集』などを記録している。それから平安時代の女房たちによって万葉仮名をもとに仮名文字が創案されると、日記や随筆、和歌、物語など膨大な仮名文学が成立する。

かなとハングルの成立、平安時代の女流文学と朝鮮王朝の宮廷女流文学の対照研究は成立時代のずれや資料の制限

があってあまりなされていない。つとに崔南善は「日本文学における朝鮮の姿[1]」で朝鮮半島と平安女流文学とのかかわりについて述べている。そして康米邦の「日本と朝鮮の王朝文学—時代思想と女流文学のかかわり[2]」、拙稿の「王朝女流日記の作者たち」、「『枕草子』と朝鮮王朝の宮廷文学」、「朝鮮王朝と平安時代の宮廷文学」、「仮名文字とハングルの発明、そして女流文学[3]」、金英の「韓日両国の宮中文学に表れた女性像研究[4]」、李美淑の「『蜻蛉日記』と『意幽堂関北遊覧日記』—日韓女流日記と旅[5]」、李愛淑の「恨（ハン）と執の女の物語[6]」などの研究がある。

平安時代の仮名と朝鮮時代のハングルは時代こそ離れていても、漢字の受容や使用背景の面でその状況が大変類似している。そこで本章では日韓両国の固有文字の発明と流布過程、女子の教養、そして女流文学を比較してみたい。とくに平安時代の女流文学と朝鮮王朝の宮中女流文学を対照しながら、両国の文学にあらわれた文字教育、女性の教養などを調べてみたい。

2　かなとハングル

インド、中国に発する仏教や儒教、漢字など、多くの大陸文化は高句麗や新羅《しらぎ》、百済《くだら》、渤海《ぼっかい》などの朝鮮半島経由で日本に伝わっている。『日本霊異記《にほんりょういき》』の冒頭には、「原夫《たづね》れば、内経《ないきょう》、外書《げしょ》の日本に伝はりて興り始めし代には、凡《およ》そ二時有りき。皆、百済の国より浮べ来りき[7]」とあって、儒仏の渡来が百済からだと述べている。たとえば、『古事記』応神朝には百済から派遣された和邇吉師《わにきし》が『論語』十巻、『千字文《せんじもん》』一巻などをもたらしたとある。また『日本書紀』欽明朝には百済聖名王《せいめいおう》から釈迦仏の金銅像と経論ほかが贈られるなど、古代の朝鮮半島から文物の渡来記録は枚挙にいとまがないくらいである。

上代の漢字文化圏の中でまだ固有文字がなかった諸国では、漢字の音訓を借用して固有語を表そうとした。そこで日本では万葉仮名、新羅では吏読（郷歌式表記法、郷札、方言）、ベトナムでは喃字（チューノム）などの表記法を創案している。とくに吏読や万葉仮名はハングルや仮名文字が創案されるまで固有語を表記する唯一の方法であった。つとに小倉進平は「郷歌の漢字使用法は我が万葉仮名の使用法と其の軌を一にしている」*8と指摘し、日韓両国は仮名や諺《おん》文《もん》（ハングル）が制作される以前から漢字を巧みに利用して自国語を書き表したことを究明している。しかし、日韓両国とも固有語を表記するために漢字を借用した表記法を工夫したものの、伝承歌謡や細やかな感情をすべて漢字で表現することは不便で限界があった。

そこで日本では平安初期に万葉仮名を基に仮名文字を発明し、韓国では新羅の滅亡後、朝鮮の世宗《セジョン》大王（一四一八～五〇年）の時代になってハングル（訓民正音）が創制される。『朝鮮王朝実録』世宗二十五年（一四四三）十二月条に、大王自ら新しく諺文二十八字を発明したとある。『訓民正音《フンミンジョンウム》』の冒頭には「わが国の語音は中国と異なり、漢字と相通じず。故《ゆえ》に愚民は言いたいことがあっても、それを書き表せない者が多い」*9とあって、新しく諺文二十八文字を創制する必要性を力説している。そしてハングルはどんな文字も俚語もたやすく書けて簡単でありながら転換が無窮《むきゅう》なので『訓民正音』と名づけたと記している。*10しかし、漢文学者のなかにはハングル創制に反対する人もあって、世宗二十八年（一四四六）になってやっと『訓民正音』が頒布されることになる。そこで手紙や随筆、内房歌辞などをハングルで書き始めたのは女性たちで、それから広く一般民衆の間に流布されることになる。

世宗二十五年、最も積極的にハングル創制にかかわった申叔舟《シンスクチュ》（一四一七～七五年）は朝鮮通信使書状官として日本の京都に滞在していた。申叔舟は晩年になって成宗王の命を奉じて日本紀行で見聞した歴史と地理、風俗、言語などをまとめた『海東諸国紀《かいとうしょこくき》』（一四七一年）を撰進する。とくに申叔舟は日本国紀「国俗」に仮名文字の使用について、「男女と無く皆其《そ》の国字を習う。国字は加多干那《かたかんな》と号す。凡《およ》そ四十七字なり。唯《ただ》僧徒は経書を読み漢字を知る」*11という感想を述べている。

申叔舟は京都の男女が仮名四十七文字を使って自由に意思疎通をしているのを見て大変感動したようであるが、帰国して世宗の『訓民正音』頒布に何か意見を開陳した記録はまったく見えない。当時の世宗はハングルを創制したものの、集賢殿副提学《チッピョンジョンプジェハク》だった崔萬理《チェマンリ》の上疏《じょうそ》を始めとして、士大夫漢文学者の猛烈な反対にぶつかっていた。このような状況で『朝鮮王朝実録』を記録する史官が申叔舟の陳言を聞いたとしても実録に反映することはできなかったであろう。そこで申叔舟は晩年に書いた『海東諸国紀』に仮名文字の使用状況を記録したのではなかろうか。また申叔舟は臨終の際、当時の成宗王に「願わくは国家、日本と和を失うことなかれ[*12]」という遺言をしたようである。この逸話は彼がいかに日本との外交・和平を重視していたのかを物語っている。

それから約一二〇年後、豊臣秀吉によって壬辰倭乱《じんしんわらん》・丁酉再乱《ていゆうさいらん》（文禄慶長の役）が勃発し、朝鮮の朱子学者姜沆《カンハン》（一五六七〜一六一八年）が日本軍の捕虜になって、一五九八年に京都の伏見城に移送される。姜沆は藤原惺窩《ふじわらせいか》とも交流しているが、後に捕虜の体験と日本の風俗地理などを『看羊録《かんようろく》』（一六五六年）にまとめている。とくに仮名文字の成立と使用状況などについては、「（弘法）大師は文字（漢文）が読めない倭人のために、方言などを集めて倭諺《わげん》（仮名）の四十八文字を作り出した。漢字の部分はわが国の吏読のようで、漢字が混じっていない部分は諺文（ハングル）のようだ[*13]」と述べている。姜沆は捕虜とはいえ、仮名の使用実態を正確に把握している。申叔舟と姜沆は通信使と捕虜という極端な身分違いにもかかわらず、仮名文字と漢字の位相についてほぼ同様な認識をしていたようである。すなわち、申叔舟は仮名文字をハングル創制のモデルとして、姜沆は諺文（ハングル）とまったく同じ位相の文字として理解していたのである。

朝鮮後期の申維翰《シンユハン》（一六八一〜一七五二年）は第九回通信使（一七一九年）の製述官として日本の各地を紀行している。そして日本の文士たちに諺文（ハングル）の字形と創った時代を聞かれ、「それを書いて示し」、「これ、我が世宗大王が聖文神化、博《ひろ》く百芸に通じ、作るに十五行の新しい文字をなし、もって万物の音を模写する。今を距《へだ》ること三百年前である[*14]」と答えている。ここで注意したいのは、朱子学者の申維翰もちゃんとハングルを覚えていて、漢文とは違う表音文字だと説明している点である。また申維翰は『日本見聞雑録』に、仮名文字の使用について「関白はじめ各州の太守、百職の官は、一人として文を解する者なく、ただ諺文（仮名）四十八字をもってし、ほぼ真書《しんしょ》（漢字）数十字をこれに混用す。これで、状聞や教令をつくり簿牒《ぼちょう》や書簡もつくって、上下の情を通じあう」（三〇四頁）と述べている。申維翰は日本の関白をはじめ各官僚が漢文でなく、仮名の四十八文字で公文書を書き「上下の情」を通じ合うことをやや批判的に捉えている。また申維翰は漢字の音読みをする朝鮮と違って、訓で読み字音となすことにも感心している。申叔舟は『海東諸国紀』で「男女と無く皆其の国字を習う」といって仮名文字の使用に感動をこめていたが、申維翰は日本の官僚が公文書を「文（漢文）」でなく「仮名」で書くことを不可解に思っている。

以上のように韓日両国の漢字を利用した吏読と万葉仮名の表記法、仮名とハングルの流布などは共通点が多い。両国の固有文字は成立時代のずれはあるが、漢字を男文字、仮名とハングルは女文字、女手、子供文字などといわれ、主に女性や子供が使うようになる点も類似する。すなわち、日韓両国は母語の音声に合う固有文字を発明することによって、さまざまな女流文学が創出されるようになる。

3　かな文字の教育と文学

平安時代の貴族女性は手習いと音楽、和歌を覚え、そのほかに絵合、香合、貝合、物語合、囲碁、双六《すごろく》などの娯楽を楽しんでいたようだ。女性は大学寮に入学できず、万葉仮名を草書化した仮名文字を発明して日記や随筆、和歌、物語などを書いている。もともと習字とは漢詩の名句を書く練習であったが、平安時代は仮名文字の手習いをしたり、和歌などを書き流したりするようになった。そして色好みの男性貴族も女性との恋愛には手習いと楽器の演奏、和歌を詠むことが必須の教養となった。

『古今集』の仮名序には「難波津《なにはづ》」と「朝積山《あさかやま》」の二歌を、「歌の父母のやうにてぞ手習ふ人の初めにもしける」*[15]とある。この「難波津」の歌は百済《くだら》の王仁《わに》博士が仁徳《にんとく》天皇のために詠んだ歌、「難波津に咲くや木の花冬こもり今は春べと咲くや木の花」であるが、平安時代には手習いの歌として定着していたようだ。『蜻蛉《かげろう》日記』上巻に道綱母《みちつなのはは》は桃の花を見て、「心ただにしもあらで、手習ひ」*[16]に詠んだ歌を隠していたが、夫の兼家《かねいえ》はそれを無理に取り上げて返歌をする。また下巻では兼家と道綱母が「小さき人には、手習ひ、歌よみなど教へ」（二八八頁）と話しあっていることから、平安時代に手習いと和歌は女子教育の基本であったようだ。

『枕草子』「清涼殿の丑寅《うしとら》の隅《すみ》の」（二十一段）には、一条天皇（在位九八六〜一〇一一年）皇后の藤原定子《ていし》が女房たちに「とくとくただ思ひまはさで、難波津も何も、ふとおぼえむことを」[*17]と、早く和歌を詠むことを責め立てている。それから皇后定子は、村上天皇（在位九四六〜九六七年）の宣耀殿女御《せんようでんのにょうご》（九五八〜九六七年）が『古今集』二十巻を全部暗誦していたというエピソードを紹介する。藤原師尹《もろただ》は娘芳子（宣耀殿女御）が宮仕えする前に、「一つには御手を習ひたまへ。次には琴の御琴を、人よりことに弾きまさらむとおぼせ。さては古今の歌二十巻をみな浮かべさせたまふを御学問にはせさせたまへ」（五四頁）とあって、手習いと琴の御琴、『古今集』二十巻を学問として訓育したという。このエピソードは『大鏡《おおかがみ》』の師尹伝にも取り上げられ、和歌や手習い、音楽などが男女の必須教養であることを雄弁に物語っている。また『枕草子』「うらやましげなるもの」（一五二段）に、「字よく書き、歌よくよみて、もののをりごとにもまづ取り出でらるる」（二七八頁）人は羨ましいと書いている。しかし、一方では「まことに難波わたり遠からぬ」（二七九頁）とあって、字が下手な年長者の女房もいたようだ。

『源氏物語』帚木《ははきぎ》巻の雨夜の品定めで左馬頭の体験談は、浮気な女が「うち詠み、走り書き、掻い弾く爪音《つまおと》、手つき口つき」[*18]などすべての教養を備えていたことを回想している。しかし、左馬頭《さまのかみ》は個人的な体験からすべての教養を身につけている女性でも浮気な女は警戒すべきだと注意している。『源氏物語』若紫巻で尼君は光源氏に、若紫がまだ十歳ばかりの子供で、「まだ難波津をだにはかばかしうつづけはべらざめれば、かひなくなむ」（①二二九）と言っている。尼君は若紫がまだ「難波津」も連綿体にうまく書けないので恋愛の対象にはなれないと返信したのである。尼君の死後、源氏はそのような若紫を二条院に迎えて、まず「手習、絵など」（①二五八）を教え、自分の理想的な女性に育て上げようと教育する。

梅枝《うめがえ》巻には源氏が「女手を心に入れて習ひし盛りに」（③四一五）、六条御息所の走り書きした一行を手に入れて練習しながら、格段と優れた筆跡だと褒めている。また藤壺については「故入道の宮の御手《おんて》は、いとけしき深うなまめきたる筋はありしかど、弱きところありて、にほひぞ少なかりし」（③四一六）とあって、女性たちの仮名文字の筆跡について論評をしている。そして源氏は「真字《まな》のすすみたるほどに、仮名はしどけなき文字こそまじるめれ」（③四一六〜四一七）と言いながら、明石《あかし》姫君の入内《じゅだい》に必要な草子を作り直したりしている。最後に兵部卿宮《ひょうぶきょうのみや》は、源氏がきめ細かく優雅な「高麗の紙」に書いた草子を見て、「おほどかなる女手の、うるはしう心とどめて書きたまへる、たとふべき方なし」（③四二〇）と言って、最高の賛辞で褒め称えている。

夕霧《ゆうぎり》巻には夕霧の子供たちが「文読み手習など、さまざまにいとあわただし」（④四三〇）とあって、子供たちにとって手習いが学問の基本であるかのように語られている。手習《てならい》巻で浮舟《うきふね》は入水から助けられ、出家をして「手習」だけを唯一の慰めであると述べている。このように平安時代の手習いは男女の基本教養で遊びとコミュニケーションの道具であって、またその筆跡によって人格や美意識まで推定されたようである。

平安時代の女房は手習いや和歌、音楽などを基本的な学問として収め、色好みの男性貴族と交流した。物語の主人公である在原業平《ありわらのなりひら》や光源氏などの色好みたちは、和歌や音楽、手習い、舞などの諸芸能の資質を身につけた風流士であった。そこで貴族の女性はすばらしい男性と交流するためにこのような教養を身につける必要があった。そして当時の娯楽であった囲碁や双六、物合、歌合、物語合、絵合などの遊びにも、和歌や手習いなどの文学的教養が必須条件であった。

4　ハングル教育と文学

朝鮮王朝は崇儒排仏《すうじゅはいぶつ》が国家の基本理念であったので、女性教育は儒教倫理による三綱《さんこう》五常《ごじょう》や三従《さんじゅう》之道《のみち》、礼儀作法などが中心であった。成宗十二年（一四八一）には『三綱行実図《さんこうこうじつず》』がハングルに翻訳され、礼儀作法を教える教科書として広く読まれるようになる。また十七世紀初から十八世紀末にかけて成立した朝鮮の三大宮中文学といわれる『癸丑《ゲチュク》日記《にっき》』『仁顕王后伝《イニョンおうこうでん》』『恨中録《ハンジュンノク》』*19などがハングルで書かれる。以後、朝鮮時代に男女の随筆、時調、小説、パンソリ

（唱劇）など、さまざまなジャンルの作品がハングルで創作されるようになる。

『癸丑日記』の作者は、末尾に「内人たちがしばし記録する」とあることから、宮女であることは確かである。作者の家系や教養などについてはほとんど知られていないが、典雅な宮中体で書かれた作品の内容から作者がかなり教養の高い宮女であると推測される。日記の内容は癸丑年（一六一三）、光海君が父宣祖の継妃仁穆大妃《インモクテビ》を謀反の罪で西宮に幽閉し、大妃が産んだ永昌大君《ヨンチャンデクン》を殺すという悲劇を物語っている。また日記には宮女たちが経典を諺文（ハングル）に直して読んだり、天福という尚宮は一字の諺文も書けない無学の宮女であったことなどを記している。

『仁顕王后伝』は、粛宗王《しゅくそうおう》（一六七四〜一七二〇年）の継妃仁顕王后の波乱万丈な生涯を近くで見ている学識豊かな宮女によって書かれたものと推定される。仁顕王后は張禧嬪《チャンヒビン》の嫉妬で一度宮中から追い出されるが、再び復位されるという伝記風の記録である。王后は生まれつき容姿がきれいで、そのうえ親孝行で、縫い物や機織などすべて敏捷であった。そこで王后の仲父はいつも「この子があまりにも賢くて綺麗なので命の長くないことが心配される」といって、「佳人薄命」の故事が想起されている。

『恨中録（閑中録）』の作者は東宮妃の恵慶宮洪氏《ヘキョングンホンシ》（一七三五〜一八一五年）で、実家の没落、夫の思悼世子《サドセジャ》（一七三五〜六二年）が英祖《ヨンジョ》大王によって米びつに閉じ込められ飢え死にされる悲劇などを自伝風に書いている。恵慶宮洪氏は幼い時から仲母に、「諺文を教えてもらい、すべてを格別にご指導くださったので、私も母親のように敬った」と述べている。そして東宮妃に選ばれ別宮に滞在していたころ、「英祖大王が『小学《しょうがく》』を賜ったので、毎日父親に教わる」とある。また恵慶宮洪氏は舅の英祖が自ら書いた『訓書《くんしょ》』を賜って、それをもとに宮中の礼儀作法を身につけたとも書いている。すなわち、朝鮮王朝の宮女や東宮妃は宮廷の礼儀作法やハングルを習い、宮中に入ってから漢文も覚えたようである。

朝鮮時代の妃嬪や貴族女性は自分の書いた文章が閨房《けいぼう》の外に出ることを極度にタブー視したようだ。とくに宮中で目撃した王や王妃にかかわる秘事を書き残すことは、筆禍《ひっか》事件に巻き込まれ三族が絶滅される恐れがあった。そこで公的な王朝実録以外の個人的な日記、随筆などの記録はあまり残されていない。『恨中録』の冒頭には、恵慶宮洪氏が宮中から実家に送った手紙を父洪鳳漢《ホンボンハン》はすべて水に洗ってしまったと書いている。そこで実家の姪（洪守栄《ホンスヨン》）はいつも恵慶宮洪氏の手跡が何も残っていないので、「何か文章を書いていただければ家の宝物になりましょう」と言っていた。しかし恵慶宮洪氏はそれを書く暇がなく実行できないでいたが、還暦を迎えてからやっと波乱万丈な生涯を思い出されるままに記録したと述べている。すなわち、作者の身分は宮女と東宮妃で雲泥の差があるが、三人の作者は筆禍を被る覚悟で宮中での経験を端雅な宮中体ハングルで書き残したのである。

5　おわりに

日韓両国で新しく固有文字が発明された時、日本では女文字、女手、女仮名、子供文字といわれ、朝鮮では諺文、女文字、子供文字などと言って蔑まれている。ところで、仮名とハングルを自発的に習い、日記、随筆、物語などを創作したのは女性たちであった。とくに仮名文字はハングルより成立が五世紀も早いので、平安時代の女流作家は仮名の手習いを最高の教養として体得し、自由に個人的な宮仕えの体験、恋愛や趣味、娯楽、美意識などを描いている。

朝鮮王朝の基本的な女子教育は儒教倫理とハングルを覚えることで、宮女は宮中に入ってから宮中諸法度や漢文を習った。そこで朝鮮前期の宮女は宮中で想像を絶する事件を偶然目撃し、筆禍事件に巻き込まれる覚悟でハングルの日記や随筆を書き残している。朝鮮中後期になると男性貴族も次第にハングルで随筆や時調、歌辞や小説などを書くようになる。

日韓両国の宮廷女流作家は時代のずれと文化的背景は異なるが、仏教や儒教を背景に身分制度や結婚、倫理、権力争い、人間の道理などを固有文字で書いている。とくに平安時代の宮廷作家は宮仕えの体験を繊細な感性で描写しているが、朝鮮王朝の宮廷作家は儒教倫理や宮中法度、王位継承にまつわる歴史的な事件、主家の栄華と没落などを描いている点が対照的である。

注

1 六堂全集編纂委員会『六堂崔南善全集』第九巻、玄岩社、一九七四年。

2 康米邦「日本と朝鮮の王朝文学―時代思想と女流文学のかかわり」、『平安朝文学研究』第二巻　第九号、早稲田大学国文学会平安朝文学研究会、一九八〇年九月。

3 金鍾徳「王朝女流日記の作者たち」(『解釈と鑑賞』至文堂、一九九七年五月)、「『枕草子』と朝鮮王朝の宮廷文学」(『国文学』学燈社、二〇〇七年六月)、「朝鮮王朝と平安時代の宮廷文学」(『王朝文学と東アジアの宮廷文学』竹林社、二〇〇八年)、「仮名文字とハングルの発明、そして女流文学」(『日本研究教育年報』18、東京外大、二〇一四年三月)参照。

4 金英「韓日両国の宮中文学に表れた女性像研究」、『日本学報』韓国日本学会、二〇〇五年十一月。

5 李美淑「『蜻蛉日記』と『意幽堂関北遊覧日記』―日韓女流日記と旅」、『国文学』学燈社、二〇〇六年七月。

6 李愛淑「恨(ハン)と執の女の物語」、『アナホリッシュ国文学』響文社、二〇一三年九月。

7 中田祝夫校注『日本霊異記』、「新編日本古典文学全集」小学館、一九九五年、一九頁。

8 小倉進平『郷歌及び吏読の研究』(京城帝国大学、近澤商店、一九二九年、三二頁)、『増訂補注朝鮮語学史』(刀江書院、一九六四年、三〇四頁)。

9 姜信沆『訓民正音研究』成均館大學校出版部、二〇〇三年、五七六頁、筆者訳。

10 国史編纂委員会『CD-ROM 国訳朝鮮王朝実録』韓国学データベース研究所、一九九五年。

11 申叔舟著、田中健夫訳注『海東諸国紀』岩波書店、一九九一年、一一八頁。

12 柳成龍著、南晩星訳『懲毖録』玄岩社、一九七三年、二二頁。筆者訳。

13 姜沆著、李乙浩訳『看羊録』大洋書籍、一九七二年、二〇六頁。筆者訳。

14 申維翰、姜在彦訳注『海游録』平凡社、一九九二年、二二六頁。

15 小沢正夫校注『古今集』、「新編日本古典文学全集」小学館、一九九四年、一九頁。

16 木村正中ほか校注『蜻蛉日記』、「新編日本古典文学全集」小学館、二〇〇四年、一〇一頁。

17 松尾聡ほか校注『枕草子』、「新編日本古典文学全集」小学館、二〇〇七年、五一頁。以下本文の引用は同じ冊の頁を示す。

18 阿部秋生ほか校注『源氏物語』①「新編日本古典文学全集」小学館、一九九八年、七七頁。以下『源氏物語』本文の引用は巻、冊、頁数を示す。

19 丘仁換編『癸丑日記』(新元文化社、二〇一二年)、『仁顕王后伝』(新元文化社、二〇一〇年)、『恨中録』(新元文化社、二〇一一年)。

03 東アジアの笑話

滑稽の類似と相違

琴 榮辰

1 東アジア笑話と滑稽のモチーフ

狩人に殺生を戒めるお坊さんの話がある。自分が殺した動物に生まれ変わるという僧の戒めに対し、狩人はいきなり僧を殺そうとする。理由はお坊さんに生まれ変わりたいからである。そして、笑山子《ソサンジャ》編『鍾離葫蘆《チョンリホロ》』（一六二二年）なる朝鮮時代の中国笑話の抄訳本にも似ているモチーフの話が見える。

『鍾離葫蘆』第四十九話「喫素《キッソ》」には、自分が殺して食べた動物に生まれ変わるから肉食をやめるよう戒める菜食主義者とこれに反発する肉食主義者のやりとりが見える。戒めを聞いた肉食主義者は、「あなたのようにネギばかり食べると、ネギに生まれ変わって一生、土の中に頭を埋めたままに過ごすでしょう。それはそれは息苦しくて、狭苦しいでしょう」と反論したのである。この話は胡盧生《ころせい》編『絶纓三笑《ぜつえいさんしょう》』（一六一六年）なる中国笑話集の第二十四話「吃《キッ》素《ソ》」とほぼ同じ内容である。日本の笑話とこれらの話との直接の影響関係はないにしても、こうした類似から、東アジアにおける滑稽のモチーフの共有の可能性が考えられるわけである。

2 「三人話」に見る「泣く」人物への笑いと滑稽のモチーフの類似

東アジア笑話における滑稽のモチーフの共有の可能性といえば、なんと言っても「三人話」という話型であろう。本章では、従来紹介されていない、滑稽のモチーフの共有と思しき日韓共通の「三人話」の用例を二つ紹介する。ここにまず、昔話「三人泣き」（出典：稲田浩二他『日本昔話事典』弘文堂、一九七七年）の梗概を示せば次の通りである。

①ある婆さんに息子から手紙が来る。婆は文字を知らないので通りすがりの武士に読んでくれと頼むが、武士は暫くして泣く。

②悪い知らせだと思い婆さんも泣いているところへ焙烙売りが来て、二人を見てまた泣く。

③通りかかった別の人が三人に泣いたわけを聞くと、焙烙売りは二人が泣いているのを見て過ぎた過去の苦労を思い出して泣いたといい、婆は手紙のことを説明する。

④すると武士は、幼い時勉強しなかったため頼まれた手紙が読めず後悔して泣いているという。

この笑話は、落語「泣き塩」に仕立てられているが、『善謔随訳《ぜんぎゃくずいやく》』（安永四年［一七七五］）に同様のモチーフを持つ笑話が見られることから、少なくとも十八世紀頃にはこの話型はすでに日本に流布していたと見られる。次を見てみよう。

没字生《ぼつじせい》、家書《かしょ》ヲ獲《え》テ読《よ》ムコト能《あた》ハズ。乃《すなわ》チ一老翁《いちろうおう》ニ謁《けい》シテ之《これ》ヲ読マンコトヲ請《こ》フ。翁《おきな》、受ケテ之ヲ展《の》べ、愀然《しょうぜん》トシテ長吁《ちょうく》ス。生《せい》、驚キテ之ヲ問フテ曰《いわ》ク、「不祥《ふしょう》ノ信《しん》ニ非《あら》ザルコトヲ得ンヤ」。曰ク、「咈《いな》」。曰ク、「然《しか》ラバ則《すなわ》チ何ヲ以《も》テカ長吁スル」。曰ク、「吾少《われすくな》クシテ懶惰《らいだ》、未《いま》ダ嘗《かつ》テ字ヲ学バズ。故《ゆえ》ニ亦《また》一字ヲ読ム事能ハズ。懊恨《おうこん》、臍《へそ》ヲ噬《か》ム。ソレ、長吁スルモ亦宜《の》ベナラズヤ[*1]」。

「武士」が「翁」に、「泣く」姿が「嘆く」姿に変わっているうえ、民話や落語に登場する泣く三人が一人に減ってはいるものの、両者が同源である可能性は十分に考えられよう。そしてここに、こうした「泣く」人物を利用した滑稽のモチーフが東アジアで共有されていた可能性を示す傍証がある。すなわち、『善謔随訳』より三百年程前に成立した

『東国滑稽伝《トングクコルゲジョン》』(一四七七年)第一八二話にも、三人に泣く理由を聞くという同様のモチーフを持つ笑話が見られるのである。その類話を引用すれば次の通りである。

商山《サンサン》に来ていたある朝廷官吏が都に帰るときのことである。朝廷官吏は鳥嶺《チョリョン》(韓国南東部地域から都に行くとき必ず通る峠で、鳥も一回は休んでから越えるほど高いということでこの名がつけられた。旅立つ人と見送る人々はこの峠の手前で別れることが多い＝筆者注)でこれまで付き合っていた遊女と抱き合い、嘆きながら別れを悲しんだ。すると、そこにいた駅卒や下級官吏、さらには遊女の付き添いの老婆までもがいっしょに泣くのであった。朝廷官吏は、駅卒に聞いた。「君はなぜ泣くのかい」。駅卒はこう答えた。「うちに雌馬がいましたが、夕べ、駒を産む途中、死んでしまいました。それで泣いています」。同じことを、下級官吏にも聞いた。「お前はなぜ泣くんだ」。下級官吏は次のように答えた。「ここまでの殿の送迎には五日もかかりましたのに、出張費用は三日分の米しかもらえなかったので、昨日と一昨日は何も食べられませんでした。それでお腹が減ったので泣いています」。朝廷官吏は、今度は老婆に聞いた。「婆はなぜ泣くの」。老婆は答えた。「私は今まで、このお姉さん(遊女)がこの峠で男と別れるのを三十回以上も見てきました。しかし、このお姉さんが今日みたいに悲しく泣くのははじめて見ました。前の涙はせいぜい糸ぐらいの細いものでしたが、今回の悲しむ様子は、これまでの二倍、いや五倍で、その涙の太さはまるで竹のようです。殿はどんな方法で、このお姉さんの心を得られたのでしょうか。この年寄りはそのことに感動し、自分も知らぬうちについ涙をこぼしてしまったわけです」。上機嫌になった朝廷官吏は、喜びながら上着を脱いで、老婆に褒美として与えた。皆と別れて朝廷官吏の一行が峠を越えようとしたそのとき、真冬の風と吹雪が冷たく吹いてきた。朝廷官吏は、凍りつくような寒さに呻きながらつぶやいた。「あのずる賢い婆に騙されてしまったな。今さら後悔してもしょうがないな……」このことを伝え聞いた客の一人が次のようにそれをからかう詩を詠んだ。「鳥嶺で女と泣きながら別れる際、老婆はなぜあんなに悲しげに泣いたんだろうな。その涙に騙され、服を与えてしまったな。凍りつく寒さに呻いてももう遅く、後悔しても仕方のないことだね[*2]」。

遊女との別れの際、そこにいた「駅卒《えきそつ》」と「郷吏《きょうり》」と「老婆《ろうば》」の三人も一緒に泣いたので、朝官は三人に次々とそのわけを聞く。すると前の二人からは期待はずれの答え（馬が死んだから、お腹がすいたから）が返ってきたが、最後の老婆からは遊女があんなに別れを悲しむのをはじめて見たのでもらい泣きしましたという返事が返ってくる。これに感動した朝官は自分の服を脱いで老婆に褒美としてあげるのだが、後に峠を越えるときは冷え込む寒さで大いに苦労し、老婆の空泣きに騙されたことに気づいたという滑稽譚である。

泣いた理由を三人に聞くという話柄の一致から、この話が「三人泣き」と系統的にその源を同じくするものである可能性が十分に考えられる。そして以上から、筆者は「三人泣き」の話型がいち早く中国から日韓両国にもたらされた可能性を想像するのである。

さらにもう一つの用例を挙げてみよう。『狂言六義《きょうげんりくぎ》』（一六二四～一六四七年写）下巻、第四十二話に見える「三人片輪」についてであるが、まずその梗概をここに示せば次の通りである。

①ある有徳なる者が「片輪」に扶持を与えるという高札《こうさつ》を立てる。

②これを見た三人の博打は、それぞれ「唖」「いざり（躄足）」「目くら（座頭）」の真似をする。

③ところが、唖《おし》は声を出し、いざりはすくんだ足を伸ばし、座頭は目の端が痛いと目を開いてしまったので三人ともばれてしまう。

（以上本文中の差別用語はそのまま引用しただけで差別の意図をもってこれらの表現を使ったわけではないことを断っておく）

そして今回、これと話柄がよく似ている話を『東国滑稽伝』第一五三話から確認できたので紹介する。地方に派遣されたある朝官が、軍役の審査に当たってその基準を厳しく適用したため仮病を使う者が多く現れた。ある人は杖をついて左足を引きずりながら膝歩きで出頭し、次のように訴えた。「左足が片輪なので歩けません」。しかし男は帰るときは右足を引きずったので呼び戻された。「入るときは左足が片輪だったのに、なぜ帰るときは右足が片輪なのか」。男は慌てて次のように答えてしまった。「左足が片輪であることをつい忘れてしまいました」。朝官は言った。「お前の軍役は決まった。どちらの足を片輪にするかは好きにしろ」。次に、今度は自分はめくらであると訴える男が来た。朝官は部下に拳で男の目を刺すふりをさせたが男は瞬きもしない。ところが、今度は錐で目を刺すふりをすると、男は顔をそらしてしまった。そこで叱ると男は次のように弁明した。「私には遠くの物は見えませんが、近くのものはよく見えます」。「では、拳のときはなぜ見えなかったのか」。「私には大きいものはよく見えませんが、小さいものはよく見えるからです」。朝官は言った。「お前の軍役は決まった。近くて小さいのは当然ながら見えるはずであろう。遠くて大きいものはお前の好きなように見たらどうだ」[*3]。

狂言「三人片輪」に登場した「唖」「いざり」「目くら」の三人が、この話では「いざり」と「目くら」の二人に減ってはいるものの、軍役を逃れようと「いざり」や「目くら」の真似をした二人の嘘がばれてしまうというモチーフは「三人片輪」のそれとあまり変わらない。『東国滑稽伝』に三人ではなく二人の片輪が登場するのはそもそも三人が登場する中国の原話が伝承過程で簡略化された結果かも知れない。そして以上から、民話「三人泣き」や狂言「三人片輪」に見える滑稽のモチーフが東アジアにおける笑話の伝播過程で共有された可能性が推察できるわけである。

3 「怒る」「恥じる」「驚く」韓国の阿呆と「感心する」日本の阿呆

笑話に登場する人物の「泣く」姿を利用して笑いを催すという滑稽のモチーフを論じてきたが、ほかの人物感情を利用したケースももちろんある。たとえば、日本の笑話集として最も早い部類に属する『醒睡笑《せいすいしょう》』（元和九年［一六二三］序）巻二「吝《しわ》太郎《たろう》」第六話には、次のような笑話が見える。

ある寺の住持、弟子にいひつけぬるやう、「客あらんたびわすれざれ、まづ盃を出しては我が手の置処を見よ。額にあらば上の酒、胸をさすらば中の酒、膝をたゝかば下の酒、此そむく事なかれ」としめす。一度や二度こそあらめ、人皆後は見しりたりしに、させらぬだんな参詣する。例のごとく「酒を一つ申せや」とて、ひざをたゝきしかば、だんな手をつきて、「とても御酒をたまはらば、ひたいをなでゝくだされいで」と。[*4]

「額」「胸」「膝」の合図で客の等級を分けてもてなす僧に対し、客が、自分に対する低いもてなしの合図を変えてほしいと一発つっこんだ頓智譚である。そしてこの話の類話が、朝鮮最初の漢文笑話集である『東国滑稽伝』第一一二話にも見えるが、登場人物の「恥じる」姿に注目してほしい。

ある地方の官吏が部下に、お客さんのもてなしについて次のように指示した。「私が眉を撫でたら一番いい料理を出し、鼻を撫でたらその次、顎を撫でたらその次の料理を出せ」。ある客がこれを聞いた。官吏が顎を撫でるのを見てこう言った。「できれば眉を撫でてくださいませんか」。官吏は恥ずかしく思い、一番いい料理を出してもてなした[*5]。

『醒睡笑』では、そのあと、どうなったのか触れていないが、朝鮮の類話では官吏の「恥じる」姿や、盛大に客をもてなしたという結末（傍線部）が見える。『醒睡笑』の話では主な滑稽の眼目が客の頓智に置かれているのに対し、『東国滑稽伝』の類話では「恥じる」官吏の姿に滑稽の眼目が置かれているのがわかる。そして、類話ではないが、同想の笑話が中国にも存する。

あるけちなお金持ちが下人に前もって次のように指示した。「私が食卓を一回叩くとお酒を一回出せ。叩かないときは出すな」。これを知ったある客がわざと主人に聞いた。「お母様はおいくつですか」。「七十三歳です」。客は食卓を叩きながら言った。「珍しきことかな！　珍しきことかな！」。お酒が出るとまた聞いた。「お父様はおいくつですか」。「八十四歳です」。客はまた叩きながら言った。「珍しきことかな！　珍しきことかな！」。また酒がいっぱい運ばれてきた。怒って顔が赤くなった主人はいった。「七十三歳であれ、八十四歳であれ、関係ないでしょう。どうせあなたは飲みたいほど飲めたでしょうから」[*6]。

滑稽の眼目が客の頓智よりは、けちな主人（官吏）に置かれているという点では朝鮮の笑話と似ているといえよう。ただし、朝鮮の笑話では官吏の「恥じる」姿が笑いを催しているのに対し、中国の笑話では顔が真っ赤になって「怒る」主人の姿が笑いを催していることがわかる。そしてここに、笑いの対象になった主人（官吏）の感情描写における両国笑話の違いが察せられるわけである。朝鮮笑話では官吏の「恥じる」姿を主に笑ったのに対し、中国笑話では主人の「怒る」姿を、快感を覚えながらあざ笑ったわけである。そして、東アジア笑話におけるこうした滑稽の眼目における人物感情描写の違いはほかの用例からも確認できる。たとえば、明末の笑話集である『笑府《しょうふ》』巻十一〈謬誤部〉、第五七二話には、次のような笑話が存する。

ある人に女の子が生まれた。これに二歳になる男の子を婚約させようと仲立ちをする人があった。女の子の父、腹を立てて、「うちの娘は数え年で一歳、その男の子は二歳だ。うちの娘が十歳になるときは、その男の子は二十歳になる。そんな年寄りの婿にやれるものか」。女房それを聞いて、「お前さん、そりゃ勘定が違いましょう。うちの娘、今年は一歳でも、来年になるとその男の子と同じ年になるわけだから、いいじゃありませんか」[*7]。

夫婦の愚かさが笑いを醸し出す笑話であるが、夫の怒る姿（傍線部）に滑稽の眼目が置かれていることが知られよう。『東国滑稽伝』第六十六話にもこうしたモチーフの類話は見られるが、中国笑話に見るような愚かな主人公の「怒る」姿は見られない。次を見てみよう。

ある非人の父子がいたが父は虎年生まれ、息子は鼠年生まれだった。ある日、息子が父より上座に座ったので父が怒り、叱ると、息子は笑いながらこう答えた。「干支から見ると、僕が父さんより三つ上です」。父が数えてみると、ほんとうにそのとおりだったので驚いて言った。「なるほど、俺よりお前が三つ上だな。しかし、お前のおふくろがお前を生むとき、俺が蝋燭でその赤ちゃんを照らしていたのだが、そいつは果たして誰だったけ？」[*8]。

最初は息子の無礼に対して怒るものの、あとは自分の記憶を疑う父親の「驚く」姿に滑稽の眼目が置かれていることがわかる。こうしたタイプの笑話はもちろん日本にもあるが、中国や朝鮮の笑話とは多少異なる滑稽の眼目が垣間見られる。江戸時代の噺本である『聞上手《ききじょうず》』（安永二年［一七七三］）三編、「兄貴」の類話を見てみよう。

「なんと兄貴、あの卯月といふのが先か、弥生といふのが先でござるか」といへば、「やい、そんな阿呆な事をいふて、人に笑われるな。あのな、卯月が先な年もあり、又弥生が先の年もあるわい」といへば、親父が勝手に聞いて居て、「ああ、何でも兄が居ねば、内は闇だ」[*9]。
この笑話では愚かな息子の説明を聞いて「感心する」愚かな父親に滑稽の眼目が置かれていることがわかる。また、『しみのすみか物語』（文化二年［一八〇五］）下巻、「紀直方兄弟《きのなほかたきようだい》の子を論ずる事」に見える同想の笑話からもやはり同様のパターンが見受けられる。その内容は次の通りである。

二月十五日に入滅した仏様がどうして四月八日に生まれることができたのかという弟の馬鹿げた質問に対し、「仏は神通在しませば、先立ちて死に、後《おく》れて生れ出給へる」と兄は答えたのである。そばでこれを聞いていた父親の「感心する」姿が見られるが[*10]、これこそ日本人の滑稽の眼目なのである。中国笑話に見られる「怒る」阿呆に対する笑いと、朝鮮笑話に見られる「恥じる」、「驚く」阿呆に対する笑い、さらに、日本笑話に見られる「感心する」阿呆に対する笑いはそれぞれの国における滑稽の眼目の差を如実に物語るのである。

4　「失敗を恥じるを笑う」韓国人と「失敗の可笑しさを笑う」日本人

このように、日本の笑話における滑稽の眼目の特徴は、中国や朝鮮にも存する共通笑話との比較によって浮き彫りになることが多く、「和尚お代わり」型の笑話もそうした用例の一つである。

たとえば、和尚が、好物の味噌豆を一人で食べようと便所に入っていると、小僧も一人で味噌豆を食べようと便所に入り、和尚を見て、和尚お代わり、と言ってその場をごまかしたという話がある。実はこの話、江戸時代の『訳準《やくじゅん》開口新語《かいこうしんご》』（寛延四年［一七五一］）にも見える。そのあらすじは、和尚がいない隙間を狙って、厠《かわや》でこっそり醴《こざけ》（甘酒）を飲もうとした僕（小僧）は、先に厠に来て醴を啜《すす》っていた和尚と鉢合わせしてしまうのだが、その場をごまかすために甘酒のお代わりを和尚に勧めるというものである[*11]。

これらの笑話では小僧がその場しのぎでごまかそうとしているところが笑いを醸し出していることがわかる。ところで、この笑話の類話が『蓂葉志諧《ミヨンヨプチヘ》』（一六七九年以降）なる朝鮮漢文笑話集にも存することはすでに指摘したとおりであるが、[*12]結末は多少異なる。「舅婦竊粥《クブチョルジュク》」なるタイトルの朝鮮のその類話のあらすじを示せば次の通りである。

嫁がいない隙間を狙ってこっそり豆粥を食べていた舅は、厠で嫁と鉢合わせしてしまう。同じく一人で豆粥を食べようとした嫁はそれをごまかすために、自分が持っていた粥を舅に差し出しながら「お代わり」を勧める。一方、舅も食べていた自分の粥を隠そうと帽子に注ぎ、帽子をそのまま頭に被ってしまった。熱い豆粥が汗の如く流れるのに、嫁は豆粥を勧める。舅は、「豆粥を食べなくても豆粥のような汗が頭と顔に流れるので耐えきれない」と言った。嫁と舅はお互い、恥ずかしいあまり、相手を咎《とが》めることは出来なかった」[*13]。

熱い豆粥《まめがゆ》が頭から顔に流れ落ちるので、これはたまらない。舅は汗をかきながら何も言えずに恥じるばかりなのである。

日本の「和尚お代わり」型の笑話では、僧の「恥じる」姿は描写されておらず、その場をごまかそうとする小僧の頓智あふれる行動が描かれている。滑稽の眼目が小僧の頓智に置かれたわけである。ところが、朝鮮の類話ではそれを頓智とは捉えていない。むしろ、嫁と舅の行動を批判している。それはこの笑話の末尾の評語からも垣間見られる。「野史氏はいう。嫁が粥を舅に勧めると、舅はこっそり食べていた粥を帽子に隠してその証拠を隠そうとしたが、ついに馬脚を露わしてしまった。自分の非を隠して悪行を行うこのような類の人間はこの世に多い。まことに警戒すべきである」という、舅に対する批判的な編者の見解が述べられているのである[*14]。

そしてこのことは、この笑話における主な滑稽の対象は嫁ではなく、むしろ偽善の暴露や隠ぺいの失敗で恥をかいてしまう舅なのである。ちなみに、関敬吾氏は朝鮮の民話では「豆粥」が「小豆《あずき》粥」になっている類話があることを指摘したが、それは朝鮮文学における「豆」と「小豆」の取り合わせの傾向とも関係するものと考えられる。日本の昔話『米福粟福《こめぶくあわぶく》』の類話である『콩쥐팥쥐《コンジパッヂ》』(豆娘小豆娘)はその好例である。

さて、『蓂葉志譜』のこの笑話と類似する笑話が『醒睡笑』巻三「自堕落《じだらく》」第二十三話にも存するのだが、両者の類似関係がまだ学界には報告されていないのでここに紹介する。

ある出家、ふかくかくして鱠《なます》をくひける処へ、ふと檀那《だんな》来れり。為方《せんかた》なさに、皿ともにあたまへうつふけ、手にてをさへたれハ、頬からおとがいへ、汁のながるゝを見つけ、「こなたにハ腫物《しゆもの》ができまいらせたか」ととふ。おふといへばよかりしを、あまりに肝をつぶし、「いや、俄《にわか》にぬたなますができて候」といひけり。[15]

「豆粥」と「ぬたなます」という違いはあるものの、隠そうとした食べ物を頭にかぶり、汁が顔に流れ落ちるという点で両者は同想の笑話であることが知られよう。朝鮮の笑話では舅の「恥じる」姿や、頭にかぶった熱い豆粥の汁で困る姿が笑いを醸し出すが、日本の笑話では僧のうっかり失言（傍線部）が笑いを催しているという違いがある。こうした言葉の失敗をモチーフにする笑話は、もちろん東アジア笑話にも共通して見える。たとえば、『醒睡笑』巻七「思の色を外《ほか》にいふ」第一話には次のような話が見える。

一村の庄屋たる者、余郷に聟《むこ》あり。かしこに総領をまうけたる祝言とて、一在所皆行《いちざいしよのみなゆく》。其中《そのなか》に若輩あり。上座より出す多少を見合、我も時宜《じぎ》をせんとおもひ、内より代《だい》弐百つないで懐中せしが、百はすくなし、二百はおほしと思案するまに、はや手前へきそいたれば、礼式を手にもちいだしさまに、目出《めで》たうとはいはず、御大儀で御座れども。[16]

同様の笑いが『軽口大《かるくちおお》わらひ』（延宝八年［一六八〇］）巻五、第十九話「ひやうきん成針立《なるはりたて》の事」にも見られる。持っていた針をわざと女の腹の上に落とし、探すふりをして女の身体を探った好色医者のうっかり失言が笑いを催す話である。

ひやうきんなる針立有けるが、さる方へ行れければ、十七、八なるぼつとり者、針をとたのミければ、彼御坊《かのおぼう》なにが雪をあざむくはだへをみて、心そらになり、何とぞして恋の会所をさぐりたく思へども、親兄弟そばにあれば、何の手くだもなりがたく、いかゞせんと案じ出し、持たる針をはらのうへえ、ころりととりおとし、かなたこなたを尋るふりしてさぐられけれども、彼ぼつとりハさすがとをりものなれば、しらぬふりしていられた。そばより是を見て、それハなにをなさるゝといへば、はつとおどろき、針の事をうち忘れて、今まで持てゐました開《ぼぼ》がみえませぬといはれた。[17]

同様のモチーフの笑話はもちろん朝鮮笑話にも見られるが、滑稽の眼目は登場人物のうっかり失言よりは、むしろその失言によって赤恥をかいてしまう人物の「恥じる」姿に置かれている場合が多い。たとえば、『東国滑稽伝』第八十六話には次のような話が見える。

> 李という苗字の士が碧団団《ピョクダンダン》という妓生《キセン》と付き合っているときのことである。嘗《かつ》て父親と鷹狩に行ったとき、鷹がいきなり飛んで逃げてしまった。李は鷹を追っていた人に大声で、「碧団団が飛んで逃げる。」と叫んだ。閔《ミン》という苗字の郎官が含露花という妓生に惚れて、役所の業務を怠《おこた》ったので上役の長官から非常に憎まれていた。ある日、閔が長官に急いで業務報告をするときのことである。慌てたせいか、思わず「含露花」と口滑ってしまった。恥ずかしくて顔が真っ赤になった閔は、頭を落とし、下を向いたまま膝元を指でしきりに掻くばかりであった。*18

失言よりは、それを「恥じる」登場人物のその後の姿に滑稽の眼目が置かれていることが知られよう。このように、同様の滑稽のモチーフを持つ笑話とはいえ、国ごとに異なる滑稽の眼目によってこうした相違が生じてくることがわかる。東アジア笑話に見られるこうした滑稽の類似と相違を通して我々は、東アジア諸国の人々の滑稽の眼目が理解できるわけである。

注

1 武藤禎夫『噺本大系』第二十巻、東京堂出版、一九八七年。
2 朴敬伸訳註『太平閑話滑稽伝』第二巻、国学資料館、一九九八年、一五〇〜一五三頁。
3 朴敬伸前掲書、七一〜七五頁。
4 小峯和明監修・琴榮辰著『東アジア笑話比較研究』勉誠出版、二〇一二年、一九八頁。
5 小峯・琴榮辰上掲書、一九九頁。
6 段寶林『笑話―人間的喜劇芸術』北京大学出版社、一九九一年、六八頁。
7 松枝茂夫『歴代笑話選』中国古典文学大系59、平凡社、一九七〇年、二九五頁。
8 朴敬伸前掲書、第一巻、三七七〜三七九頁。

9 武藤禎夫『江戸小咄類話事典』東京堂出版、一九九六年、三一頁。
10 武藤禎夫上掲書三一頁。
11 小峯・琴榮辰上掲書、七六～七七頁。
12 小峯・琴榮辰上掲書、七九～八一頁。
13 小峯・琴榮辰上掲書、七九～八一頁。
14 小峯・琴榮辰上掲書、七九～八一頁。
15 武藤禎夫『噺本大系』第二巻、東京堂出版、一九八七年、七二頁。
16 武藤上掲書、一六一頁。
17 武藤禎夫前掲書、第五巻、一一三～一一四頁。
18 朴敬伸前掲書、第一巻、四六一～四六二頁。

04

『剪燈新話』と日本文学

『銭湯新話』から『浮世風呂』まで

近衛典子

1 はじめに

中国明代に成立した怪異小説集『剪燈新話《せんとうしんわ》』が日本近世の小説に多大な影響を与えたことは、今さら論ずるまでもない。従来その影響については、『剪燈新話』の怪奇なストーリーをいかに受容し、有効に作品中に取り込んでいったかという観点から論じられることが多かった。しかし本章では少々視点を変えて、宝暦四年（一七五四）に刊行された『剪燈新話』の影響作、伊藤単朴《いとうたんぼく》（一六八〇～一七五八年）の談義本『〈里俗教談〉銭湯新話《せんとうしんわ》』を基軸に据えて考察していきたい。

『銭湯新話』は滑稽のうちに教訓を織り込む談義本の一つとして周知の作品であり、その内容は風呂に集まるさまざまな人々の話を集めたもので、怪談というよりは奇談集とも言うべき書である。書名はまさに『剪燈新話』の発音をなぞったもじりであり、両者の関係についてもつとに指摘があるが、これまで本書を積極的に『剪燈新話』受容史の中に位置づけようとする試みはほとんどなかった。しかし後述するように、この『銭湯新話』を意識した山東京伝《さんとうきょうでん》（一七六一～一八一六年）の黄表紙『賢愚《けんぐ》湊《いりごみ》銭湯新話』が享和二年（一八〇二）に出版され、さらにこの京伝作品を受けて銭湯に集まる老若男女の会話を活写した作品が、式亭三馬《しきていさんば》（一七七六～一八二二年）の滑稽本『浮世風呂《うきよぶろ》』（文化六～十年刊）なのである。すなわち、これらに共通する「銭湯での会話」という舞台設定の先蹤《せんしょう》となったのが単朴の『銭湯新話』であり、その展開の根底に位置づけられるのが『剪燈新話』なのである。これらの事実の一つ一つはすでに報告されているが、改めてこれらを一群のものと捉え、始発の『剪燈新話』までを射程に入れて包括的に考察する必要があるのではないだろうか。

そこでこの単朴作『銭湯新話』を中心として、怪談集としての『剪燈新話』からまた別種の本が生み出されていった様相をあらあら概観し、怪談集としての享受とは様相を異にする、もう一つの『剪燈新話』の受容と展開のあり方を見ていきたい。

2　書名における『剪燈新話』

東洋文庫『剪燈新話』の飯塚朗の解説[*1]には『剪燈新話』の日本文学に与えた影響について、『奇異雑談集《きいぞうだんしゅう》』から始まって『霊怪艸《あやしぐさ》』『伽婢子《おとぎぼうこ》』『英草紙《はなぶさぞうし》』『雨月《うげつ》物語』と順を追って紹介した後に、次のように述べる（元号、及びジャンルは筆者が補った）。

「剪燈新話」の怪奇的な雰囲気が愛されてか、この書名をもじった読み物もかなり出ている。

「里俗放談《ママ》　銭湯新話」（伊藤単朴、一七五四＝宝暦四年、談義本）
「穿当《せんとう》珍話」（八幡大名《はちまんだいみょう》、一七五七＝宝暦六年、洒落本）
「船窓《せんそう》笑話」（臼岡《きゅうこう》先生、一七六九＝明和六年、洒落本）
「甲駅《こうえき》新話」（蜀山人《しょくさんじん》、一七七五＝安永四年、洒落本）
「深川《ふかがわ》新話」（蜀山人、一七七九＝安永八年、洒落本）
「奇伝《きでん》新話」（蜉蝣子《ふゆうし》、一七八七＝天明七年、読本）
「賢愚湊《いりごみ》　銭湯新話」（山東京伝、一八〇二＝享和二年、黄表紙）

「船頭深話《せんどう》」（式亭三馬、一八〇六＝文化三年、洒落本）
「柳髪新話（浮世床）」（式亭三馬、一八一一＝文化八年、滑稽本）など。

こうみてくると、江戸文芸の中で「剪燈新話」の影響というものを考えれば、その後の歌舞伎や浄瑠璃や講談などを含めて、相当いちじるしいものがあるようである。

書名を「もじった」というこれらの作品について、解説ではこれ以上触れられることはないが、実はこの流れは、正統なる「怪談集」としての、直接的な話柄の提供元という『剪燈新話』の受容の仕方のみならず、もう一つの受容の形があったことを表していると考えられる。

まずはこのリストをざっと見てみると、少々意外の感を覚えるのではないだろうか。飯塚の挙げる九つの書名のうち、『銭湯新話』『穿当珍話』『船頭新話』などは確かに『剪燈新話』のタイトルをもじった書名であるが、『甲駅新話』『深川新話』『奇伝新話』『柳髪新話』などは「新話」の語を含むものの、『剪燈新話』の影響を受けていると言ってよいのかどうか、心許ない。

そこで試みに国文学研究資料館の日本古典籍総合目録データベースに当たれば、「〜新話」の語を冠する書名は、改題されたもの、角書きも含めると、百例を越える例がある。そして、その大半を占める、刊年が明らかになる書のほぼすべてが、単朴『銭湯新話』の刊行された宝暦四年（一七五四）よりも後年に世に出たものであり、その後、幕末に至るまで途切れることなく出されている。例外は二例のみで、伊達藩の侍医であった虎岩道説《とらいわどうせつ》の怪談『燈前新話《とうぜんしんわ》』[*2]（享保十六年［一七三一］序）と建部綾足《たけべあやたり》の誹諧書『誹諧南北新話《はいかいなんぼくしんわ》』（延享五年［一七四八］跋）である。『燈前新話』は道説が直接見聞した「怪譚奇話」を漢文で綴った書で、道説没後に見出され、勧善懲悪の具として写本で流布したものであり、これはこれとして『剪燈新話』と直接的な影響関係のある怪談書として興味深いが、今問題としている「〜新話」という書名に関しては、他作品への影響力はなかったと言ってよいであろう。また『誹諧南北新話』も綾足の南北の師（伊勢と加賀）の教えを元に自説を書き加えて成った書であることから、今回の一連の流れからは外れると思われる。

つまり、飯塚の指摘するように、書名における「～新話」の形の多出も一種の『剪燈新話』ブームの現れであると考えられ、その書名ブームのさきがけとなったのが、単朴著『銭湯新話』であると位置づけることができよう。そしてこの書名は幕末に至るまで、隠然たる影響力を持ち続けたのである。付け加えるならば、この「～新話」と名付けられた作品のうち、近世後期から幕末にかけて出された書の中には、『亜墨利加《あめりか》新話』や『雲南《うんなん》新話』、『海外《かいがい》新話』、『海《かい》防《ぼう》新話』等、漂流記や外国史を含めた異国を意識した作品が少なからずある。鎖国時代の日本人にとって海外事情が「新しい話」であったことは当然であるが、やはり特記すべき点であると思われる。この背景には、あるいは『剪燈新話』が異国の中国渡りの書物であるという意識が与っているかもしれない。そしてそれはたとえば、八文字屋《はちもんじや》の気質《かたぎ》物《もの》が近世中期にその勢いを失ってもなおその命脈を保ち、明治の新時代を迎えた際、坪内逍遙《つぼうちしょうよう》が『小説神髄《しょうせつしんずい》』に説く新しい文学理念の実践として発表した作品に『当世書生気質《とうせいしょせいかたぎ》』という、読者に馴染みの書名をもってしたのと同様の現象と位置づけることができるのではないだろうか。

3　単朴著『銭湯新話』

このように、『剪燈新話』の影響の下、日本においては「新話もの」とでも呼ぶべき一群の作品が陸続と生み出されてきた。そのジャンルも、書名が類似する作品だけに限ってみても、『銭湯新話』（談義本）、『穿当珍話』（洒落本）、『賢愚湊銭湯新話』（黄表紙）、『船頭深話』（洒落本）、はては『泉湯新話』（何寄実好成作、不器用又平〔三世歌川豊国《とくがわとよくに》〕、文政年間〔一八一八～一八三二〕刊）という艶本などまであり、その広がりに驚かされるが、ともかく先述したように、この一連の流れを主導することになったのは単朴の『銭湯新話』であると言ってよい。

浅野三平「伊藤単朴*3」、野田壽雄『日本近世小説史　談義本篇*4』等によれば、単朴は延宝八年（一六八〇）江戸石町生まれ、壮年時に武蔵多摩郡青柳村に移り、その地で宝暦八年（一七五八）七十九歳で没した。生業は不明であるが、晩年は耕作に従事し、時に医者を業とした人物である。静観房好阿《じょうかんぼうこうあ》の談義本『当世下手談義《いまようへただんぎ》』（宝暦二年刊）の影響を受けて同年に談義本『教訓雑長持《きようくんざうながもち》』を出版、『銭湯新話』はそれに次ぐ二作目であり、全五巻、各巻三話を収める。各話の章題は次の通りである。*5

巻一—一　宇賀神《うがじん》の利生話《りしやうはなし》
巻一—二　船の足を見て福を得たる話
巻一—三　痴人《あほう》、痴人《あほう》を笑《わらひ》し噺
巻二—一　摂津国有馬《つのくにありま》妬湯《うはなりゆ》の話
巻二—二　武蔵国谷保《むさしのくにやぼ》天神の由来
巻二—三　能登国下馬地蔵《のとのくにげばぢざう》の話
巻三—一　野狐売僧《まいす》を欺《あざむき》し話
巻三—二　古猫姪夫《ふるねこたわけ》を欺《あざむ》く話
巻三—三　麻疹軒《ましんけん》、人相を見違《みちがへ》たる談《はなし》
巻四—一　姥《うば》が火の妖怪《ばけもの》話
巻四—二　俄道心者《にはかどうしんじや》、俗山伏《ぞくやまぶし》と内所話《ないしよはなし》
巻四—三　信義に背《そむき》たる者、天狗に抓《つかま》れし話
巻五—一　扇《あふぎ》の辻子《づし》の百物語
巻五—二　猪の孝行話
巻五—三　男升女升《をますめます》の談《はなし》

野田壽雄は上述書で、各話のあらすじを紹介するとともに内容により分類している。これによれば、怪談または利生譚と捉えられる話が巻一—一、巻二—一、巻二—三、巻三—一、巻三—二、巻四—一、巻四—三、巻五—二、巻五—三の九話、怪談ではなく、まさに教訓といった趣の話がそれ以外の六話とし、保守的な教訓を主とした、あまり面白

い作品ではないとする。また本書を奇談集と捉え、「すべて怪異談というわけでなく、それゆえ「剪燈新話」のもじりとする程のことでもない」という評価を下す。しかし、巻一—二に「きのふ菱屋の太郎治が咄された白鼠と同じ格で、気が替らねばいかがなれども、初春早々から幽霊話もなるまい」とあり、また巻五—一では百物語の趣向を立て、「この中に、酒宴に臆する者は一人もなければ、化物に逃げまいといふ慥《たし》かな受け合いのなる者、一人も半分もなければ、化物《ばけもの》噺はとんと仕廻て、馬鹿者《ばかもの》の噂を咄」すと言いながら、ついに灯心が最後の一本となった時、暴れ者の浪人の話をされて、「アア是、只一筋の灯心、今が肝心の咄の精霊が出る所を、すつぱ抜きする浪人などが、此のうそ狭い所へ、抜刀で出たら、どふしやうぞ、やめてたも〳〵」と、化けて出ることを恐れるなど、話そのものは怪談でなくとも怪談への縁はつないでいると言えそうである。本書の場合、『剪燈新話』と言えば「幽霊話」、という前提は、当然のこととしてあったのである。

そして、この作品についての同時代評、『千石篩《せんごくとおし》』（宝暦四年刊）を見れば[*6]（傍線筆者）、

亭主いわく外題の思ひ付よく、咄本ながら教訓ありて、春から段々と書続ての趣向、面白くよふ出来ましたぞ。去年は雑長持であてられたが、当年はさのみはねませなんだ。どうでも田舎役者だけ、まだ舞台馴れぬ故、あたりはづれが御座るそうな。しかれども、一体はわるふ御坐らぬ。おかしみもあり、一段〳〵のとまりにはづみのある、一風かわつた作じや。わる右衛門いわく雑長持や新話の手際で、大方芸のたけも知れた事。（中略）滅多に贔屓仕やるが、此銭湯新話も、外題程にない、松嶋茂平次じや。松嶋〳〵と、下らぬさきは大におかしからふとおもひ済して居た所が、案に相違、もふおかしいか、おかしふなるかと、一日待てもさりとはおかしふなかつたとおなじく、外題程おもしろふない。（中略）亭主いわく（中略）これ、借し本屋、是も相応に売れるか。アイ、ちとづつ売れまする。そんなら爰等《ここら》に置ても、くるしかるまい。

と、『剪燈新話』をかすめた外題《げだい》が大きな期待と関心を呼び起こしたことがわかる。ただ、新春の一日から師走までの銭湯を舞台として語るという趣向はそれなりに工夫が認められるものの、期待した程には面白くなかった、というと

ころであろうか。

次の問題は、ではなぜ単朴が前例のない『剪燈新話』のこのような利用方法を思い付いたか、ということである。これについては明確な答えがないが、周知のように当時の時代状況として、享保以来、知識階級の間では白話小説の講読が流行を見ており、享保十七年（一七三二）には文鳥なる人物の編で、その注釈書『剪燈新話諺解』が出版されたともいう。[*7] そして寛延二年（一七四九）の『英草紙』刊行以後、宝暦になって東西ともに怪談奇談が盛行したのであった。[*8] こうした白話小説への関心と共に、文言の怪談小説である『剪燈新話』にも関心が高まったであろうことは想像にやすい。宝暦四年（一七五四）に出版された単朴の『銭湯新話』は、まさにこういった時流に即しつつ、談義本の世界に新機軸を打ち出さんとしたものであった。

4　単朴『銭湯新話』以後の展開

『銭湯新話』刊行の二年後の宝暦六年（一七五六）には、上方出来の口合《くちあい》の指南書『穿当珍話《せんとうちんわ》』が出版された。[*9] 口合とはもじりや洒落詞、江戸で言う地口のことであり、本書の書名そのものも口合になっている。怪談の面影はない。『洒落本大成』第二巻『穿当珍話』解説[*10]（中野三敏）には、作者については不明ながら、本文中に言及される扇の会のうわさはすべて、この前年刊行の『扇会評林《せんかいひょうりん》』によったものであること等を挙げ、「たとえば「扇会評林」が、外山翁麦鱗、荷梅斎左橘、眉鳴館叙夕などといった当時の浪華俳壇の聞人によってつくられているのを考え合わせれば、これも大略の見当はつこう」と言う。大坂騒壇の遊びを髣髴とさせる書である。かれらが江戸の『銭湯新話』を読んでいたかどうかはわからないが、東西ほぼ同時期に『剪燈新話』を模した戯作が登場していることは興味深い。

享和二年（一八〇二）、鶴屋喜右衛門《つるやきえもん》より刊行された山東京伝の黄表紙『賢愚湊銭湯新話』は、言うまでもなく単朴の『銭湯新話』を襲ったものである。『山東京伝全集』第四巻[*11]の解題（棚橋正博）には「貴賤男女の銭湯客の中で展開する人間模様を通じ、心学道話に沿った処世訓を盛り込むところに「賢愚湊」と冠した謂がある」とし、無駄と諧謔性の乏しさに「京伝作とおもはれぬまで拙なり」とする幸田露伴《こうだろはん》の酷評も紹介するが、この作品の真価は棚橋も指摘するごとく、式亭三馬の滑稽本『浮世風呂』（文化六〜十年刊）を導いたことにある。

神保五彌は、三馬の洒落本執筆に当たっては山東京伝を強く意識し、洒落本執筆において「京伝とのつながりと言うよりは、三馬の態度はそのまま京伝の創作態度・技法への追随であった」[*12]として、京伝と三馬の作品の近似性を指摘するが、三馬が京伝『賢愚湊銭湯新話』から影響を受けたのは『浮世風呂』ばかりではない。第一章で見た飯塚のリストにもあるごとく、三馬には『辰巳婦言《たつみふげん》』（寛政十年刊）の続編である洒落本『船頭深話』（文化三年刊）があり、また滑稽本『浮世床』（初編文化八年・二編同九年・三編文政六年刊）も「柳髪新話」の角書を持つ。つまり三馬には、当人がどれほど自覚的であったかは定かではないものの、「〜新話」という語を書名に持つという意味で、結果的に『賢愚湊銭湯新話』、さかのぼって『剪燈新話』の影響を受けた作品が複数あるのである。『剪燈新話』の影響力の強さは改めて確認しておくべきことであると思われる。

もう一つ例を加えれば、噺本『〈当世新話〉はつ鰹《がつお》』（安永十年刊）が天明八年（一七八八）に『評判《ひょうばん》の俵《たわら》』として嗣足改題されて刊行されたが、ここに付された序を書したのが深川珍話、すなわち深川に住する当時著名の書家、三井親和《しんな》（一七〇〇〜一七八二年）とされる。[*13]これは大田南畝《おおたなんぽ》の洒落本『深川新話』（安永八年刊）を効かした筆名であって、このように人名にまで『剪燈新話』の影響は及んでいたことも、記憶しておくべきではなかろうか。

5　おわりに

以上、『剪燈新話』について、怪談集としてその素材を利用するという享受とは異なる、書名にちなんだ『剪燈新話』の受容と展開の様相の一端を提示してきた。その結果、「剪燈新話物」とも名付けるべき、もう一つの流れがあることが浮かび上がってきたのではないだろうか。『剪燈新話』は、その「内容」と「書名」の両面で、思いがけず広く深く日本文学とかかわってきたのである。

注

1 東洋文庫『剪燈新話』（平凡社、一九六五年）飯塚朗の解説。

2 虎岩道説『燈前新話』（享保十六年序）、『仙台叢書』第二巻（仙台叢書刊行会、一九二三年）所収。

3 浅野三平「伊藤単朴」、『国語と国文学』47-11、一九七〇年十一月。『近世中期小説の研究』（桜楓社、一九七五年）に再録。

4 野田壽雄『日本近世小説史　談義本篇』第二章第三節「教訓雑長持」勉誠社、一九九五年。

5 『銭湯新話』の本文は柏川修一編『談義本集二』（古典文庫、一九九七年）により、句読点や漢字等の表記は読み易さに配慮して適宜改めた。

6 『千石篩』の本文は、注5前掲書の解説に付された翻刻による。

7 国文学研究資料館データベースによる。現物未見。

8 例えば中野三敏『戯作研究』「文運東漸の一側面」（中央公論社、一九八一年）に指摘がある。

9 『穿当珍話』の諸本、及びその影響については中島穂高「口合本と地口本―その変遷」（『近世文藝』72、二〇〇〇年七月）に詳しい。

10 『洒落本大成』第二巻（中央公論社、一九七八年）『穿当珍話』中野三敏解説。

11 『山東京伝全集』第四巻（ぺりかん社、二〇〇四年）『賢愚湊銭湯新話』棚橋正博解説。

12 新日本古典文学大系『浮世風呂・戯場粋言幕の外・大千世界楽屋探』（岩波書店、一九八九年）神保五彌解説。

13 『噺本大系』第十九巻（東京堂出版、一九七九年）所収『評判の俵』解説による。三井親和の独特の筆跡が持て囃され、安永（一七七二～一七八一）頃にはその筆跡を模様化して染め出した「親和染《しんなぞめ》」が流行、山東京伝の黄表紙などにも描かれた。親和については森銑三「三井親和」『森銑三著作集』第四巻（中央公論社、一九八九年）、小松雅雄『江戸に旋風　三井親和の書』（信濃毎日新聞社、二〇〇四年）参照。なお、『評判の俵』刊行は親和の没後で年代が合わないが、小松によれば死後も人気が衰えず、文字が利用された例もあるという（六六頁、一一一頁）。ここでは「序」の字について親和の書を利用したものか。

05 『剪燈新話』の東アジアへの展開と『金鰲新話』

染谷智幸

1 はじめに

『剪燈新話《せんとうしんわ》』（瞿佑《くゆう》）が東アジアの怪異小説の発展に大きく寄与したことは言うまでもない。それはとくに日本に顕著だが、日本での『剪燈新話』の隆盛は、あたかも『剪燈新話』の世界の大部分を日本が受け継いだかのような錯覚を生じさせた。しかし、『剪燈新話』伝搬の様相はじつに多様である。それは、以下のような図式【図】を作ってみるだけでも簡単に了解されるだろう。

言うまでもないことだが、『剪燈新話』は東アジアに多様な影響を与えているのであり、その多くを日本の怪談が吸収しえたとはとても考えられない。本章では、その多様性の一端を、朝鮮の『金鰲新話《クモシナ》』を俎上にして考えてみたい。

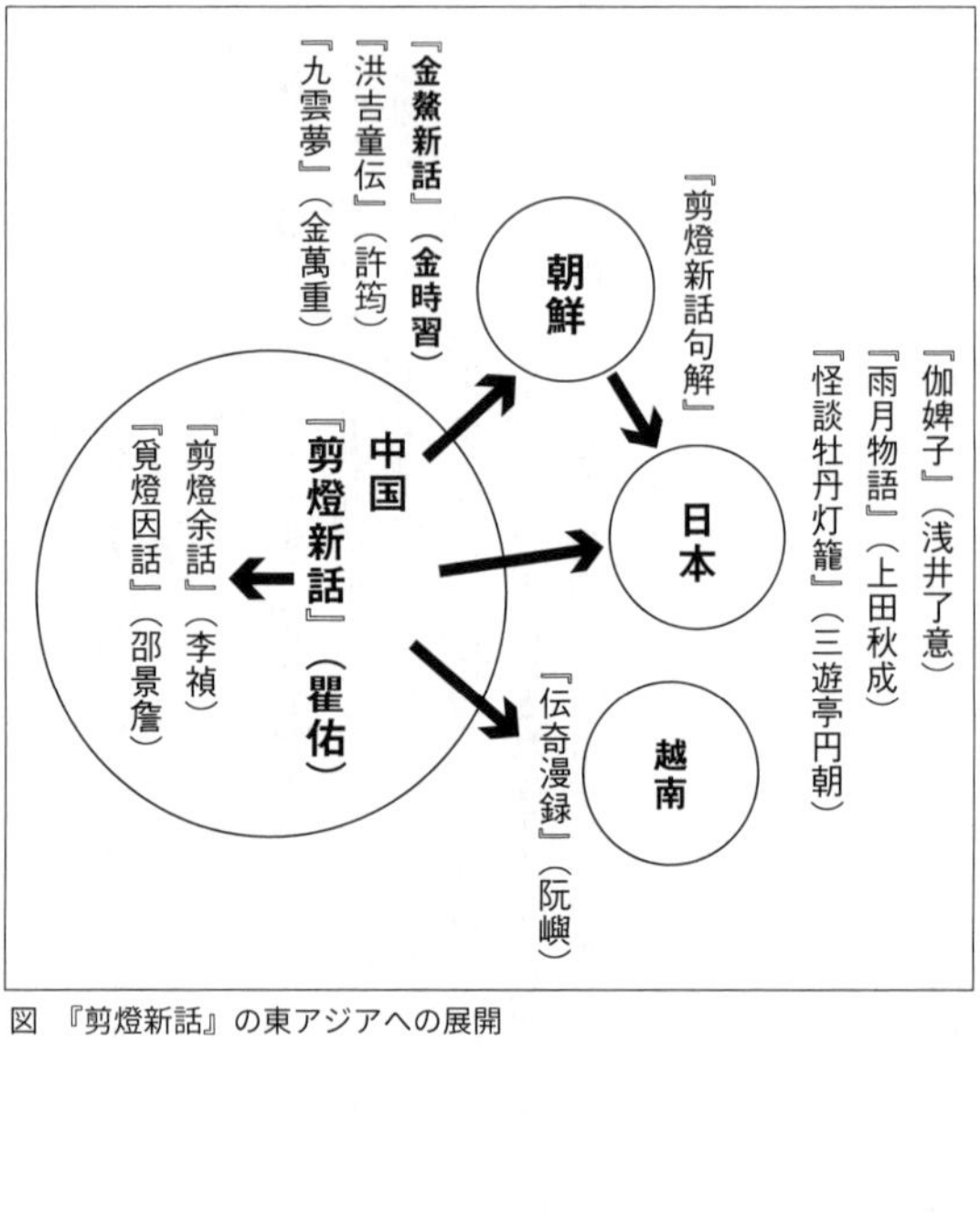

図　『剪燈新話』の東アジアへの展開

2 『金鰲新話』の世界

『金鰲新話』が広く世に知られたのは、崔南善《チェナムソン》が日本にあった『金鰲新話』を『啓明』十九号に転載して解題などを付し、朝鮮を始め広く紹介した一九二七年のことである。その後、日本の天理大学や内閣文庫から林羅《はやしら》山《ざん》訓点の『金鰲新話』が紹介され、韓国においても写本が発見された。そして二十世紀末の一九九九年九月、高麗大学の崔溶澈氏は中国の大連（大連図書館）に朝鮮刊本の『金鰲新話』を発見した。氏の調査によれば該書は朝鮮明宗年間（一五四六〜一五六七年）に尹春年によって刊行され、文禄慶長の役（壬辰倭乱）の折に日本へ送られた後、曲直瀬正琳《まなせしょうりん》他の蔵書となり、明治期になって中国の大連図書館に収まったとのことである（崔溶澈『金鰲新話の版本』国学資料院、二〇〇三年）。

本作は五話と、収録されている短編数がきわめて少ないが、手本とした中国の『剪燈新話』が現存四巻二十話（元は四十巻あったとも言われる）であるから、本来は多くの短編があったと推測される（現存五話の後には「甲集」との記述がある。とすれば当然、乙集・丙集などが本来はあったと推測される）。

作者の金時習《キムシスプ》（一四三五〜一四九三年）は三歳で漢文の詩を作ったとされ、その才能を買われて世宗《せいそう》大王（朝鮮朝第四代王、ハングルなどを制定した名君）に厚遇され将来を約束された。しかし、世宗を後継した端宗《たんそう》が、叔父の首陽大君（後の世祖）からクーデターを起こされ政権を奪取されると、すべてを捨てて一切の政治にかかわらず全国を放浪、詩作・文作に没頭した。首陽に反旗を翻して死んだ成三問《せいさんもん》などの両班《ヤンバン》六人を「死六臣」と称するのに対して、首陽が王位についた後、一切の官職から身を引いた人物たちを「生六臣」と言う。時習はその「生六臣」の一人である。時習が約束された将来を持ちながら、クーデターによって未来を奪われ、生涯を在野・放浪しながら生きたことは、『金鰲新話』の内容を理解する上できわめて重要である。というのは、本作には作者金時習の強い自我（意志）が投影されているからである。そして、その自我が美しい文章や詩と相まって、上質なロマンチシズムを構築している。こうしたロマンチシズムは、『剪燈新話』から大きな影響を受けた、他の東アジアの伝奇小説類（前図参照）にはみられない本作の特色である。

3　金時習の自我と歴史観

『金鰲新話』の五話（第一話「萬福寺樗蒲記」、第二話「李生窺墻伝」、第三話「酔遊浮碧亭記」、第四話「南炎浮洲記」、第五話「龍宮赴宴録」）は、前半の三話が男女の恋愛の話であり、後半の二話が男性の地獄巡り、竜宮巡りの話である。前半三話の女性主人公たちはすべて悲劇的な結末を迎えるが、原因は戦乱であった。その戦乱とは、第一話は「倭寇《わこう》」、第二話は「紅巾《こうきん》の乱」、第三話は「衛氏の王位簒奪事件」である。倭寇は前期（十四世紀中心）と後期（十六世紀）に分かれ、前期の構成が日本中心、後期は中国・朝鮮が中心であった。ここでの「倭寇」は前期を指す。次の「紅巾の乱」は十四世紀中後期、元朝末期に中国で起きた紅巾軍の反元運動（白蓮教徒の乱）である。紅巾軍は朝鮮半島にもなだれ込み、一三六一年には開京《かいけい》（開《ケ》城《ソン》）を占領した。本話「李生窺墻伝」で李家・崔家が散り散りになった原因である。

次の「衛氏の王位簒奪」は紀元前二世紀ごろ、中国の殷を出自とする箕氏が朝鮮を建国したものの、中国からの亡命者衛氏によって王位を簒奪された話である。ただし、これは伝承の枠を出るものでない。前述したように、作者金時習が政治の表舞台から降りて全国を放浪、詩作・文作に没頭したのは、世宗の孫である端宗から、叔父の首陽大君（後の世祖）が王位を簒奪したことが原因である。本話の衛氏の王位簒奪には首陽の王位簒奪が重ねられていたに違いない。加えて、『金鰲新話』成立時に倭寇と元の復活が外交問題化していたことを重ね合わせれば、この第一話～第三話には『金鰲新話』成立時（一四六〇年代）の朝鮮の内憂外患が投影されていたと言ってよい。

さらに注目すべきは、三話の女性主人公たちが、身の恥辱を受ける前に揃って自らの命を絶っていることである。とくに「李生窺墻伝」の李生夫人崔氏の言動はいささかならず過激である。

女爲賊所虜。欲逼之。女大罵曰。虎鬼殺啗。我寧死葬於豺狼之腹中。安能作狗彘之匹乎。

（娘は賊の虜となり玩ばれようとした時に賊を罵倒して言った。この虎狼たちめ、私を殺し食べてしまいなさい。死んで犬や狼の腹の中に葬られるとしても、お前たちのような下衆につき従うつもりはない！）

これは崔氏が紅巾賊に襲われた時の言葉である。崔氏はもてあそばれるより、殺されることを選んだのである。

こうした三人の女性たちの貞節烈女ぶりは『金鰲新話』の特徴の一つである。それは、「李生窺墻伝」がその素材とした『剪燈新話』「翠々伝」と比較すれば明らかだ。「翠々伝」（『剪燈新話』）では、女主人公は貞節を失っても生きることを選んだからである。

4　朴生の一理論

こうした主人公たちの現実離れした性格は『金鰲新話』の男性たちにも共通する。

男性主人公たちは、若いこと、才能（とくに詩文や思想思弁の才）に溢れていること、しかし、貧乏やその他の障壁があって、才能が世に認められていないことで共通している。ところが、その不遇も異次元の怪異世界に触れた途端に、一斉に開花するのである。

それを象徴するのが、「南炎浮洲記」の朴生と「龍宮赴宴録」の韓生である。まず「南炎浮洲記」であるが、この作品はすこぶるユニークである。すでに知られているように、基となった作品は、『剪燈新話』の「令狐生冥夢録」であり、これが本話や日本の『伽婢子《おとぎぼうこ》』「地獄を見て蘇」（浅《あさ》井《い》了《りょう》意《い》）、越南《ベトナム》の『伝《でん》奇《き》漫《まん》録《ろく》』「傘円祠判事録」（阮嶼）へと展開した。この四作品を比較すれば「南炎浮洲記」の独創性が目立つ。

たとえば、『剪燈新話』「令狐生冥夢録」と『伽婢子』「地獄を見て蘇」では、それぞれの主人公（令狐譔と浅原新之丞）が、欲心深い隣人が死後、家族の仏事（大金の焚き上げ）によって蘇ったことに腹を立て地獄の不正を批判する。これが閻魔の怒りに触れ、閻魔の庁に引っ立てられ、地獄に落とされそうになった時、筋の通った自供書が閻魔に認められて難を逃れるという話になっている。ところが「南炎浮洲記」の朴生が閻魔に呼び出されたのはそうした理由ではない。朴生が優れた儒生であり、かつ「一理論」という、恐らくは『法華経』の一仏乗思想に裏打ちされた壮大な宗教的思想の持ち主だからであった。朴生は閻魔と対峙し、議論を交わし、日ごろ疑問に思っていることを閻魔に糺《ただ》す（この中に「令狐生冥夢録」「地獄を見て蘇」にある家族の仏事の話も出る）。それはきわめて静かで、礼節を尽くした議論であった。よって「令狐生冥夢録」や「地獄を見て蘇」のように、主人公が閻魔から叱責を受けて地獄に落とされそうになることもなく、また、地獄から蘇ったあと、仏事によって蘇った隣人が再度死ぬというような展開もない。朴生と閻魔の議論は地獄で金が通用するかといった俗信のレベルにはなく、もっと高度なものであった。よって、本話の最期は、死期を悟り身辺を片づけた後、そのまま病気になって死に、そして近くに住む隣人の夢に神人が現れて、朴生は閻魔大王になるであろうと告げた、というものである。

これだけを見ると、「南炎浮洲記」には思想の問答ばかりがあり、劇的な展開にいささか欠けるように思えるのだが、実際はそうでない。現《うつ》し世《よ》では正当な評価をほとんど受けていなかった朴生に、志半ばで政治の世界から退き、「生六臣」として首陽大君に反旗を翻し続けた作者金時習の無念の心情を重ねれば、朴生が閻魔大王から高い評価を受けて、その志を継ぐことがきわめてドラマチックに感じられるのである。

5　韓生のユートピア

「龍宮赴宴録」の韓生も同様である。韓生は朴生と違って名文家としての評価をすでに得ていたが、それは通り一遍のものでしかなかった。よって、韓生が現し世に還って来てから、世間的な名利を一切捨てて、一人山に入ってしまうのである。韓生は、龍王や三神（祖江神、洛河神、碧瀾神）などと詩文のやり取りをする中で、自らの詩文の才能が完全開花することを強く感じたに違いない。

そして、韓生の棟上文上奏に対する礼として披露された龍王の詩に「光陰似箭。風流若夢」（月日は矢に似て過ぎ去ることきわめて早く、風流韻事も夢のようなものである）とあるなど、人生の無常をうたっていたことも韓生の心を強く動かしたはずである。世事に流され、世の無常に翻弄されて、自らの才を朽ちらせることの非を悟ったはずである。そして、この龍宮から帰り、一人山の中に入ったまま消息を絶つ韓生に、また、諸国を流浪し狂人の振りをしつづけた、作者金時習の姿が重なって来るのである。

金時習の生涯・事績研究によれば、時習が学問・政治の表舞台から退いた原因として、先ほどから何度か述べきたった首陽大君の王位簒奪事件への反旗があるが、もう一つは、時習が十五歳の時に愛する母親を失い、その後立て続けに起こった家族内の悲劇があるとされる。時習がこの時に世の無常を強烈に覚ったことが以前から指摘されている。とすれば、朴生と韓生は当に金時習の分身であったと言っても過言ではない。

6　おわりに

若くして悲運に見舞われた五人の主人公たちは、みな金時習の分身であった。そうした主人公たち（＝金時習）に異界（怪異世界）は実に優しく暖かい。先に、「南炎浮洲記」の基となった「令狐生冥夢録」（やそれを翻案した日本の「地獄を見て蘇」）では、主人公が閻魔に叱責を受けて地獄に落とされそうになっていたのに、「南炎浮洲記」ではそれが省かれたことを指摘したが、「龍宮赴宴録」でも、基となった『剪燈新話』「水宮慶会録」では、広淵王の家来の赤鯶公が、韓生の龍宮への参席を、身の程をわきまえぬ無礼な振る舞いと叱責する場面があるが、「龍宮赴宴録」では省かれている。『金鰲新話』の異界世界は悲運の者たちにとってどこまでも優しいユートピアとして描かれているのである。

金時習にとって、怪異世界のみが、己の魂が安住できる世界であった。怪異がユートピア（どこにもない理想的な世界）と深く結びついて、上質でロマンチックな世界を築き上げたところに、朝鮮怪異小説の達成点があったのである。これは中国や日本、ベトナムに見られないものであった。

06

「伝」の世界

『孝子伝』から『阿Q正伝』まで

宇野瑞木

1 はじめに――「伝」とは何か

古来、漢字文化圏に「伝」とつく書は膨大に存在している。むろんその起源は中国にある。『春秋左氏伝《しゅんじゅうさしでん》』等の諸注釈や『列女伝《れつじょでん》』等人物の事蹟を列ねたもの、唐代伝奇など小説類、歴史上の人物の伝記、自叙伝など枚挙にいとまがない。このような広がりを持つ「伝」であるが、諸辞書を参照すると、おおむね次の三つの意味に整理できる。

①伝える、後世にわかりやすく伝え示す
②（経書の）注釈
③ある人物の生誕から死までに起こった出来事・事蹟を述べる文

①は後世に伝えるべき大事な事柄を伝授するために口伝え、あるいは記録する意。[*1] ②は『公羊伝《くようでん》』『左氏伝』など経典の注釈の意で、日本の『古事記伝』もこれにあたる。③はいわゆる伝記の意で、たとえば釈迦の一代記である仏伝、高僧の伝、『李娃《りあ》伝』のようなある女性を主人公にした伝奇小説など。日本でも『聖徳太子絵伝《しょうとくたいしえでん》』『弘法大師《こうぼうだいし》絵伝《えでん》』から『福翁自伝』など数限りなく存在する。さらに『列女伝』など人物の伝を複数持つ場合もある。

「伝」が「注釈」の意味になったのはなぜか。それは後世に伝授すべき事柄の第一に挙げられるのが儒教の経典であったからである。後世に正しく「伝える」べき大事な事柄を伝示ために「記した」点では、「伝」は「記」とも近接していた。[*2] ところが司馬遷《しばせん》『史記《しき》』の「列伝」以降、「伝」には、ある人物の一代記や事蹟語りの意味が加わった。「人」に特化した「伝」の意味が立ち上ることにより、「記」は「事」を記す書として区別されるようにもなった。清の史学者・章学誠は「近代に至り、始めて人物を録するものを以て、区して之を伝と為し、事蹟を叙するもの、区して之を記と為す」（『文史通義』伝記）のように、「伝」「記」の区別を近代（明清頃）に生じたとするが、すでに唐代伝奇において「伝」は人、「記」は事という棲み分けがある程度定着していたことが確認されている。[*3]

2　伝統的「伝」の世界
——〈主—従〉相互依存の構造

では、なぜ注釈を意味した「伝」が、『史記』では人物の一代記に用いられたのか。それは、『史記』に始まる紀伝体という歴史叙述の方法にかかわる。紀伝体とは、王や皇帝の事蹟を記す「本紀」と突出した人物の事蹟を記す「列伝」を合わせた歴史叙述の方法であり、「列伝」は「本紀」の足りないところを補完する役目を担ったため[*4]、「列伝」は経書の注釈としての「伝」と似た位置づけや機能を持っていたのである。[*5] また「列伝」には政治家、官吏、軍人、思想家、学者、文学者、兵法家、医者、占《せん》卜《ぼく》者、刺客、遊侠《ゆうきょう》、商人など実に多様な人物が選ばれるが、世界の頂点たる帝王の下、すべての人は被支配者であり、「列伝」は全世界の人の中から善きにつけ悪しきにつけ突出した者を代表として取り上げることで、当時の世界を描き尽くそうとしたといえる。[*6] すなわち「伝」の世界は〈主—従〉関係を前提とし、家来がいるから皇帝が成り立つように「本紀」も「列伝」に依存する構造を持っていた。この紀伝体という方法がその後正史に踏襲されていき、文明の中心や境界を明示する権力の歴史に与する歴史叙述の伝統を築いてきたといえよう。

しかし「列伝」は、人の生きざまを描出することが歴史叙述の有効な方途となることを示した一方で、その臨場感のある場面展開や人物の個性を浮き彫りにするような描写の力によって新たな表現世界をも開いた。つまり、個々の人物を描き出す「伝」はこの〈主—従〉イデオロギーを前提として成り立つにもかかわらず、そこから逸脱する価値観や虚構的世界を生み出す可能性を孕んでもいたのである。

3　孝子伝とその図像
——歴史性からの逸脱、瑞祥へ

以上のように「列伝」は中央の歴史を補完する複数線を成すものであり、またそもそも言語で語られるものである以上、時間軸から逃れられない性質を持つ。ただし、それを空間的な「図」に変換した場合には状況が変わってくる。

時間軸に沿った「伝」を空間的性格の「図」に変換する際、「画巻」「図巻」のような形式がある。*7 歴史的には仏伝図の影響があったと考えられるが、いずれにせよ個人の事蹟の重要な場面を複数描き出し、それらを時系列に並べることで、空間表現を時間性のなかに還元する方法である。

これに対し、一個人の伝を一図のみに象徴させる方法もある。たとえば、有名な山東《さんとう》省の武梁祠画像石後漢墓には、歴史人物の伝が一図ずつ表され整然と配されていた。コの字型の祠堂内壁には、西壁上層から古代帝王を十図配し、さらに西壁中層から後壁・東壁にかけて烈女・孝子・刺客など貞節・孝・忠義といった徳目を行った人物の伝が続く。王の一番目の伏義・女媧は定規を手に人身蛇尾の姿で尾を絡ませ、その間から子供が飛び出しており、人類の祖かつ八卦《はっけ》の創始者であることが象徴的に示される一方、十番目の夏の桀王《けつおう》は夫人を足で踏みつける横暴な姿で表された。また各王の銘には、八卦・漁業、農業、兵・井田法《せいでんほう》・衣服等人類に新たな秩序や技術をもたらしたことが記され、堯《ぎょう》は仁政、続く舜《しゅん》は歴山に耕し、外に養うこと「三年」と見え、孝行者の舜が歴山で耕作などして自活すると人々が慕い集まり、三年で都会になるなどしたため堯王が譲位したという『史記』五帝本紀に基づく伝説が刻まれる。次の禹王《うおう》は人類の徳が退化したため「肉刑」を始めたとあり、桀に至っては銘すらない。ここに、時代が下るとともに徳が失われるという下降史観をも見て取れるのであるが、この歴代の王の治世に続き、それを補完する突出した個人の事蹟が配列される形式自体、まさに「本紀」と「列伝」による世界把握の方法が視覚的に見事に表現されていたといえよう。

ところが、六朝時代に至ると、墓の孝子図において歴史意識が希薄化する現象が生じる。そもそも六朝時代に複数編まれた『孝子伝《こうしでん》』では、孝子の出自などを省略するものもあり、歴史意識よりも「孝」の行為とその結果に主題が置かれる傾向がみられる。それは『孝子伝』がしばしば孝感を描くことに端的に表れている。なぜなら個人の孝に瑞祥が下る場合、個人が父母という起源を媒介して天と接続するという固有の関係性が成立するため、天子の治世で区切られる中央の時間性へ還元されにくいからである。この時期、とくに士大夫を中心に孝の神秘

図1　孝子石棺床（ネルソン・アトキンソンズ美術館蔵）の董永図部分
（奥村伊九良「魏馮邕之妻元氏墓誌の画象」『瓜茄』1（1935年）図2より）

化が見られたこともかかわるであろうが、[*8]この傾向はとりわけ墓という個別の祖先祭祀の場においてより顕在化していく。後漢墓では、父母の遺体から離れた墓上祠堂などに歴代の王や烈女、刺客等と共に歴史を構成する図の一角を成していた孝子図は、六朝墓に至って、父母の遺体に密着した囲屏の形式において、父母の死後の安寧を保証する孝の瑞祥に特化された機能を担うようになる。それと同時に、孝子以外の忠臣・列女等の図像は墓域から姿を消したのである。[*9]さらに各孝子の図から個別的エピソードが希薄化し、「傍題」がなければ同定しにくいほど画一化された父母と孝子の対面構図で表現される現象も起こった。[*10]また、この時期の孝子図はほぼ山水景に配されるが、それは漢墓で扶桑《ふそう》のような霊樹に象徴的に示されていた木と風・雲の互換的機能である天地の昇降性が、天の逆巻く雲気に煽られた世俗化した樹木のさざめきによって表現されたからである[*11]【図1】。これが唐代に至って、樹下老人図という天地をつなぐ樹木の象徴性の中に、時を超える仙人と並んで孝子が表象される現象を生じさせたと考えられる。[*12]

すなわち個別の祖先の祭祀のための施設である墓という磁場においては、孝子伝の図は天地をつなぐ個人的な瑞祥となり、中央の歴史を補完する時間軸から離れる契機を得たのであった。

4　伝統的「伝」の世界への挑戦
——魯迅『阿Q正伝』

最後に、「伝」の伝統世界を脱構築した魯迅《ろじん》の『阿《あ》Q正《せい》伝《でん》』（一九二一‐二二年）に触れて筆を置きたい。魯迅は「正伝」という伝統的な歴史叙述の世界観をあえて用いながら、「阿Q」を主従の世界の「従」であることから見放された人間として描いた。仕える親も主も、妻子も親戚もいない、住所もない、五四《ごし》運動に志願するも相手にされず、時代のまったく埒外に置かれている「阿Q」は、来るべき「国民」の構成員にはなれない。丸尾常喜は、「阿Q」は「鬼」（死んだ人）であるとした。つまり、魯迅は、誰でもない「阿Q」を「伝」の主体に据えることによって、長い間権威を保ち続けてきた主従の世界観を内側から突き崩すことを試みた。それを魯迅は、「精神的勝者」と呼んだのであった。

蛇足ではあるが、現代のアメリカ映画「フォレストガンプ」は、中国では「阿甘正伝」と訳されている。彼もまたアメリカンドリームの典型的な物語から零れ落ちた存在であり、国民として社会を構成するどこの層にも属さない存在であったからであろう。

注

1 「伝は伝ふるなり。以て後人に伝示するなり」（後漢・劉熙『釈名』）、「伝は伝ふるなり。来世に伝示する所以なり」（唐・劉知幾『史通』六家篇）、「伝は転なり。無窮に転授するなり」（同・補注篇）、「字書を按ずるに、伝は伝（平声）なり。事迹を記載して後世に伝ふるなり」（明・徐師曾『文体明辯』）。

2 「孔子の定むる所、之を経と謂い、弟子の釈する所、之を伝と謂い、或は之を記と謂う」（清・皮錫瑞『経学歴史』）。

3 以上の「伝」と「記」の定義と歴史的変遷については、近藤春雄『唐代小説の研究』（笠間書院、一九七八年）一五五～一七〇頁を参照。

4 『史記』ではここに諸王侯を扱う「世家」も加わるが、後の正史には「本紀」「列伝」のみ継承された。

5 「春秋は則ち伝以て経を解し、史・漢は則ち伝以て紀を釈す（春秋則傳以解經、史漢則傳以釋紀）」（『史通』二）。

6 竹内康浩『「正史」はいかに書かれてきたか』大修館書店、二〇〇二年、四九頁。

7 長廣俊雄『六朝時代の美術　増補版』（朋友書店、二〇一〇年、一九六九年の美術出版社刊本の複刻）所収の「揺籃期の仏教説話画巻」参照。

8 吉川忠夫は、当時、士大夫を中心に広く『孝経』読誦によって病気など邪気を払う力が信じられたり、『孝経』や『孝子伝』が随葬されたりする場合もあったと指摘し、これを「孝経信仰」と称した（『六朝精神史研究』同朋舎出版、一九八四年、第十五章）。

9 鄒清泉『北魏孝子画像研究―『孝経』与北魏孝子画像図像身分的変換』文化芸術出版社、二〇〇七年。

10 注9書では、このような傍題がなければ孝子が同定しにくいほど人物対面の構図で画一化した現象を「叙事性絵画」から「相関性絵画」への転換として論じられている。

11 宇野瑞木『孝の風景―説話表象文化論序説』（勉誠出版、二〇一六年）第二章第三節参照。

12 注11書、第二章第四節。

執筆者一覧

掲載順①現職②専門③主要著書・論文

編著者◉小峯和明→奥付

中村春作（なかむらしゅんさく）
①広島大学名誉教授
②日本思想史
③『江戸儒教と近代の「知」』（ぺりかん社、二〇〇二年）、『思想史のなかの日本語―訓読・翻訳・国語』（勉誠出版、二〇一七年）、『徂徠学の思想圏』（ぺりかん社、二〇一九年）

小川豊生（おがわとよお）
①元摂南大学教授
②古代・中世文学、中世宗教文化論
③『日本古典偽書叢刊』第一巻（編著、現代思潮新社、二〇〇五年）、『中世日本の神話・文字・身体』（森話社、二〇一四年）

岩本篤志（いわもとあつし）
①立正大学准教授
②東洋史
③『米沢藩興譲館書目集成』（編著、ゆまに書房、二〇〇九年）、『唐代の医薬書と敦煌文献』（角川学芸出版、二〇一五年）、『カラ・テペ　テルメズの仏教遺跡』（共編、六一書房、二〇二〇年）

井上亘（いのうえわたる）
①常《とこ》葉《は》大学教授
②日本古代史、古代東アジア情報技術史
③『虚偽的「日本」』（社会科学文献出版社、二〇一二年、中国語）、『偽りの日本古代史』（同成社、二〇一四年）、『古代官僚制と遣唐使の時代』（同成社、二〇一六年）

楊暁捷（やんしょおじぇ）
①カルガリー大学教授（カナダ）
②日本中世文学
③『鬼のいる光景』（角川書店、二〇〇二年）、『デジタル人文学のすすめ』（共著、勉誠出版、二〇一三年）、「デジタル古典研究に挑む」（『中国21』vol.51、二〇一九年）

井上泰至（いのうえやすし）
①防衛大学校教授
②日本近世文学、近代俳句
③『近世刊行軍書論』（笠間書院、二〇一四年）、『近世日本の歴史叙述と対外意識』（編著、勉誠出版、二〇一六年）、『関ケ原合戦を読む』（共編著、勉誠出版、二〇一九年）

司志武（ししぶ）
①暨南大学外国語学院準教授（中国）
②東アジア漢文圏の古代思想と文学、古典籍
③「日本中古説話集与讖緯：以『日本霊異記』為例」（『暨南史学』二〇一六年十月）、「平安朝の謡言・訛言・妖言・伝言と怪異説話の生成について」（原克昭編『シリーズ　日本文学の展望を拓く』第三巻、笠間書院、二〇一七年）

Matthias Hayek（まてぃあす・はいえく）
①高等研究実習院（EPHE-PSL）教授（フランス）
②歴史社会学、知識社会学
③「『安倍晴明物語』の中の占術と占い師像―江戸前期占書の視点から」（『説話文学研究』52、二〇一七年）、「異形と怪類―『和漢三才図会』における「妖怪的」存在」（橘弘文・手塚恵子編『文化を映す鏡を磨く―異人・妖怪・フィールドワーク』せりか書房、二〇一八年）、「算置考―中世から近世初期までの占い師の実態を探って」（林淳・細井浩志・赤澤春彦・梅田千尋・小池淳一編『新陰陽道叢書』名著出版、二〇二一年）

原克昭（はらかつあき）
①弘前大学准教授
②日本思想史
③『中世日本紀論考―註釈の思想史』（法藏館、二〇一二年）、『習合神道』（共編、続神道大系・論説編、（財）神道大系編纂会、二〇〇六年）、『宗教文芸の言説と環境』（編著、シリーズ日本文学の展望を拓く3、笠間書院、二〇一七年）

趙 恩馤（ちょううね）
①崇実大学校助教授（韓国）
②比説話文学
③「韓日の「鹿女夫人」説話の展開に関する考察」（『日語日文学研究』85－2、韓国日語日文学会、二〇一三年）、「韓日における「仏伝」の展開―釈迦と耶輪陀羅を中心に」（小峯和明編『東アジアの仏伝文学』勉誠出版、二〇一七年）、「『釈迦如来十地修行記』第十地〈悉達太子〉における〝香〟モチーフの受容と意味―敦煌変文資料の「仏伝」との関連から」（『ウリ文学研究』56、二〇一七年）

馬 駿（ばしゅん）
①北京第二外国語大学教授（中国）
②上代文学、比較文学
③『〈万葉集〉和習問題研究』（知識産権出版社、二〇〇四年）、『日本上代文学〈和習〉問題研究』（北京大学出版社、二〇一二年）、『漢訳仏典文体の影響下の日本上代文学』（三巻、中国科学文献出版社、二〇一九年）

千本英史（ちもとひでし）
①奈良女子大学名誉教授
②平安・鎌倉散文文学
③『験記文学の研究』（勉誠出版、一九九九年）、『日本古典偽書叢刊』（共編著、現代思潮新社、二〇〇四・五年）、『高校生からの古典読本』（共編著、平凡社、二〇一二年）

山下克明（やましたかつあき）
①大東文化大学東洋研究所（兼任研究員）
②日本古代・中世文化史
③『平安時代陰陽道史研究』（思文閣出版、二〇一五年）、『平安貴族社会と具注暦』（臨川書店、二〇一七年）、『發現陰陽道―平安貴族与陰陽師』（梁暁弈訳、社会科学文献出版社：北京市、二〇一九年）

神田千里（かんだちさと）
①東洋大学名誉教授
②日本中世史
③『宗教で読む戦国時代』（講談社、二〇一〇年）、『戦国と宗教』（岩波書店、二〇一六年）、『宣教師と『太平記』』（集英社、二〇一七年）

張 哲俊（ちょうてつしゅん）
①北京師範大学文学院教授、中国教育部長江学者特聘教授（中国）
②東アジア比較文学
③『柳のイメージ：モノの交流と中日古典文学』（人民文学出版社、二〇一一年）、『壇君神話研究』（北京大学出版社、二〇一三年）

大西和彦（おおにしかずひこ）
①一般財団法人アジア国際交流奨学財団（日本語研究員）
②ベトナム道教、民間信仰史
③「ベトナムにおける仏教守護神の変容」（小峯和明編『東アジアの仏伝文学』勉誠出版、二〇一七年）、「ベトナムの海神四位聖娘信仰と流寓華人」（小峯和明監修・原克昭編『【シリーズ】日本文学の展望を拓く③宗教文芸の言説と環境』（笠間書院、二〇一七年）、「ベトナムの祖先信仰と道教」（『仏教儀礼文化第15回シンポジュウム「儒仏仙三教国家の祖先崇拝」紀要』仏教儀礼文化研究会、曹渓宗冊封保存会、ソウル、二〇一九年）

高 陽（こうよう）
①清華大学准教授（中国）
②日本古典文学、日中比較文学
③「天竺「無熱池」の説話と図像―『大唐西域記』から『日本須弥天図』『玄奘三蔵絵』へ」（『日本文学』75、二〇一九年七月）、「南方熊楠と宋代の『夷堅志』―熊楠の書き込みを中心に」（『日本説話文学研究』54、二〇一九年九月）

荒木 浩（あらきひろし）
①国際日本文化研究センター教授
②日本文学
③『説話集の構想と意匠―今昔物語集の成立と前後』（勉誠出版、二〇一二年）、『かくして『源氏物語』が誕生する―物語が流動する現場にどう立ち会うか』（笠間書院、二〇一四年）、『徒然草への途―中世び

との心とことば』（勉誠出版、二〇一六年）

伊藤 聡（いとうさとし）
①茨城大学教授
②日本思想史
③『中世天照大神信仰の研究』（法蔵館、二〇一一年）、『神道とは何か—神と仏の日本史』（中央公論新社、二〇一二年）、『神道の形成と中世神話』（吉川弘文館、二〇一六年）、『神道の中世—伊勢神宮・吉田神道・中世日本紀』（中央公論新社、二〇二〇年）

佐野愛子（さのあいこ）
①進和外語アカデミー非常勤講師
②ベトナム説話
③「『禅苑集英』における禅学将来者の叙述法」（小峯和明監修『東アジアの文化圏』シリーズ日本文学の展望を拓く1、笠間書院、二〇一七年）、「占城王妃の叙述をめぐって—『越甸幽霊集録』および『大越史記全書』から」（倉本一宏編『説話文学と歴史史料の間に』思文閣出版、二〇一九年）、「『越甸幽霊集録』における神との交流」（水口幹記編『前近代東アジアにおける〈術数文化〉』勉誠出版、二〇二〇年）

陳 小法（ちんしょうほう）
①湖南師範大学外国語学院教授（中国）
②日明関係史
③『明代中日文化交流史研究』（商務印書館、二〇一一年）、『杭州與日本交流史』（中国社会科学出版社、二〇一五年）、『日本室町時代史研究』（中国社会科学出版社、二〇一九年）

松本真輔（まつもとしんすけ）
①長崎外国語大学
②中世文学、日韓比較文学
③『聖徳太子伝と合戦譚』（勉誠出版、二〇〇七年）、『鄭鑑録—朝鮮王朝を揺るがす予言の書』（翻訳、勉誠出版、二〇一一年）

目黒将史（めぐろまさし）
①県立広島大学准教授
②日本中世、近世文学、軍記文学
③『薩琉軍記論　架空の琉球侵略物語はなぜ必要とされたのか』（文学通信、二〇一九年）、『奈良絵本　釈迦の本地　原色影印・翻刻・注解』（共編、勉誠出版、二〇一八年）、『シリーズ　日本文学の展望を拓く　第五巻　資料学の現在』（編著、笠間書院、二〇一七年）

徳竹由明（とくたけよしあき）
①中京大学教授
②日本中世文学・伝承文学
③「敗将の異国・異域渡航伝承を巡って—朝夷名三郎義秀・源義経を中心に」（青山学院大学文学部日本文学科編『日本と〈異国〉の合戦と文学』笠間書院、二〇一二年）、「対馬に於ける素盞烏渡韓譚の生成と変容」（『説話・伝承学』25、二〇一七年三月）、「対馬に於ける文永の役関連言説の生成と変容」（『軍記と語り物』54、二〇一八年三月）

樋口大祐（ひぐちだいすけ）
①神戸大学教授
②日本文学、東アジア比較文学
③『乱世のエクリチュール—転形期の人と文化』（森話社、二〇〇九年）、『変貌する清盛—『平家物語』を書きかえる』（吉川弘文館、二〇一一年）、「二十世紀の和泉式部伝説—『かさぶた式部考』における「救済」について」（張龍妹・小峯和明編『東アジアの文学と女性と仏教』勉誠出版、二〇一七年）

韓 京子（はんぎょんじゃ）
①青山学院大学准教授
②日本近世演劇（浄瑠璃）
③「佐川藤太の浄瑠璃—改作増補という方法」（『国語と国文学』91-5、東京大学国語国文学会、二〇一四年五月）、「植民地朝鮮における文楽公演」（『日本学研究』46、檀国大学校日本研究所、二〇一五年九月）、『近松時代浄瑠璃の世界』（ぺりかん社、二〇一九年）

高津 茂（たかつしげる）
①東洋大学アジア文化研究所客員研究員
②ベトナム宗教史
③「「徐道行大聖事跡實録」をめぐって」（小峯和明編『東アジアの仏伝文学』勉誠出版、二〇一七年）、「ゴォ・ヴァン・チェウとカオダイ教内教心傳」（『研究年報』52、東洋大学アジア文化研究所、二〇一七年）、「一九二五年におけるカオダイ教サイバン・グループとカオダイ教外教公傳」（同54、二〇一九年）

魯 成煥（のそんふぁん）
①蔚山大学教授（韓国）
②歴史民俗学
③『日本神話と古代韓国』（民俗苑、二〇一〇年）、『日本の神になった朝鮮人』（民俗苑、二〇一四年）、『時間の民俗学』（民俗苑、二〇二〇年）

木村淳也（きむらじゅんや）
①明治大学兼任講師
②琉球文学・日本古典文学・東アジア文化
③「島津重豪の時代と琉球・琉球人」（『島津重豪と薩摩の学問・文化』アジア遊学190、勉誠出版、二〇一五年）、「『古事集』試論―本文の特徴と成立背景を考える」（小峯和明・金英順編『東アジアの文学圏』シリーズ日本文学の展望を拓く1、笠間書院、二〇一七年）、「『萍水奇賞』と寛政年間における岡崎・尾張」（明治大学文芸研究会編『文芸研究』139、二〇一九年）

野崎充彦（のざきみつひこ）
①大阪市立大学大学院文学研究科教授
②朝鮮古典文学・伝統文化論
③「朝鮮時代の疾病と医療観―天人相関の視点から」（『韓国朝鮮の文化と文化』17、二〇一八年）、「洪吉童琉球渡海説の再検討」（『八重山博物館紀要』23、二〇一九年）、『慵斎叢話―15世紀朝鮮奇譚の世界』（集英社、二〇二〇年）

Pham Le Huy（ふぁむ・れ・ふぃ）
①ベトナム国家大学ハノイ校講師
②日本古代史、ベトナム古代・中世史
③「古説話と歴史との交差―ベトナムで龍と戦い、中国に越境した李朝の「神鐘」―」（小峯和明監修・金英順編『【シリーズ】日本文学の展望を拓く（一） 東アジアの文学圏』笠間書院、二〇一七年）、「ベトナムの年号史試論」（水上雅晴編『年号と東アジア：改元の思想と文化』八木書店、二〇一九年）、「ベトナムにおける祥瑞文化の伝播と展開―李朝（一〇〇九～一二二五）の霊獣世界を中心にして」（水口幹記編『前近代東アジアにおける〈術数文化〉』勉誠出版、二〇二〇年）

洪 晟準（ほんそんじゅん）
①檀国大学校ＨＫ教授（韓国）
②日本近世文学
③「『月氷奇縁』自評について」（『読本研究新集』6、読本研究の会、二〇一四年六月）、「馬琴の勧懲観―『石言遺響』を中心に」（『国語と国文学』93-7、東京大学国語国文学会、二〇一六年七月）、『曲亭馬琴の読本の研究』（若草書房、二〇一九年）

袴田光康（はかまだみつやす）
①日本大学教授
②平安文学
③『源氏物語の史的回路―皇統回帰の物語と宇多天皇の時代』（おうふう、二〇〇九年）、「東ユーラシアにおける庭園と蓬莱―王朝庭園文学論序説」（小山利彦ほか編『王朝文学と東ユーラシア文化』武蔵野書院、二〇一五年）、「古代庭園文化の受容と翻案―寝殿造庭園と「名所」の発生」（今野喜和人編『翻訳とアダプテーションの倫理』春風社、二〇一九年）

小林ふみ子（こばやしふみこ）
①法政大学教授
②日本近世文学・文化
③「近世日本の異国絵本の愉楽と陥穽」（『文学（隔月刊）』16-6、二〇一五年）、「鈴木芙蓉の唐土憧憬」（『太平詩文』70、二〇一六年）、『へんちくりん江戸挿絵本』（集英社インターナショナル、二〇一九年）

鄭 炳説（ちょんびょんそる）
①ソウル大学校教授（韓国）
②韓国古典小説
③『権力と人間—思悼世子の死と朝鮮王室』（文学トンネ、二〇一二年）、『朝鮮時代小説の生産と流通』（ソウル大学校出版文化院、二〇一六年）、『韓国古典文学授業』（ソウル大学校出版文化院、二〇一九年）

金 鍾徳（きむちょんどく）
①韓国外国語大学名誉教授（韓国）
②日本中古文学
③『源氏物語の伝承と作意』（ジェイエンシ、二〇一四年）、『平安時代の恋愛と生活』（ジェイエンシ、二〇一五年）、『源氏イヤギ（源氏物語）』（ジマンジ、二〇一七年）

琴 榮辰（ぐむよんじん）
①韓国外国語大学校教授（助教授）
②日本近世文学（東アジア笑話、文化比較）
③『東アジア笑話比較研究』（共著、勉誠出版、二〇一二年）、『東アジアの古典文学における笑話』（共著、新葉館出版、二〇一七年）

近衛典子（このえのりこ）
①駒澤大学教授
②日本近世文学
③『上田秋成新考—くせ者の文学』（ぺりかん社、二〇一六年）、『動物怪談集』（監修、江戸怪談文芸名作選・第四巻、国書刊行会、二〇一八年）、「怪談が語られる「場」—『雉鼎会談』を素材として」（『怪異を読む・書く』同、二〇一八年）

染谷智幸（そめやともゆき）
①茨城キリスト教大学教授
②日本文学・日韓比較文学
③『西鶴小説論—対照的構造と〈東アジア〉への視界』（翰林書房、二〇〇五年）、『韓国の古典小説』（ぺりかん社、二〇〇八年）、『日本近世文学と朝鮮』（勉誠出版、二〇一二年）、『男色を描く　西鶴のBLコミカライズとアジアの〈性〉』（勉誠出版、二〇一七年）、『日本永代蔵 全訳注』（講談社学術文庫、二〇一八年）

宇野瑞木（うのみずき）
①東京大学東アジア藝文書院（東洋文化研究所）・特任研究員、鶴見大学及び明治大学・非常勤講師
②東アジア説話文学、表象文化論
③『孝の風景—説話表象文化論序説』（勉誠出版、二〇一六年）、『和漢のコードと自然表象—一六、七世紀の日本を中心に』（共編、勉誠出版、二〇二〇年）、「江戸初期の寺社建築空間における説話画の展開—西本願寺御影堂の蟇股彫刻「二十四孝図」を中心に」（水口幹記編『全近代東アジアにおける〈術数文化〉』勉誠出版、二〇二〇年）

［翻訳］

金 英順（きむよんすん）
①立教大学兼任講師
②日本中世文学、東アジアの比較文学
③『海東高僧伝』（編著、平凡社、二〇一六年）、「東アジアの入唐説話にみる対中国意識—吉備真備・阿倍仲麻呂と崔致遠を中心に」（『アジア遊学』197、勉誠出版、二〇一六年）、『シリーズ日本文学の展望を拓く　第一巻　東アジアの文化圏』（編著、笠間書院、二〇一七年）

■ は

▍た

▍な

さ

地名

あ

か

ら

わ

ま

や

は

な

た

さ

書名

あ

か

わ

や

ら

ま

▍は

な

さ

か

索引凡例

本索引は、各巻ごとの本文中の固有名詞を人名（観音・閻魔など神仏・異類名も含む）、書名（資料名も含む）、地名（寺社名、施設名、地獄・極楽など仏教世界も含む）の三種に区分けし、それぞれ日本語式読みの五十音順に配列した。原則として、習熟した読みの例（北京＝ペキン）を除き、各論の本文のルビとは別途に漢字音の読みに統一した。対象語彙は、前近代（19世紀以前）に限定したが、個別の論によっては近代も含めた場合もある。

人名

A

あ

編著者

小峯和明（こみね・かずあき）

立教大学名誉教授、中国人民大学高端外国専家。専門分野は日本中世文学、東アジア比較説話。著書に『説話の森—中世の天狗からイソップまで』（岩波現代文庫、2001年）、『中世日本の予言書—〈未来記〉を読む』（岩波新書、2007年）、『中世法会文芸論』（笠間書院、2009年）、『遣唐使と外交神話』（集英社新書、2018年）など。

執筆者（掲載順）

中村春作／小川豊生／岩本篤志／井上 亘／楊 暁捷／井上泰至／司 志武／Matthias Hayek
原 克昭／趙 恩馤／馬　駿／千本英史／山下克明／神田千里／張 哲俊／大西和彦／高　陽
荒木 浩／伊藤 聡／佐野愛子／陳 小法／松本真輔／目黒将史／徳竹由明／樋口大祐／韓 京子
髙津 茂／魯 成煥／木村淳也／野崎充彦／Pham Le Huy／洪 晟準／袴田光康／小林ふみ子
鄭 炳説／金 鍾徳／琴 榮辰／近衞典子／染谷智幸／宇野瑞木

東アジア文化講座　第3巻

東アジアに共有される文学世界
東アジアの文学圏

2021（令和3）年3月12日　第1版第1刷発行

ISBN978-4-909658-46-3　C0320

発行所　株式会社 **文学通信**

〒170-0002　東京都豊島区巣鴨1-35-6-201

電話 03-5939-9027　Fax 03-5939-9094

メール info@bungaku-report.com ウェブ http://bungaku-report.com

発行人　岡田圭介

印刷・製本　モリモト印刷

ご意見・ご感想はこちらからも送れます。上記のQRコードを読み取ってください。